Kostas Papaioannou

Marx
et les marxistes

PRÉFACE
DE PHILIPPE RAYNAUD

Gallimard

PRÉFACE

It's all in pieces, all coherence is gone.
John Donne

Si nous avons encore en France une extrême gauche, qui se distingue par son soutien aux « luttes » les plus diverses, nous n'avons plus guère de *marxistes* et l'auteur du *Capital* semble lui-même, sinon oublié, du moins réduit à ce qu'on pourrait appeler le droit commun des classiques : son œuvre est encore étudiée, mais elle a perdu l'*autorité* qui était la sienne à l'époque, pas si lointaine, où la « rupture avec le capitalisme » semblait à l'horizon de toute culture de gauche, même modérée. Les sociologues critiques d'aujourd'hui sont certes anti-libéraux et hostiles à la mondialisation capitaliste, mais ils aiment à se présenter comme durkheimiens, wébériens, voire « merleau-pontistes » — bref, tout sauf « marxistes »; quant au parti communiste, s'il invoque encore Marx, c'est sur un mode « festif », pseudo-burlesque ou faussement ironique qui est certes assez profondément lugubre, mais qui est tout de même assez éloigné du style kominternien [1]. De là, paradoxalement, l'intérêt de relire aujourd'hui l'anthologie des *Marxistes* publiée par Kostas Papaioannou en 1965, puis dans une édition augmentée en 1972, à une époque où, pour le meilleur ou pour le pire, on prenait Marx *au sérieux* [2].

C'est, en effet, dans la période qui va de 1965 à 1980 (ou 1981...), que le prestige intellectuel et politique du marxisme a sans doute atteint en France son sommet : la fin du stalinisme *stricto sensu* avait libéré les intellectuels marxistes de la tutelle écrasante du « parti » au moment même où, dans le sillage des révoltes étudiantes des années soixante, la critique « révolutionnaire » de l'ordre social capitaliste donnait apparemment une deuxième jeunesse à la doctrine de Marx et faisait de la littérature

---

1. Voir sur ce point les remarques toniques de Philippe Muray, lorsqu'en avril 1999 *L'Humanité* exhiba en première page « un Marx "iconoclaste", à la figure couverte de tranches de concombre » : *Après l'histoire*, II, les Belles-Lettres, 2000, p. 92-94.
2. Kostas Papaioannou, *Les marxistes*, J'ai lu, 1965 ; nouvelle édition augmentée, Garnier-Flammarion, coll. « Science », 1972.

marxiste, ancienne ou nouvelle, un des principaux bénéficiaires de la démocratisation de l'enseignement et de la culture ; parallèlement, l'affaiblissement relatif du parti communiste, qui faisait suite à une longue série d'« épurations » de son mouvement étudiant (UEC), avait favorisé l'éclosion de diverses hérésies, nourries du souvenir glorieux de l'« opposition de gauche » chez les trotskistes ou attirées par le « vent d'est » et par la « révolution culturelle » chinoise. De là, sans doute, un paysage éditorial très différent de celui d'aujourd'hui, dans lequel les éditions François Maspero occupaient une place centrale, pendant que de grands éditeurs « bourgeois » comme Le Seuil faisaient connaître les actions et les œuvres de tous les mouvements radicaux de l'Occident et du tiers monde. Si on me permet ici de faire état de mes souvenirs, je dirai que le livre de Papaioannou occupait alors une place tout à fait particulière parmi tous ceux que pouvait consulter, ou étudier, un jeune homme soucieux de connaître la doctrine qui passait encore pour l'indiscutable base de toute politique révolutionnaire : il donnait plus que toute autre l'idée de la *diversité* des marxismes sans indiquer d'*orthodoxie*, et, surtout, il traitait Marx et Engels comme de grands esprits qui auraient sans doute été horrifiés par le destin « marxiste-léniniste » de leur pensée, mais il ne s'interdisait pas pour autant de discuter leurs thèses, ni de remarquer ce qui, dans celles-ci, avait pu légitimer le totalitarisme communiste. Les lecteurs les plus curieux pouvaient aussi se reporter à *L'idéologie froide* [1], ce petit chef-d'œuvre d'histoire polémique qui retrace les étapes de la constitution de l'« orthodoxie » marxiste, et de sa transformation en idéologie totalitaire : la violence sommaire de Lénine était apparue avant même la révolution russe, et l'histoire du régime soviétique est celle de l'élimination progressive de tout ce que le marxisme avait de civilisé, qu'il devait à la philosophie allemande et aux économistes anglais ; Lénine n'était certes pas assimilé à Staline, mais on voyait bien que, dans cette affaire, la continuité l'emportait de beaucoup sur la rupture. Ceux qui s'en tenaient aux *Marxistes* acquéraient au moins une connaissance directe des controverses qui ont traversé les trois Internationales, aidés par une présentation lumineuse des enjeux politiques réels qui sous-tendaient les discussions, mi-savantes, mi-délirantes sur l'organisation du parti révolutionnaire, sur l'« impérialisme » ou l'accumulation primitive « socialiste » dans l'Union soviétique des années vingt.

Ce n'est pas que les textes ici réunis fussent inaccessibles, car il y avait au contraire, notamment chez les militants issus du trotskisme, une tradition d'érudition dans l'histoire du « mouvement ouvrier » qui avait permis de sauver et de transmettre cet héritage des temps héroïques, au-delà des falsifications staliniennes ; mais l'ouvrage de Papaioannou, publié dans une collection populaire, s'adressait à un public plus large que celui des petites sectes dissidentes du marxisme ou du postmarxisme et, surtout, ses textes de

---

1. Kostas Papaioannou, *L'idéologie froide*, Jean-Jacques Pauvert, coll. « Libertés », n° 50, 1967.

présentation évitaient de prendre parti dans les querelles entre révolutionnaires, tout en amenant le lecteur à soupçonner lui-même qu'il y avait déjà quelque chose « qui n'allait pas » dans le bolchevisme originel, voire dans le marxisme de Marx, même si on pouvait aussi voir la permanence, chez les meilleurs marxistes, d'une tradition de critique de la tyrannie. Le livre de Papaioannou rompait aussi, de manière plus subtile et moins immédiatement perceptible, avec les divers courants qui, avec des intentions politiques diverses, s'efforçaient de fonder une critique « marxiste » ou « marxienne » de l'expérience soviétique, en faisant du stalinisme, et parfois même du bolchevisme originel, le résultat d'une trahison de la véritable inspiration de Marx. De Merleau-Ponty au Père Calvez en passant par la plupart des collaborateurs de l'excellente revue *Arguments*, on s'était en effet habitué à opposer le jeune Marx, dialecticien ouvert qui tirait de la critique de l'idéalisme hégélien une philosophie de la liberté, au Marx « scientiste » du *Capital*, dont certaines tendances avaient pu jouer un rôle dans la formation du « dogmatisme » ultérieur. Dans son introduction aux textes « philosophiques » de Marx, Papaioannou ne semble au contraire voir aucune rupture entre le jeune Marx et l'auteur du *Capital* mais plutôt une radicalisation croissante de l'intention « prométhéenne [1] » (ou « luciférienne [2] » ?) qui insipirait déjà le jeune philosophe posthégélien dans sa critique de la religion ; dans son choix de textes il suggère nettement la permanence des thèmes majeurs, comme la critique de l'idéologie, la transformation de l'ancien matérialisme grâce à la technique et à la « pratique » ou l'espoir dans la société communiste. En outre, s'il est plus que tout autre sensible au contraste entre les intentions émancipatrices de Marx et la réalité totalitaire que le marxisme réel a légitimé et même inspiré, il se garde bien de tomber dans l'opposition assez factice chère à Maximilien Rubel entre un Marx tout entier voué à la défense d'une éthique socialiste et le funeste « marxisme » des épigones ; dans les dernières pages de son livre il montre, ce qui est tout différent, comment c'est au révisionnisme et à la révolution hongroise de 1956 qu'il est revenu de redonner tout son sens à la « critique » voulue par le jeune Marx [3].

L'ouvrage de Papaioannou était donc, lorsque le marxisme régnait chez les jeunes intellectuels de gauche, la meilleure introduction possible à l'histoire d'une doctrine révolutionnaire devenue orthodoxie d'État. Ce qui en fait le prix, derrière la modestie apparente de l'anthologie, c'est l'immense culture et l'admirable intelligence philosophique et politique de l'œuvre de Marx qui sous-tend le choix des textes. Kostas Papaioannou est mort en 1981, sans avoir publié le grand livre sur Marx qu'il a médité toute

---

1. Kostas Papaioannou, *De la critique du ciel à la critique de la terre : l'itinéraire philosophique du jeune Marx*, Allia, 1998.
2. Voir ci-dessous l'*Introduction* des *Marxistes*.
3. « De même que la critique révisionniste a récapitulé, pour ainsi dire, toutes les étapes de la critique marxienne, depuis la critique du ciel jusqu'à la critique de la terre, de même la révolution hongroise a récapitulé et condensé en deux semaines de lutte héroïque l'expérience de toutes les révolutions ouvrières déjà connues » (p. 476).

sa vie ; cependant, grâce à Raymond Aron et aux éditions Gallimard, qui ont édité en 1983, dans un classement raisonné, les
études publiées par l'auteur de *L'idéologie froide* dans la revue de
Boris Souvarine, *Le Contrat social* [1], on comprend aujourd'hui
que, comme l'a dit alors Alain Besançon, ce livre, « Kostas »
l'avait d'une certaine manière écrit : on trouve, en tout cas, dans le
recueil *De Marx et du marxisme* [2] tous les éléments d'une grande
interprétation de l'œuvre de Marx, ainsi que des principaux épisodes de l'histoire du marxisme. Il me semble donc possible de
relire aujourd'hui *Les marxistes* en s'aidant des autres œuvres, plus
personnelles, de Papaioannou qui sont sans doute plus compréhen-
sibles depuis la mort de l'orthodoxie marxiste ; mais il faut aussi
remarquer que, inévitablement, le déclin du marxisme a entraîné
celui de ce qu'il faut bien appeler la « culture marxiste » si bien
que, de nos jours, on ne perçoit pas toujours les enjeux des grandes
controverses évoquées dans l'anthologie des *Marxistes*. Je voudrais donc ici étudier brièvement les principales articulations du
livre de Papaioannou, en montrant à la fois l'importance historique
ou théorique des documents utilisés et les thèses sur lesquelles se
fondent les choix et les commentaires de l'éditeur. En conclusion,
j'essaierai de définir le style intellectuel de Papaioannou, en
m'interrogeant sur le devenir du marxisme depuis la fin de
l'« idéologie froide », et en le comparant à d'autres lecteurs ou critiques de Marx.

*Philosophie, économie et politique
chez Marx et Engels*

Le choix des textes de Marx et d'Engels suggère nettement que
la continuité l'emporte dans l'évolution de la pensée de Marx, et
que, même si le « noir gaillard de Trèves » était doué d'un génie
plus éclatant que le sympathique industriel Engels, il n'y a pas
lieu d'opposer systématiquement la profondeur philosophique de
l'auteur des *Manuscrits de 1844* à la rusticité de celui de la *Dialectique de la nature*. La lecture des essais réunis dans *De Marx et du
marxisme* montre cependant que Papaioannou avait de l'évolution
intellectuelle de Marx une vision précise, originale et profonde,
dont un bref exposé peut être utile à la comparaison des textes réunis dans *Les marxistes*.
Comme je l'ai déjà rappelé, Papaioannou ne partageait pas le
culte que la plupart des « marxiens » ont pour les œuvres de jeunesse de Marx : il préférait nettement la sociologie du *Capital* à

---

1. Il est important ici d'associer au souvenir de Kostas Papaioannou les deux noms
de Raymond Aron et de Boris Souvarine qui ont joué l'un et l'autre un rôle majeur
dans la critique du communisme : Papaioannou appartenait au cercle des amis fidèles
d'Aron et il fut aussi un collaborateur régulier du *Contrat social*.
2. Kostas Papaioannou, *De Marx et du marxisme*, préface de Raymond Aron, Gallimard, coll. « Bibliothèque des sciences humaines », 1983. Alain Besançon en a rendu
compte dans *Le Point* (4 juillet 1983) sous le titre « Le gai savoir de Kostas Papaioannou ».

l'humanisme « feuerbachien » du jeune Marx ou à la rhétorique « dialectique » des *Manuscrits de 1844*. Mais il a néanmoins consacré des analyses très intéressantes à la pensée du jeune Marx et à ses relations avec l'idéalisme allemand. Pour Papaioannou, en cela assez proche de Heidegger (pour lequel il ne semble pourtant pas avoir éprouvé d'admiration particulière), Hegel est le plus grand penseur de la modernité, parce que c'est lui qui pousse à son terme la métaphysique de la subjectivité, en voyant dans l'Absolu un *sujet* et non plus seulement une *substance*, en faisant de l'Histoire le milieu où se réalise l'Esprit et en donnant une dignité inédite à l'activité productive ou au travail [1]. À son insu, le « renversement » marxiste de l'hégélianisme dans une « ontologie des forces productives » n'est en fait qu'une version nouvelle — et du reste « singulièremenet appauvrie et aplatie » — de la « métaphysique hégélienne du travail moderne » ; les attaques de Marx contre Hegel sont en définitive assez peu convaincantes, faute d'une véritable compréhension *interne* de la philosophie hégélienne (qui aurait été la condition d'une véritable critique) [2]. Pour montrer à quel point la doctrine de Marx s'inscrit dans la continuité du développement de la philosophie allemande, Papaioannou rapproche — à juste titre — les critiques de Marx (et de Feuerbach) de celles que Schelling adressait à l'idéalisme hégélien [3] ; le jeune Marx est donc, comme philosophe, un penseur peu original, dont les invocations maladroites du « réel », du « matériel » et du « pratique » dissimulent mal le caractère fondamentalement épigonal par rapport à la grande tradition de l'idéalisme allemand, mais cela ne signifie pas pour autant qu'il n'y a pas, dans son œuvre, quelque chose de nouveau qui prépare une vraie rupture avec la tradition philosophique. Ce qui appartient finalement en propre à Marx, c'est l'« eschatologie froide » qui le conduit à attendre le salut de l'humanité du dépassement de la division du travail et de la naissance d'un « homme total », et dont la célèbre description dans *L'Idéologie allemande* (et dans l'*Anti-Dühring*) montre en fait le caractère « franchement comique » :

> Or, à regarder de près cet être fabuleux que d'aucuns n'ont pas hésité à comparer à Léonard ou à Goethe, on découvre qu'il s'agit d'un bien misérable fantôme. En effet, si tous les types humains jusqu'ici connus paraissent à Marx « rabougris », « bornés », « abstraits », « mutilés », c'est parce qu'il savait que « l'humanisme achevé » de l'avenir allait lui donner la possibilité de faire aujourd'hui ceci, demain cela, de

1. Voir notamment Kostas Papaioannou, *La consécration de l'histoire*, Champ libre, 1983.
2. *Ibid.*, p. 117.
3. *De Marx et du marxisme, op. cit.*, p. 158 : « Le rejet de l'"abstraction", l'exaltation du "concret", l'affirmation de la priorité de l'existence sur la pensée furent les thèmes majeurs de la critique anti-hégélienne de Schelling avant d'être adoptés par Feuerbach (et Marx). Philosophie "négative" qui s'arrête nécessairement au seuil de l'être qu'elle rend inintelligible précisément parce qu'elle ne reconnaît que ce qui se passe "uniquement dans la pensée abstraite", l'hégélianisme n'est pour Schelling qu'un simple "épisode dans l'histoire de la philosophie moderne", dont l'unique utilité aura été d'avoir démontré "une fois de plus qu'il est impossible de parvenir à la réalité au moyen de la raison réduite à elle-même" ».

chasser le matin, de pêcher l'après-midi, de faire de l'élevage le soir, de philosopher en philosophe « critique » après midi, suivant son bon plaisir, sans jamais devenir chasseur, pêcheur, pâtre ou philosophe critique.

C'est bien cette suprême platitude qui fut érigée en symbole de l'humanisme enfin « achevé » et en mesure de l'histoire universelle. On est stupéfait de constater que les « relations pratiques avec le monde » dont le communisme assurera l'épanouissement se ramènent toutes à des activités préartisanales, littéralement préhistoriques [1].

La perspective du « communisme », loin d'annoncer un « dépassement » de l'idéalisme hégélien, représente donc, dans le projet même de Marx, un idéal proprement *barbare* parce qu'il est fondé sur la sanctification du *travail* et non plus, comme c'était encore le cas pour l'État rationnel chez Hegel, sur la reconnaissance des consciences et sur le travail de l'Esprit ; Papaioannou était trop grec pour voir dans l'activité productive autre chose qu'une malédiction et c'est pour cette raison qu'il *oppose* la vision du communisme développée dans les textes de jeunesse et celle qui affleure ici et là dans les *Grundrisse* et dans *Le Capital*, où « le règne de la liberté commence là où cesse le travail [2] » : sa sympathie allait en fait au Marx *aristotélicien* qui attendait le jour où « les navettes marcheraient toutes seules » pour qu'on puisse se passer d'esclaves et étendre un noble loisir à l'humanité entière...

Il ne me paraît pas certain que la contradiction apparente entre ces deux Marx ne puisse pas être levée par quelque artifice dialectique : c'est bien, après tout, de l'expansion des « forces productives » (et donc du travail) que Marx attend la fin ou la réduction drastique du travail et il faut bien parfois imaginer à quoi l'humanité « communiste » pourra passer son temps après la fin de l'histoire (ou de la préhistoire). Ce qui me frappe, en revanche, en relisant ces textes avec le regard de Papaioannou (dont il faut imaginer ici la franche *hilarité* qui devait être la sienne devant l'image de l'« *homonculus* eschatologique » de Marx), c'est plutôt le fait que, d'une certaine façon, l'idéal présent des démocraties modernes n'est peut-être pas si éloigné qu'on le croit de celui de Marx ; l'*homo festivus* voué à l'amusement obligatoire, et dont l'avènement a curieusement suivi la fin du mythe révolutionnaire, a parfois un curieux air de famille avec l'« homme total » : quel meilleur programme, après tout, pour les clients d'un village de vacances ou d'un parc d'attractions, que d'être alternativement « critique », pêcheur, peintre, chasseur, etc. [3] ?

On comprend, en tout cas, que ce n'est pas dans les *Manuscrits de 1844* ou dans *L'Idéologie allemande* que Papaioannou cherchait l'apport le plus précieux de Marx, qui résidait plutôt chez lui dans les textes, obscurs ou fulgurants, consacrés à la démocratie dans

1. *Ibid.*, p. 142.
2. *Ibid.*, p. 144 ; voir plus bas Iʳᵉ partie I, VI, 3, p. 227 le texte du *Capital*.
3. Voir Philippe Murray, *op. cit.*, *passim*.

La Question juive et dans la *Critique de l'État hégélien* [1] ou encore dans les riches analyses *sociologiques* du *Capital*.

On sait que, dans son commentaire de la section de la *Philosophie du droit* de Hegel consacrée au droit constitutionnel (« L'État au plan interne »), Marx a donné de la démocratie la plus belle et la plus éloquente des défenses : « La démocratie est l'*énigme résolue* de toutes les constitutions [2]... », « la démocratie est la vérité de toutes les formes d'État; il s'ensuit que tous les États non démocratiques ne sont pas vrais [3] ». Jusqu'à un certain point, ces formules expriment en effet sous une forme frappante des thèses essentielles à toute pensée qui accepte la démocratie (on peut, par exemple, les rapprocher de certaines formulations de Tocqueville [4]), mais elles prennent chez Marx une signification originale, qui tient à la combinaison du *radicalisme démocratique* et de ce que Raymond Aron, dont la lecture de Marx est d'ailleurs très proche de celle de Papaioannou, appelle un « orgueil prométhéen [5] ». D'un côté, en effet, la défense de la démocratie conduit à revendiquer l'héritage du libéralisme et de la révolution française et à voir dans l'avènement de la démocratie le moment qui fait apparaître le rôle de l'activité humaine dans la création de toutes les institutions; d'un autre côté, la conception marxiste appelle d'emblée à un bouleversement complet de l'existence humaine, alors que, selon une intuition à laquelle Marx ne cessera pas de revenir, l'« émancipation politique » apparaît très vite, dans *La Question juive*, comme radicalement insuffisante et même comme porteuse d'illusions si elle ne s'accomplit pas dans une émancipation *sociale* qui est la seule forme vraie de l'émancipation *humaine*. Marx est donc d'emblée à la fois un démocrate radical, qui refuse toutes les formes de l'État autoritaire et qui défend d'ailleurs les principes *formels* de la démocratie [6], et un critique du formalisme libéral et de l'aliénation politique, à qui le socialisme scientifique apportera plus tard le programme économique et social qui devait permettre le dépassement de la société bourgeoise. En ce sens, la *Critique de l'État hégélien* (et La *Question juive*) annoncent bien le destin ultérieur du marxisme, qui sera toujours traversé par la tension jamais réduite entre le radicalisme démocratique et les virtualités autoritaires d'une doctrine qui récuse à la fois l'illusion politique et le formalisme libéral.

La découverte de l'économie politique et du prolétariat apportera

1. Marx, *Critique de l'État hégélien*, préface et traduction de Kostas Papaioannou, UGE, coll. « 10-18 », n° 1109, 1976.

2. *Ibid.*, p. 106.

3. *Ibid.*, p. 109.

4. A. de Tocqueville, *De la démocratie en Amérique*, I, 1re partie, chap. IV : « Le principe de la souveraineté du peuple, qui se trouve toujours plus ou moins au fond de presque toutes les institutions humaines, y demeure toujours plus ou moins enseveli. »

5. Raymond Aron, *Essais sur les libertés* (1965), rééd. Hachette, coll. « Pluriel », n° 883, 1998, p. 42.

6. K. Papaioannou, préface de la *Critique de l'État hégélien*, *op. cit.*, p. 41 : « "Dans la démocratie le principe *formel* est en même temps le principe *matériel*", dit Marx comme pour réfuter par avance les sophismes pseudo-marxistes sur les "libertés formelles". »

à Marx de quoi répondre aux aspirations dégagées dans la *Critique de l'État hégélien* et dans *La Question juive*, qui restaient encore « en pleine idéologie allemande [1] », et ce sera là l'origine de l'œuvre proprement sociologique de Marx, sur laquelle Papaioannou est du reste beaucoup moins sarcastique que sur ses tentatives philosophiques de jeunesse. Critique à l'égard de l'« ontologie des forces productives », qui sous-tend la sociologie de Marx, il semble cependant admiratif devant l'ampleur du projet; sa principale critique porte en fait sur ce qu'il appelle l'erreur « perspectiviste » de Marx, qui aurait projeté sur l'ensemble des sociétés humaines des thèses nées de l'étude de la société bourgeoise (rôle déterminant de l'économie) ou de la critique révolutionnaire du capitalisme (lutte des classes entre deux groupes opposés, sur le modèle de l'antagonisme bourgeois/prolétaires). Quant à la théorie économique, il insiste en même temps sur sa portée sociologique (voir l'analyse de l'« accumulation primitive » et des préconditions de l'essor du capital) et sur ses implications politiques pour la théorie révolutionnaire (la révolution est le fruit *nécessaire* des contradictions du capitalisme); la partie consacrée aux deux fondateurs se conclut d'ailleurs par trois séries importantes de textes consacrés à la *politique*, dans lesquels on peut suivre les hésitations de Marx et d'Engels devant le problème de l'État, ainsi que les relations complexes que le mouvement marxiste a d'emblée établies entre *démocratie et révolution*.

Le marxisme après Marx, de la social-démocratie au communisme

Dans l'histoire du marxisme, la IIe Internationale occupe une place singulière; son apogée avant la guerre de 1914 représente sans aucun doute la période la plus brillante du marxisme, marquée par des œuvres importantes et par des débats réellement intéressants, menés d'ailleurs dans une atmosphère de relative liberté; mais l'engagement des principaux dirigeants socialistes au côté de leurs patries respectives en 1914 a durablement accrédité l'accusation de « faillite » lancée alors par Lénine contre la IIe Internationale. Le choix de textes proposé par Papaioannou montre bien la richesse intellectuelle des débats, qui firent apparaître les difficultés nées du contraste entre les prévisions de Marx et l'évolution de la société bourgeoise. La crise du « révisionnisme » ouverte par Édouard Bernstein dans son ouvrage sur *Les présupposés du socialisme* (1898) [2] mettait en jeu les principes mêmes de la théorie marxiste, puisque Bernstein remettait en cause aussi bien la *philosophie* de Marx en plaidant pour l'abandon de l'héritage « matérialiste » et de la « dialectique » hégélienne au profit d'une philosophie d'inspiration criticiste, que sa *sociologie*, en analysant

---

1. *Ibid.*, p. 46.
2. Édouard Bernstein, *Les présupposés du socialisme* (1898), trad. fr., Le Seuil, 1974.

l'évolution complexe du capitalisme, pour demander à la social-démocratie qu'elle « ose paraître ce qu'elle est » — un parti démocratique et réformiste. La défense, par Kautsky, de l'« orthodoxie marxiste » n'était pas elle-même sans quelques ambiguïtés, puisque le « pape » de la IIe Internationale, prolongeant en cela les analyses d'Engels à la fin de sa vie, récusait en fait lui aussi le volontarisme révolutionnaire, en insistant sur la nécessité historique du socialisme et en prenant acte des possibilités nouvelles offertes au prolétariat par la démocratie.

On voit également, dans la deuxième section, l'originalité de la social-démocratie russe, dont les débats ne peuvent pas ne pas être lus à la lumière de la future révolution de 1917. Plekhanov, qui défendait des thèses proches de celles de Kautsky, mettait déjà en garde contre les risques despotiques d'une révolution socialiste prématurée, alors que Parvus et Trotski envisagent déjà que, dans les conditions particulières de la Russie, le prolétariat assume la direction de la révolution à la place d'une bourgeoisie défaillante ; parallèlement, le débat entre « mencheviks » et « bolcheviks » fait apparaître le modèle léniniste du parti monolithique et centralisé, matrice du futur pouvoir totalitaire : la révolution d'Octobre naîtra de la rencontre entre ce type d'organisation et le projet de commencer dans la Russie « arriérée » la révolution socialiste. La troisième section, « La guerre et la fin de la social-démocratie révolutionnaire », montre la défaite historique de la IIe Internationale après la guerre et la révolution russe : la plupart des marxistes révolutionnaires choisissent de défendre la révolution modèle soviétique (même si, comme Rosa Luxemburg, ils critiquent parfois le régime dictatorial mis en place par les bolcheviks) et la social-démocratie s'engage peu à peu dans la voie « réformiste » qui conduira plus tard à ce que l'on peut voir comme une revanche posthume de Bernstein.

Le riche dossier consacré à l'histoire du communisme permet de suivre les étapes de la constitution de l'« idéologie froide » et de sa décomposition progressive, qui commence avec la révolution hongroise de 1956. On pourra y voir à l'œuvre la dialectique (ou la tragédie) inscrite dans les apories initiales du marxisme de Marx : ce qu'on appelle pudiquement le « stalinisme » est bien à certains égards un hériter, pas totalement illégitime, de Marx, mais beaucoup de « marxistes » ont pu aussi s'inspirer de la pensée de Marx pour dénoncer la tyrannie léniniste ou le totalitarisme stalinien.

Chez les critiques marxistes du communisme soviétique, certains se sont appuyés sur la dimension *démocratique* de la tradition marxiste (Rosa Luxemburg), alors que d'autres utilisaient les armes fournies par la sociologie économique de Marx (Rudolf Hilferding), mais il semble bien que, pour finir, la décomposition du « communisme soviétique » ait abouti à la ruine du « marxisme ». Si l'on veut s'en convaincre, il n'est que de lire les auteurs qui, aujourd'hui, s'efforcent de maintenir vivante la flamme de la critique « radicale » de la société bourgeoise. Certains, comme

Antonio Negri [1] ou Étienne Balibar [2], continuent certes de se référer à l'œuvre de Marx, dont ils savent bien qu'elle fait partie intégrante du patrimoine « révolutionnaire », mais aucun ne défend vraiment l'intégralité ou même l'intégrité du « marxisme » ; tout se passe au contraire comme si les différents éléments qu'avait si bien dégagés l'analyse de Papaioannou reprenaient chacun une vie propre pour alimenter une critique renouvelée de la société capitaliste, sans que l'on puisse pour autant dessiner à nouveau la voie qui conduirait à la « lutte finale », à l'émancipation « humaine », ou à la solution de la question sociale [3]. On peut certes tenter de faire revivre le radicalisme démocratique de Marx (Balibar) ou même la virulence insurrectionnelle de Lénine (Negri), tout en cherchant dans *Le Capital* les moyens de déchiffrer les annales du martyrologue de l'exploitation capitaliste et de la résistance ouvrière — mais la cohérence du marxisme semble définitivement brisée.

Ce qui a permis à Papaioannou de comprendre les difficultés internes de la pensée de Marx sans le traiter en « chien crevé », c'est peut-être un rapport particulier à la philosophie, qui doit sans doute beaucoup à sa relation intime, qui n'est pas seulement intellectuelle, à la philosophie grecque. Il n'est peut-être pas indifférent, après tout, que trois des meilleurs lecteurs français de Marx soient issus du petit groupe d'exilés qui est venu en France après la Seconde Guerre mondiale après leur rupture avec le parti communiste. On doit à Kostas Axelos, qui fut aussi l'animateur de la belle revue *Arguments*, une interprétation philosophique de Marx comme « penseur de la technique » qui fait la jonction entre l'héritage du « marxisme occidental » de Lukács et de Korsch et la pensée de Heidegger [4] ; Cornélius Castoriadis, qui resta toute sa vie fidèle à l'idée révolutionnaire, développa une critique profonde de l'héritage « métaphysique » de la pensée de Marx, qui le conduisit peu à peu à engager un dialogue de grand style avec la philosophie classique grecque, en montrant ce qui la sépare du projet d'*autonomie* des sociétés humaines, né dans les *cités* de la Grèce antique [5]. Kostas Papaioannou, quant à lui, fut sans doute le plus fidèle à l'idée d'une *unité* de l'expérience grecque, qu'il a admirablement chantée dans son beau livre sur *La civilisation et l'art de la Grèce ancienne* [6] : il aimait la vie dans la cité, mais il avait aussi la nostalgie du *cosmos*, dont il a analysé la destruction progressive dans la pensée moderne dans *La consécration*

1. Antonio Negri, *Le pouvoir constituant. Essais sur les alternatives de la modernité*, PUF, 1997.

2. Voir notamment *La philosophie de Marx*, La Découverte, 1993 et *La crainte des masses. Politique et philosophie avant et après Marx*, Galilée, 1997.

3. Sur la nouvelle configuration de l'extrême gauche intellectuelle, je me permets de renvoyer à mon étude sur *Les nouvelles radicalités. Note de la Fondation Saint-Simon*, avril-mai 1999, repris *in Le Débat*, n° 105, mai-août 1999, p. 90-116 et *Les notes de la Fondation Saint-Simon. Une aventure intellectuelle (1983-1999)*, Calmann-Lévy, 1999.

4. Kostas Axelos, *Marx penseur de la technique*, Éditions de Minuit, 1961.

5. Cornélius Castoriadis, *L'institution imaginaire de la société*, Le Seuil, 1975.

6. Kostas Papaioannou, *La civilisation et l'art de la Grèce ancienne*, Mazenod, 1972, rééd. Livre de Poche, coll. « *Biblio* Essais », 1990.

de l'histoire; fasciné par la philosophie hégélienne de l'histoire, « Kostas » restait cependant un platonicien amoureux des Idées, mais il ne croyait guère au philosophe-roi et sa bonté le portait à user avec bienveillance de l'ironie socratique : c'est, me semble-t-il, tout cela que l'on retrouve dans sa réflexion sur Marx et sur le destin du marxisme

Philippe Raynaud

Philippe Raynaud (1952), est philosophe et politiste. Professeur de Science politique à l'Université de Paris II, Président de la Société française pour la philosophie et la théorie juridiques et politiques (S.F.P.J.), il est notamment l'auteur de Max Weber et les dilemmes de la raison moderne, *2ᵉ éd., Paris, P.U.F., 1996 et, avec Paul Thibaud de* La fin de l'école républicaine *(Paris, Calmann-Lévy, 1990) ; il a dirigé avec Stéphane Rials un* Diction-naire de Philosophie politique, *Paris, P.U.F., 1996 et il prépare aujourd'hui un livre sur la philosophie politique de Nietzsche.*

AVERTISSEMENT

Ce livre s'efforce de présenter, en un nombre restreint de pages, quelques aspects essentiels d'une doctrine dont l'histoire se confond pour une grande part avec celle de notre temps. De nombreux points importants s'y trouvent donc nécessairement omis ou sommairement évoqués.

C'est avant tout l'âme « critique et révolutionnaire » du marxisme que nous nous sommes attaché à mettre en évidence. C'est pourquoi nous avons accordé la plus grande place à Marx et Engels, sans passer sous silence la littérature qui se rattache au marxisme réformiste d'après 1918, et en insistant sur les perversions du « modèle stalinien » et sur la crise consécutive du communisme...

Si les textes ici rassemblés donnent au lecteur l'idée et la nostalgie de ce mélange unique de lucidité critique et autocritique et de passion révolutionnaire qui fait la grandeur du marxisme, si de surcroît ils l'incitent à s'adresser aux œuvres elle-mêmes, ce travail n'aura pas été inutile.

KOSTAS PAPAIOANNOU.

NOTE DE L'EDITEUR

Certaines citations d'œuvres de Marx, Engels, Lénine et Staline reproduisent le texte des traductions publiées aux Éditions Sociales, et qui ont été choisies en raison de leur qualité. Chacun de ces extraits est référencé « E.S. » (Éditions Sociales).

Les Éditions Sociales nous précisent qu'elles déclinent toute responsabilité quant au jugement que M. Kostas Papaioannou porte à titre personnel sur ces textes.

La mise à jour de la présente édition n'aurait pas été possible si l'auteur n'avait pu citer des extraits de textes fondamentaux publiés depuis 1965. Ces citations ont pu être faites grâce à l'obligeance des Éditions Anthropos, Calmann-Lévy, Gallimard, Grasset, René Julliard, Plon, Marcel Rivière, Le Seuil, Spartacus, Stock, et U:G.E. « 10/18 ».

Les textes de présentation, en italique, sont de Kostas Papaioannou. Tous les textes en romain sont des citations.

TABLE DES ABRÉVIATIONS

QJ   MARX : La question juive, 1843. Trad. J. Molitor, éd.
        Costes.
RCR   ENGELS : Révolution et Contre-révolution en Alle-
        magne, 1851-52. Éditions Sociales, 1951.
SF   MARX-ENGELS : La Sainte Famille, 1845. Trad.
        J. Molitor, éd. Costes, 1947.
T   MARX : Travail salarié et capital, 1849. Éditions Sociales.
ThP   MARX : Théories de la plus-value, 1862-63. Trad.
        J. Molitor : Histoire des doctrines économiques, Éd.
        Costes.
ThF   MARX : Thèses sur Feuerbach, 1845.
W   MARX-ENGELS : *Werke* I-XXXIX. Éd. Dietz, 1961 et
        suiv.

1750 Début de la révolution industrielle, en Angleterre et en France; misère croissante; destruction des machines et des fabriques par les ouvriers.

1789 Révolution française que suivront, jusqu'en 1815, les guerres napoléoniennes.

1798 Malthus (1766-1834) : *Essai sur la population.*

1807 Hegel (1770-1831) : *Phénoménologie de l'esprit.* Il publiera ensuite *Science de la logique* (1812-1816), *Encyclopédie des sciences philosophiques* (1817), *Philosophie du droit* (1821).

1808 Ch. Fourier (1772-1837) : *Théorie des quatre mouvements.* En 1829 : *Le nouveau monde industriel.*

1815 **Angleterre :** le prolétariat entre en lutte pour la conquête de la liberté civique. Début du socialisme britannique, avec Robert Owen (1771-1858).

1817 Ricardo (1772-1823) : *Principes de l'économie politique et de l'impôt.*

1818 Naissance de Marx.

1819 Sismondi (1773-1842) : *Nouveaux principes d'économie politique.* En 1837 : *Études sur l'économie politique.*

1820 Naissance d'Engels.

1821 Saint-Simon (1760-1825) : *Du Système industriel.*
En 1825 : *Le nouveau Christianisme.* Ses disciples : Bazard et Enfantin.
Les socialistes anglais Bray (1809-1895); W. Thompson (1785-1833); Hodgskin (1787-1869).

1830 **France :** Révolution de Juillet; l'année suivante, révolte ouvrière à Lyon.

1832 **Angleterre :** réforme électorale qui double le nombre des électeurs; dans les années suivantes, agitation chartiste.

1839 Ludwig Feuerbach (1804-1872) : *Critique de la philosophie hégélienne.* En 1841 : *L'Essence du christianisme.*
Louis Blanc (1811-1882) : *L'Organisation du travail.*

1840 P. J. Proudhon (1809-1865) : *Mémoire sur la propriété.*
En 1846 : *Philosophie de la misère.*
1842 Constantin Pecqueur (1801-1887) : *Théorie nouvelle d'économie sociale.*
1842 Étienne Cabet (1788-1856) : *Voyage en Icarie.*
1843 Thomas Carlyle (1795-1881) : *Past and Present.* Victor Considérant (1808-1893) : *Manifeste de la démocratie.* Lorenz von Stein (1815-1890) : *Socialisme et communisme en France.*
1843 Marx : *Critique de la philosophie hégélienne de l'État,* (posthume). *La Question juive.*
            Engels : *Esquisse d'une critique de l'économie politique.*
1844 Marx : *Introduction à la critique de la philosophie du droit de Hegel*; *Manuscrits économico-philosophiques* (posthumes).
1845 Marx, expulsé de Paris, s'installe à Bruxelles. *La Sainte Famille* (en collaboration avec Engels). *Thèses sur Feuerbach.* Engels : *La Situation des classes laborieuses en Angleterre* (Friedrich Engels : né à Barmen, Prusse, en 1820, fils d'un riche industriel; études à Berlin et séjours en Angleterre où son père possédait une manufacture). Max Stirner (1806-1856) : *L'Unique et sa propriété.*
1846 Marx et Engels : *L'Idéologie allemande* (posthume).
1847 Marx : *Misère de la philosophie,* en français. *La Critique moralisante.*
1847-48 Marx et Engels : *Manifeste du parti communiste.*
1848 **France :** insurrection parisienne; proclamation de la IIe République; répression d'une seconde insurrection ouvrière. L'agitation s'étend en Allemagne, en Autriche et en Italie.
1848-1849 Marx dirige la *Nouvelle Gazette Rhénane,* organe de la démocratie.
1849 Marx : *Travail salarié et capital.* Marx s'installe à Londres où il va mener une vie misérable, malgré le soutien amical de Engels. Ses difficultés matérielles ne s'atténueront qu'à la fin de sa vie.
1850 Marx : *Les Luttes des classes en France.* Engels : *La Campagne pour la constitution du Reich*; *La Guerre des paysans.*
1851 **France :** coup d'état de Louis-Napoléon Bonaparte. **Chine :** début de la révolte paysanne de Taï-Ping (jusqu'en 1864). Engels : *Révolution et contre-révolution en Allemagne.*
1852 Marx: *Le 18 Brumaire de Louis-Bonaparte.* A partir de l'été 1852, Marx collabore régulièrement au *New York Tribune.*
1853 Marx : articles dans le *New York Tribune* ; *Révélations sur le procès des Communistes à Cologne.*
1854-1856 Guerre de Crimée. Marx ardent partisan de la guerre à outrance contre la Russie.
1857 Crise financière à l'échelle mondiale.
1857-58 *Marx* : *Grundrisse* (Principes) de la critique de l'économie politique (posthume).
1859 Marx : *Critique de l'économie politique.*

1861 Russie : abolition du servage; début du mouvement populiste.

1862 Marx cesse de collaborer au *New York Tribune*.

1862-3 Marx : *Théories de la plus-value* (posthume).

1863 Allemagne : Lassalle (1825-1864) fonde l'Association générale des ouvriers allemands.

1864 Fondation à Londres de l'Association Internationale des travailleurs (A.I.T.), ou « Première Internationale ». **France** : octroi du droit de grève et de coalition.

1865 Marx : *Salaire, prix et plus-value*. Brouillons du Livre III du *Capital*.

1867 Marx : *Le Capital*, tome I (les tomes II et III paraîtront après sa mort en 1885 et 1894). **Allemagne** : Bismarck octroie le suffrage universel. *Angleterre* : Réforme électorale; le nombre des électeurs est doublé.

1868 Bakounine (né en 1814) crée l'Alliance de la Démocratie sociale, de tendance anarchiste. **Grande-Bretagne** : fondation du Congrès des Trade-Unions.

1869 Influence croissante de Bakounine dans l'A.I.T.

1870 Guerre franco-allemande. Proclamation de la IIIᵉ république. **Russie** : institution des « doumas ».

1870 et **1878** Brouillons du Livre II du *Capital*.

1871 France : La Commune de Paris. Marx : *Commune de Paris*. **Russie** : l'affaire Netchaiev. **Allemagne** : proclamation de l'Empire fédéral. **Angleterre** : le Trade-Unions Act, complété en 1875, légalise le mouvement syndical. Crise économique mondiale jusqu'en 1873.

1872 Congrès de La Haye : Bakounine et les anarchistes exclus de la Première Internationale.

1873 Bakounine : *L'État et l'anarchie*. Engels : *La question du logement*.

1875 Fondation du parti social-démocrate allemand (fusion du courant marxisant de Bebel et Wilhelm Liebknecht et du courant socialiste de Lassalle). Marx-Engels : Critique du Programme de Gotha. Jules Guesde (né en 1845) : *Essai de catéchisme socialiste*.

1876 Mort de Bakounine. Fin de la Première Internationale.

1877 Fondation du parti social-démocrate danois.

1878 Allemagne : interdiction du parti social-démocrate. Engels : *Anti-Dühring*.

1879 France : Jules Guesde fonde le Parti Ouvrier français, d'inspiration marxiste. **Russie** : fondation de la « Narodnaia Volia » (Volonté du Peuple), association terroriste d'inspiration populiste.

1880 Marx : Questionnaire ouvrier.

1883 Mort de Marx. Plékhanov crée le premier groupe marxiste « Libération du travail ».

1884 France : nouvelle loi sur les syndicats favorisant le mouvement ouvrier. Plékhanov : *Nos controverses* (polémique contre les populistes). Engels : *L'origine de la famille*, etc.

1886 **Etats-Unis** : fondation de l'« American Federation of Labour ». Engels : *Ludwig Feuerbach*, etc.

1887 Fondation du parti social-démocrate norvégien.

1889 Fondée à Paris, la IIe Internationale siège à Bruxelles; congrès tous les trois ans; le 1er mai, Fête du travail; fondation du parti social-démocrate suédois.

1890 **Allemagne** : fin de la législation d'exception. Crise économique mondiale, jusqu'en 1893.

1891 Au Congrès d'Erfurt, sous l'impulsion de Kautsky (né en 1855), le parti social-démocrate allemand adopte un programme de marxisme intégral. Engels : *Critique du Programme d'Erfurt*.

1892 Premier congrès des syndicats à Halberstadt.

1893 **Allemagne** : la social-démocratie allemande recueille 1 786 000 suffrages.

1894 Engels publie le tome III du *Capital*. **France** : Sadi Carnot assassiné; loi de répression contre les anarchistes. **Russie** : politique autocratique de Nicolas II.

1894 Engels : *La question paysanne*.

1895 Mort de Engels. **France** : fondation de la Confédération générale du Travail. Plékhanov : *Conception moniste de l'histoire*.

1896 Bernstein (né en 1850) commence sa critique révisionniste.

1898 **Russie** : fondation du parti ouvrier social-démocrate. **France** : Vaillant crée le parti socialiste révolutionnaire.

1899 Congrès de la IIe Internationale à Paris. *L'Internationale* devient l'hymne du parti ouvrier. **Allemagne** : au congrès de Hanovre du parti social-démocrate allemand, le révisionnisme de Bernstein est condamné par Bebel (né en 1840) et Kautsky. Lénine (né en 1870) : *Développement du capitalisme en Russie*. Bernstein : *Sur le socialisme théorique et le socialisme pratique*. **Russie** : essor industriel.

1900 Mort de Wilhelm Liebknecht. Fondation du parti social-révolutionnaire russe de tendance terroriste. Lénine crée en Suisse le journal l'*Iskra* (L'Étincelle), avec Plékhanov et Martov. Au congrès de Paris du parti social-démocrate allemand, Kautsky fait condamner la participation socialiste aux ministères bourgeois. **France** : fondation du parti radical-socialiste. **Chine** : révolte des Boxers.

1900 Population mondiale, environ 1,5 milliard (1,1 milliard en 1850).

1901 **France** : Jean Jaurès fonde le parti socialiste français qui regroupe les tendances dispersées.

1902 Lénine : *Que faire?*

1903 Au congrès de Bruxelles-Londres du parti ouvrier social-démocrate de Russie, scission entre les bolcheviks (majoritaires) de Lénine et les mencheviks (minoritaires) dirigés par Plékhanov, Martov et Axelrod.

1904 **France** : Jean Jaurès crée « L'Humanité ». Le congrès d'Amsterdam (IIe Internationale) proscrit toute alliance avec les partis bourgeois.

1905 **Russie** : explosion révolutionnaire après les échecs militaires contre le Japon; mutinerie du cuirassé « Potemkine »; grèves générales massives; formation du soviet de Pétersbourg, dont Trotski (né en 1879) devient le président. **France** : création de la S.F.I.O. qui regroupe le parti socialiste de France (né lui-même du parti ouvrier de Jules Guesde et du parti révolutionnaire de Vaillant) et le parti socialiste français de Jaurès. **Chine** : manifeste révolutionnaire de **Sun Yat-Sen** (né en 1866).

1907 **Allemagne** : la social-démocratie allemande obtient 3 260 000 voix aux élections.

1908 **Grande-Bretagne** : adhésion du Labour Party à l'Internationale socialiste. **France** : journée de huit heures dans les mines. Georges Sorel (né en 1847) : *Réflexions sur la violence.*

1911 **Chine** : révolution. Proclamation de la République chinoise. Sun Yat-Sen fonde le Kouomintang, dissous l'année suivante. 1911-1920 : révolution mexicaine, première révolution paysanne du xxe siècle.

1912 **Russie** : bolcheviks et mencheviks se séparent définitivement. **Allemagne** : le parti social-démocrate recueille le tiers des mandats (4 250 000 voix — 110 mandats). **Chine** : fin de la dynastie mandchoue; période de confusion et d'anarchie jusqu'en 1923; Sun Yat-Sen et le mouvement progressiste s'enracinent dans le Sud (Canton).

1914 **Russie** : grandes grèves; les députés bolcheviks sont déportés. Assassinat de l'archiduc d'Autriche à Sarajevo. Assassinat de Jean Jaurès. Début de la 1re Guerre mondiale. **France** : les députés socialistes participent à l'Union sacrée. **Allemagne** : la social-démocratie, sauf Karl Liebknecht (né en 1871) et Rosa Luxemburg (née en 1870), se rallie à la politique impériale.

1915 Rencontre de délégués socialistes à Zimmerwald (Suisse).

1916 Nouvelle rencontre à Kienthal (Suisse).

1917 **Russie** : révolution de février à Pétersbourg; abdication du tsar; gouvernement provisoire libéral; influence croissante des « soviets » (conseils); Lénine et Trotski rentrent d'exil. **France** : mutineries sur le front; grèves dans les grandes villes; les socialistes se séparent du gouvernement. **Allemagne** : scission du parti social-démocrate; la fraction radicale opposée à la guerre. Entrée en guerre des États-Unis.

Russie : révolution d'octobre; proclamation de la République Socialiste Fédérative de Russie; décrets sur la paix et sur la terre; Lénine à la tête des Commissaires du Peuple; Staline, commissaire aux Nationalités; Trotski, aux Affaires étrangères et à la Guerre; armistice russo-allemand; création de la Tchéka (organisme policier destiné à défendre la Révolution). **Allemagne** : Kautsky fonde le parti social-démocrate indépendant; activités du groupe communiste Spartakus, avec Rosa Luxemburg et Karl Liebknecht. **Chine :** Sun Yat-Sen forme un gouvernement à Canton.

1918 Paix de Brest-Litovsk entre la Russie soviétique et l'Allemagne. Pertes russes durant la guerre : 2 300 000 tués. **Allemagne :** émeutes; formation de « conseils d'ouvriers et de soldats »; abdication de Guillaume II; proclamation de la République allemande. Armistice entre Alliés et Allemands à Rethondes. Mort de Plékhanov. **Russie :** le congrès panrusse des Soviets nomme le Comité central exécutif et le Conseil des commissaires du peuple; déclenchement de la guerre civile. Bilan de la guerre de 1914-18 : 8,5 millions de morts et 20 millions de blessés.

1919 **Allemagne :** échec de la tentative insurrectionnelle du groupe spartakiste; assassinat de Karl Liebknecht et de Rosa Luxemburg; signature de la constitution de Weimar; République libérale et parlementaire. **Russie :** congrès de Moscou, fondation de la IIIe Internationale (Komintern). **Hongrie :** régime communiste de Bela Kun, bientôt renversé. **France, Grande-Bretagne, Italie :** agitation sociale. Kautsky : *Comment éclata la guerre mondiale.* **Russie :** victoire de l'armée rouge, organisée par Trotski. Signature du traité de Versailles.

1920 **Allemagne :** échec du gouvernement social-démocrate; création du parti communiste. **Italie :** grèves révolutionnaires. **Russie :** les Soviets triomphent de la contre-révolution; IIe congrès du Komintern; appel à la révolution coloniale (congrès de Bakou); grand débat sur les syndicats, la gestion ouvrière et la bureaucratie. Bilan de la guerre civile et de la famine 1918-1920 : neuf millions de morts. **France :** au Congrès de Tours du parti socialiste, scission entre la minorité (S.F.I.O.) et la majorité qui forme le parti communiste et adhère à la IIIe Internationale; scission de la C.G.T., création de la C.G.T.U. communiste.

1921 **Russie :** situation tragique; révolte des marins de Cronstadt; grèves à Pétersbourg, jacqueries paysannes; Lénine inaugure la N.E.P., nouvelle politique économique qui rétablit la liberté du commerce et abolit les réquisitions forcées des céréales; interdiction des fractions à l'intérieur du P.C. **Chine :** Sun Yat-Sen président de la République; création du parti communiste chinois. **Italie :** création du parti communiste italien.

1922 **Russie :** création de l'Union des Républiques socialistes soviétiques (U.R.S.S.); traité de Rapallo entre l'Allemagne et l'U.R.S.S.; conflit entre Lénine et Staline (né en 1879), devenu entre temps le secrétaire général du Parti. **Italie :** Mussolini marche sur Rome et devient président du Conseil.

1923 Trotski et ses partisans dénoncent l'étouffement de la démocratie à l'intérieur du Parti. **Chine :** reconstitution du Kouomintang avec l'aide des Soviétiques. Échec de la révolution communiste en **Allemagne** et en **Bulgarie.**

1924 France : cartel des Gauches. **Grande-Bretagne** : premier gouvernement travailliste. **U.R.S.S.** : mort de Lénine; Constitution de 1924. Staline, Zinoviev, et Kamenev font alliance contre Trotski; Trotski et ses partisans réclament la démocratisation du Parti, l'accélération de l'industrialisation et une lutte systématique contre les koulaks (paysans aisés).

1925 U.R.S.S. : rupture entre Zinoviev, Kamenev et Staline; Staline s'associe avec la fraction « de droite » (Boukharine, Rykov, Tomski); politique d'apaisement à l'égard des paysans et d'industrialisation « à pas de tortue ». **Italie** : instauration du fascisme. **Chine** : mort de Sun Yat-Sen; réunification du pays par Chang Kaï-Chek.

1926 Malgré l'opposition de Trotski, l'Internationale communiste contraint le P.C. chinois de désarmer et d'entrer au Kouomintang.

1927 U.R.S.S. : Trotski exclu du P.C.; la crise agricole oblige le régime d'abandonner la N.E.P. et de revenir à la politique de réquisition forcée des céréales. **Chine** : Chang Kaï-Chek se tourne contre les communistes, qui sont massacrés. **Autriche:** troubles; les socialistes sont écrasés.

1928 U.R.S.S. : début du Premier Plan Quinquennal; industrialisation à outrance et collectivisation forcée des campagnes.

1929 U.R.S.S. : Staline se retourne contre « la fraction de droite » (Boukharine, Rykov, Tomski) qui l'avait soutenu contre Trotski; début de la terreur policière; épuration des syndicats. Crise économique mondiale.

1931 U.R.S.S. : après un arrêt provisoire, accélération de la collectivisation; déportation massive des paysans qui massacrent le bétail; multiplication des camps de travail forcé; famine. **Chine** : le Japon s'empare de la Mandchourie; Mao Tsé-Toung (né en 1893), constitue une République soviétique dans le Sud de la Chine (Kiangsi). **Espagne** : proclamation de la République.

1932 Allemagne : cinq millions de chômeurs; montée du nazisme; division de la gauche : les communistes assimilent les social-démocrates aux nazis. **U.R.S.S.** : décrets stipulant la peine de mort pour délits économiques (vol de marchandises dans les transports); législation draconienne sur la « discipline du travail »; institution du passeport intérieur pour combattre « la fluidité de la main-d'œuvre ».

1933 Allemagne : victoire nazie, terreur. **Chine** : expédition punitive de Chang Kaï-Chek contre les communistes qui sont contraints d'évacuer le Sud; la « longue marche » (10 000 km) les amène dans la province de Shensi, dans le Nord. **U.R.S.S.** : bilan de la « collectivisation » et de la famine 1930-1933 : environ six millions de morts.

1934 U.R.S.S. : le « congrès des écrivains » décrète le « réalisme socialiste » en littérature; apothéose de Staline; lutte contre l'égalitarisme. **Chine** : les Japonais franchissent la Grande Muraille. **France** : inauguration de la stratégie du

« Front populaire » adoptée par le VIIe congrès de l'Internationale communiste (1935).

1935 U.R.S.S. : début du stakhanovisme : nouvelle vague terroriste; extermination de la vieille garde bolchevik; dans les trois années suivantes, la Terreur s'abat sur la classe dirigeante elle-même; de véritables hécatombes dévastent les cadres de l'industrie, de l'agriculture, de la littérature, de l'armée, de l'administration. **Chine** : tout le Nord de la Chine passe sous le contrôle japonais sauf les territoires montagneux où se trouvent les maquis communistes.

1936 France : victoire du Front populaire; réunification de la C.G.T. **Espagne** : début de la guerre civile. Pacte antikomintern (Allemagne, Japon, que rejoindront l'Italie, la Hongrie, le Mandchoukouo, l'Espagne).

1937 Guerre sino-japonaise; succès japonais.

1938 L'Allemagne annexe l'Autriche (Anschluss). Conférence de Munich qui abandonne la Tchécoslovaquie à l'Allemagne. **Chine** : chute de Hankow aux mains des Japonais; le gouvernement se réfugie à Choung-King; les régions « libérées » (six millions d'habitants) par les communistes s'établissent à l'arrière des lignes japonaises.

1939 Espagne : après trois ans de guerre civile, Franco triomphe des Républicains.
Pacte de non-agression germano-soviétique. L'agression allemande contre la Pologne déclenche la Deuxième Guerre mondiale. L'U.R.S.S. occupe une partie du territoire polonais et attaque la Finlande.

1940 L'U.R.S.S. annexe les pays baltes. Déportation massive des Baltes. Assassinat de Trotski par un agent de la Guépéou.

1941 Agression allemande contre l'U.R.S.S. Formation des Fronts nationaux de libération à direction communiste dans les pays occupés par les puissances de l'Axe.

1942 Montée du communisme en Yougoslavie et en Grèce; conflits armés entre communistes et nationalistes; victoire militaire du P.C.

1943 Reddition des Allemands encerclés à Stalingrad.

1944 Tito contrôle la quasi-totalité de la Yougoslavie. Révolution communiste sans lendemain, à Athènes.

1945 Conférence de Yalta. Capitulation de l'Allemagne. L'Europe de l'Est tombe dans la zone d'influence soviétique. En Yougoslavie, le « Front populaire » dirigé par le P.C. monopolise la totalité du pouvoir. Des gouvernements noyautés par les P.C. s'installent en Pologne, Roumanie, Hongrie, Tchécoslovaquie, Bulgarie, Albanie. Capitulation du Japon. Le P.C. contrôle le tiers du territoire chinois. Guerre civile entre l'État communiste du Nord et le Kouomintang rongé par la corruption et l'inflation (jusqu'en 1949). **U.R.S.S.** : bilan de la guerre : 17 millions de tués (dont 10 millions de civils). **Pologne** : 6 millions (23,5 % de la population). **Allemagne :** 5,9 millions; 13 millions d'Allemands sont expulsés des territoires de l'Est.

1946 U.R.S.S. : durcissement idéologique (jdanovisme); dénonciation de la « dégénérescence de la culture occidentale »; lutte policière contre le « cosmopolitisme », le « formalisme» et autres déviationnismes. **Grèce:** début de la seconde guerre civile. Soviétisation progressive des « démocraties populaires ». **Viêt-Nam :** guerre révolutionnaire contre l'occupation française.

1947 Plan Marshall et début de la guerre froide. Moscou interdit aux pays de l'Est de participer à la Conférence de Paris (coopération économique avec l'Occident). Reconstitution du Komintern (dissous en 1943) sous la forme de Kominform (bureau d'information).

1948 Tchécoslovaquie : coup d'état communiste. **Yougoslavie :** schisme; Tito dénonce l'impérialisme soviétique. **Grèce :** fin de la guerre civile.

1949 Chine : triomphe des communistes. **U.R.S.S.,** Moscou : intensification de la lutte antititiste; guerre économique contre la Yougoslavie, traitée désormais de « pays fasciste ». Vague terroriste dans les « démocraties populaires »; liquidation des « communistes nationaux »; industrialisation accélérée, collectivisation et baisse considérable du niveau de vie des classes laborieuses.

1950 Yougoslavie : suppression de la collectivisation, expérience de cogestion ouvrière. Guerre de **Corée.**

1952 U.R.S.S. : nouvelle vague de terreur (l'affaire des assassins en blouse blanche).

1953 U.R.S.S. : mort de Staline. Bilan de la répression stalinienne (1930-1952) : dix à quatorze millions de morts dans les camps et dans les prisons. Malenkov inaugure une politique réformiste; exécution de Béria (chef de la police). **Allemagne de l'Est :** révolte ouvrière. **Tchécoslovaquie :** grèves. **Hongrie :** gouvernement « communiste national » (Imre Nagy).

1954 Viêt-Nam : victoire communiste; Ho Chi Minh président de la République populaire du Nord Viêt-Nam. **U.R.S.S. :** révoltes dans les camps; début de la déstalinisation. **Démocraties populaires :** opposition croissante au stakhanovisme.

1955 U.R.S.S. : chute de Malenkov; Khrouchtchev (né en 1894) à la tête de la « direction collective »; réconciliation avec Tito. **Hongrie :** la chute de Malenkov entraîne celle d'Imre Nagy et le retour au pouvoir de Rakosi et de l'ancienne équipe stalinienne. **Chine :** Kao Kang, leader pro-soviétique, est exclu du P.C. chinois et « épuré par suicide »; collectivisation de l'agriculture. Conférence de Bandoeng.

1956 U.R.S.S. : XXe Congrès du Parti; dénonciation par Khrouchtchev des crimes de Staline; réhabilitation des victimes de la terreur de 1936-38 ; libération de nombreux prisonniers des camps de concentration ; mesures de libération économique, surtout dans le domaine agricole. **Pologne** : révolte de Posnan ; Gomulka (né en 1906), communiste national, accède au pouvoir ; dénonciation ouverte des staliniens, suppression de la collectivisation, tentative de gestion ouvrière, dérussification culturelle de la Pologne. **Hongrie** : révolte des intellectuels, chute du stalinien Rakosi ; retour au pouvoir d'Imre Nagy ; réapparition d'une presse libre et des partis politiques ; effondrement du parti communiste ; liquidation de la collectivisation ; floraison des conseils ouvriers ; la révolution est écrasée par les troupes russes. **Albanie** : épuration des éléments pro-soviétiques. Début du conflit albano-soviétique.

1957 **Chine** : campagne des « cent fleurs » ; tentative d'auto-réforme du régime ; la virulence des critiques oblige le Parti à rétablir l'ancien totalitarisme ; le « grand bond en avant ».

1958 Début du conflit sino-soviétique. **Cuba** : triomphe de la révolution fidéliste.

1959 **Allemagne fédérale** : le parti social-démocrate répudie le marxisme. **Chine** : échec du « grand bond en avant ».

1960 L'U.R.S.S. arrête l'aide à la Chine, fait rentrer ses experts et techniciens. Attaques contre les « dogmatistes » albanais. Attaque chinoise contre les « révisionnistes yougoslaves ». Éclipse relative de Mao (1960-1965). Liou-Chao-Shi devient président de la République.

1961 Construction du Mur de Berlin. Attaques albanaises contre « la clique de Khrouchtchev ». **U.R.S.S.** : XXIIᵉ Congrès du Parti, élimination du groupe Molotov, reprise de la déstalinisation.

1962 **U.R.S.S.** : le professeur Libermann propose d'introduire la notion de profit dans la gestion des entreprises.
Crise cubaine.

1963 Conflit ouvert sino-soviétique : accusations mutuelles de « trotskisme », « bellicisme », « pacifisme », etc.
La **Roumanie** affirme son indépendance économique au sein du Comecon. Début de la déstalinisation en **Tchécoslovaquie.**

1964 **U.R.S.S.** : chute de Khrouchtchev.

1965 **U.R.S.S.** : réhabilitation des Allemands de la Volga déportés par Staline pendant la guerre ; chute de Lyssenko. **Indonésie** : terreur anti-communiste (deux cent mille ou cinq cent mille tués). Le P. C. indonésien - le plus grand P. C. asiatique - cesse pratiquement d'exister.

1966 Début de la « révolution culturelle » en **Chine.**

1967 Tchécoslovaquie : les écrivains dénoncent le totalitarisme.

1968 Agitation étudiante en **Pologne.** Le printemps de Prague. **France** : le mois de mai. Août : invasion de la Tchécoslovaquie par l'armée soviétique.

1969   Chine : fin de la révolution culturelle ; **Tchécoslovaquie :** « normalisation ». **U.R.S.S. - Chine :** combats sur l'Oussouri.

1970   Pologne : révoltes ouvrières dans les villes de la Baltique. Chute de Gomulka.

1971   Tchécoslovaquie : procès en série contre les opposants. **Roumanie :** Ceauşescu lance l'industrialisation à outrance et l'édification de l'« homme nouveau ».

1973   Viêt Nam : signature du cessez-le-feu au Viêt Nam. **Hongrie :** procès du dissident Miklos Haraszti et purge parmi les intellectuels. **URSS :** parution en langue russe de *L'archipel du goulag* d'Alexandre Soljenitsyne.

1974   URSS : expulsion de Soljenitsyne. **Hongrie :** abandon de la réforme libérale de Rezsö Nyers.

1975   Cambodge : les Khmers rouges prennent Phnom Penh. **Viêt Nam :** chute de Saigon. **Finlande :** Conférence sur la sécurité et la coopération en Europe à Helsinki ; 35 États signent l'acte final qui garantit l'inviolabilité des frontières, préconise la nécessité de développer les relations économiques et reconnaît le principe de la libre circulation des idées et des hommes. Les annexions soviétiques de la fin de la Seconde Guerre mondiale sont avalisées. **Laos :** le Pathet Lao (communiste) prend le pouvoir à Vientiane. **URSS :** Andreï Sakharov prix Nobel de la paix. **Pologne :** pétition contre l'introduction du rôle dirigeant du PC dans la Constitution.

1976   France : le PCF abandonne la notion de « dictature du prolétariat ». **Pologne :** révoltes ouvrières à Ursus, Radom et Plock et création du Comité de défense des ouvriers (KOR). **Chine :** mort de Mao Zedong puis liquidation de la Bande des quatre. **URSS :** échange du dissident V. Boukovski contre L. Corvalan, secrétaire du PC chilien.

1977   Tchécoslovaquie : création de la Charte 77 pour le respect des accords d'Helsinki. **Roumanie :** grève des mineurs de la vallée de Jiu sévèrement réprimée.

1978   Afghanistan : coup d'État communiste à Kaboul. **URSS :** dénonciation par les dissidents de l'utilisation de la psychiatrie à des fins politiques. **Rome :** cardinal-archevêque de Cracovie (Pologne), Karol Wojtyla (1920) est élu pape ; il prend le nom de Jean-Paul II. **Viêt Nam :** exode des *boat-people* vietnamiens.

1979   Cambodge : Phnom Penh tombe aux mains de l'armée vietnamienne. Les troupes chinoises attaquent le Viêt Nam. **Pologne :** voyage triomphal de Jean-Paul II. **Afghanistan :** les Soviétiques investissent Kaboul. Refroidissement des relations Est-Ouest.

1980   URSS : Sakharov assigné en résidence à Gorki. **Yougoslavie :** mort de Tito. **Pologne :** grève des ouvriers des chantiers navals Lénine de Gdansk. Signature des accords de Gdansk ; création du syndicat indépendant et autogéré NSZZ Solidarnosc, présidé par l'ouvrier électricien Lech Walesa. Le pacte de Varsovie agite la menace d'une intervention armée.

1981   Pologne : nomination du général Jaruzelski, ministre de la Défense, comme Premier ministre ; crise politique sur fond de manœuvres militaires soviétiques en mars; congrès de Solidarnosc qui lance un appel aux travailleurs du bloc soviétique; proclamation de l'état de guerre (13 décembre), dissolution de Solidarnosc et centaines d'arrestations de dirigeants et de militants. **Vatican :** attentat contre Jean-Paul II (13 mai).

1982   Pologne : manifestations des partisans de Solidarnosc dans les grandes villes au printemps; suspension de l'état de guerre en décembre. **URSS :** mort de Leonid Brejnev; Iouri Andropov, chef du KGB, lui succède au secrétariat général du PCUS; début de la crise des missiles SS 20 en Europe : l'enjeu est le contrôle de l'Allemagne fédérale.

1983   Pologne : second voyage de Jean-Paul II qui soutient Solidarnosc; levée de l'état de guerre.

1984   URSS : mort d'Andropov. Constantin Tchernenko lui succède. **Pologne :** loi d'amnistie pour le 40ᵉ anniversaire de la République populaire; enlèvement et assassinat du père Popieluszko par trois officiers de la police politique.

1985   URSS : mort de Tchernenko. Mikhaïl Gorbatchev devient le 7ᵉ secrétaire du PCUS; il propose un moratoire sur le déploiement des SS 20, lance un plan de modernisation économique en octobre; *glasnost* (transparence) et *perestroïka* (restructuration) symbolisent la réforme. **Hongrie :** élections législaltives, avec candidatures multiples autorisées pour la première fois.

1986   URSS : grave accident à la centrale nucléaire de Tchernobyl en Ukraine (26 avril). Gorbatchev annonce le retrait d'Afghanistan des troupes soviétiques; mort du dissident Anatoli Martchenko, les groupes dissidents sont détruits par la police gorbatchévienne; Sakharov est autorisé à rentrer à Moscou; libération de 200 prisonniers politiques. **Pologne :** libération de tous les prisonniers politiques.

1987   voyages de Gorbatchev en Tchécoslovaquie et en Roumanie. **Pologne :** troisième pèlerinage de Jean-Paul II; échec du référendum gouvernemental sur les réformes économiques et la démocratisation contrôlée de la vie publique. **Hongrie :** rencontre entre l'opposition et les réformateurs communistes qui permettra la création du Forum démocratique. **Roumanie :** émeutes de Brasov contre les pénuries alimentaires violemment réprimées.

1988   Pologne : nombreuses grèves contre la hausse des prix et revendication de la légalisation de Solidarnosc (« Pas de liberté sans Solidarité ! »); rencontre entre le général Kiszczak, ministre de l'Intérieur, et Walesa qui accepte d'intervenir pour obtenir l'arrêt des grèves; des négociations secrètes s'engagent entre le pouvoir et l'opposition. **Hongrie :** création du Fidesz par les étudiants en droit qui revendiquent le départ des troupes soviétiques; Janos Kadar abandonne le pouvoir (mai); manifestation en hommage à Imre Nagy dispersée par la police (juin); constitution du Forum démocratique en mouvement politique indépendant (septembre); autorisation de la création de partis politiques (novembre). **Afghanistan :** accord sur le retrait des troupes soviétiques; la résistance afghane le rejette. **Tchécoslovaquie :** des milliers de manifestants commémorent le 20ᵉ anniversaire de l'intervention des troupes du pacte de Varsovie. **URSS :** Gorbatchev annonce la réduction des forces militaires soviétiques (500 000 hommes : 10 %).

1989   Afghanistan : les dernières troupes soviétiques quittent le pays (février). **Pologne :** ouverture de la table ronde entre l'opposition démocratique et le PC (PZPR) puis renonciation au « monopole du pouvoir » par le PC; reconnaissance de la responsabilité du NKVD dans le massacre des officiers polonais à Katyn (1941); accord (avril) entre le pouvoir et l'opposition pour des élections semi-démocratiques (35 % des sièges objet de scrutin pluraliste; élections libres au Sénat); légalisation de Solidarnosc. Élections des 4 et 18 juin : tous les candidats de Solidarité sont élus au Sénat et à l'Assemblée nationale (dans la proportion des 35 % accordés), le pouvoir communiste est censuré; Jaruzelski président de la République, avec une voix de majorité, grâce à Solidarnosc (juillet); formation d'un gouvernement présidé par un non-communiste : Tadeusz Mazowiecki; les communistes conservent l'Intérieur et la Défense. **Hongrie :** légalisation de l'opposition et annonce d'élections libres; le ministre Imre Pozsgay admet que la révolution de 1956 ne constituait pas une « contre-révolution » mais un « mouvement populaire »; fin du rideau de fer à la frontière austro-hongroise (mai); ouverture de la frontière austro-hongroise aux Allemands de l'Est en fuite (septembre). L'accord entre l'opposition et le PC pour l'introduction de réformes constitutionnelles et électorales est rejeté par les groupes des Démocrates libres, des Jeunes Démocrates et les syndicats indépendants. Le 33ᵉ anniversaire de l'insurrection de 1956 (octobre) coïncide avec la proclamation de la République de Hongrie. **Chine populaire :** à Pékin (4 juin), l'Armée populaire massacre les étudiants qui occupent la place Tian'anmen depuis plusieurs semaines; on dénombre environ un millier de morts; chasse aux opposants. **Pacte de Varsovie :** abandon de la doctrine Brejnev sur la souveraineté limitée des États composant l'alliance (juillet). **URSS** (août) **:** publication d'un extrait de *L'archipel du goulag* dans la revue *Novy Mir.* **Cambodge :** retrait des troupes vietnamiennes. **RDA :** manifestation à Leipzig contre les élections truquées (juin); en octobre, à Leipzig, reprise des manifestations de plus en plus massives; Egon Krenz, responsable à la Sécurité intérieure de RDA, décide de ne pas employer la force; le Comité central du SED écarte Erich Honecker, Krenz lui succède; un million de personnes manifestent à Berlin-Est (novembre); démission du gouvernement trois jours plus tard; les autorités donnent, dans la confusion, l'ordre d'ouvrir la frontière entre les deux Allemagnes (9 novembre) : chute du mur de Berlin et fin du rideau de fer divisant l'Europe depuis 1945. **Bulgarie** (novembre) : Todor Jivkov abandonne la direction du PC et de l'État. **Tchécoslovaquie** (novembre) **:** les étudiants praguois célèbrent le 50ᵉ anniversaire de la mort de Jan Opletal, assassiné par les nazis ; la police anti-émeutes intervient brutalement. Dubcek apporte son soutien au mouvement ; démission du Politburo et du secrétariat du Comité central ; le nouveau gouvernement engage des négociations avec le Forum démocratique constitué à l'initiative de Vaclav Havel ; Dubcek président du Parlement, Vaclav Havel président du pays (décembre). **Roumanie** (décembre) **:** les forces de l'ordre répriment violemment une manifestation de milliers de personnes à Timisoara ; manifestations hostiles à Ceausescu à Bucarest lors d'un grand meeting, puis éviction du « Danube de la pensée » par des éléments de la police politique (Securitate) et des réformateurs communistes ; fuite du couple Ceausescu ; de violents combats opposent les partisans du dictateur et la population, soutenue par l'armée. Le 25, après un procès hâtif, les Ceausescu sont exécutés.

1990 **Lituanie :** proclamation de la restauration des droits souverains et de l'indépendance. **Hongrie :** Premier gouvernement postcommuniste (mai) dirigé par J. Antall. **URSS :** la République de Russie proclame sa souveraineté (mai). **Bulgarie :** Jeliou Jelev, chef de l'opposition, président de la République (août). **RDA :** premières élections libres ; signature à Moscou (septembre) du traité rétablissant la pleine souveraineté de l'Allemagne ; réunification de l'Allemagne (octobre). **Albanie :** Ramiz Alia annonce (novembre) la modification de la Constitution et l'extension des libertés démocratiques. **Pologne :** Walesa président de la République (décembre).

1991 **Pays Baltes :** intervention des unités parachutistes pour faire cesser le refus des jeunes Baltes de servir dans l'armée soviétique ; attaque contre la télévision de Vilna (Lituanie) : 14 morts. Gorbatchev approuve l'action de l'armée ; un Comité de salut national formé par les dirigeants les plus durs du PC lituanien s'empare du pouvoir ; manifestation de protestation de 300 000 personnes à Moscou ; un commando des forces spéciales prend d'assaut le ministère de l'Intérieur à Riga (Lettonie) : 4 morts. **Lituanie** (février) : référendum sur l'indépendance, approuvée par 90,4 % de « oui » (participation : 84,4 %). **Estonie/Lettonie :** référendums sur l'indépendance, 77 % de « oui » (participation : 80 %). **URSS :** le Comité central du PC appelle au « rétablissement de l'ordre constitutionnel » dans toutes les républiques ; grève des mineurs et manifestations de 300 000 partisans de Boris Eltsine contre les mensonges de Gorbatchev (mars) ; référendum sur le maintien d'une union rénovée : 80 % de vote favorable à l'instauration d'une présidence élue au suffrage universel ; les républiques baltes, la Moldavie, l'Arménie, la Géorgie ont refusé d'y participer. **Géorgie :** 98,9 % de « oui » (participation : plus de 90 %) pour l'indépendance, votée ensuite par le Parlement à l'unanimité. **Arménie** (avril) : assaut des troupes du ministère de l'Intérieur soviétique dans deux villages du Haut-Karabakh (36 morts), opérations militaires justifiées par Gorbatchev. **Russie** (juin) :

Eltsine élu au suffrage universel président de la République au premier tour avec 57,3 % des suffrages ; le pouvoir en URSS est *de facto* bicéphale. **Yougoslavie** (juin) : la Croatie et la Slovénie proclament leur indépendance et quittent la fédération ; intervention de l'armée fédérale yougoslave en Slovénie ; cinq jours de combats ; l'armée fédérale yougoslave dirigée par les Serbes attaque la Croatie en août ; siège de Vukovar. **Pacte de Varsovie :** dissolution (juillet). **URSS :** Eltsine reconnaît l'indépendance de la Lituanie (juillet) ; Gorbatchev renversé par un Comité de salut national composé du patron du KGB, du ministre de l'Intérieur et du ministre de la Défense ; des blindés prennent position à Moscou, Eltsine appelle à une grève générale ; 20-22 août : des dizaines de milliers d'opposants aux putschistes défendent le Parlement ; il y a 3 morts ; échec des putschistes ; Gorbatchev défend le PC ; Eltsine limoge les directeurs de la télévision d'État et de l'agence Tass ; il suspend la *Pravda*. Le soir même, la statue de Félix Dzerjinski, fondateur de la police politique en 1918, est déboulonnée place de la Loubianka, siège du KGB. Manifestations dans les républiques baltes et en Moldavie, les statues représentant le régime soviétique sont renversées. 23 et 24 août : Eltsine suspend les activités du PC russe ; démission de Gorbatchev du secrétariat du PCUS ; dissolution du Comité central ; interdiction du PC dans l'armée et l'administration ; Eltsine reconnaît l'indépendance de l'Estonie, de la Lettonie. Le Parlement ukrainien adopte une déclaration d'indépendance, suivi, le 25, par celui de Biélorussie. Le 27, la Moldavie proclame son indépendance. 29 août : le Soviet suprême s'autodissout après avoir suspendu les activités du PC dans toute l'Union ; le KGB (Comité pour la sécurité d'État) est dissous et remplacé par quatre nouveaux services (octobre). **Arménie :** 99,3 % de « oui » pour l'indépendance. **Ex-Yougoslavie** (octobre) : bombardement de Zagreb par l'aviation serbe. **Pologne/URSS :** accord entre les deux pays pour le retrait, d'ici fin 1992, des troupes soviétiques stationnées en Pologne. **Cambodge** (octobre) : accord de paix signé à Paris et reconnaissance implicite des Khmers rouges comme interlocuteurs. **Ukraine** (décembre) : 90,32 % des électeurs se prononcent pour l'indépendance. **Biélorussie** (décembre) : les présidents biélorusse, ukrainien et russe constatent que l'Union soviétique « en tant que sujet de droit international n'existe plus ». Ils créent la Communauté des États indépendants. **Kazakhstan :** le Parlement proclame l'indépendance. **Russie :** Gorbatchev, dernier secrétaire général du PCUS, démissionne de la présidence de l'Union soviétique (25 décembre). **Azerbaïdjan et Ouzbékistan** (29 décembre) : 95 % de « oui » aux référendums pour l'indépendance.

Cette chronologie a été mise à jour, à partir de l'année 1971, par Jean-Louis Panné, historien, auteur de Boris Souvarine, le premier désenchanté du communisme *(Robert Laffont, 1983) et coauteur du* Livre noir du communisme *(Robert Laffont, 1997).*

INTRODUCTION

> La bourgeoisie se souviendra longtemps
> de mes furoncles.
>
> Karl Marx

Prométhée et Lucifer, ces deux masques du rebelle romantique, accompagnent Marx tout le long de son existence. Dans ses tout premiers écrits, nous trouvons déjà Prométhée glorifié et inscrit au premier rang des « martyrs et des saints philosophiques ». Le Tentateur aussi est évoqué dans un de ses poèmes de jeunesse. Il apparaît sous les traits romantiques d'un sauvage musicien qui se refuse à chanter l'harmonie de la création et qui ne veut que percer les âmes de son épée. Dieu, dit-il, n'aime pas l'art et ne l'honore pas; l'art est nourri des vapeurs de l'enfer, et c'est le Diable qui l'inspire... Le « noir gaillard de Trêves » (der schwarze Kerl von Trier), ainsi qu'Engels et Edgar Bauer l'avaient appelé, portera pour toujours la trace de ses coquetteries avec le Malin : tous ces jets de lumière crue, ces traits malicieusement sardoniques, délibérément blasphématoires, ces sarcasmes gigantesques qui brusquement traversent la prose de Marx, voire la hardiesse et la splendeur parfois lugubre de ses fulgurations ont pour source son inimitié prométhéenne contre l'ordre des dieux implacables qu'il a vus trôner sur un Olympe d'infamie.

A Londres, ses familiers l'appelaient Méphisto (« Old Nic ») et son petit-fils le traitait ouvertement de « Diable ». En effet, dans sa province allemande ou dans l'Angleterre victorienne, ce prophète à tête de Silène socratique, cet homme têtu, lunatique, ensorcelant, pétillant de verve catastrophique, qui n'aimait que sa liberté et son éternelle existence d'étudiant vagabond, a dû apparaître à ses contemporains comme une espèce de « monstre sacré ». Par son caractère difficilement supportable, ses moqueries féroces, son humour à toute épreuve, aussi bien que par ses allures d'hérétique rôdant aux alentours des bûchers, il était au suprême degré perturbateur, tentateur, séducteur, le πειραστι même : il représentait l'élément d'inquiétude par excellence, une vivante mise en garde, une exigence de rigueur et d'irrévérencieuse liberté perpétuellement suspendue sur ce monde bourgeois qu'un Napoléon n'avait qu'à peine secoué et qui devait sortir à la fois plus fort et plus plat après chaque secousse révolutionnaire.

« J'ai de la haine pour tous les dieux » : *c'est par ce cri de Prométhée que le jeune Marx a pour la première fois évoqué la puissance de la philosophie, laquelle, dit-il, opposera toujours cette devise* « à tous les dieux du ciel et de la terre, qui ne reconnaissent pas la conscience humaine comme la divinité suprême ». *Jamais Marx ne se dérobe à cette exigence prométhéenne par laquelle il se sent irrésistiblement saisi et entraîné : plus le marteau de la misère, de l'exil, de la maladie, de la mort affreuse des siens le frappait fort, plus résonnait clair le roc de sa volonté de liberté, plus pure était l'étincelle de vérité qui jaillissait de cet être passionné, dont le besoin de clarté et de sincérité était exalté et poussé jusqu'au tourment. Une lettre écrite à un ami, juste au moment où il venait de terminer le tome I du* Capital, *le seul qu'il ait pu publier, peut en témoigner :* « ...Pourquoi je ne vous ai pas répondu? Parce que j'étais constamment au bord de la tombe. Tant que j'étais capable de travailler, je devais réserver tous les moments pour terminer mon œuvre, pour laquelle j'ai sacrifié ma santé, mon bonheur de vivre et ma famille. J'espère que cette explication n'appelle aucun commentaire. Les soi-disant hommes pratiques me font rire avec leur sagesse... Mais je me serais vraiment tenu pour peu pratique, si j'étais mort sans achever au moins le manuscrit de mon livre. »

Il faut attendre Nietzsche pour retrouver de pareils cris de fierté intellectuelle meurtrie par un destin impitoyable, de tels gémissements issus du tréfonds de la souffrance : cela aussi fut une part nécessaire du « frisson nouveau » que ces deux penseurs « maudits » apportèrent à la conscience humaine.

Ce rapprochement n'est pas fortuit. Nietzsche et Marx ont été traqués par le même démon socratique qui se refuse à une vie purement acceptée, non perpétuellement remise en question. Tous les deux ont été happés par la conscience de vivre à un tournant de l'histoire. Tous les deux ont proclamé le « renversement des valeurs » — *et leur volonté d'être les éducateurs et les législateurs du « temps humain ». Tous les deux ont voulu propager par le fer et le feu cette dévorante indépendance d'esprit qui les garda toujours en éveil et qui fut leur flétrissure et leur couronne. Tous les deux enfin conçurent leurs doctrines en fonction d'une réalité qu'un travail cyclopéen, opérant dans les profondeurs, aurait déjà rendue prête à les recevoir.* « Cette doctrine est superflue s'il n'y a pas déjà préparé pour elle un amas de forces et d'explosifs », *disait Nietzsche : remplaçons « superflue » par « utopique », et nous verrons Marx offrant ou confiant ses « armes intellectuelles » au « mouvement réel qui supprime les conditions existantes ». En fait, Marx avait poussé la confiance jusqu'à considérer sa doctrine comme le « reflet » de cette négativité incarnée dans le prolétariat qui allait bientôt « rendre impossible tout ce qui existe indépendamment des individus ».*

Tous les deux furent exaucés : il ne manquait pas d'explosifs dans le monde que l'Europe bourgeoise couvrait d'une pellicule de sécurité trompeuse et de culture insouciante. Et tous les deux ont échoué. Dans le feu, qui les a consumés, des chaînes furent forgées telles qu'aucune idéologie tyrannique n'en avait conçu de plus efficaces — un carcan de lumière que des hommes asservis, ou ne sachant que faire de leur liberté, allaient porter au cou comme un signe d'élection.

Ces déicides avaient-ils soupçonné à quelle espèce appartiendraient leurs adorateurs? Nietzsche qui s'était écrié : « On ne périt par autre chose que par soi-même », avait-il eu le pressentiment que dans un jour proche la plèbe la plus vile que l'Europe ait jamais connue, allait s'emparer de lui pour justifier sa monstrueuse entreprise? « Étouffé dans ses propres lacs », c'est ainsi qu'il s'est vu un jour : c'est par là qu'il a scellé le seul lien latent qui l'unit à ses effroyables adeptes.

Ce destin, d'un mystère inexplicable, d'une indicible cruauté envers l'esprit, fut-il épargné à Marx? Il avait eu, lui, le temps de nous avertir qu'il n'était pas « marxiste ». Mais qui aurait pu penser que ce marxisme-là allait servir de parure idéologique à la négation de tous les principes de liberté et de justice qui l'ont fait naître?

Le Prométhée philosophique, le Lucifer miltonien a pris de nos jours un aspect qui l'apparente aux génies barbus qui gardaient les palais dans la lointaine Babylonie!

Le pédagogue qui a voulu nous acclimater à la vie sur terre a présidé à la divinisation d'un Pantocrator oriental dont le culte, célébré dans des monuments éléphantesques, fit brûler autant d'encens que tous les dieux réunis auxquels Prométhée criait sa haine. Était-ce donc cela — la « réalisation de la philosophie »?

Au nom de la divinité on a autrefois allumé des bûchers pour y brûler les livres mis à l'index : on en allume aujourd'hui pour la plus grande gloire de Marx — de Marx dont la première action politique fut une dénonciation féroce de la censure!

Comme la divinité, Marx a servi de prétexte à toutes sortes d'entreprises douteuses, à toutes sortes d'attentats contre l'esprit : c'est probablement que Marx est aussi obstinément ignoré que Dieu reste « caché » et inconnu, et constitue comme lui le prête-nom derrière lequel chacun peut se cacher — surtout s'il a l'envie de persécuter les hérétiques. Comme le Dieu dont parle le Tristan de Godefroy de Strasbourg, Marx

« Se plie comme une étoffe dont on s'habille.

Il se prête au gré de tous,

Soit à la sincérité, soit à la tromperie,

Il est toujours ce qu'on veut qu'il soit ».

Ce destin de toutes les idées devenues idéologies ne fut pas épargné au génial critique des idéologues. Ce chasseur de Dieu a paradoxalement suscité des disciples dont le zèle fanatique et trop souvent meurtrier n'est pas ce qui a le moins contribué à le rendre méconnaissable. Ame d'une revendication révolutionnaire qui a éveillé et donné libre cours à des forces morales profondes,

*et qui a voulu inaugurer la « véritable » histoire du genre humain
— mais aussi divinité tutélaire d'une entreprise de domination qui a
ressuscité toutes les techniques de la tyrannie pour en ajouter
de nouvelles et de plus raffinées, l'œuvre monumentale de Marx est
devenue aussi méconnaissable que Glaucus le marin lorsque,
roulé par les flots, il a été mutilé, usé, déformé, couvert d'algues
et de coquillages. Et encore cette image platonicienne évoque trop
les chauds rivages méditerranéens pour qu'elle puisse figurer les
désastres hyperboréens dont les* membra disjecta *du marxisme
portent aujourd'hui le témoignage.*

*Qu'on s'en loue ou qu'on s'en plaigne, le marxisme n'est plus
une théorie pure, contemplée dans le ciel des Idées; c'est un
régime économique, un système de pouvoir, un style d'action. Il
n'est pas une de ces « abstractions » dont Marx disait que « séparées de l'histoire réelle, elles n'ont en soi la moindre valeur » :
toute une histoire se déroule aujourd'hui sous le signe du marxisme,
et elle embrasse la vie de centaines de millions d'hommes. « Les
idées se déshonorent tant qu'elles restent séparées des intérêts ».
Cela aussi Marx l'avait dit. Tant il était certain que ses idées
étaient et demeureraient inséparables des intérêts des opprimés :
de même que sa philosophie avait trouvé dans le prolétariat ses
« armes matérielles », le prolétariat trouverait dans sa philosophie
ses « armes intellectuelles ». Mais* habent sua fata ideologiae :
*c'est au nom de Marx qu'on a écrasé la dernière en date des
révolutions ouvrières. Et l'on désespérerait à tout jamais du
marxisme si on pouvait encore se laisser impressionner par l'acharnement qu'a mis Marx à contester aux idées tout droit à la « moindre
apparence d'indépendance ». Mais les idées ne sont indépendantes
ni dépendantes. Elles dépendent plutôt de notre indépendance
d'esprit, de notre capacité de liberté et d'équité : c'est l'histoire
de cette liberté, ce heurt perpétuel de la vérité et de la pesanteur,
cette dialectique jamais surmontée de l'élan et de l'enlisement
que cette petite anthologie se propose de commémorer.*

MARX ET ENGELS

I

PHILOSOPHIE

A. — *LES ÉCRITS DE JEUNESSE* *(1842-1844)*

Présentation

Affranchir l'homme de tout ce qui n'est pas lui-même, le ramener à son existence concrète sur terre, lui apprendre à se faire lui-même dans ses rapports réels avec le monde, l'émanciper des chimères transcendantes qui obscurcissent son esprit et le rendent étranger à son vrai être : ces principes directeurs de la pédagogie marxienne ont leur origine dans la vaste critique à laquelle Hegel et ses épigones ont soumis les valeurs traditionnelles. La Phénoménologie de l'Esprit, *dit Marx (Ph), est « la critique cachée »; « tous les éléments de la critique s'y trouvent cachés, et souvent même préparés et élaborés d'une manière qui dépasse la position de Hegel». Mais la critique chez Hegel « n'est pas encore claire pour elle-même » : il avait fallu attendre la critique feuerbachienne pour trouver la « forme critique » adéquate de ce qui chez Hegel était encore « non critique ».*

Critique de la religion

La grande « révolution théorique » (Ph) accomplie par Feuerbach avait été une dénonciation radicale de l'aliénation religieuse : il apparut que dans la religion l'homme projette hors de lui sa véritable essence et se perd dans un monde illusoire qu'il a lui-même créé, mais qui le domine comme une puissance étrangère. La religion révèle à l'homme son essence, mais en la concentrant en Dieu, elle l'en dépouille. « Si l'essentiel dans la détermination de Dieu, dit Feuerbach, est emprunté à la nature de l'homme, l'homme sera dépouillé de tout ce qu'on donnera à Dieu. Pour que Dieu soit enrichi, l'homme devra être appauvri ».

Voici comment Marx a résumé le résultat général de cette critique de la religion qu'il érigera en modèle et en « condition de toute critique » (D) : « Dans la réalité fantastique du ciel, l'homme cherchait un Surhomme, mais il n'a trouvé en réalité

*que son propre reflet » : une « apparence trompeuse de soi-même »,
une ombre irréelle, un homme « inexistant »* (Unmensch). *L'éva-
nouissement de l'au-delà doit maintenant inciter l'homme à
« établir la vérité de l'ici-bas » et à chercher sa « vraie réalité
sur terre ». Désenchanté de ses vaines pérégrinations dans le ciel
fantastique de la religion, l'homme devait apprendre à renoncer
aux paradis illusoires et se dresser contre un monde absurde*
(verkehrte Welt) *qui, pour subsister, a besoin d'illusions et de
« compléments célestes ». Car c'est l'incomplétude du monde
terrestre qui pousse l'homme à chercher un « bonheur illusoire »
dans la religion. Le « bonheur réel » présuppose la « suppression
de la religion en tant que bonheur illusoire »; de même, la démystification de l'homme exige qu'il « abandonne une condition qui a
besoin d'illusions ». Or le monde religieux n'est qu'une partie du
monde fantastique de l'irréalité humaine, et la religion n'est que
la « forme sacrée » de l'illusion de l'au-delà. Il fallait donc dénoncer
cette illusion « sous ses formes profanes », pour chasser l'au-delà
dans ses manifestations non-religieuses, séculières. La « critique
du ciel » devait se muer en « critique de la terre, la critique de la
religion en critique du droit, la critique de la théologie en critique
de la politique » (D).*

Critique de la philosophie

La philosophie *par exemple est un travestissement de la religion.
La « première grande action de Feuerbach » a été précisément
d'avoir « fourni la preuve que la philosophie n'est autre chose que
la religion mise en pensées et développée par la pensée; qu'il faut
donc également la condamner comme une autre forme de l'aliénation de l'être humain » (Ph). L'absolu des philosophes n'est
qu'un refuge de la Transcendance et le philosophe lui-même n'est
que « la figure abstraite de l'homme aliéné », devenu étranger à
son vrai être.*

*Mais ce n'est pas seulement la philosophie qui est « d'essence
religieuse ». Justement, remarque Marx, le « progrès » accompli
par les Jeunes-hégéliens fut d'avoir englobé la totalité de la culture
traditionnelle « dans la sphère des représentations religieuses et
théologiques » (IA) : tous les domaines, toutes les expériences,
toutes les « représentations métaphysiques, politiques, juridiques,
morales et autres » furent critiquées comme des dérivations de
l'illusion de l'au-delà et dénoncées comme expressions « profanes »
de l'aliénation religieuse.*

Critique de la politique

*C'est à la critique de la politique que Marx a consacré ses
premiers écrits théoriques :* Critique de la philosophie hégélienne

du Droit public *(été* 1843*), la* Question juive *(automne* 1843*),* Introduction à la Critique de la Philosophie hégélienne du Droit *(janvier* 1844*). Ainsi Marx compare constamment la démocratie politique et le christianisme pour montrer le caractère illusoire, hors de ce monde, de la communauté politique. Bien sûr, la démocratie est un progrès par rapport au despotisme; elle représente la vérité de la vie politique, de la même manière que le christianisme est la religion par excellence :* « *la démocratie est à toutes les autres formes politiques comme le christianisme est à toutes les autres religions; la démocratie est à toutes les autres formes politiques comme à son Ancien Testament* » *(E). De même que le communisme sera défini comme la* « *solution de l'énigme de l'histoire* » *(Ph), la démocratie est présentée comme la* « *solution de l'énigme de la constitution* » *(E) parce que dans la démocratie la constitution, l'État apparaît tel qu'il est en réalité : un libre produit de l'homme, tandis que dans la fausse apparence des régimes non-démocratiques l'homme apparaît comme une créature de l'État. Pourtant la vie politique est incomplète. La démocratie crée un équivalent de la transcendance religieuse, elle instaure un dualisme entre la vie réelle dans la société civile et la vie fantastique dans le ciel politique où l'homme réalise sa liberté dans un monde irréel, illusoire. Le citoyen est une* « *forme profane* » *de l'*Unmensch *de la religion : l'homme souverain, qui est un* « *rêve* » *dans le christianisme et une* « *maxime séculière* » *dans la démocratie, n'est pas l'homme de la vie réelle, mais un* « *être étranger, différent de l'homme réel* » *(QJ). On retrouve ce thème dans la critique du jacobinisme* — *forme extrême de l'*« *illusion* » *et de la* « *superstition politique* » — *que Marx développe dans la* Sainte Famille *(1845).*

Si le citoyen ne représente pas la « *réalité véritable* » *de l'homme, quel sera le porteur de l'*« *émancipation humaine* » *qui réconciliera l'homme avec sa véritable essence? Marx répond : le prolétariat (D). A ce moment-là (janvier* 1844*), Marx ne soupçonne pas encore que son* opus magnum *sera placé sous le signe de la critique de l'économie. C'est Engels* (Esquisse d'une critique de l'économie politique, *fin* 1843*) qui lui révélera ce nouveau domaine de l'investigation critique. Communiste depuis 1842, Engels vivait à Manchester, au centre de l'industrie cotonnière anglaise; il avait sur Marx l'avantage de pouvoir observer directement la réalité sociale dans un pays où la question fondamentale n'était pas la* « *réalisation de la philosophie* »*, mais la grande industrie, la misère et la révolution. Dans une lettre datée du 4 juillet 1864, Marx lui rappellera sa dette de reconnaissance :* « *Tu sais que chez moi tout vient tard et que je t'emboîte toujours le pas* »*... Mais tandis que Engels abandonne la théorie économique pour se consacrer à la rédaction de son immortel ouvrage sur la* Situation des classes laborieuses en Angleterre *(1845), Marx lit en* « *philosophe* » *les économistes classiques (Smith, Ricardo, Mill, Say, Malthus) et les socialistes français (Pecqueur, Proudhon), anglais (Owen) et allemands (Moses Hess et Weitling).*

La « critique de la terre » se confondra désormais avec la « critique de l'économie politique ».

Humanisme et naturalisme

Fidèle au naturalisme feuerbachien, Marx commence par enseigner à l'homme son appartenance à la nature, à la terre et aux choses de la terre. « Campé sur cette boule solide et bien ronde, la terre, aspirant et expirant toutes les forces de la nature », solidaire de tous les êtres par l'universalité de ses besoins, tel apparaît l'homme dans les Manuscrits de 1844. *Le tréfonds humain est purement naturel : l'homme « réel, charnel » — non l'homme « spiritualiste », « abstrait » de l'idéalisme — participe à la nature et son histoire elle-même est une « partie de l'histoire naturelle ». « Comme la plante et l'animal », l'homme se définit par ses besoins, mais s'il est d'abord de l'être du besoin, il se distingue du reste des vivants par sa* production. *Loin de désigner une activité « prosaïque », partielle par nature, occupant un rang inférieur dans l'échelle des valeurs, la production est la vocation* essentielle *de l'homme. « Qu'est-ce que la vie, sinon de l'activité! » s'écrie Marx avant d'affirmer que « toute activité humaine (lisons : toute activité « essentiellement » ou authentiquement humaine) a été jusqu'ici du travail et de l'industrie ». L'industrie est le lieu où se révèle l'unité du cosmos, la « consubstantialité » de l'homme et de la nature, « l'essence humaine de la nature » et « l'essence* naturelle *de l'homme » : elle est la « révélation exotérique des forces essentielles de l'homme ». Aussi bien, l'histoire « réelle », celle qui se déroule sous le signe de l'économique et du technique, n'est pas quelque chose d'extérieur à ce qu'il est convenu d'appeler la vie intérieure de l'âme. Bien au contraire, « l'histoire de l'industrie est le livre grand ouvert des forces essentielles de l'homme, la* psychologie *humaine devenue matériellement perceptible ».*

L'aliénation

« L'objet du travail est l'objectivation de la vie générique de l'homme ». Mais cette objectivation se fait sous le signe de l'aliénation. L'homme — le producteur — se soumet à son propre produit qui prend la forme d'un objet « étranger » et tout-puissant : le capital. « C'est comme dans la religion, dit Marx. Plus l'homme s'abandonne à Dieu, moins il se possède lui-même. De même la vie prêtée par l'ouvrier à l'objet vient se dresser devant son auteur comme une force ennemie et étrangère ».

Une cascade de conséquences découle de cette aliénation originelle. Le travail est la vie générique *de l'homme, mais le capital est du travail « accumulé », matérialisé, transformé en un objet indépendant, converti en propriété* privée. *Toute l'histoire jusqu'ici a été celle d'une opposition de plus en plus violente entre la vie générique et la vie individuelle. Le travail est l'essence de l'homme mais la propriété privée contraint le travailleur à* « *faire de son* essence *(du travail) un moyen pour assurer son* existence ». *Essence et existence sont en conflit et cette perversion des finalités intrinsèques de l'essence humaine aboutit à cette humiliation suprême que la vie productive n'est pas assumée comme une fin en soi, mais seulement comme un moyen, que l'homme se présente comme l'être déchiré* « *qui ne se sent chez soi qu'en dehors du travail, tandis que dans le travail il se sent en dehors de soi* ». *La production matérielle est l'*« affirmation de soi » *et le produit matériel* « l'objectivation de soi ». *Or, dans les conditions du capitalisme, le producteur et le produit, l'affirmation de soi et l'objectivation de soi entrent dans la plus extrême opposition : l'aliénation consiste en ceci que le travailleur* « *n'est pas ce qu'il produit par son travail* ». *Non seulement le travailleur ne se reconnaît pas dans son produit, mais* « *l'objet que le travail produit s'oppose au travail comme s'il s'agissait d'un être étranger* ».

Plus qu'un mal, le capitalisme est donc une perversion de l'ordre même de l'univers, qui menace de destruction totale « *l'essence* » *même et* « *l'affirmation de soi* » *de l'homme. Or c'est à partir de cette suprême déréliction que la conversion devient possible; c'est au point extrême du déchirement que le salut devient accessible.* « *La suppression de l'aliénation parcourt le même chemin que l'aliénation elle-même* ». *Le capitalisme industriel a poussé au paroxysme* « *l'opposition entre l'homme et la nature* ». *Mais en même temps il rend possible la fin de cette opposition par la domination totale de l'homme sur la nature.*

Le communisme clôt la « *préhistoire* » *de l'humanité parce qu'il est la solution de tous les conflits et de toutes les* « *oppositions* » *qui déchiraient l'humanité préhistorique. Il est d'abord la* « *fin du conflit entre l'homme et la nature* ». *Nature et Humanité seront entièrement confondues parce que la matière sera à l'homme ce que le corps est à l'esprit. Ainsi le communisme sera défini comme* « *la consubstantialité achevée de l'homme avec la nature, la véritable résurrection de la nature, la réalisation complète de l'humanisme de la nature et du naturalisme de l'homme* ».

Ce sera ensuite la « *fin du conflit entre l'homme et l'homme* ». *Alors la vraie vie ne sera plus absente. La production ne sera plus une chose extérieure à l'homme, mais* « *le miroir où se réfléchira notre être* ». *La fin du conflit entre l'essence et l'existence réconciliera ainsi l'affirmation de soi et l'objectivation de soi. Aussi bien la fin de l'aliénation réelle sera définie comme* « *la sortie de l'homme hors de la religion, de la famille, de l'État, etc. et son retour à son existence humaine, c'est-à-dire sociale* ». *Absorbé dans la* « *vie essentiellement pratique de la société* », *l'homme ne sera plus tenté de se chercher dans le ciel fantastique de l'idéologie; le* « *reflet religieux* » *disparaîtra car la vie elle-même de la société désaliénée aura résolu tous les* « *mystères* » *et* « *toutes les oppositions que la philosophie ne pouvait résoudre précisément parce qu'elle n'y voyait qu'une tâche théorique* ». *Devenu transparent, le*

*monde verra la « solution de l'énigme de l'histoire » et l'inaugura-
tion de la véritable histoire de l'homme.*

1. — CRITIQUE DE LA RELIGION

Pour l'Allemagne, la *critique de la religion* est terminée quant à
l'essentiel, et la critique de la religion est la condition de toute
critique. L'existence *profane* de l'erreur est compromise dès
que sa céleste *cratio pro aris et focis* a été réfutée. L'homme qui
dans la réalité fantastique du ciel, où il cherchait un surhomme,
n'a trouvé que le *reflet* de soi-même, ne sera plus tenté de ne
trouver que l'*apparence* de soi-même, le non-homme, là où il
cherche et doit chercher sa vraie vérité. Voici le fondement de la
critique irréligieuse : *l'homme fait la religion*, la religion ne fait
pas l'homme. Et en réalité la religion est la conscience de soi
ou le sentiment de soi de l'homme, qui ne s'est pas encore conquis
ou qui s'est déjà reperdu. Mais l'homme n'est pas un être abstrait,
en dehors du monde. L'homme, c'est le *monde de l'homme*,
l'État, la société. Cet État, cette société produisent la religion,
une *conscience du monde renversée*, parce qu'ils sont un *monde
renversé*. La religion est la théorie générale de ce monde, son
compendium encyclopédique, sa logique sous forme populaire,
son *point d'honneur* spiritualiste, son enthousiasme, sa sanction
morale, son complément solennel, sa raison générale de consolation et de justification. C'est la *réalisation fantastique* de l'essence
humaine, parce que *l'essence humaine* ne possède pas de vraie
réalité. La lutte contre la religion est ainsi indirectement la lutte
contre *le monde*, dont la religion est l'*arôme* spirituel.

La misère religieuse est à la fois l'expression de la misère
réelle, et, d'autre part, la *protestation* contre cette misère. La
religion est le soupir de la créature accablée, le cœur d'un homme
sans cœur, comme elle est l'esprit des temps privés d'esprit.
Elle est l'*opium* du peuple.

La suppression de la religion comme bonheur *illusoire* du
peuple est une exigence de son bonheur *réel*. L'exigence de
renoncer aux illusions sur sa condition est l'*exigence de renoncer
à une condition qui a besoin d'illusions*. La critique de la religion
est ainsi virtuellement la *critique de la vallée de larmes*, dont la
religion est l'*auréole*.

La critique a arraché les fleurs imaginaires qui ornent nos
chaînes, non pour que l'homme porte la chaîne prosaïquement,
sans consolation, mais afin qu'il rejette la chaîne et cueille la
fleur vivante. La critique de la religion désillusionne l'homme,
afin qu'il pense, agisse, façonne sa propre réalité comme un
homme désillusionné, ayant accédé à la raison, afin qu'il gravite
autour de soi-même, son véritable soleil. La religion n'est que

le soleil illusoire qui se meut autour de l'homme, tant que celui-ci ne gravite pas autour de lui-même.

La *tâche de l'histoire*, une fois que *l'au-delà de la vérité* a disparu, consiste à établir la vérité de l'ici-bas. De même la *tâche de la philosophie*, qui est au service de l'Histoire, consiste — une fois démasquée l'apparence sacrée de l'aliénation humaine — à démasquer l'aliénation dans ses *figures profanes*. La critique du ciel se transforme ainsi en critique de la terre, *la critique de la religion* en *critique du droit*, la critique de la théologie en *critique de la politique*.

L'arme de la critique ne saurait remplacer la critique par les armes, la force matérielle doit être renversée par la force matérielle. Mais la théorie se change, elle aussi, en force matérielle, dès qu'elle saisit les masses. La théorie est capable de saisir les masses, lorsqu'elle argumente *ad hominem*, et elle argumente *ad hominem*, lorsqu'elle devient radicale. Être radical, c'est saisir les choses à leur racine. Or, pour l'homme, la racine, c'est l'homme lui-même... Il résulte de la critique de la religion que l'homme est l'être suprême pour l'homme. Cette critique aboutit à l'impératif catégorique d'abolir toutes les conditions sociales dans lesquelles l'homme est un être avili, asservi, abandonné, méprisable.

MARX, Critique de la philosophie hégélienne du droit,
janvier 1844, W I, p. 378-9 et 385.

2. — CRITIQUE DE LA POLITIQUE

Le despotisme

Domination et exploitation ne sont qu'un *seul* et *même* concept... La seule idée du despotisme, c'est le mépris de l'homme, l'homme vidé de son humanité, et cette idée a sur beaucoup d'autres l'avantage de correspondre en même temps à un état de fait. Le despote ne voit jamais les hommes autrement que dépouillés de leur dignité. Sous ses regards et pour lui, ils se noient dans la boue de la vie abjecte d'où ils remontent toujours à la surface, comme les grenouilles. Si une pareille opinion peut s'imposer à des hommes qui, tel Napoléon avant sa folie dynastique, sont capables de grands desseins, comment un roi tout ordinaire pourrait-il, dans une telle réalité, être idéaliste?

Le principe essentiel de la monarchie, c'est l'homme méprisé et méprisable, l'*homme déshumanisé;* — et Montesquieu a grand tort de considérer l'honneur comme principe de la monarchie. Il y parvient, en maintenant la distinction entre monarchie, despotisme et tyrannie. Mais ce sont là des noms d'une *seule et même* idée, ou tout au plus des variantes superficielles d'un même principe. Là où prédomine le principe monarchique, les hommes sont en minorité; là où ce principe n'est pas mis en doute, il n'y a point d'hommes.

MARX, Lettre à Ruge, mai 1843, W I, p. 340.

La censure

La liberté est l'essence de l'homme, à un point tel que même ses adversaires la réalisent, bien qu'ils en combattent la réalité; ils veulent s'approprier comme la parure la plus précieuse ce qu'ils ont rejeté comme parure de la nature humaine.

Nul ne combat la liberté; il combat tout au plus la liberté des autres. Toute espèce de liberté a donc toujours existé, seulement tantôt comme privilège particulier, tantôt comme droit général.

... Il ne s'agit pas de savoir si la liberté de la presse doit exister, puisqu'elle existe toujours. Il s'agit de savoir si la liberté de la presse est le privilège de quelques individus ou le privilège de l'esprit humain. Il s'agit de savoir si ce qui est un tort pour les uns peut être un droit pour les autres...

MARX, *Remarques sur la censure prussienne*, 1842,
W I, p. 51.

La démocratie

C'est par un progrès historique que les *états politiques* se sont transformés en *états sociaux*, en sorte que les différents membres du peuple, de même que les chrétiens sont égaux au Ciel et inégaux sur terre, sont *égaux dans le Ciel* de leur monde politique, et inégaux dans l'existence terrestre de la *société*... Ce ne fut que la Révolution française qui acheva la transformation des états *politiques* en états *sociaux*, autrement dit fit des différences d'états de la société civile de simples différences *sociales*, des différences de la vie privée, qui n'ont aucune importance dans la vie politique. La séparation de la vie politique et de la société civile se trouva de ce fait achevée.

... La démocratie est l'*énigme* résolue de toutes les Constitutions. Ici, la Constitution est incessamment ramenée à son fondement réel, à l'*homme réel*, au *peuple réel;* elle est posée non seulement *en soi*, d'après son essence, mais d'après son *existence*, d'après la réalité, comme l'œuvre *propre* du peuple. La Constitution apparaît telle qu'elle est, un libre produit de l'homme...

De même que la religion ne crée pas l'homme, que l'homme crée la religion, ce n'est pas la Constitution qui crée le peuple, mais le peuple qui crée la Constitution. La démocratie est, en quelque sorte, à toutes les autres formes de l'État, ce que le christianisme est à toutes les autres religions. Le christianisme est la religion par excellence, l'*essence de la religion*, l'homme déifié considéré comme une religion *particulière*. De même, la démocratie est l'*essence de toute Constitution politique :* l'homme socialisé considéré comme Constitution politique *particulière*... L'homme n'existe pas à cause de la loi, c'est la loi qui existe à cause de l'homme : c'est une *existence humaine*, tandis que

dans les autres (formes politiques) l'homme est l'existence *légale*.
Tel est le caractère fondamental de la démocratie.
MARX, *Critique de la philosophie hégélienne de l'État*, 1843,
W I, p. 283 et 230-1.

Le dualisme politique

... L'État politique achevé est, d'après son essence, la vie
générique de l'homme par opposition à sa vie matérielle. Tous
les principes de cette vie égoïste continuent à subsister dans
la société civile en dehors de la sphère de l'État, comme propriétés de la société civile. Là où l'État politique a atteint son
véritable épanouissement, l'homme mène, non seulement dans
sa pensée, dans sa conscience, mais dans la réalité, dans la vie,
une vie double, une vie céleste et une vie terrestre, la vie dans
la communauté politique où il se considère comme un être
social, et la vie dans la société civile, où il agit comme homme
privé, considère les autres hommes comme des moyens, se ravale
lui-même au rang de moyen et devient le jouet de puissances
étrangères. L'État politique est vis-à-vis de la société aussi
spiritualiste que le ciel vis-à-vis de la terre. Il est dans la même
opposition avec elle, il en triomphe de la même façon que la
religion triomphe de la limitation du monde profane, en la
reconnaissant, en la restaurant, en se laissant dominer par
elle. L'homme, dans sa réalité plus immédiate, dans la société,
est un être profane. Là où il est pour lui-même et pour autrui
un individu réel, il est une apparence irréelle. Dans l'État, au
contraire, où l'homme vaut comme être générique, il est le
membre imaginaire d'une souveraineté fictive, il est dépouillé
de sa vie individuelle réelle et il est rempli d'une universalité
irréelle... L'émancipation politique est certes un grand progrès.
Elle n'est pas, il est vrai, la dernière forme de l'émancipation
humaine en général, mais est la dernière forme de l'émancipation
humaine dans les limites de l'organisation actuelle du monde.
Nous parlons évidemment de l'émancipation réelle, pratique.
MARX, *La Question juive*, 1843,
W I, p. 352-354.

Essence religieuse de la politique

Religieux, les membres de l'État politique le sont par le
dualisme entre la vie individuelle et la vie générique, entre la
vie de la société bourgeoise et la vie politique; religieux, ils le
sont en ce que l'homme se rapporte à la vie politique, étrangère
à sa véritable individualité, comme si elle était sa vraie vie;
religieux, ils le sont pour autant que la religion est ici l'esprit
de la société bourgeoise, l'expression de la division et de l'éloignement des hommes entre eux. Chrétienne, la démocratie

politique l'est en ce que l'homme — non seulement un homme, mais tout homme — y est considéré comme un être souverain, suprême; mais c'est l'homme sous son aspect inculte et insociable, l'homme dans son existence contingente, l'homme quelconque, l'homme tel qu'il est, corrompu, perdu, aliéné, livré à la domination de conditions et d'éléments inhumains, en un mot, l'homme qui n'est pas encore un véritable être générique. La chimère, le rêve, le postulat du christianisme, la souveraineté de l'homme, mais de l'homme en tant qu'être étranger, différent de l'homme réel, devient dans la démocratie une réalité concrète, une présence, une maxime séculière.

Ibid., W I, p. 360-61.

Conclusion de la critique de la politique

La suppression de la bureaucratie n'est possible que si l'intérêt général devient *réellement* l'intérêt particulier, ce qui ne peut se faire que si l'intérêt *particulier* devient réellement l'intérêt général... La démocratie est la vraie unité de l'universel et du particulier ... Dans la vraie démocratie l'État politique disparaît.

MARX, *Critique de la philosophie hégélienne de l'État*, été 1843,
W I, p. 250 et 232.

Toute émancipation n'est que la réduction, à l'homme lui-même, du monde humain, des rapports.

L'émancipation politique, c'est la réduction de l'homme d'une part au membre de la société bourgeoise, à l'individu égoïste et indépendant, et d'autre part au citoyen, à la personne morale.

L'émancipation humaine n'est réalisée que lorsque l'homme a reconnu et organisé ses forces propres comme forces sociales et ne sépare donc plus de lui la force sociale sous la forme de la force politique.

MARX, *La Question juive*, automne 1843,
W I, p. 370.

Marx découvre le prolétariat

Où donc est la possibilité positive de l'émancipation allemande?

Voici notre réponse. Il faut former une classe avec des chaînes radicales, une classe de la société bourgeoise qui ne soit pas une classe de la société bourgeoise, une classe qui soit la dissolution de toutes les classes, une sphère qui ait un caractère universel par ses souffrances universelles et ne revendique pas de droit particulier, parce qu'on ne lui a pas fait de tort particulier, mais un tort en soi, une sphère qui ne puisse plus s'en rapporter à un titre historique, mais simplement au titre humain, une sphère qui ne soit pas en une opposition particulière avec les conséquences, mais en une opposition générale avec toutes les suppositions du système politique allemand, une sphère enfin qui ne puisse s'émanciper, sans s'émanciper de toutes les autres sphères de la société et sans, par conséquent, les émanciper toutes, qui soit, en un mot, la perte complète de l'homme, et ne puisse donc se reconquérir elle-même que par le regain complet de l'homme. La décomposition de la société en tant que classe particulière, c'est le prolétariat.

De même que la philosophie trouve dans le prolétariat ses armes matérielles, le prolétariat trouve dans la philosophie ses armes intellectuelles. Et dès que l'éclair de la pensée aura pénétré au fond de ce naïf terrain populaire, les Allemands s'émanciperont et deviendront des hommes.

Résumons le résultat. L'émancipation de l'Allemagne n'est pratiquement possible que si l'on se place au point de vue de la théorie qui déclare que l'homme est l'essence suprême de l'homme. L'Allemagne ne pourra s'émanciper du moyen âge qu'en s'émancipant en même temps des victoires partielles remportées sur le moyen âge. En Allemagne, aucune espèce d'esclavage ne peut être détruite, sans la destruction de tout esclavage. L'Allemagne qui aime aller au fond des choses ne peut faire de révolution sans tout bouleverser de fond en comble. L'émancipation de l'Allemand, c'est l'émancipation de l'homme. La philosophie est la tête de cette émancipation, le prolétariat en est le cœur. La philosophie ne peut être réalisée sans la suppression du prolétariat, et le prolétariat ne peut être supprimé sans la réalisation de la philosophie.

Quand toutes les conditions intérieures auront été remplies, le jour de la résurrection allemande sera annoncé par le chant éclatant du coq gaulois.

MARX, *Introduction à la critique de la philosophie du Droit de Hegel*, janvier 1844, W I, p. 390-1.

3. — CRITIQUE DE L'ÉCONOMIE

Engels : la concurrence et le communisme

La vérité de la concurrence, c'est le rapport de la capacité de consommation à la capacité de production. Dans un état social digne de l'humanité, seule subsistera cette concurrence-là. La commune aura à calculer ce qu'elle pourra produire avec les moyens dont elle dispose; et c'est d'après le rapport entre cette capacité de production et la masse des consommateurs qu'elle décidera en quelle mesure elle devra augmenter ou diminuer la production, développer ou restreindre le volume des articles de luxe. Les lecteurs qui voudraient porter un jugement exact sur cette relation, sur l'accroissement de la productivité que l'on peut attendre d'une organisation rationnelle de la commune, sont priés de consulter les œuvres des socialistes anglais et en partie celles de Fourier.

La concurrence subjective, l'antagonisme du capital et du travail, le conflit entre le travail et le travail, etc., se réduira à une émulation fondée sur la nature humaine. Comme l'a montré Fourier, le seul qui ait jusqu'ici traité ce sujet d'une façon convenable, après la disparition de l'antagonisme des intérêts, cette émulation se limitera à sa sphère propre, conformément à la raison.

Les crises et le communisme

Naturellement, ces révolutions commerciales confirment la loi, elles la justifient pleinement, mais d'une tout autre façon que l'économiste nous le donnait à entendre. Que penser d'une loi qui ne peut se réaliser que par des révolutions périodiques? C'est une loi naturelle qui repose sur l'inconscience des intéressés. Si les producteurs comme tels savaient les besoins des consommateurs, s'ils organisaient la production, s'ils se la partageaient l'instabilité de la concurrence, sa tendance aux crises deviendrait impossible. Produisez consciemment, comme des hommes et non comme des atomes isolés sans conscience générique et vous échapperez à tous ces antagonismes artificiels, intolérables. Mais tant que vous persévérerez dans ce mode de production inconscient, déraisonnable, livré au hasard, les crises commerciales subsisteront. Chacune d'elles sera plus universelle, c'est-à-dire plus pernicieuse que la précédente. Elle ruinera une plus grande masse de petits capitalistes. Elle étendra la classe qui ne vit que de son travail. Elle accroîtra la masse du travail qui demande emploi. Elle augmentera considérablement les difficultés du problème fondamental que cherche notre économiste; elle suscitera enfin une révolution sociale telle que la sagesse pédante des économistes est incapable de la prévoir.

ENGELS, *Esquisse d'une Critique de l'Économie Politique*, 1844,
W I, p. 515-516.

Marx : les lois du capitalisme

Nous sommes partis des prémisses de l'économie politique. Nous avons admis son langage et ses lois. Nous avons supposé la propriété privée, la séparation du travail, du capital et de la terre, ainsi que celle du salaire, du profit du capital et de la rente foncière, tout comme la division du travail, la concurrence, la notion de valeur d'échange, etc. En partant de l'économie politique elle-même, en parlant son propre langage, nous avons montré que l'ouvrier est ravalé au rang de marchandise, et de la marchandise la plus misérable, que la misère de l'ouvrier est en raison inverse de la puissance et de la grandeur de sa pro-

duction, que le résultat nécessaire de la concurrence est l'accumulation du capital en un petit nombre de mains, donc la restauration du monopole à une échelle plus effroyable qu'auparavant;
qu'enfin la distinction entre capitaliste et propriétaire foncier,
comme celle entre paysan et ouvrier de manufacture, disparaît
et que toute la société doit se diviser en deux classes, celle des
propriétaires et celle des *ouvriers* non propriétaires.

L'économie politique part du fait de la propriété privée. Elle
ne nous l'explique pas. Elle exprime le processus *matériel* que
décrit en réalité la propriété privée, en formules générales et
abstraites, qui ont ensuite pour elle valeur de *lois*. Elle ne
comprend pas ces lois, c'est-à-dire qu'elle ne montre pas comment
elles résultent de l'essence de la propriété privée.

Marx, *Manuscrits de* 1844, W, p. 510.

Le travail, essence de l'homme

L'homme n'est pas seulement un être naturel, mais encore
un être naturel *humain*, c'est-à-dire un être existant pour lui-
même, autrement dit : un *être générique*. Comme tel, il doit se
manifester et s'affirmer dans son existence aussi bien que dans
sa conscience. Par conséquent, ni les objets *humains*, tels qu'ils
se présentent primitivement *(unmittelbar)*, ni le sens *humain*,
tel qu'il *est* primitivement et objectivement *(gegenstǎndlich)*,
ne sont la sensibilité *humaine*, l'objectivité humaine. Ni objectivement, ni subjectivement, la nature n'existe pour l'essence
humaine d'une manière adéquate. Et de même que tout ce qui
est naturel doit *naître*, de même l'*homme* a, lui aussi, son procès
de naissance *(Entstehungsakt)* : *l'histoire*.

L'animal se confond entièrement et directement avec son
activité vitale. Il est cette activité. L'homme fait de son activité
vitale un objet de sa volonté et de sa conscience. Il a une activité
vitale consciente...

... Certes, l'animal produit lui aussi. Il construit son nid,
son abri, comme le castor, l'abeille, la fourmi, etc. Seulement,
il ne produit que ce dont il a besoin immédiatement pour lui
ou pour ses petits; il produit unilatéralement, tandis que l'homme
produit universellement; l'animal produit uniquement sous la
contrainte d'un besoin physique immédiat, tandis que l'homme
produit même lorsqu'il est libéré de tout besoin physique et il
produit véritablement lorsqu'il est affranchi de ce besoin et
seulement alors. L'animal ne produit que lui-même, tandis que
l'homme reproduit la nature tout entière. Ce que l'animal
produit fait partie intégrante de son corps physique, tandis
que l'homme se dresse librement en face de son produit.
L'animal œuvre seulement à l'échelle et suivant les besoins
de l'espèce à laquelle il appartient, tandis que l'homme sait
produire à l'échelle de n'importe quelle espèce et appliquer
à l'objet la mesure qui lui est immanente. C'est pourquoi

l'homme sait également œuvrer suivant les lois de la beauté.

C'est justement en façonnant le monde des objets que l'homme se révèle réellement comme un être *générique*. Sa production, c'est sa vie générique créatrice. Par elle, la nature apparaît comme *son* œuvre et *sa* réalité. C'est pourquoi l'objet du travail est l'*objectivation de la vie générique de l'homme* car il ne s'y dédouble pas idéalement, dans la conscience, mais réellement, comme créateur. Il se contemple ainsi lui-même dans un monde qu'il a lui-même créé...

Ibid., W, p. 516-7.

L'industrie

L'histoire de l'*industrie* — de même que l'existence *objective* de l'industrie — est le *livre ouvert* des *forces essentielles de l'homme*, la *psychologie* humaine sous une forme sensible, que l'on n'avait pas considérée jusqu'ici dans ses liens avec l'essence de l'homme, mais uniquement du point de vue superficiel de l'utilité. En effet, pensant à l'intérieur de l'aliénation, on s'identifiait la réalité des forces essentielles de l'homme, l'*activité générique humaine* avec la religion en tant qu'existence générale de l'homme, ou avec l'histoire abstraite et générale, en tant que politique, art, littérature, etc. L'industrie matérielle ordinaire nous offre, sous la forme d'*objets sensibles*, extérieurs à nous, utiles, quoique aliénés, les forces essentielles de l'homme objectivées. Toute psychologie, pour qui ce livre, c'est-à-dire la partie de l'histoire la plus réelle, la plus sensible, la plus accessible, est fermée, ne peut pas devenir une science *réelle* avec un contenu réel. D'ailleurs, que dire d'une science qui se détourne avec hauteur de cette partie énorme du travail humain et qui ne sent même pas combien elle est incomplète, lorsque toute cette richesse de la création humaine ne s'exprime pour elle que par des mots comme besoin, besoin vulgaire.

Les sciences naturelles ont déployé une activité énorme et ont amassé une matière toujours croissante. La philosophie leur est cependant demeurée aussi étrangère qu'elles sont elles-mêmes restées étrangères à la philosophie. Leur union momentanée ne fut qu'une *illusion fantastique*. La volonté y était, mais le pouvoir manquait. L'historiographie elle-même ne tient compte des sciences naturelles que par hasard, pour signaler l'utilité de certaines grandes découvertes. Mais les sciences naturelles sont intervenues pratiquement, au moyen de l'industrie, dans la vie humaine et l'ont transformée, préparant ainsi l'émancipation humaine, bien qu'au début elles dussent entraîner la dégradation humaine. L'*industrie* est le lien *réel* et historique entre la nature et l'homme, entre les sciences naturelles et l'homme. Lorsqu'on comprendra que l'industrie est la révélation *exotérique* des *facultés essentielles* de l'homme, on comprendra également l'essence *humaine* de la nature ou l'essence *naturelle* de l'homme. Alors les sciences naturelles perdront leur orientation abstraite et matérielle, ou plutôt idéaliste, et deviendront le fondement de la science *humaine*. Dès maintenant, elles sont devenues la base de la vie *véritablement* humaine, quoique sous une forme aliénée. Prétendre qu'il faut une base pour la vie et une *autre* pour la *science*, est de prime abord un mensonge. La nature telle qu'elle devient dans l'histoire humaine — cette genèse de la société humaine — est la nature réelle de l'homme. C'est pourquoi la nature transformée par l'industrie, bien qu'ayant une forme *aliénée*, est la vraie nature *anthropologique*.

La *sensibilité* (voir Feuerbach) doit être la base de toute science. La science n'est *réellement* science que si elle part de la sensibilité sous sa double forme de la conscience *sensible* et du besoin sensible. Il faut que la science prenne son point de départ dans la nature. C'est pour que l' « homme » devienne l'objet de la conscience sensible et pour que le besoin de l' « homme en tant qu'homme » devienne un besoin sensible, que toute l'histoire est une histoire préparatoire. L'histoire elle-même est une partie réelle de l'*histoire naturelle*, autrement dit de la transformation humaine de la nature. Un jour, les sciences naturelles engloberont la science de l'homme, tout comme la science de l'homme englobera les sciences naturelles : il n'y aura plus qu'*une* science.

... Pour l'homme socialiste, toute la prétendue histoire mondiale n'est rien d'autre que la création de l'homme par le travail humain...

Ibid., W, p. 542-544 et 546.

L'aliénation

L'ouvrier devient d'autant plus pauvre qu'il produit plus de richesse, que sa production croît en puissance et en volume. L'ouvrier devient une marchandise d'autant plus vile qu'il crée plus de marchandises. La *dévalorisation* du monde humain va de pair avec la *valorisation* du monde matériel. Le travail ne produit pas seulement des marchandises; il se produit lui-même et produit l'ouvrier comme une marchandise dans la mesure même où il produit des marchandises en général.

Ce fait exprime tout simplement ceci : l'objet que le travail produit, son propre produit, se dresse devant lui comme un être *étranger*, comme une *puissance indépendante* du producteur. Le produit du travail est le travail qui s'est fixé, matérialisé dans un objet, il est l'*objectivation* du travail. La réalisation du travail est son objectivation. Dans le monde de l'économie politique, cette réalisation du travail apparaît comme la *déréalisation* du travailleur, l'objectivation comme la *perte de l'objet* et comme l'asservissement à celui-ci, l'appropriation (du produit du travail) comme l'aliénation et comme le dépouillement *(Entäusserung)* (du travailleur)...

... C'est comme dans la religion. Plus l'homme s'abandonne à Dieu, moins il se possède lui-même. L'ouvrier met sa vie dans l'objet et dès lors celle-ci ne lui appartient plus, elle appartient à l'objet. Plus cette activité est grande, plus l'ouvrier est privé d'objets. Il n'*est* pas ce qu'il *produit* par son travail.

Ibid., W, p. 512.

L'aliénation à l'intérieur de la production

L'aliénation n'apparaît pas seulement dans le résultat, mais aussi dans l'*acte* même de la production, à l'intérieur de l'activité productive elle-même.

Comment l'ouvrier ne serait-il pas étranger au produit de son activité si, dans l'acte même de la production, il ne devenait étranger à lui-même?

D'abord, le travail est *extérieur* au travailleur, il n'appartient pas à son être : dans son travail, l'ouvrier ne s'affirme pas, mais se nie; il ne s'y sent pas à l'aise, mais malheureux; il n'y déploie pas une libre activité physique et intellectuelle, mais mortifie son corps et ruine son esprit. En conséquence, l'ouvrier se sent auprès de soi-même *(bei sich)* seulement en dehors du travail; dans le travail, il se sent extérieur à soi-même. Il est lui-même quand il ne travaille pas et, quand il travaille, il ne se sent pas dans son propre élément. Son travail n'est pas volontaire, mais contraint, *travail forcé*. Il n'est donc pas la satisfaction d'un besoin, mais seulement un *moyen* de satisfaire des besoins en dehors du travail. Le caractère étranger du travail apparaît nettement dans le fait que, dès qu'il n'existe pas de contrainte physique ou autre, le travail est fui comme la peste. Le travail extériorisé, le travail dans lequel l'homme devient extérieur à lui-même, est sacrifice de soi, mortification.

On en vient donc à ce résultat que l'homme (l'ouvrier) se sent agir librement seulement dans ses fonctions animales : manger, boire, procréer, ou encore, tout au plus, dans son habitat, en s'habillant, etc., en revanche, il se sent animal dans ses fonctions proprement humaines. Ce qui est animal devient humain, et ce qui est humain devient animal.

Sans doute, manger, boire, procréer, etc., sont aussi des fonctions authentiquement humaines. Toutefois, séparées abstraitement de l'ensemble des activités humaines, transformées en fins ultimes et uniques, ce ne sont plus que des fonctions animales.

Ibid., W, p. 514-515.

La propriété privée

... La propriété privée nous a rendus si stupides et si limités que nous ne considérons un objet comme nôtre que lorsque nous le possédons, qu'il existe pour nous comme capital ou qu'il est immédiatement consommé, mangé, bu, porté sur notre corps, habité par nous, etc., bref quand nous nous en servons, bien que le propriétaire privé ne considère ces réalisations immédiates de la possession que comme des *moyens de subsistance* : la vie à laquelle elles servent de moyens est la vie de la *propriété privée*, le travail est la conversion des objets en capital.

A la place de *tous* les sens physiques et intellectuels est donc apparu le sens de *l'avoir*, qui n'est que l'aliénation de *tous* ces sens. L'être humain devrait être réduit à cette pauvreté absolue, afin d'engendrer sa richesse intérieure en partant de lui-même.

Ibid., W, p. 540.

Ouvriers et capitalistes

L'aliénation apparaît dans les faits suivants : 1. *Mes* moyens de subsistance appartiennent à un *autre;* 2. L'objet de *mon* désir est la possession inaccessible d'un *autre;* d'autre part, toute chose est elle-même *autre* qu'elle-même; mon *activité* est *autre chose;* enfin — et ceci vaut également pour le capitaliste — c'est la puissance de l'*inhumain* qui domine.

Ibid., W, p. 554.

Le prolétariat et la richesse sont des contraires. Comme tels, ils constituent un tout. Ils sont, tous deux, deux émanations du monde de la propriété privée. La question est de savoir quel rôle chacun d'eux joue dans cette opposition. Il ne suffit pas de dire que ce sont les deux côtés d'un tout.

La propriété privée en tant que propriété privée, en tant que richesse, est forcée de perpétuer sa propre existence; et par là même celle de son contraire, le prolétariat. C'est le pôle *positif* de l'antithèse : la propriété privée satisfaite en elle-même.

Le prolétariat en tant que prolétariat est forcé, en revanche, de s'abolir lui-même et du coup d'abolir *(aufheben)* son contraire qui conditionne son existence et fait de lui un prolétariat : la propriété privée. C'est le pôle *négatif* de l'opposition : l'inquiétude au sein de l'opposition, la propriété privée anéantie ou en voie de dissolution.

La classe possédante et la classe prolétaire représentent la même aliénation de l'homme. La première se complaît dans cette aliénation; elle s'y affirme et reconnaît dans cette aliénation de soi sa propre *puissance*, et acquiert en elle l'*illusion* d'une existence humaine; la seconde, au contraire, se sent anéantie dans cette aliénation, y voit son impuissance et la réalité d'une existence inhumaine. Elle est, pour employer une expression de Hegel, la *révolte* contre la déchéance à l'intérieur même de la déchéance, et ce qui la pousse nécessairement à cette révolte est la contradiction qui existe entre sa *nature* humaine et sa condition réelle qui est la négation franche, catégorique, totale de cette nature.

Au sein de cette opposition, le propriétaire privé est donc le parti *conservateur*, le prolétaire le parti *destructeur*. Du premier émane l'action qui maintient l'opposition, du second l'action qui l'anéantit.

MARX-ENGELS, *La Sainte Famille*, 1844-45, W, II, p. 37.

N'en déplaise à certains « lecteurs » modernes du Capital, *Marx dira exactement la même chose dans le chapitre final (inédit) du premier tome du* Capital :

C'est le *processus d'aliénation* du travail humain. Dès l'abord, l'ouvrier est ici supérieur au capitaliste : celui-ci est enraciné dans ce processus d'aliénation et y trouve son contentement absolu, tandis que l'ouvrier qui en est la victime se trouve d'emblée en état de rébellion contre lui et le ressent comme un acte d'asservissement... Le capitaliste apparaît dans le même rapport de servitude vis-à-vis du capital que l'ouvrier, bien qu'au pôle opposé.

MARX, *Un chapitre inédit du Capital*, « 10/18 », trad. Dangeville, p. 142-3.

Le communisme : solution de l'énigme de l'histoire

Le *communisme* comme l'abolition *positive* de la propriété privée, de l'auto-aliénation humaine, signifie l'*appropriation* réelle de la nature humaine par et pour l'homme, donc le retour complet de l'homme à lui-même en tant qu'être *social*, c'est-à-dire en tant qu'être humain; retour complet, accompli en pleine conscience en sauvegardant toute la richesse du développement antérieur. Ce communisme, en tant que naturalisme achevé, s'identifie à l'humanisme et en tant qu'humanisme achevé il s'identifie au naturalisme. Il est la *véritable* solution de l'antagonisme entre l'homme et la nature, entre l'homme et l'homme. Il est la vraie solution du conflit entre l'existence et l'essence, entre l'objectivation et l'affirmation de soi, entre la liberté et la nécessité, entre l'individu et l'espèce. Il est l'énigme résolue de l'histoire et il sait qu'il en est la solution...

La religion, la famille, l'État, le droit, la morale, la science, l'art, etc., ne sont que des modes particuliers de la production et tombent sous sa loi générale.

La disparition positive de la propriété privée en tant qu'appropriation de la vie *humaine* est, en conséquence, la *fin positive* de toute aliénation, donc le retour de l'homme à son existence *humaine*, c'est-à-dire *sociale*, et l'abandon de la religion, de la famille, de l'État, etc. L'aliénation religieuse ne s'accomplit, comme telle, que dans le domaine de la conscience, dans le for intérieur de l'homme, mais l'aliénation économique, c'est l'aliénation de la vie *réelle* : sa suppression s'étend, par conséquent, à l'une et à l'autre.

MARX, *Manuscrits de* 1844,
W, p. 536, 537.

Fin de l'aliénation

Supposons maintenant que nous produisions en tant qu'humains : dans ce cas, chacun de nous s'affirme, dans sa production, soi-même et l'autre doublement. 1. Dans ma production, j'objective mon individualité, sa particularité; donc, pendant l'activité j'éprouve la joie d'une manifestation individuelle de ma vie, et, dans la contemplation de l'objet, j'éprouve la joie individuelle de reconnaître ma personnalité comme une puissance objective, intuitive et sensible, au-delà de tout doute. 2. D'autre part, dans ta jouissance ou dans ton usage de mon produit, j'aurais la jouissance directe aussi bien de ma conscience d'avoir, par mon travail, satisfait un besoin humain que d'avoir objectivé la nature humaine et, par conséquent, d'avoir procuré au besoin d'un autre être humain son objet correspondant. 3. J'aurais aussi la joie d'avoir été pour toi le médiateur entre toi et l'espèce humaine, donc d'être reconnu et ressenti par toi-même comme un complément de ta propre nature et comme une partie nécessaire de ton être, donc de me savoir affirmé dans ta pensée comme dans ton amour. 4. Enfin, la joie d'avoir produit dans la manifestation individuelle de ma vie la manifestation directe de ta vie, donc d'avoir affirmé et réalisé dans mon activité individuelle ma vraie nature, ma nature humaine, mon être social. Nos productions seraient autant de miroirs où se réfléchirait notre être.

... C'est seulement quand l'objet devient pour l'homme un objet *humain*, un prolongement de son individualité, que l'homme ne se perd pas dans l'objet. Cela n'est possible que si cet objet devient pour lui un objet *social* et qu'il devient lui-même un être social. Il faut également que la société s'incarne pour l'homme dans cet objet.

D'une part, la réalité des objets devient partout pour l'homme social la réalité des forces substantielles de l'homme, autrement dit la réalité humaine, donc la réalité de ses propres forces substantielles. Par conséquent, tous les objets deviennent pour lui l'objectivation de lui-même, en tant qu'objets qui confirment et réalisent son individualité. Ce sont *ses* objets *à lui*, autrement dit l'homme devient *lui-même* objet. La *manière* dont les objets deviennent siens dépend de la *nature de l'objet* et de la nature de la force substantielle qui correspond à la nature de l'objet. C'est justement la *réalité* de ce rapport qui constitue le mode particulier, *réel* de l'affirmation de l'homme. Pour l'œil, l'objet se présente autrement que pour l'oreille, et l'objet de l'œil est réellement autre que celui de l'oreille. La particularité de chaque faculté humaine est justement ce qui forme sa *nature particulière*, donc aussi le mode particulier de son objectivation, de son *être objectif, réel* et vivant. Ce n'est donc pas seulement dans la pensée, mais avec tous ses sens que l'homme s'affirme dans le monde des objets.

Ibid., W, p. 462 et 541.

Solution des énigmes philosophiques...

... C'est seulement dans l'état social que les antinomies telles que subjectivisme et objectivisme, spiritualisme et matérialisme, activité et passivité perdent leur caractère antinomique. Elles cessent, par là même, d'exister en tant qu'antinomies.

La solution des contradictions *théoriques* s'obtient, on le voit, *uniquement* par des moyens *pratiques*, uniquement par l'énergie pratique de l'homme. Leur solution n'est donc nullement la seule tâche de la connaissance, mais une *réelle* tâche de la vie, tâche que la *philosophie* n'était pas en mesure d'accomplir précisément parce qu'elle y voyait un problème *purement* théorique.

Ibid., W, p. 542 et p. 552.

B. — *LES ÉCRITS DE MATURITÉ*

Présentation

L' « *humanisme ou naturalisme achevé* » *des* Manuscrits de 1844 *disparaît totalement dans les écrits ultérieurs de Marx. Dès 1845, Marx se débarrasse définitivement de l'influence de Feuerbach (ThF) et la « conception matérialiste de l'histoire » qu'il expose pour la première fois dans l'*Idéologie allemande (1845-46) se double d'une conception* historique *de la matière qui implique une négation radicale du matérialisme traditionnel.*

Si Marx se déclare matérialiste, ce qui lui répugne dans l' « ancien matérialisme », c'est que « l'histoire ne se rencontre pas » dans une conception purement matérialiste du monde (IA 41-43). Celle-ci ne voit dans l'homme qu'un être purement passif, sans pouvoir transformateur sur les choses, soumis à l'objet. Elle efface donc la frontière mobile entre la nature et l'histoire au profit de la première et ne comprend pas que l'histoire est une transformation de plus en plus profonde de la nature par le travail humain. Feuerbach, par exemple, ne voit pas que le monde sensible qui l'entoure n'est pas un objet donné une fois pour toutes, mais le « produit de l'industrie et de l'état social »; il procède comme si l'homme « n'avait pas toujours devant lui une nature historique », modifiée et reconstruite par son action.

A partir de ces prémisses Marx a imaginé une réfutation du matérialisme qui eût été impensable pour toute autre époque mais qui peut être considérée comme une des expressions les plus extrêmes du titanisme prométhéen de la modernité. Le matérialisme est réfuté parce qu'il n'y a plus de matière qui ne soit d'ores et déjà devenue matière première de l'activité humaine ou matière seconde créée par la technique, façonnée par la praxis. *Le vice fondamental de tout matérialisme est de* « *ne pas concevoir le monde sensible comme (le produit de l') activité sensible totale et vivante des individus qui le constituent* ». *Feuerbach ne comprend pas que, par-delà la forme* « *vulgaire et judaïque* » *(ThF), utilitaire et mercantile, sous laquelle elle apparaît extérieurement, la* praxis, *l'activité productive, possède une fonction plus essentielle qui est de* « *modifier historiquement la nature* » : « *cette activité, cette action, ce travail continuels, cette production sont le* fondement *de tout le monde sensible tel qu'il existe actuellement* ».

Contre l'anthropologie idéaliste

Ainsi donc l' « *ancien matérialisme* » *ampute l'homme de son* « *côté actif* », *dépouille le sujet de la primauté et du pouvoir que lui reconnaît l'idéalisme.* « *Le côté actif a été développé par l'idéalisme* », *dit Marx (ThF), mais cela ne signifie pas que l'idéalisme soit vrai. C'est que l'idéalisme* « *ne connaît pas l'activité réelle, sensible en tant que telle* ». *Hegel par exemple a eu le mérite de comprendre l'* « *essence du travail* » *et d'avoir saisi l'histoire comme la création de l'homme par lui-même, mais le seul travail que Hegel connaît et reconnaît est le travail de l'* « *Esprit* » : *l'homme n'y apparaît que* « *sous la forme de l'esprit* » *et est même considéré comme un* « *être spirituel pensant* », *ce qui pour Marx est une* « *absurdité* », *un* « *renversement* » (Verkehrtheit) *des conditions réelles.*

Le péché de mysticité que Marx dénonce constamment chez Hegel et les idéalistes consiste précisément à postuler que « *l'esprit est le* vrai être *de l'homme* » *(Ph). Or, nous l'avons vu, le* « *vrai être* » *de l'homme est le travail et l'industrie, la* praxis, *le* « *processus de son développement pratique* » *(IA). Dans le travail et l'industrie l'idéalisme ne voit qu'une activité utilitaire destinée à satisfaire des* « *besoins vulgaires* » *(Ph); il se détourne du* « *Livre* » *de l'industrie et ne s'intéresse qu'aux* « *événements politiques, littéraires, théologiques et étatiques* ». *Mais* « *il n'y a pas d'histoire de la politique, du droit, de la science, etc., de l'art, de la religion, etc.* », *répète inlassablement Marx (IA) pour proclamer son hostilité aux absurdités de l'anthropologie traditionnelle* « *théologique et spiritualiste* ». *Toutes ces formes de la* « *vie irréelle* » *des hommes ne possèdent ni une structure de soi, ni un développement par soi, ni une valeur pour soi :* « Elles n'ont pas d'indépendance », *elles n'ont pas de vérité intrinsèque :* « Elles n'ont pas de développement », *elles n'ont pas de vie et de fécondité propres.* « Elles n'ont pas d'histoire », *leur déroulement dans le temps ne fait apparaître aucun ordre spontané, aucune logique interne, mais dépend de la* « *production matérielle* », *de la vie productive qui est l'histoire* « *réelle* » *des hommes :* « *Séparées de l'histoire réelle, ces abstractions ne possèdent en soi la moindre valeur* ».

Praxis, vérité et idéologie

Source de toute valeur, l'histoire « *réelle* » *l'est également de toute vérité. Ainsi Marx définit sa* « *science réelle et positive* » *comme la* « *représentation de l'activité pratique du processus du développement pratique de l'homme* » *(IA). Nous avons vu que ce processus forme l'* « *être* » *même de l'homme et le* « *fondement* » *du monde matériel. Nous voyons à présent qu'il constitue aussi le centre d'où rayonnent toute vérité et toute expérience. Seule la praxis, dit Marx (ThF) peut démontrer* « *la vérité de l'homme* », *à savoir* « *la réalité et la puissance, l'enracinement dans l'ici-bas de sa pensée* ». *Aussi bien* « *tous les mystères qui ont poussé la théorie au mysticisme trouvent leur solution rationnelle dans la praxis humaine et dans la compréhension de cette praxis* ».

Cette praxis, ce « *processus vital réel* », « *pratique et matériel* » *est le vrai être de l'homme et la conscience ne peut être que cet* « *être devenu conscient* ». *Dans la mesure où l'homme devient conscient de soi, il ne peut que prendre conscience de son vrai être, il ne peut que* « *refléter* » *le processus de son* « *développement pratique* ». *Cependant les hommes ont vécu* « *jusqu'ici* » *dans une ignorance complète en ce qui concerne leur vrai être : ce qu'ils considéraient comme leur réalité était une* « *réalité fantastique* » *plutôt que leur* « *réalité véritable* » : *toute la* « *critique* » *est fondée sur l'axiome que* « *les hommes se sont toujours fait jusqu'ici des représentations* fausses *d'eux-mêmes, de ce qu'ils sont ou doivent être* » *(IA).*

La raison en est, dit Marx, qu'au lieu de chercher la réalité véritable de l'homme dans la praxis, *la conscience* « *idéologique* » *a fui la vie réelle en* « *s'imaginant qu'elle est autre chose que la conscience de la praxis existante* » *(IA), et c'est cette fuite hors de la praxis, hors du* « *monde* » *qui a donné naissance à toutes les formes de l'illusion et de l'aliénation idéologique : la* « *théorie pure* », *la religion, la théologie, la philosophie, la morale, etc.*

Du moment où l'homme ne se propose plus de tâches pratiques où il puisse matérialiser sa psyché, se réaliser et « *établir la puissance et la vérité de son existence terrestre* », *sa conscience ne représente* « *rien de réel* » *et est en connivence avec toutes les forces obscures. En tombant dans ce monde dépourvu de tâches pratiques — matérielles, et donc de clarté propre, l'homme rencontre inévitablement* « *les mystères qui ont poussé la théorie au mysticisme* », *et il s'expose à toutes les puissances de la mysti-*

*fication. Raison de plus pour se demander pourquoi la conscience
a fui le monde lumineux de la praxis qui exclut la transcendance
et promet toutes les jouissances de l'enracinement. Pour Marx,
la force qui arrache la conscience à la « praxis existante » ne tire
pas son origine de la conscience elle-même, ne traduit pas une
inquiétude proprement spirituelle, mais doit être considérée comme
une conséquence des conditions particulières sous lesquelles se
déroule la « vie pratique » et l'action et la production matérielles :
« Si les hommes et leurs relations apparaissent dans toute l'idéologie renversés comme dans une* camera obscura, *ce phénomène
est une* conséquence *de leur processus vital historique... une
conséquence de leur mode d'activité borné et des rapports sociaux
bornés qui en découlent » (IA).*

Sous-développement et division du travail

*Le « mode d'activité borné » est le terme dont Marx se sert
constamment pour désigner le sous-développement des forces
productives caractéristique de la « préhistoire de l'humanité ».
Dès qu'on quitte les temps primitifs où l'homme démuni de « forces
productives » était écrasé par la nature, « l'identité de l'homme
avec la nature se manifeste sous cette forme que le rapport borné
des hommes avec la nature conditionne leur rapport borné entre
eux et est conditionné par lui » (IA). Le « rapport borné de
l'homme avec la nature » indique que le travail humain ne domine
pas la totalité, mais une partie seulement de l'univers naturel, ce
qui signifie que l'homme n'a encore objectivé — dans l'industrie — qu'une partie de ses forces productives, et non la totalité.
Ayant préalablement défini l'homme par « ce qu'il produit et la
manière dont il le produit » (IA), Marx fait du progrès technique
la mesure de toute l'histoire et considère tous les types humains
qui se sont succédé au cours des siècles comme des « individus
dont l'affirmation de soi* (Selbstbetätigung) *était bornée » par le
fait qu'ils ne disposaient que d'instruments de production « bornés » (IA, GR). L'homme se réalise suivant le degré d'efficience
de ses instruments de production : « le développement des capacités
individuelles de l'homme correspond aux instruments matériels de
production dont il dispose » (IA).
Dans les* Grundrisse *Marx distingue trois grands types d'individualité, donc trois formes fondamentales de la vie sociale et donc
trois grandes époques de l'histoire.
Démuni d'outils et de forces productives, l'homme primitif
n'était qu'un « être grégaire » (GR 396), un* Bienenindividuum
*qui « adhère à la communauté aussi fortement qu'une abeille à
son essaim » (K I,350) : sa conscience ne pouvait être qu'une
conscience purement « animale-grégaire » de soi et de la nature
(IA 27). C'est le premier type d'individualité (GR 76).
Le facteur décisif de l'individuation a été justement un certain
« accroissement de la productivité » (IA 28) sapant l'unité indiffé-*

*renciée de la communauté primitive supprimant le « comporte-
ment animal de l'homme à l'égard de la nature » et instituant
un « rapport borné » entre l'homme et son environnement matériel.
C'est alors que le* principium individuationis *est devenu opérant
et c'est alors que s'est produit l'acte bénéfique et traumatisant —*
felix culpa *— avec lequel commence la « préhistoire » proprement dite de l'humanité : la division du travail.*

*La division du travail qui, selon Marx, n'était primitivement que
« la division du travail dans l'acte sexuel » (IA 28) ou résultait
de la seule diversité des forces physiques, est devenue le facteur
« principal » dans le développement historique « à partir du
moment où s'est instituée une division du travail matériel et du
travail intellectuel ». « Toutes les contradictions » (IA 29) qui
déchirent l'humanité préhistorique, l'antagonisme des classes,
l'opposition entre l'État et la société, entre la ville et la campagne,
etc., seront les multiples conséquences de la division de plus en
plus profonde de la collectivité laborieuse. Le « rapport borné
entre les hommes » en sera l'expression la plus générale.*

*La division du travail condamne chaque individu à s'enfermer
dans une tâche limitée, à se laisser inclure « dans un cercle d'activité déterminé, exclusif, qui lui est imposé, auquel il ne peut
échapper » (IA 29-30), à la manière d'un animal. Le « rapport
borné entre les hommes » signifie tout d'abord que l'homme morcelé
par la division du travail se trouve dans l'impossibilité de se
développer d'une façon omnilatérale, de cultiver la totalité de ses
capacités et de participer pleinement et consciemment à l'œuvre
productive, à la praxis globale de la collectivité. Il se crée ainsi
un nouveau « règne animal » peuplé d'espèces d'un genre nouveau :
l'animal paysan, l'animal urbain, enfin l'animal de classe. L'homme
croit être un individu pur, une personne, mais en réalité il n'existe
que dans la mesure où il est l'échantillon d'une catégorie professionnelle autonomisée par la division du travail ou d'une classe
sociale qu'il n'a pas choisie et qui nie sa prétendue liberté et sa
véritable spontanéité. « Dans la représentation, les individus sont
plus libres sous la domination de la bourgeoisie qu'avant, mais en
réalité, ils sont moins libres parce qu'ils sont subordonnés à une
puissance matérielle réifiante »* (sachliche Macht : IA 76).

*Une nouvelle aliénation se fait jour maintenant (IA, GR, K) :
elle provient de la subordination des individus à des puissances
« matérielles », « objectives », « réifiées », incontrôlables qui
rendent les hommes étrangers à leur véritable destination qui est
d'être libres, conscients et de s'affirmer comme tels. Comme chez
Hegel, la nature désigne désormais l'aliénation suprême : le règne
du hasard et de la nécessité inconsciente. Or c'est une nature de ce
genre que crée la division du travail telle qu'elle se pratique à
l'échelle de la société globale. En effet, « aussi longtemps que
l'activité n'est pas répartie volontairement* (freiwillig) *mais
naturellement* (naturwüchsig : *spontanément, sans plan, selon la
nécessité inconsciente de la nature), l'action humaine se transforme
en une puissance étrangère qui s'oppose à l'homme et l'asservit »*

(IA 30-31). Marx appelle « naturel » (naturwüchsig) tout processus « non subordonné à un plan d'ensemble établi par des individus librement associés » (IA 72) et la naturalité (Naturwüchsigkeit) *désignera désormais l'aliénation par excellence. Du fait que la coopération entre les hommes n'est pas organisée librement et consciemment* (freiwillig) *mais naturellement* (naturwüchsig), *la « puissance sociale » qui en résulte se dresse contre les individus comme une « puissance matérielle » (le matérialiste Marx n'aime pas les « puissances matérielles »...) qui « nous domine, échappe à notre contrôle, contrecarre nos espérances, anéantit nos calculs » (IA 29-31). L'universalité concrète créée par la division «naturelle» du travail d'abord à l'échelle nationale puis à l'échelle de la planète tout entière, apparaît comme une puissance naturelle aveugle qui écrase l'individu et lui dénie toute possibilité de liberté réelle. L'économie du marché et son réseau d'interdépendances mécaniques et inconscientes se manifeste comme un « fatum antique » qui poursuit son cours inexorable « indépendamment de la volonté et de l'agitation des hommes, réglant même cette volonté et cette agitation »* (1).

L'individu est devenu libre mais sa liberté ne lui a apporté que la subordination : cet individu libre et aliéné forme le deuxième type d'individualité, la deuxième grande étape de l'histoire.

De cette étape le capitalisme est l'aboutissement suprême. Ici la division du travail atteint sa perfection : le travailleur est devenu une « parcelle » de lui-même et la majorité des hommes est convertie en une classe de prolétaires pour laquelle la suppression de l'aliénation est la condition même de sa survie. Mais, en même temps, les forces productives « se sont développées jusqu'à constituer une totalité » (IA 67-68). Face au mode d'activité « borné », « animal » ou « enfantin » du passé, la révolution industrielle a mis au jour un mode d'activité « développé *», une « totalité » d'instruments de production qui offrent à l'homme la possibilité d'une « affirmation complète et non plus bornée de sa personnalité ». Dans les usines modernes où l'interchangeabilité des tâches « exclut complètement l'ouvrier de toute affirmation de sa personnalité », l'homme pourra, en vertu d'un renversement dialectique vertigineux, accéder à un mode supérieur d'existence qui embrassera enfin une « totalité » d'activités multiples et de « rapports pratiques avec le monde ». De même, les fantasmes religieux et « mythologiques » (GR 30-31) qui obscurcissaient la conscience de l'homme « préhistorique » et qui le condamnaient à l'« idolâtrie de la nature », s'évanouissent progressivement au fur et à mesure que la science et l'industrie universelle transforment le monde en un simple « objet », en une « affaire d'utilité » (GR 313) : la grande industrie « anéantit le plus possible l'idéologie, la religion, la*

---

(1) La découverte (à partir de *Misère de la philosophie*) de la « loi de la valeur » conférera à ce thème éminemment hégélien une extraordinaire intensité dramatique.

morale, etc., et là où elle ne le pouvait pas elle les mua en mensonge évident » (IA 59).

Le communisme « clôt » la « préhistoire » de l'humanité parce qu'il est la solution de toutes les « oppositions » qui déchiraient l'humanité préhistorique. Résultat du sous-développement des forces productives, la division de la société en classes antagonistes sera supprimée par leur développement pleinier. Disposant d'une « totalité » d'instruments et donc doué d'une « totalité de capacités », l'homme total de l'avenir pourra enfin supprimer la division du travail et extirper la racine même de l'aliénation en soumettant l'œuvre commune au contrôle conscient des « individus librement associés ». Ce sera le « troisième » grand type d'individualité et le « saut » final dans le royaume de la liberté.

1. — LE « NOUVEAU MATÉRIALISME »

Le matérialisme

Il n'est pas besoin d'une grande sagacité pour apercevoir le lien nécessaire du matérialisme avec le communisme et le socialisme, lorsqu'on considère ses théories sur la bonté originelle et les dons intellectuels égaux des hommes, la toute-puissance de l'expérience, de l'habitude, de l'éducation, l'influence des conditions extérieures sur les hommes, l'importance de l'industrie, la légitimité du plaisir, etc. Si l'homme tire toute connaissance, toute sensation, etc., du monde sensible et de l'expérience dans le monde sensible, il importe d'organiser le monde empirique de telle manière que l'homme y éprouve et s'y assimile ce qui est vraiment humain, qu'il s'y reconnaisse comme l'homme. Si l'intérêt bien compris est le principe de toute morale, il importe de faire coïncider l'intérêt privé avec l'intérêt humain. Si l'homme n'est pas libre au sens du matérialisme, c'est-à-dire s'il est libre non point par la puissance négative d'éviter ceci ou cela, mais par le pouvoir positif de faire valoir sa propre individualité, on ne doit pas châtier le crime dans l'individu, mais détruire les foyers antisociaux de crime et donner à chacun l'espace social nécessaire pour le déploiement essentiel de sa vie. Si l'homme est façonné par les circonstances, il faut façonner les circonstances humainement. Si l'homme est, par nature, sociable, il ne développe sa véritable nature que dans la société, et les puissances de sa nature doivent se mesurer non par les puissances de l'individu isolé, mais par celles de la société.

Marx-Engels, La Sainte Famille, 1844-45,
W, II, p. 138.

Réfutation du matérialisme sensualiste

... Feuerbach, non satisfait de la pensée abstraite, en appelle à l'intuition, mais il ne conçoit pas la réalité sensible comme activité *pratique*, comme activité humaine, sensible.

... Le résultat suprême auquel parvient le matérialisme sensualiste, c'est-à-dire le matérialisme qui ne conçoit pas le monde sensible comme activité pratique, est la perception des individus isolés de la société bourgeoise.

... Le point de vue de l'ancien matérialisme est la société « bourgeoise », le point de vue du nouveau matérialisme est la société humaine ou l'humanité socialisée.

... Le défaut principal de tout le matérialisme connu jusqu'ici — y compris celui de Feuerbach — est que la réalité concrète et sensible n'y est conçue que sous la forme de *l'objet ou de l'inquisition sensible*, mais non comme *activité sensible de l'homme*, comme *pratique humaine*, non subjectivement. C'est pourquoi l'aspect *actif* a été développé abstraitement, en opposition avec le matérialisme, par l'idéalisme qui, naturellement ignore l'activité réelle, sensible, comme telle. Feuerbach veut des objets concrets, réellement distincts des objets mentaux : il ne conçoit pas, cependant, l'activité humaine elle-même comme activité *objective*. Il ne considère donc, dans l'*Essence du Christianisme*, comme vraiment humain que le comportement théorique, tandis que la pratique n'y est conçue et définie que dans sa manifestation judaïque sordide. En conséquence, il ne saisit pas la signification de l'activité « révolutionnaire », praticocritique.

Marx, Thèses sur Feuerbach, 1845.

Feuerbach ne voit pas que le monde sensible qui l'environne n'est pas une chose donnée de toute éternité, toujours semblable à elle-même, mais le produit de l'industrie et des rapports sociaux, en ce sens qu'à chaque époque historique il est le résultat, le produit de l'activité de toute une série de générations, dont chacune placée sur les épaules de celle qui la précède a étendu l'industrie et modifié l'organisation sociale conformément à la transformation des besoins. Même les objets de la plus simple « certitude sensible » ne lui sont donnés que par le développement social, l'industrie et le commerce. Le cerisier, comme la plupart des arbres fruitiers, a été transplanté dans nos climats depuis quelques centaines d'années, grâce au commerce et n'a donc été donné à la « certitude sensible » de Feuerbach que par cet acte d'une société déterminée, dans un temps déterminé...

Cette activité, ce travail, cette création sensibles, continuels, cette production sont à tel point le fondement de tout le monde sensible, tel qu'il est actuellement, que s'ils s'interrompaient, ne fût-ce qu'une année, non seulement Feuerbach trouverait une immense transformation dans le monde naturel, mais tout le monde humain, et son propre pouvoir d'intuition, son existence même seraient très vite supprimés. Sans doute la priorité de la nature extérieure continue à subsister et sans doute tout cela ne s'applique pas aux hommes primitifs, engendrés par une « generatio aequivoca », mais cette distinction n'a de sens qu'autant qu'on considère l'homme séparément de la nature. D'ailleurs, cette nature antérieure à l'histoire humaine dans laquelle vit Feuerbach, n'existe plus nulle part, sauf, peut-être dans quelques récifs de corail australiens nouvellement apparus; elle n'existe donc pas non plus pour Feuerbach...

Dans la mesure où il est matérialiste, Feuerbach ne tient pas compte de l'histoire, et dans la mesure où il fait intervenir l'histoire, il n'est pas matérialiste.

MARX-ENGELS, *L'Idéologie allemande*, 1846, p. 40-1 et 43.

... La doctrine matérialiste de l'influence modificatrice des circonstances et de l'éducation oublie que les circonstances sont modifiées par les hommes et que l'éducateur lui-même doit être éduqué. Elle est donc forcément amenée à diviser la société en deux parties dont l'une s'élève au-dessus de la société.

La coïncidence du changement du milieu et de l'activité humaine — ou du changement de soi de l'homme — ne peut être conçue et saisie rationnellement qu'en tant que *pratique révolutionnaire*.

MARX, *Thèses sur Feuerbach*, 1845.

Praxis et vérité

... La question de savoir si la pensée humaine peut accéder à une vérité objective n'est pas une question théorique : c'est une question de la *pratique*. C'est dans la pratique que l'homme doit démontrer la vérité, c'est-à-dire la réalité et la puissance, l'enracinement dans l'ici-bas de sa pensée. Les controverses sur la réalité ou la non-réalité de la pensée — isolée de la pratique — relèvent de la pure scholastique.

... Toute vie sociale est essentiellement *pratique*. Tous les mystères qui entraînent la théorie au mysticisme trouvent leur solution rationnelle dans la pratique humaine et dans l'intelligence de cette pratique.

... Les philosophes n'ont fait qu'*interpréter* le monde de diverses manières; il s'agit désormais de le *transformer*.

MARX, *Thèses sur Feuerbach*, 1845.

Il existe encore toute une série d'autres philosophes qui contestent la possibilité de connaître le monde ou du moins de le connaître à fond. Parmi les modernes, Hume et Kant sont de ceux-là, et ils ont joué un rôle tout à fait considérable dans le développement de la philosophie. Pour réfuter cette façon de voir, l'essentiel a déjà été dit par Hegel, dans la mesure où cela était possible du point de vue idéaliste; ce que Feuerbach y a ajouté du point de vue matérialiste est plus spirituel que profond. La réfutation la plus frappante de cette lubie philosophique, comme d'ailleurs de toutes les autres est la pratique, notamment l'expérimentation et l'industrie. Si nous pouvons prouver la justesse de notre conception d'un phénomène naturel en le créant nous-mêmes, en le produisant à l'aide de ses conditions, et, qui plus est, en le faisant servir à nos fins, c'en est fini de la « chose en soi » insaisissable de Kant.

ENGELS, Ludwig Feuerbach, 1888,
W, XXI, p. 276.

Il est juste d'ajouter que, du temps de Kant, notre connaissance des objets naturels était si fragmentaire qu'il pouvait se croire en droit de supposer, au-delà du peu que nous connaissions de chacun d'eux, une mystérieuse « chose en soi ». Mais ces insaisissables choses ont été les unes après les autres saisies, analysées et, ce qui est plus, *reproduites* par les progrès gigantesques de la science : ce que nous pouvons produire, nous ne pouvons pas prétendre le considérer comme inconnaissable. Les substances organiques étaient ainsi, pour la chimie de la première moitié du siècle, des objets mystérieux; aujourd'hui, nous apprenons à les fabriquer les unes après les autres avec leurs éléments chimiques, sans l'aide d'aucun processus organique. Les chimistes modernes déclarent que, dès que la constitution chimique de n'importe quel corps est connue, il peut être fabriqué avec ses éléments. Nous sommes encore loin de connaître la constitution des substances organiques les plus élevées, les corps albuminoïdes; mais il n'y a pas de raison pour désespérer de parvenir à cette connaissance, après des siècles de recherches s'il le faut, et qu'ainsi armés, nous arriverons à produire de l'albumine artificielle. Quand nous serons arrivés là, nous aurons fabriqué la vie organique, car la vie, de ses formes les plus simples aux plus élevées, n'est que le mode d'existence normal des corps albuminoïdes.

ENGELS, Socialisme utopique et socialisme scientifique,
Introduction à l'édition anglaise 1892,
W, XXII, p. 297.

Note sur Hegel

La grandeur de la *Phénoménologie* et de son résultat final : la dialectique de la négativité comme principe moteur et créateur, consiste en ceci : Hegel saisit la production de l'homme par lui-même comme un processus — comme un processus d'objectivation, d'aliénation et de suppression de cette aliénation;

bref, il saisit l'essence du travail et conçoit l'homme objectif, l'homme véritable parce que réel, comme le résultat de son propre travail. En effet, le rapport *réel* actif de l'homme à lui-même en tant qu'être générique, autrement dit l'affirmation de son être en tant qu'être générique réel, en tant qu'être humain, ne deviendra possible que si, d'une part, l'homme réalise effectivement la totalité de ses forces génériques — ce qui présuppose l'action commune des hommes en tant que résultat de l'histoire — et que, d'autre part, ces forces se présentent face à lui comme des objets, ce qui à son tour n'est possible que sur la base de l'aliénation.

Hegel se place au point de vue de l'économie politique moderne. Il conçoit le travail comme l'essence et la confirmation de l'essence de l'homme, mais il ne voit que le côté positif du travail et non son côté négatif. Le travail est le *devenir pour soi* de l'homme *à l'intérieur de l'aliénation* : l'homme devient pour soi *en tant qu'homme aliéné*. D'autre part, le seul travail que Hegel connaisse et reconnaisse est le travail abstrait, spirituel.

Sous son aspect positif, la négation de la négation chez Hegel apparaît comme le seul positif véritable; sous son aspect négatif, elle apparaît comme le seul acte véritable et comme le seul acte d'affirmation de soi de tout être. Ce faisant, Hegel a trouvé l'expression *abstraite, logique, spéculative* du mouvement de l'histoire, mais cette histoire-là n'est pas encore l'histoire *réelle* de l'homme en tant que sujet présumé; elle n'est que l'acte de la *création* de l'homme, l'histoire de sa *naissance*.

MARX, *Manuscrits de* 1844, W, p. 574 et 570.

La dialectique

Sous son aspect mystique, la dialectique devint une mode en Allemagne, parce qu'elle semblait glorifier les choses existantes. Sous son aspect rationnel, elle est un scandale et une abomination pour les classes dirigeantes et leurs idéologues doctrinaires, parce que dans la conception positive des choses existantes elle inclut du même coup l'intelligence de leur négation, de leur destruction nécessaire; parce que saisissant le mouvement même dont toute la forme faite n'est qu'une configuration transitoire, rien ne saurait lui en imposer; parce qu'elle est essentiellement critique et révolutionnaire.

MARX, *Postface* à la 2e édition du *Capital*, 1873.

2. — PHILOSOPHIE DE L'HISTOIRE

L'histoire ne fait *rien*, elle ne livre *pas* de combats! C'est au contraire l'*homme*, l'homme réel et vivant qui fait tout cela, possède tout cela et livre tous ses combats; ce n'est pas l'histoire qui se sert de l'homme comme moyen pour réaliser — comme si elle était une personne à part — *ses* fins à elle; elle n'est que l'activité de l'homme qui poursuit ses fins à lui.

Engels dans Marx-Engels, *La Sainte Famille*, 1845,
W, II, p. 98.

Le point de départ : l'individu

Des individus produisant en société — donc une production d'individus socialement déterminée : tel est naturellement le point de départ (de la science)... Plus nous remontons dans l'histoire, plus l'individu apparaît comme un être dépendant, partie d'un ensemble plus grand : tout d'abord et de façon toute naturelle dans la famille et dans le clan qui n'est qu'une famille élargie; plus tard, dans les communautés de formes diverses, issues de l'antagonisme et de la fusion des clans. Ce n'est qu'au xviiie siècle, dans la société bourgeoise, que les différentes formes de connexion sociale se présentent à l'individu comme un simple moyen de parvenir à ses fins personnelles, comme une nécessité extérieure.

Aux prophètes du xviiie siècle, (ce type d'individu émancipé de la communauté) apparaît comme un idéal dont ils situaient l'existence dans le *passé*. Pour eux, il était non un aboutissement historique, mais le point de départ de l'histoire. C'est que, d'après l'idée qu'ils se faisaient de la nature humaine, l'individu est conforme à la nature en tant qu'être issu de la nature et non en tant que fruit de l'histoire. Cette illusion fut jusqu'ici le propre de toute époque nouvelle...

Marx, Introduction à la *Critique de l'économie politique*, 1857.

Trois types d'individus, trois formes de société, trois époques

Les rapports de dépendance personnelle (d'abord tout à fait naturels) sont les premières formes sociales dans lesquelles la productivité humaine se développe lentement et d'abord en des points isolés. L'indépendance personnelle fondée sur la dépendance à l'égard des *choses* est la deuxième grande étape : il s'y constitue pour la première fois un système général de métabolisme social, de rapports universels, de besoins diversifiés et de capacités universelles. La troisième étape, c'est la libre individualité fondée sur le développement universel des hommes et sur la maîtrise de leur productivité communautaire, sociale ainsi que de leurs forces sociales. La seconde crée les conditions de la troisième.

Marx, *Grundrisse...*, 1857-58, p. 75-76.
(I, p. 95-6)

Les sociétés archaïques

Ces vieux organismes sociaux sont, sous le rapport de la production, infiniment plus simples et plus transparents que la société bourgeoise; mais ils ont pour base l'immaturité de l'homme individuel — dont l'histoire n'a pas encore coupé le cordon ombilical qui l'unit à la communauté naturelle de la tribu primitive — ou des conditions de despotisme et d'esclavage. Le degré inférieur de développement des forces productives du travail qui les caractérise, et qui par suite imprègne tout le cercle de la vie matérielle, l'étroitesse des rapports des hommes, soit entre eux, soit avec la nature, se reflète idéalement dans les vieilles religions nationales.

MARX, *Le Capital I*, 1867, p. 85. (I, 91).

C'est nécessairement la forme asiatique (de la communauté archaïque) qui se maintient avec la plus grande ténacité et le plus longtemps. Cela tient à ses conditions mêmes : l'individu ne peut se rendre autonome vis-à-vis de la communauté... Quelques individus peuvent avoir une certaine grandeur, mais il est évident qu'il ne peut y avoir d'épanouissement entier et libre de l'individu ou de la société, car il serait en contradiction avec le système...

MARX, *Grundrisse...*, p. 386-7. (I, 449).

La société aliénée

(Dans la société marchande-capitaliste, régie par la loi de la valeur, les individus se sont émancipés des vieux rapports de dépendance; ils ont coupé le « cordon ombilical » qui les empêchait d'affirmer leur moi et les « dépouillait de toute énergie historique ». Les individus sont désormais « libres » et « égaux », mais leur production « n'est pas immédiatement *sociale »; « elle n'est pas le fruit d'une* association *qui répartit le travail parmi ses membres ». L'émancipation n'a pas encore apporté la vraie liberté :)*

Dans la représentation, les individus sont plus libres sous la domination de la bourgeoisie qu'avant parce que leurs conditions d'existence leur sont contingentes; en réalité, ils sont naturellement moins libres parce ce qu'ils sont beaucoup plus subordonnés à une puissance matérielle *(sachliche Macht)*.

MARX-ENGELS, *L'Idéologie allemande*, 1846, p. 76.

Les individus produisent pour la société et dans la société, mais leur production n'est pas immédiatement sociale, elle n'est pas le fruit d'une association qui répartit le travail parmi ses membres. Les individus sont subordonnés à la production sociale qui existe en dehors d'eux comme une fatalité; mais la production sociale n'est pas subordonnée aux individus, qui la géreraient comme leur puissance commune. L'échange de tous les produits, facultés et activités, s'oppose au système de domination et de sujétion... mais il s'oppose aussi à l'échange libre des individus associés.

MARX, *Grundrisse...*, 1857-58, p. 76-77. (I, 96).

L'aliénation et la division du travail

Aussi longtemps que les hommes se trouvent dans la société naturelle, aussi longtemps par conséquent que l'intérêt particulier et l'intérêt général divergent, aussi longtemps donc que l'activité n'est pas répartie volontairement, mais naturellement (1), l'acte propre de l'homme devient pour lui une force étrangère et hostile, qui le subjugue au lieu d'être dominée par lui... Cette fixation de l'activité sociale, cette pétrification de notre propre produit en une force extérieure qui est au-dessus de nous, qui échappe à notre contrôle, qui déjoue notre attente et anéantit nos calculs, constitue un des facteurs principaux du développement historique.

La puissance sociale, c'est-à-dire la force productive multipliée qui naît de l'action commune des divers individus et que conditionne la division du travail, apparaît à ces individus, parce que l'action collective elle-même n'est pas volontaire, mais naturelle, non comme leur puissance propre, associée, mais comme une force étrangère, extérieure à eux, dont ils ne connaissent ni l'origine, ni la direction, qu'ils ne peuvent donc plus dominer, qui est au contraire une force propre, indépendante du vouloir et du développement humains...

Cette « aliénation », pour rester intelligible aux philosophes, ne peut naturellement être abolie, qu'à certaines conditions pratiques.

MARX, *L'Idéologie allemande*, 1846, p. 31.

La dépendance universelle et réciproque des individus indifférents les uns aux autres constitue leur lien social. Ce lien social s'exprime dans la *valeur d'échange...* Le caractère social de l'activité — tout comme la forme sociale du produit et la participation de l'individu à la production — apparaît à la collectivité comme quelque chose d'étranger, comme une chose matérielle; non pas comme une relation consciente entre les individus, mais plutôt comme un assujettissement à des rapports qui existent indépendamment des hommes et naissent du choc d'individus indifférents les uns aux autres. Devenu condition de vie et lien réciproque, l'échange universel des activités et des

---

(1) Marx oppose constamment « nature » et « liberté ». Dans l'*Idéologie allemande* (1846), dans les *Grundrisse* (1857-58) et dans le *Capital* (1867), il appelle « naturel » *(naturwüchsig)* tout processus « non subordonné à un plan d'ensemble établi par des individus librement associés » *(L'Idéologie allemande)*.

produits apparaît à l'individu isolé comme étranger et indépendant — comme une chose.

MARX, *Grundrisse...*, 1857-58, p. 74. (I, 93).

Nécessité de l'aliénation

La grandeur et la beauté de ce système résident précisément
dans cette connexion et dans ces échanges organiques, matériels
et spirituels, qui se créent naturellement *(naturwüchsig)*, indépendamment de la conscience et de la volonté des individus, et
qui supposent précisément leur indifférence et leur indépendance
réciproques. Cette interdépendance chosifiée *(sachlich)* est en
effet préférable à l'absence de liens ou à l'existence de liens
purement locaux fondés soit sur la parenté soit sur des rapports
de domination et de sujétion. Il est tout aussi certain que les
individus ne peuvent maîtriser leurs propres relations sociales
avant de les avoir créées... Ce mode de production crée, pour la
première fois, en même temps que l'aliénation générale de l'individu vis-à-vis de lui-même et des autres, l'universalité et la totalité de ses rapports et de ses facultés.

MARX, *Grundrisse...*, p. 79. (I, 99).

L'unité primitive du travailleur et des moyens de production
revêt deux formes principales : la communauté asiatique (communisme naturel) et la petite agriculture familiale. Mais ces
deux formes ne sont que des formes enfantines et ne peuvent
guère développer le travail comme travail social ni la force
productive du travail social. D'où la nécessité d'une séparation,
d'une scission, d'une opposition entre le travail et la propriété
(c'est-à-dire la propriété des moyens de production). Cette
scission trouve son expression suprême dans le système capitaliste. L'unité primitive ne pourra être rétablie que sur la base
matérielle créée par le système capitaliste et à la suite des révolutions que ce processus de création fait endurer à la classe
ouvrière et à la société.

MARX, *Théories de la plus-value*, 1862-63, W, XXVI/3, p. 414-5.

La domination du capitaliste sur l'ouvrier est la domination
de l'objet sur l'homme, du travail mort sur le travail vivant, du
produit sur le producteur... Dans la production matérielle...
nous avons exactement le même rapport que celui qui existe
dans la religion : le sujet transformé en objet, et vice versa. Du
point de vue historique, cette inversion *(Verkehrung)* apparaît
comme un stade de transition nécessaire... Passer par cette
forme contradictoire est une nécessité, de même qu'il est inévitable que l'homme donne tout d'abord à ses forces spirituelles

une forme religieuse en les érigeant face à lui-même en puissances autonomes.

MARX, *Un chapitre inédit du Capital*, 1867,
« 10/18 », trad. Dangeville.

(Marx reprend ici une idée esquissée dans les *Manuscrits de 1844*, cf. *supra* p. 36.)

La civilisation du capital

Voilà la grande influence civilisatrice du capital. Il élève la société à un niveau tel que toutes les époques antérieures apparaissent comme provinciales et marquées par l'idolâtrie de la nature. La nature devient enfin un objet pour l'homme, une simple affaire d'utilité; elle n'est plus considérée comme une puissance en soi. L'intelligence théorique de ses lois autonomes apparaît simplement comme une ruse pour la subordonner aux besoins humains... En vertu de cette tendance, le capital aspire à dépasser les barrières et les préjugés nationaux; il ruine la divinisation de la nature en même temps que les coutumes ancestrales... Il est destructif à l'égard de tout cela; il est en révolution permanente...

MARX, *Grundrisse...*, 1857-58, p. 311-313. (I, 367-8).

La modernité et le passé

Prenons, par exemple, l'art grec, puis l'art de Shakespeare dans leur rapport à notre temps. Il est bien connu que la mythologie grecque fut non seulement l'arsenal de l'art grec, mais aussi sa terre nourricière. L'idée de la nature et des rapports sociaux qui alimentent l'imagination grecque, et donc la (mythologie) grecque, est-elle compatible avec les métiers à filer automatiques, les locomotives et le télégraphe électrique? Qu'est-ce que Vulcain auprès de Roberts and Co, Jupiter auprès du paratonnerre, et Hermès à côté du Crédit mobilier? Toute mythologie dompte, domine, façonne les forces de la nature, dans l'imagination, et par l'imagination; elle disparaît donc, au moment où ces forces sont dominées réellement. Qu'advient-il de *Fama*, en regard de *Printing-house square?* L'art grec suppose la mythologie grecque, c'est-à-dire la nature et les formes sociales, déjà élaborées au travers de l'imagination populaire d'une manière inconsciemment artistique. Ce sont là ses matériaux. Non pas une mythologie quelconque, c'est-à-dire une façon quelconque de transformer inconsciemment la nature en art (ici le mot *nature* désigne tout ce qui est objectif, y compris la société). La mythologie égyptienne n'eût jamais pu être le sol ou le giron maternel de l'art grec. Mais en tout cas, il fallait une mythologie. En aucun cas, l'art grec ne pouvait éclore dans une société qui exclut tout rapport mythologique avec la nature et qui demande, par conséquent, à l'artiste une imagination ne s'inspirant pas de la mythologie.

D'autre part : Achille est-il possible dans l'ère de la poudre et du plomb? Ou toute l'Iliade est-elle compatible avec la presse d'imprimerie et la machine à imprimer? Les chants et les légendes et la Muse ne disparaissent-ils pas nécessairement devant le barreau du typographe, donc les conditions nécessaires de la poésie épique ne s'évanouissent-elles pas?

Mais la difficulté n'est pas de comprendre que l'art grec et l'épopée soient liés à certaines formes de l'évolution sociale. Ce qui est paradoxal c'est qu'ils puissent encore nous procurer une joie esthétique et soient considérés à certains égards comme norme et comme modèle inimitable.

Un homme ne peut redevenir enfant sans tomber en enfance. Mais ne se réjouit-il pas de la naïveté de l'enfant, et ne doit-il pas lui-même aspirer à reproduire, à un niveau plus élevé, la vérité de l'enfant naïf? Est-ce que dans la nature enfantine, le caractère original de chaque époque ne revit pas dans sa vérité naturelle? Pourquoi l'enfance sociale de l'humanité, au plus beau de son épanouissement, n'exercerait-elle pas, comme une phase à jamais disparue, un éternel attrait? Il y a des enfants mal élevés et des enfants précoces. Beaucoup de peuples anciens appartiennent à cette catégorie. Les Grecs étaient des enfants normaux. L'attrait qu'a pour nous leur art n'est pas en contradiction avec l'état peu développé de la société où cet art s'est épanoui. Il en est plutôt le résultat; il est plutôt indissolublement lié au fait que les conditions sociales inachevées où cet art est né, et où seul il pouvait naître, ne pourront jamais revenir.

MARX, *Introduction de 1857 à la Critique de l'Économie Politique.*

Nécessité de la révolution

... Il se montre ici deux faits. En premier lieu, les forces productives se présentent comme absolument indépendantes et détachées des individus, comme un monde à part, à côté des individus. La raison en est que les individus, dont elles sont les forces, sont éparpillés et opposés les uns aux autres, tandis que ces forces ne sont de réelles forces que dans le commerce et la liaison de ces individus. Donc, d'un côté, une totalité de forces productives qui ont pris pour ainsi dire une forme objective, et ne sont plus pour les individus leurs propres forces, mais celles de la propriété privée, donc celles des individus en tant que propriétaires privés. Dans aucune période antérieure les forces productives n'avaient pris cette forme indifférente à l'égard du commerce des individus en tant qu'individus, parce que leur commerce était encore lui-même borné. De l'autre côté, en face de ces forces productives, se trouve la majorité des individus dont ces forces sont détachées et qui sont de ce fait privés de toute substance vivante et sont devenus des individus abstraits, mais qui, par là même, sont mis en état d'entrer *comme individus* en rapport les uns avec les autres.

La seule relation qu'ils aient encore avec les forces productives et avec leur propre existence, le travail, a perdu chez eux toute apparence d'affirmation personnelle et ne les maintient en vie qu'en les condamnant à végéter. Dans les périodes antérieures, l'affirmation personnelle et la production de la vie immédiate étaient séparées du fait qu'elles étaient attribuées à des personnes différentes et que la production de la vie matérielle passait encore pour une forme inférieure de l'affirmation personnelle, à cause du caractère borné des individus. En revanche elles se confondent maintenant au point que la vie matérielle apparaît comme le but, tandis que la production de cette vie matérielle, le travail (actuellement la seule forme possible, mais, comme nous le voyons, négative de l'affirmation personnelle) apparaît comme le moyen.

Les choses sont donc à cette heure arrivées au point que les individus doivent s'approprier la totalité existante des forces productives, non seulement pour pouvoir s'affirmer eux-mêmes, mais encore, en somme, pour assurer leur existence. Cette appropriation est conditionnée, en premier lieu par l'objet qu'il s'agit de s'approprier — les forces productives devenues une totalité et n'existant que dans le cadre d'un commerce universel. Cette appropriation doit donc avoir, déjà de ce côté, un caractère universel correspondant aux forces productives et au commerce. L'appropriation de ces forces n'est elle-même rien d'autre que le développement des capacités individuelles correspondant aux instruments matériels de production. L'appropriation d'une totalité d'instruments de production est par cela même le développement d'une totalité de capacités dans les individus mêmes. Cette appropriation est en outre conditionnée par les individus appropriants. Seuls les prolétaires du temps présent totalement exclus de toute affirmation personnelle sont à même de s'affirmer d'une manière complète et non plus bornée, c'est-à-dire de s'approprier la totalité des forces productives et de développer une totalité de capacités.

MARX-ENGELS, *L'Idéologie allemande*, 1846, p. 67.

L'individu et la société communiste

La dépendance universelle, cette forme naturelle (*naturwüchsige* : établie par une nécessité inconsciente) de la coopération des individus à l'échelle de l'histoire universelle est transformée par la révolution communiste en contrôle et domination consciente de ces puissances qui, engendrées par l'action réciproque des hommes les uns sur les autres, leur en ont imposé jusqu'ici, comme si elles étaient des puissances étrangères, et les ont dominés.

Le communisme se distingue de tous les mouvements qui l'ont précédé jusqu'ici en ce qu'il bouleverse la base de tous les rapports de production... et supprime le caractère naturel *(naturwüchsig)* de toutes les institutions existantes en les soumettant à la puissance des individus unis. Son organisation est donc essentiellement économique... Ce qu'elle crée de durable est précisément la base réelle qui rendra impossible tout ce qui existe indépendamment des individus...

(Jusqu'ici, les individus participaient à la société) non pas en tant qu'individus mais en tant que membres d'une classe. Dans la communauté des prolétaires qui mettent sous leur contrôle toutes leurs conditions d'existence, c'est l'inverse qui se produit : les individus y participent en tant qu'individus.

MARX-ENGELS, *L'Idéologie allemande*, 1846, p. 34, 70-1, 75.

Les individus universellement développés n'ont, entre eux, que les liens sociaux qui naissent des rapports communautaires qu'ils contrôlent collectivement; ces individus ne sont pas le produit de la nature, mais de l'histoire. Pour développer des capacités suffisamment intenses et universelles et rendre possible une *telle individualité*, il faut au préalable une production fondée sur la valeur d'échange, afin de créer l'universalité et l'aliénation de l'individu vis-à-vis de lui-même et des autres, en même temps que l'universalité des rapports et des aptitudes. ... L'universalité de l'individu n'est pas simplement pensée ou imaginée, elle est vivante dans ses rapports réels et spirituels. Dès lors, l'individu saisit sa propre histoire comme un processus et appréhende la nature (science qui est puissance pratique) comme son corps réel. Le processus de l'évolution est posé et connu comme condition de cette double prise de conscience. Mais, pour cela, il faut avant tout que le développement plein et entier des forces productives soit devenu condition de la production...

MARX, *Grundrisse...*, p. 79-80 et 440. (I, 99-100 et II, 32).

Le règne de la liberté

Le règne de la liberté ne commence, en réalité, que là où cesse le travail imposé par le besoin et la nécessité extérieure; il se trouve donc, par la nature des choses, en dehors de la sphère de la production matérielle proprement dite. Tout comme le sauvage, l'homme civilisé doit lutter avec la nature pour satisfaire ses besoins, conserver et reproduire sa vie; cette obligation existe dans toutes les formes sociales et tous les modes de production, quels qu'ils soient. Plus l'homme civilisé évolue, plus s'élargit cet empire de la nécessité naturelle, parallèlement à l'accroissement des besoins; mais en même temps augmentent les forces productives qui satisfont ces besoins. Sur ce plan, la liberté ne peut consister qu'en ceci : l'homme socialisé, *les producteurs associés règlent de façon rationnelle* ce processus d'assimilation qui les relie à la nature et le *soumettent à leur contrôle commun, au lieu* de se laisser dominer par lui comme par une puissance aveugle, l'accomplissant avec *le moins d'efforts possible et dans les conditions les plus conformes à leur dignité et à leur nature humaines.* Mais ce domaine est toujours celui de la nécessité. C'est au-delà de ce domaine que commence l'épanouissement de la puissance humaine qui est son propre but, le véritable règne de la liberté. Mais ce règne ne peut s'épanouir que sur la base du règne de la nécessité. La réduction de la journée de travail en est la condition fondamentale.

Marx, Le Capital III, p. 873. (8, 198).

La vraie richesse

Que sera la richesse une fois dépouillée de sa forme bourgeoise encore limitée? Ce sera l'universalité des besoins, des capacités, des jouissances, des forces productives, etc., des individus, universalité produite dans l'échange universel. Ce sera la domination pleinement développée de l'homme sur les forces naturelles, sur la nature proprement dite aussi bien que sur sa propre nature. Ce sera l'épanouissement entier de ses capacités créatrices... non selon un canon préétabli, mais comme une fin en soi. L'homme ne se reproduira pas comme unilatéralité mais comme totalité. Il ne cherchera pas à rester une chose figée, mais s'insérera dans le mouvement absolu du devenir.

Marx, Grundrisse..., p. 387. (I, 450).

Disparition de la religion

En général, le reflet religieux du monde réel ne pourra disparaître que lorsque les conditions du travail et de la vie pratique présenteront à l'homme des rapports transparents et rationnels avec ses semblables et avec la nature. La vie sociale, dont la production matérielle et les rapports qu'elle implique forment la base, ne sera dégagée du nuage mystique qui en voile les aspects que le jour où s'y manifestera l'œuvre d'hommes librement associés agissant consciemment et maîtres de leur propre .mouvement social. Mais cela exige dans la société un ensemble de conditions d'existence matérielle qui ne peuvent être elles-mêmes le produit que d'une longue et pénible évolution.

Marx, Le Capital I, p. 85. (I, 91).

II

LA CONCEPTION MATÉRIALISTE
DE L'HISTOIRE

Présentation

De même que la philosophie de Marx s'annonce d'abord comme une « critique » des formes extra-économiques de l'existence — religion, politique, idéologie —, de même sa sociologie commence par un doute méthodique à l'égard de toutes les représentations plus ou moins « idéologiques » ou « mystifiées » que les hommes se sont fait de leur action. Si l'histoire n'est autre chose que « l'activité des hommes poursuivant leurs buts » (SF), leurs buts ont été souvent illusoires et toujours différents du résultat de leurs actions. C'est pourquoi Marx se décide à mettre entre parenthèses « ce que les hommes disent, se représentent, s'imaginent » (IA) et à ne prendre en considération que leur action en tant que telle, non point telle qu'elle apparaît « dans l'imagination, les représentations et le langage » des agents de l'histoire, mais telle qu'elle est « dans la réalité ».

Le distinguo de Marx

Tout à l'opposé de l'interprétation traditionnelle — « théologique », « spiritualiste » — de l'histoire, qui du « ciel » des idées « descend sur terre », Marx veut d'abord explorer la terre de la praxis et du développement pratique pour « monter » par la suite « de la terre au ciel ». « Terre », « réalité », terra firma *est pour lui le monde de l'action et de la production matérielles, le monde du « processus pratique réel ». Ce processus possède de plein droit l'indépendance, la spontanéité et l'historicité refusées à la religion, la politique, la philosophie, l'art, ainsi qu'au « reste de l'idéologie ». Pour pénétrer dans la substance « pratique » de la vie réelle, au cœur même du « mouvement de la réalisation humaine » et s'élever, de ce fait, au « savoir réel », celui qui se rapporte au « processus vital réel » des hommes « réellement actifs », il faut même commencer par mettre entre parenthèses la*

« *vie idéale* » *des hommes, le sens qu'ils prêtent à leur activité pratique, la manière dont ils interprètent le processus de leur développement pratique. Dans l'histoire il s'agit uniquement du* « *processus vital d'individus déterminés, non point tels qu'ils peuvent apparaître dans leur propre imagination ou dans celle des autres, mais tels qu'ils sont réellement, c'est-à-dire agissent et produisent matériellement* » (IA).

Ce distinguo *est la première présupposition de la sociologie marxiste. Comme tous les penseurs machiavéliens, Marx veut établir une distinction aussi rigoureuse que possible entre la vie réelle et les mythes de l'idéologie. « Dans les luttes historiques, dit-il dans* Le 18 Brumaire, *il faut distinguer entre la phraséologie et les prétentions des partis et leur constitution et leurs intérêts véritables, entre ce qu'ils s'imaginent être et ce qu'ils sont en réalité. » Et « de même qu'on ne juge pas un individu sur l'idée qu'il a de lui-même, on ne juge pas une époque de révolution d'après la conscience qu'elle a d'elle-même » (Kr). Mais la mystification n'émane pas seulement de la « phraséologie » des partis et de l'idéologie des révolutions. Toutes les sociétés jusqu'ici ont eu une conscience illusoire d'elles-mêmes et la faute fondamentale de l'historiographie traditionnelle a été de « partager l'illusion propre à chaque époque » (IA). « Une époque se figure-t-elle par exemple qu'elle est déterminée par des motifs purement politiques ou religieux, bien que la religion et la politique ne soient que des formes apparentes de ses motifs réels, son historien accepte aussitôt cette opinion » (IA). Ainsi, par exemple, « lorsque la forme grossière [archaïque, insuffisamment développée] de la division du travail chez les Hindous et les Égyptiens engendre le système des castes dans l'État et la religion de ces peuples, l'historien croit que c'est le système des castes qui a produit cette forme grossière de la division du travail ».*

Ce qui caractérise l'idéologie en général, ce n'est pas tant qu'elle « reflète » les conditions réelles, mais qu'elle les reflète d'une manière illusoire et mystifiée. Comme dans la philosophie hégélienne « où le fils engendre le père » (SF), l'idéologie — le droit, la politique, l'État, la religion, « etc. » — renverse les conditions réelles et « met tout sens dessus dessous » (IA) : pour comprendre « l'acte réel » de l'histoire il faut commencer par mettre entre parenthèses ce que les hommes prétendent être et ne considérer que ce qu'ils sont en réalité.

« *Ce que les hommes* sont, *dit Marx, coïncide avec ce qu'ils produisent et la manière dont ils le produisent* » (IA). *Les rapports* « *matériels* » (*pratiques*) *que suscitent les besoins, la satisfaction des besoins, la production des biens, la production de nouveaux besoins et la* « *production de la vie d'autrui dans la procréation* » (*la famille*) *suffisent pour constituer le lien social* (Zusammenhang) *et fondent la véritable cohésion sociale sans qu'il soit nécessaire de faire entrer en ligne de compte « une quelconque absurdité* (Non-sens) *politique ou religieuse qui relierait les hommes entre eux d'une façon supplémentaire* » (IA).

« *Conditionnée par les besoins et le mode de production* », *cette* « *liaison matérialiste des hommes entre eux* » *constitue le* « *fait* » *fondamental dont dérive toute l'histoire : c'est sous le signe du travail et du développement des forces productives que se déroule la véritable histoire de l'humanité et la société civile, c'est-à-dire* « *l'organisation sociale qui résulte directement de la production et du commerce* », *est* « *le véritable théâtre et le foyer de toute histoire, la base de l'État et de toute la superstructure* » *(IA).*

Le monde de la production et du commerce est le « *théâtre* » *et le* « *foyer* » *de l'histoire parce que c'est en lui et par lui que se réalise le combat émancipateur qui fera de l'homme le maître de la nature matérielle et puis de sa propre nature sociale.*

Typologie des modes de production

Une théorie de l'histoire doit tout d'abord définir les « *déterminations qui, dans leur généralité abstraite, s'appliquent plus ou moins à tous les types de société* » *(GR) ; ensuite, elle doit indiquer la manière spécifique dont ces déterminations se* « *manifestent* », *se concrétisent et se particularisent dans l'histoire. D'une part, tout est historique, tout ce qui est, est le résultat du devenir, un moment par définition passager et transitoire du processus historique. Ainsi l'individu — le* « *point de départ de la science* » *(GR) est un* « *résultat de l'histoire* »; « *ce n'est qu'à travers le processus historique que l'homme s'est individualisé* » *(GR 395); ses* « *prétendus besoins naturels, leur nombre ainsi que le mode de les satisfaire sont un produit historique* » *(K I, 178); les prétendues* « *forces naturelles du travail social sont des produits historiques* » *(GR 304); l'existence actuelle de l'homme implique la* « *négation de son existence naturelle* » *(GR 159) et résulte d'un processus essentiellement* « *historique* » *qui ne découle nullement de la* « *nature immédiate de l'individu* ». *Mais, en même temps, Marx a pour ambition d'élaborer un ensemble de concepts analytiques, transhistoriques, permettant de déterminer* non seulement *les variables principales de tous les systèmes de production et d'échange qui ont existé à travers le temps, mais* aussi *l'ordre nécessaire de leur succession et la finalité intérieure de leur progression.*

Quelles sont ces « *déterminations universelles* »? *Et comment définir leurs* « *formes historiques* »?

Forces productives et régimes sociaux

D'une manière générale, « *les rapports sociaux sont intimement liés aux forces productives* » *(M), mais un examen plus approfondi montre que ces rapports sociaux* « *que les producteurs contractent entre eux* » *s'ordonnent* « *suivant le caractère des moyens de production* » *(T). Parmi ces moyens de travail il faut compter en premier lieu la terre et les* « *conditions matérielles de la production »*, mais c'est surtout l'œuvre propre de l'homme, *la technologie, qui « met à nu le mode d'action de l'homme vis-à-vis de la nature, le processus de production de sa vie matérielle et, par conséquent, l'origine des rapports sociaux et des conceptions intellectuelles qui en découlent » (K).* Ainsi Marx peut écrire dans Misère de la Philosophie : « *Le moulin à bras donnera une société avec suzerain, le moulin à vapeur, une société avec capitalisme industriel.* »

Dans cette perspective, les « forces productives » se réduisent à l'infrastructure technologique symbolisée avec plus ou moins de bonheur par le moulin à bras « féodal » et le moulin à vapeur « capitaliste », ce qui a incité Boukharine, par exemple, à affirmer que « les combinaisons des instruments de travail déterminent partout les combinaisons et les rapports des hommes, c'est-à-dire l'économie sociale ». Mais Marx n'a jamais considéré la technologie comme un monde autonome et souverain dont dériverait le système complexe des institutions économiques et sociales. Les moyens de production ne sont qu'un des éléments des forces productives qui englobent aussi le facteur humain. Le « mode de coopération est lui-même une force productive », écrit-il dans l'Idéologie allemande *et dans le* Capital *il est tout le temps question des « forces productives » que crée la coopération des travailleurs, la combinaison méthodique de leurs efforts et la division du travail.*

Les « forces productives » — la puissance sociale sur la nature — signifient donc la conjonction de trois éléments : les conditions matérielles de la production, les instruments de production et le mode de coopération. En quoi consiste ce mode de coopération ?

Mode de coopération et mode de régulation

L'homme est un animal social « *avant d'être un animal politique* » *(GR 252). Cela veut dire que, pour produire leurs moyens d'existence, les hommes sont forcés de coopérer, de combiner d'une manière ou d'une autre leurs forces individuelles, de « socialiser » (= associer) leurs efforts producteurs, donc de répartir le travail social en proportions* déterminées *entre les diverses branches de l'activité (Marx : lettre à Kugelmann, 11 juillet 1868). La première condition d'existence de toute société est une certaine concordance entre la « masse des produits » et les « différentes quantités de besoins ». La nécessité d'une répartition proportionnée des travailleurs entre les différentes branches de la production est donc une « loi naturelle » qui s'impose à toutes les sociétés quelle que soit la « forme déterminée de la production sociale » (le régime socio-économique). Toute nation périrait qui cesserait de se conformer « non pas une année, mais seulement quelques semaines », à cette loi naturelle de l'équilibre. Ce qui distingue les différents régimes économiques et les diverses époques historiques, c'est le « mode de manifestation »* (Erscheinungsform) *de cette loi naturelle, la manière dont ils modifient la forme sous laquelle elle se manifeste. Or cette « forme » est chaque fois déterminée par la structure des « rapports de production ». Le « mode de manifestation » de la « loi » varie selon la structure fondamentale des rapports sociaux tels qu'ils sont chaque fois déterminés par le statut des travailleurs (esclavage, servage, salariat, association), la forme (despotique ou démocratique) du commandement économique, la forme (directe ou indirecte) de la socialisation du travail, la nature communautaire ou autoritaire de la coopération, l'union ou la séparation des producteurs d'avec leurs moyens de production et* last but not least *le degré d'individuation des hommes. Aussi Marx distingue-t-il trois grands types d'individualité, trois modes fondamentaux de manifestation de la « loi », et donc trois formes fondamentales de la production sociale et trois grandes époques de l'histoire.*

Le premier stade : régulation autoritaire et planifiée

La « loi de fer de la proportionnalité » se manifeste directement dans les sociétés archaïques où un pouvoir central règle d'une manière « planifiée et autoritaire » (K I, 374) la division du travail social, la répartition des forces de travail individuelles entre les diverses branches de la production. Dans ces sociétés rudimentaires qui ignorent la propriété privée, les échanges et l'économie monétaire, les besoins à satisfaire sont connus à l'avance parce qu'ils sont fixés soit par la tradition, soit par le souverain (le maître patriarcal, le despote « oriental » de type... péruvien), soit par les deux à la fois. D'autre part, le travail est « immédiatement socialisé »; « le travail est réparti d'après la tradition et les besoins ainsi que les produits dans la mesure où ils tombent dans la consommation » (AD 288). Le travail est « commun », c'est-à-dire l'individu ne fonctionne que comme un « organe de la force commune » de la collectivité (K I, 84) : les individus sont forcés de coopérer « comme des organes particuliers d'un tout compact » (K I ,369). La « planification autoritaire » propre au « communisme primitif » et aux économies centralisées de type inca présuppose la « dépendance personnelle » ou l' « esclavage généralisé » des travailleurs et indique un très bas degré d'individuation : ces « vieux organismes de production », dit Marx, sont fondés sur « l'immaturité de l'homme individuel qui n'a pas encore coupé le cordon ombilical qui l'unit à la communauté » (K I, 85).

Dans la commune primitive, fondée sur la propriété commune et le travail commun, toutes les relations sociales sont claires et transparentes. Il n'y a ici ni échange privé, ni propriété privée, ni exploitation de l'homme par l'homme. C'est, dira Engels, un monde « sans soldats, sans gendarmes, ni policiers, sans noblesse, sans rois, gouverneurs, préfets ou juges, sans prisons, sans procès » où « tout va son train régulier », où « il ne peut y avoir ni pauvres

ni besogneux » et où « tous sont libres et égaux (0). Mais cette
« belle totalité » (comme dirait Hegel) repose sur un « mode
d'activité borné », un « rapport borné des hommes avec la nature »,
un « rapport borné des hommes entre eux ». Le degré inférieur de
développement des forces productives se reflète dans la religion
idolâtre de la nature, dans le « culte abrutissant de la nature »
tel qu'on le voit par exemple aux Indes où « l'homme, le souverain
de la nature, est dégradé au point de tomber à genoux pour adorer
Khanouman, le singe, et Sabbala, la vache » (W IX, 133). Aussi,
de même que l'Esprit hégélien devait briser la « belle totalité »
hellénique et subir la loi de l'aliénation, de même les forces
productives marxiennes devaient détruire « l'admirable consti-
tution » (0) du communisme primitif. « La puissance de cette
communauté primitive devait être brisée, elle a été brisée » (0).
Depuis cette nécessaire « chute du haut de la simplicité et de la
moralité » de la société primitive, « chaque pas en avant de la
production est en même temps un pas en arrière dans la situation
de la grande majorité; chaque bienfait pour les uns sera un mal
pour les autres »...

Le surproduit et le surtravail

Dans le monde primitif où l'homme démuni d'outils subissait
la nature comme une force « absolument étrangère, toute-puissante
et inattaquable » (IA) et se laissait dominer par elle « comme une
bête », la société ignorait les déchirements et les aliénations de
l'époque historique, mais l'humanité était encore enfoncée dans
l'animalité : « l'homme ne se distingue ici du mouton qu'en ce
que la conscience remplace chez lui l'instinct ou que son instinct
est conscient ». Précisément le facteur décisif de l'hominisation
(dans Dialectique de la nature, *Engels parle du « rôle du travail*
dans la transformation du singe en homme »), a été un certain
« accroissement de la productivité » qui a permis au travail de
fournir une somme de produits « excédant ce qui est strictement
nécessaire pour maintenir l'existence de tous » (AD).
Tous les progrès de la civilisation ont été conditionnés par
l'existence et l'accroissement de ce « surproduit » : tout d'abord,
une fraction de la société a pu se détacher de la production d'objets
de consommation pour se spécialiser dans la production de moyens
de production — condition absolue de l'élargissement ultérieur
de la production — de même une autre fraction de la société
a pu se détacher du travail directement productif pour se consacrer
exclusivement à un travail non-matériel mais non moins indispen-
sable : services de toutes sortes, transports, commerce, adminis-
tration, enseignement, science, art, etc. Or en même temps que
ce « surproduit » on voit également apparaître non seulement la
possibilité d'un surtravail, *c'est-à-dire d'un travail poussé*
au-delà de ce qui est nécessaire à l'entretien du travail indi-
viduel ou collectif, mais aussi la possibilité d'une lutte pour la

répartition de ce surproduit et l'appropriation de ce surtravail.
Cette possibilité n'a pas manqué de devenir une réalité et tous
les régimes socio-économiques qui se sont succédé dans l'histoire
peuvent être définis par leur mode spécifique d'extraction du
surtravail. « *La forme spécifique dans laquelle du surtravail non
payé est extorqué aux producteurs immédiats, détermine le rapport de domination et de servitude, tel qu'il découle directement
de la production elle-même et, à son tour, réagit sur elle* » *(K)*.
De ce point de vue, l'histoire se présente comme la succession
de quatre modes fondamentaux d'extorsion du surtravail et
d'exploitation des travailleurs : l' « esclavage généralisé » de
l'Orient (corvée universelle), l'esclavage privé de l'époque gréco-
romaine, le servage médiéval et le salariat moderne (1). Bien
entendu, le surtravail « *doit toujours exister, quelle que soit la
forme de la société* » *(K III, 873)*. Si le socialisme clôt la « préhistoire » de l'humanité, c'est aussi parce que pour la première
fois ce seront les « producteurs associés » qui détermineront
eux-mêmes, « selon un plan commun », la durée et l'intensité
du surtravail.

Limites de la violence

*Marx savait parfaitement que la violence a été nécessaire
pour obliger les producteurs directs à fournir ce surtravail. Mais
l'explication par la violence ne lui suffit pas. Toute explication
par la violence risque de dégénérer en un verbalisme moralisateur
qui supprime le tragique de l'histoire, c'est-à-dire la* nécessité
du Mal. *Mais le Mal a été le démiurge de l'histoire. Le capitalisme — le mal absolu — a été nécessaire pour éveiller les forces
productives qui « sommeillaient » au sein du travail et même
l'esclavage a été une étape nécessaire dans l'ascension humaine.
Comme dira Engels dans sa polémique contre Dühring : sans
esclavage antique, pas de philosophie grecque, sans philosophie
grecque pas de science moderne, sans science moderne pas d'industrie moderne et sans industrie moderne pas de socialisme
moderne.*

*Enfin, toute explication par la violence est superficielle et
n'éclaire pas la nécessité profonde de cette violence : Pourquoi
telle forme de violence a-t-elle été pratiquée à l'époque de l'esclavage et pourquoi à une autre époque la violence s'est-elle traduite
en servage ou en salariat ? Pour le marxisme, l'exploitation et
l'oppression ne sont pas des données naturelles, mais des phénomènes historiques et passagers qui se rattachent à « certaines*

---

(1) Marx croyait que ces quatre formes fondamentales d'extorsion du
surtravail représentaient quatre époques différentes de l'histoire. Il appartenait
au « socialisme » stalinien de démontrer que l'on pouvait utiliser en même
temps et le travail forcé et le salariat et la rente en nature (livraisons obligatoires des kolkhozes), et cela sous la « constitution la plus démocratique du
monde »...

phases du développement historique de la production » et qui sont d'ores et déjà destinés à disparaître.

Engels a condensé cette conception globale de l'histoire en une formule saisissante : conséquence « fatale » du développement « insuffisant » de la production, la division de la société en classes exploiteuses et exploitées, dominantes et dominées « sera supprimée par son développement pleinier » (AD). La faiblesse relative du développement économique, la « productivité peu développée de la société » a été la cause ultime de l'exploitation et de l'oppression d'une classe par une autre. Toutes les sociétés connues jusqu'à ce jour étaient fondées sur une production « insuffisante pour l'ensemble de la population » (IA). Les victoires limitées remportées par les hommes contre la nature n'ont pu « entraîner une évolution » que dans la mesure où « une partie de la population vivait aux dépens de l'autre. En conséquence, les uns — une minorité — avaient le monopole du progrès, tandis que les autres — la majorité — étaient provisoirement exclus de toute évolution, contraints de lutter sans répit pour la satisfaction des besoins élémentaires ».

Cette conception ne présente aucune difficulté. Les difficultés surgissent dès qu'on se propose de spécifier la nature et l'origine du pouvoir qui a permis à la minorité de s'approprier le surproduit et de réduire la masse des producteurs directs au rôle de fournisseurs de surtravail.

C'est ici que Marx fait intervenir un facteur indissolublement lié à l' « accroissement de la productivité » et à l'apparition du « surproduit » : la division du travail.

De toutes les « contradictions » et « oppositions » engendrées par la division du travail dont il est question dans l'œuvre de Marx et d'Engels, celle qui a presque exclusivement retenu l'attention des disciples aussi bien que des critiques, c'est l'opposition des classes, *ce qui paraît légitime lorsqu'on sait l'importance décisive que le marxisme accorde à la lutte des classes. Pourtant Marx et Engels ont fait état de deux autres oppositions non moins fondamentales : ce sont l'opposition entre la ville et la campagne et l'opposition entre la société et l'État.*

La société et l'État

Dans l'énoncé général du marxisme, l'État apparaît comme un simple instrument de la classe dominante. « L'État, dit Engels, est en règle générale l'État de la classe la plus puissante, de celle qui domine au point de vue économique et qui, grâce à lui, devient aussi classe politiquement dominante et acquiert ainsi de nouveaux moyens pour mater et exploiter la classe opprimée » (O). Dans cette perspective (que Lénine a encore schématisée dans l'État et la Révolution*), les rapports politiques de domination et de subordination dérivent des rapports économiques de production et d'exploitation : le pouvoir en politique n'est qu'une « super-*

structure » du pouvoir économique. En revanche, d'autres textes de Marx et surtout d'Engels invitent à établir une nette distinction entre les deux ordres. Dans cette version plus nuancée de la sociologie marxiste, l'État n'apparaît plus comme une simple excroissance de la classe dominante et sa genèse est attribuée à une dialectique plus vaste que celle qui a présidé tant à la formation des classes qu'à leur antagonisme.

Tout d'abord, l'État se produit indépendamment des classes, avant *même la scission de la société en classes. Dans les sociétés primitives (« sans classes ») existent « dès le début, certains intérêts communs dont la garde doit être confiée à des individus particuliers : jugements de litiges, répression, surveillance des eaux, fonctions religieuses » (AD). Ainsi les « prémisses du pouvoir d'État » se sont constituées en dehors des déterminismes technico-économiques qui aboutiront à la formation des classes. Avant même qu'un groupe minoritaire s'approprie les moyens de production, la société tout entière (et non plus seulement la collectivité productive) est obligée par la force des choses de renoncer à la gestion des affaires communes pour la confier à un groupe particulier. Ici le facteur décisif n'est pas l'appropriation des moyens de production, mais la monopolisation de la gestion des « intérêts communs » et l'atrophie du « contrôle collectif », conséquence fatale de la complication croissante de la vie sociale (et pas seulement économique). Ces organes sociaux spécialisés dans la gestion des « affaires communes » acquerront par la suite une autonomie d'autant plus grande que la société « se trouve de plus en plus incapable de s'en passer » (AD). Finalement, lorsque le contrôle collectif aura disparu ou sera devenu inefficace, l'État se présentera en face de la société comme une puissance autonome et dominatrice.*

Ce n'est donc pas la classe « économiquement dominante » qui crée l'État. « Issu de la société », l'État devient une puissance indépendante par sa logique propre : les « représentants des intérêts communs » s'élèvent au-dessus de la communauté et se mettent au service de leurs propres intérêts dans la mesure où la complication croissante de la vie sociale, les tensions internes et les conflits externes rendent impossible le contrôle collectif. Finalement, les « intérêts communs » deviendront l'objet exclusif de la réglementation autoritaire et l'État sera le maître de la société.

Dans l'État, il y a plus qu'un simple appareil d'oppression d'une classe par une autre; c'est la société tout entière, donc toutes *les classes qui doivent s'aliéner dans la puissance étrangère qui s'interpose entre la communauté et l'œuvre commune : « Pour la défense des intérêts communs, dit Engels, la société a créé, originairement par simple division du travail, ses organes propres. Mais ces organismes, dont le sommet est constitué par le pouvoir d'État, se sont avec le temps mis au service de leurs propres intérêts, et de serviteurs de la société ils en devinrent les maîtres » (Préface à Marx :* La Commune de Paris*).*

Le « mode asiatique de production »

*C'est à une « aliénation » de ce genre que Marx attribue
l'avènement du premier mode de production qui s'est dégagé de
l'animalité primitive : le « mode asiatique de production », c'est-
à-dire le régime d'économie étatisée qui a prévalu en Égypte,
en Mésopotamie, en Inde, en Chine, au Pérou et dans toutes les
sociétés archaïques qui ont affronté la « nécessité de contrôler
collectivement les forces naturelles » (K). La nécessité de contrôler
le régime des eaux dans les régions périodiquement dévastées par
la crue des fleuves amena les communautés villageoises primitives
à demander l'intervention de l'État despotique et à se soumettre
à son appareil bureaucratique : « Cette nécessité première d'utiliser l'eau en commun qui, en Occident, entraîna les entrepreneurs
privés à s'unir en associations bénévoles, comme en Flandre et
en Italie, imposa en Orient, où le niveau de civilisation était trop
bas et les territoires trop vastes pour que puissent apparaître les
associations de ce genre, l'intervention centralisatrice du gouvernement »* (New York Daily Tribune, 25 juin 1853). *Si la
« régulation de l'allure des eaux » a été « une des bases matérielles
de la domination de l'État sur les communes villageoises » (K),
c'est que la « petitesse » de ces organismes et le « manque de liaison
entre eux » leur interdisaient d'entreprendre pour leur propre
compte des travaux d'irrigation qui présupposent un plan d'ensemble minutieusement élaboré et qui exigent la mobilisation de foules
immenses, parfois de plusieurs générations de travailleurs. Seule
la contrainte pouvait briser l'isolement des villages et seul l'État
fondé sur la corvée (*le Fronstaat *de Max Weber) était en mesure
d'organiser une rispote efficace à la rigueur excessive du défi
physique.*

*Ainsi dans le « mode de production asiatique », l'État « est le
propriétaire suprême de la terre. La souveraineté politique est
la propriété foncière concentrée à l'échelle nationale. Pour cette
raison on ne trouve pas ici de propriété privée du sol » (K).
Absence de propriété privée ne signifie nullement pour Marx
absence d'exploitation du travail. Bien au contraire, Marx affirme
que par opposition à la forme voilée du surtravail dans le mode
de production capitaliste, les rapports d'exploitation et d'appropriation du surtravail étaient simples et transparents dans ce mode
de production « fondé sur des relations directes de domination
et d'esclavage » où l'État était le principal exploiteur des masses,
« le principal détenteur du surproduit » (K). Mais l'État et la
propriété d'État sont des abstractions derrière lesquelles se trouvent des groupes humains déterminés et des relations sociales
qu'il faut spécifier. Quelle est donc la classe qui domine dans ces
régimes fondés sur la propriété étatique des moyens de production
et la mobilisation forcée des travailleurs ? Boukharine n'a eu aucun
mal à répondre à cette question. Dans ces modes de production
où « la direction de la production se confondait presque avec
l'administration de l'État » et où « la plus grande partie de la*

production était celle de l'État », « le rôle des groupements sociaux dans la production se confondait avec leur situation à l'intérieur de l'administration » : face à la population asservie par l'État, la classe dominante était la bureaucratie et se subdivisait, selon le principe de la hiérarchie bureaucratique, en « fonctionnaires supérieurs, moyens et inférieurs » (La théorie du matérialisme historique).

Malheureusement Marx n'a pas développé sa dialectique si actuelle de l' « autonomisation de l'État » et de la transformation de l'État en « principal détenteur du surproduit ». Il croyait que l'étatisation de l'économie correspond à un stade extrêmement archaïque du développement social. A l'en croire, l'apogée du « despotisme oriental » et du « mode de production asiatique » se situe avant *la création des villes, avant donc l'apparition de l'opposition fondamentale entre la ville et la campagne.*

Villes et campagnes

« La plus grande division du travail matériel et du travail intellectuel, c'est la séparation de la ville et de la campagne », lisons-nous dans l'Idéologie allemande. *La population urbaine et la population rurale doivent être considérées comme deux « grandes classes » formées, elles aussi, comme les autres classes de type ou de format ordinaires, par l'action spontanée de la division du travail et du progrès des forces productives. Considérée en elle-même, la population urbaine est divisée en classes irréductiblement hostiles : vis-à-vis de la campagne elle forme néanmoins une classe homogène. De même la différence ou même l'opposition entre les diverses couches rurales s'efface devant l'opposition majeure qui dresse la population campagnarde contre la population urbaine prise comme un bloc.*

L'histoire universelle est l'histoire de la ville et de la victoire progressive de la ville sur la campagne. Marx qui, dans le Manifeste, *a glorifié la bourgeoisie d'avoir « soumis la campagne à la ville » et sauvé une grande partie de la population de « l'idiotie de la vie rurale », considérait le paysannat comme le « représentant permanent de la barbarie au sein de la civilisation » (K). « Hiéroglyphe indéchiffrable pour tout esprit civilisé » (LC), le paysannat n'a aucune possibilité de s'affirmer comme une puissance historique créatrice : son éparpillement dans l'espace et sa mentalité bornée lui interdisent, dit Engels, d'entreprendre une « action indépendante » (RCR). Son destin est ou bien de devenir un objet d'exploitation pour les villes, ou bien de s'offrir en butin inerte à l'État despotique et à la rapacité de ses agents. Étrangers à l'histoire, soumis au rythme saisonnier de la nature, « accrochés à leur misérable lopin de terre », les paysans ne font « qu'observer avec calme la ruine des empires, les cruautés sans nom, le massacre de la population des grandes villes, n'y prêtant pas plus d'attention qu'aux phénomènes naturels; eux-mêmes victimes de tout agresseur qui daigne les remarquer ». En outre, ajoute Marx, « il ne faut pas oublier que ces idylliques communautés villageoises ont formé depuis toujours le fondement solide du despotisme oriental » : l'agrégat des monades villageoises, le morcellement de la campagne en cellules fermées appellent la centralisation bureaucratique comme le vide appelle le gaz.*

Die Stadtluft macht frei, « *l'air de la ville émancipe* » : *si l'histoire de la ville est l'histoire de la liberté, l'histoire de la campagne est celle de l'asservissement et l'* « *influence politique des paysans trouve son ultime expression dans la subordination de la société au pouvoir exécutif* » *(B). Marx a surtout été sensible à l'aspect politique de l'opposition entre la ville et la campagne. Ainsi il a présenté l'écrasement de la Révolution de 1848 comme une* « *revanche de la campagne sur la ville* » *(B). Les aspects économiques ne lui ont pas échappé. Bien au contraire, il déclare dans le* Capital *que* « *toute l'histoire économique tourne autour de l'opposition entre la ville et la campagne* ». « *L'histoire de l'*Antiquité *classique, lisons-nous dans les* Grundrisse, *est l'histoire de la cité. Mais les cités ont pour base la propriété foncière et l'agriculture. L'histoire* asiatique *est une sorte d'unité indifférenciée de la cité et de la campagne (Les grandes villes proprement dites doivent être considérées comme de simples camps de nobles, institution superfétatoire au-dessus de l'organisation économique proprement dite). Le Moyen Age part de la campagne, centre de l'histoire, dont le développement se déroule ensuite dans l'opposition de la ville et de la campagne; c'est l'urbanisation de la campagne, et non, comme dans l'Antiquité, la* « *ruralisation* » *de la cité* ». *Malheureusement, Marx n'a pas développé ces idées si étonnamment wébériennes : il lui suffisait de savoir que le capitalisme moderne avait entièrement soumis la campagne à la ville et que la grande industrie rendait enfin possible la suppression définitive de cette forme* « *barbare* » *et* « *crétinisante* » *de la division du travail.*

Selon Marx, les modes de production « *antique* », « *féodal* » *et* « *bourgeois* » *qui succèdent au mode de production* « *asiatique* » *ont été façonnés par le développement spontané de la société civile et les stratifications qu'ils ont entraînées se sont formées en dehors de la sphère politique, indépendamment de l'action de l'État ou de l'* « *idéologie* ». *L'histoire sera essentiellement l'histoire des classes et de la lutte des classes.*

Les classes

Pour le marxisme, les classes se forment spontanément, « *nécessairement et indépendamment de la volonté des hommes* » *(Kr), indépendamment de l'État ou de tout autre groupement extérieur à l'ordre économique. En fonction du progrès technico-économique, des formes de division du travail apparaissent qui suscitent chaque fois des rapports déterminés de commandement économique, de sujétion des travailleurs, de répartition inégale des tâches et des produits. Ainsi se forment ces « rapports de production et de répartition » dont dérivent tous les rapports de propriété, de pouvoir et de prestige qui achèvent de donner à la société son aspect stratifié et hiérarchisé. « C'est donc la loi de la division du travail [et non la propriété privée comme on le croit communément] qui gît au fond de la division de la société en classes antagoniques » (AD) : « A côté de la grande majorité vouée exclusivement à la corvée du travail, il se forme une minorité exempte du travail directement productif et chargée des affaires communes de la société : direction générale du travail, gouvernement, art, science, etc. » (AD).*

Cette définition de la classe dirigeante ne pose aucune difficulté : la classe dirigeante se définit par la « direction générale du travail », la « domination politique », le « monopole de l'instruction » et la « direction intellectuelle » qu'elle exerce sur la société. Mais cette définition ne nous dit pas encore pourquoi et comment cette minorité arrive à se libérer du travail matériel et à monopoliser la « direction générale du travail ».

La première réponse du marxisme est trop générale pour être concluante : la division de la société en classes exploiteuses et exploitées est « la conséquence de la productivité peu développée de la société : là où le travail social ne fournit qu'une somme de produits excédant à peine ce qui est strictement nécessaire pour maintenir l'existence de tous, la société se divise nécessairement en classes » (AD).

Les difficultés surgissent dès qu'on examine de plus près cette « nécessité ». D'après Marx les classes sont « conditionnées par la division du travail » (IA) et les formes spécifiques de la division du travail « correspondent nécessairement » au degré de développement des forces productives. « Le travail s'organise, se divise selon les instruments dont il dispose. Le moulin à bras suppose une autre division du travail que le moulin à vapeur » (M). « Nées primitivement des conditions de la production matérielle », les « règles » de la division du travail donnent par la suite naissance aux différents statuts des classes et se cristallisent en lois juridiques : « c'est ainsi que les diverses formes de la division du travail devinrent autant de bases de l'organisation sociale » (M). Ainsi donc les classes résultent directement de la différenciation, de la séparation et de l'opposition des tâches de direction et des tâches d'exécution. La cristallisation, la fixation institutionnelle des rapports quasi personnels de commandement et de subordination que font naître les nécessités « objectives » de l'agencement de l'œuvre productive, déterminent chaque fois la structure de classe de la société. Chaque fois une classe particulière monopolise la « direction générale du travail », s'approprie les moyens de production et réduit les « producteurs directs » à l'état d'instruments passifs de la production. Maîtresse des conditions de production, elle se taille aussi la part du lion dans la répartition du produit : « dans l'inégalité de la répartition appa-

raissent les différences des classes » (AD) telles qu'elles résultent de la production même.

Ainsi donc la manière dont la classe dirigeante exerce son commandement et celle dont elle obtient le surproduit caractérisent la structure économique des régimes sociaux et révèlent la véritable nature du statut juridique de la propriété et des relations politiques de domination et de subordination. En effet, la propriété ne signifie rien en dehors des « rapports réciproques des individus en ce qui concerne les matériaux, les instruments et les produits du travail » (IA). Elle n'existe que pour assurer et légaliser le pouvoir économique : pouvoir de disposer de son propre travail, comme c'est le cas des producteurs indépendants, cultivateurs ou artisans; pouvoir de disposer du travail d'autrui, comme c'est le cas dans tous les régimes d'exploitation. Mais elle est toujours le résultat de la division du travail : « Avec la division du travail est donnée en même temps la répartition, quantitativement et qualitativement inégale, du travail et de ses produits, donc la propriété » (IA).

L'essence de la propriété — et la propriété privée est une espèce de propriété parmi d'autres — est de désigner un droit de commandement sur les autres, une relation de domination et de subordination. Ainsi, dit Marx avec vigueur, « l'esclavage dans la famille », c'est-à-dire la soumission inconditionnelle de la femme et des enfants à la volonté du père, doit être considéré comme « la première forme de propriété » (IA) et c'est à juste titre que les économistes modernes ont défini la propriété comme « la disposition de la force de travail d'autrui ». Piercy Ravenstone (cité dans K) dit : « si le travail de chaque homme ne suffisait qu'à lui procurer ses propres vivres, il ne pourrait y avoir de propriété » : ce qui éclaire le véritable contenu de la propriété, c'est donc le mode et le degré de soumission des travailleurs directs à la volonté étrangère qui dirige et combine leur effort producteur.

Bipolarité

Chaque régime social se définit donc par un mode de production déterminé, lequel se caractérise par l'existence de deux classes antagonistes soudées l'une à l'autre dans un rapport fondamental d'exploitation et de domination. C'est à cette bipolarité que renvoient les couples de classes antagonistes énumérés par le Manifeste : maîtres et esclaves, seigneurs et serfs, maîtres et compagnons des jurandes, capitalistes et prolétaires. Ainsi, pour Boukharine, « les classes fondamentales d'une forme sociale donnée, les classes au sens propre du terme, sont au nombre de deux : la classe dirigeante et détentrice des moyens de production, d'une part; la classe exécutante, privée de moyens de production et travaillant pour la première, d'autre part ». Mais c'est Lénine qui a donné sa formulation la plus extrême à cette conception bipolaire de la hiérarchie sociale : « Les classes sont des groupes d'hommes dont l'un peut s'approprier le travail de l'autre, par suite de la différence de la place qu'ils occupent dans un régime déterminé de l'économie. »

Dans une telle conception des classes « fondamentales », il n'y a pas de place pour les classes indépendantes, paysans et artisans. Or ce sont là des classes qui se sont maintes fois révélées « fondamentales » : c'est sur ces classes que s'est fondé le « mode de production antique » — la deuxième « époque progressive de la formation économique de la société », selon le schéma marxiste.

Le « mode de production antique »

La petite exploitation rurale et le métier indépendant, dit Marx dans le Capital, *« formaient la base économique des communautés antiques à leur meilleure époque, après que la propriété collective de type oriental se fût dissoute et avant que l'esclavage se fût emparé sérieusement de la production». Contrairement aux assertions du marxisme « orthodoxe » — « vulgaire » (Plékhanov, Staline, etc.) —, Marx n'a jamais considéré le « mode de production antique » comme un bloc monolithe réduit au seul esclavagisme. La société antique « à l'époque classique » (K) est caractérisée par la prépondérance de la production indépendante laquelle a succédé à la « propriété collective orientale » (en réalité elle a succédé au servage) et précédé le mode de production fondé sur l'esclavage : le « mode de production antique » désigne donc* trois *modes de production (au moins).*

Marx savait parfaitement qu'aucune « loi économique » ne peut expliquer le passage de la petite production indépendante de l'époque classique à la production esclavagiste de l'époque romaine. Dans une lettre où il dénie précisément à ses disciples le droit de transformer sa théorie en un « passe-partout » universellement valable, il montre que l'expropriation des petits producteurs antiques eut des résultats contraires à ceux qu'elle provoqua en Occident : « Les prolétaires romains devinrent non des travailleurs salariés, mais un mob *fainéant; et à leur côté se déploya un mode de production non capitaliste, mais esclavagiste »* (Réponse à Mikhaïlovski, *1878*). *Ici le fait décisif a été la guerre : ce n'est pas la division du travail, c'est la guerre qui a ruiné le paysannat romain et c'est la guerre qui a fourni la masse des esclaves qui a permis au prolétariat romain de devenir un « mob fainéant ». Fruit de la guerre et de la conquête l'esclavage appartient à la catégorie des « faits prééconomiques » que Marx évoque dans* L'Introduction de 1857 à la Critique de l'Économie Politique : *ce n'est pas la division du travail qui a créé l'esclavage, c'est le « fait prééconomique » de l'esclavage qui a obligé les esclavagistes de « créer un mode de production qui correspond à l'esclavage ».*

Marx et Engels n'ont jamais été les théoriciens absolutistes du « déterminisme économique » universel que l'ardeur des disciples

leur a prêté. Leurs thèses sur le « mode de production féodal »
— la troisième « époque progressive de l'histoire économique
de la société » — en font foi.

Le « mode de production féodal »

L'Idéologie allemande *nous propose en effet une interprétation*
de l'avènement de la féodalité occidentale qui tranche sur les
formules usuelles du « matérialisme historique » et pourrait
même servir d'introduction à la théorie moderne de l' « appareil ».
« L'origine de la féodalité se trouve dans la structure organisa-
tionnelle de l'armée conquérante telle qu'elle s'est développée
pendant la conquête » de l'empire romain par les envahisseurs
germaniques. Il faut distinguer deux moments décisifs dans le
processus de féodalisation : d'abord, la structure interne de l'appa-
reil militaire; ensuite, les conditions économiques existant avant
et après la conquête. Car « cette organisation [à l'origine exclu-
sivement] guerrière ne se transforma en véritable féodalité [c'est-
à-dire en véritable classe dominante] que sous l'influence des
forces productives trouvées dans le pays conquis ». La combinai-
son de ces deux facteurs a déterminé le « mode de la conquête »
d'où découle le « mode de production » féodal. Le phénomène
premier est donc ici la forme spécifique de l'appareil militaire
qui modèlera les rapports de production à son image et à son
profit, selon l'état effectif des forces productives.

Rang et place de l'économie dans les sociétés précapitalistes

La société civile est toujours le « foyer » et le « théâtre » de la
véritable histoire, mais à condition de ne pas procéder comme
certains économistes « bourgeois » qui « effacent les différences
historiques » et « voient partout la forme bourgeoise » (GR).
Dans le système capitaliste, les faits économiques, les mouvements
des prix, les périodes du crédit, les cycles commerciaux et indus-
triels, « apparaissent comme des lois naturelles toutes-puissantes,
qui dominent irrésistiblement les agents économiques et s'affirment
en face d'eux comme une aveugle nécessité » (K III, 886). C'est
contre cette « mystification économique » (à la fois illusion et
réalité) que se dressera l' « idéalisme » de la « critique de l'éco-
nomie politique ». Sa tâche sera précisément de rétablir la sou-
veraineté du sujet occultée par la « réification » capitaliste. Sous
la lumière de la « critique », le déterminisme « chosifiant » des
mécanismes économiques s'évanouit, « tout le monde des objets,
le monde des marchandises n'est plus ici qu'un simple moment,
l'affirmation sans cesse renaissante, sans cesse disparaissante
de la productivité sociale de l'homme » (ThP III, 263). Or cette
« mystification économique » n'a pas toujours existé. « Même
dans les corporations du Moyen Age, ni le capital ni le travail ne

sont libres de leur mouvement; leurs rapports sont réglés par la corporation et par les conditions qui en dépendent et qui déterminent les idées que l'on se fait du devoir professionnel, de la maîtrise, etc. » (K III, 886). Dans les sociétés précapitalistes en général, l'économie ne constituait pas un ordre autonome, mais était subordonnée à la « communauté ». « Dans les communautés primitives, où règne un communisme naturel, voire dans les cités antiques, c'est cette communauté elle-même, avec ses institutions, qui apparaît comme la base et comme la fin dernière de la production ainsi que de la reproduction ».

Il est évident que la théorie qui tient la stratification sociale pour une cristallisation des divisions fonctionnelles de la collectivité productive n'est qu'une généralisation des données spécifiques de la société bourgeoise — la seule que Marx ait étudiée systématiquement. Et la même conclusion s'impose dès qu'on examine les propositions fondamentales du marxisme en ce qui concerne le devenir des sociétés et le rôle révolutionnaire de la lutte des classes.

Développement économique et révolution sociale

« Pas d'antagonisme, pas de progrès. C'est la loi que la civilisation a suivie jusqu'à nos jours » (M). Si le développement des forces productives met chaque fois une classe particulière à la « direction générale du travail », la « loi » du progrès implique aussi la fin inéluctable de la classe dominante qui chaque fois précipite sa ruine en accumulant plus de forces productives qu'elle ne peut en « contenir ». Le fait constitutif, le mouvement en profondeur, est une irrésistible poussée de progrès, un « mouvement continuel d'accroissement des forces productives » (M). A un certain moment l'ordre existant devient incompatible avec la poursuite de la croissance économique. Or « cette contradiction devait chaque fois éclater dans une révolution » (IA). L'histoire passe donc nécessairement par la révolte de la classe exploitée qui doit chaque fois, remplacer le régime existant par un mode d'organisation et de production « nouveau et supérieur ».

Dans cette perspective les crises de régime apparaissent comme le résultat direct ou indirect d'un « conflit » entre les forces productives et les rapports de production et de répartition sous lesquels elles se sont développées et qui, à partir « d'un certain degré » en deviennent des « entraves ». Pourtant Marx savait parfaitement que les classes dirigeantes précapitalistes se souciaient très peu de développer les forces productives. Dans le Manifeste *il oppose de la manière la plus tranchante le dynamisme économique révolutionnaire de la bourgeoisie capitaliste à l'immobilisme traditionaliste de « toutes les classes antérieures » et à la « paresse crasse » des féodaux. Une classe féodale militaire ou ecclésiastique est par définition étrangère aux mobiles économiques qu'implique le développement des forces productives :*

elle se borne, comme dit Marx, à « dévorer son avoir » et à « étaler le luxe d'une domesticité nombreuse et fainéante » (K). De même les bourgeoisies antiques avaient très peu de ressemblance avec les bourgeoisies modernes. Les anciens, dit Marx « ne songeaient pas à transformer le surproduit en capital, ou du moins ils n'y songeaient que fort peu... S'il n'y avait pas surproduction, il y avait surconsommation par les riches et, dans les derniers temps de Rome et de la Grèce, une folle dissipation » (ThP II, 528).

Il est évident que ces sociétés ne pouvaient connaître ni l'évolution dynamique ni la crise de « surdéveloppement » que postule le schéma marxiste. Ce modèle de la crise révolutionnaire devient inintelligible dès qu'on franchit les frontières géographiques et historiques de la société industrielle moderne. Comme Georges Sorel l'avait déjà remarqué, « le schéma ne se rapporte certainement pas à l'histoire, mais à des hypothèses sur l'avenir » : c'est la crise (anticipée) du capitalisme que Marx projette sur les crises révolutionnaires du passé.

La même anticipation se trouve à la base de la théorie de la lutte des classes en tant que « force motrice de l'histoire » (IA).

La lutte des classes

L'antagonisme des riches et des pauvres est un thème banal depuis l'Antiquité : Aristote en avait fait le maître pilier de sa théorie des révolutions. D'autre part, Bazard, Considérant, les deux Blanqui et aussi des conservateurs déclarés comme Guizot ou Lorenz von Stein n'avaient nullement attendu le Manifeste *pour présenter l'histoire comme une lutte des classes : la formule elle-même n'est pas même de Marx, mais de Karl Grün, le « socialiste philosophique » qu'il avait tant vilipendé. C'est par sa conception dialectique de la négativité révolutionnaire incarnée dans la classe exploitée que Marx se distingue de ses prédécesseurs bourgeois ou socialistes. Personne avant lui n'avait songé à attribuer à la classe exploitée, « le mauvais côté de la société » (M), la puissance démiurgique que lui confère la conception matérialiste de l'histoire. Pour Marx, c'est la classe exploitée, « c'est le mauvais côté qui produit le mouvement qui fait l'histoire en constituant la lutte » (M). Marx ne se contente pas de constater la simple existence de l'antagonisme des classes. Ce qu'il veut montrer ce n'est pas seulement que chaque mode de production engendre deux classes vouées à une lutte implacable, mais que cette lutte traduit les « prescriptions » objectives (IA) des forces productives et instaure chaque fois un régime socio-économique « nouveau et supérieur ». Maîtres et esclaves, patriciens et plébéiens, seigneurs et serfs, maîtres et compagnons ont constamment mené une lutte à mort. Cela, babouvistes et saint-simoniens l'avaient déjà dit dans des termes presque identiques. Mais personne n'avait affirmé que cette lutte « a toujours abouti ou bien à la transformation révolutionnaire de la société tout entière ou bien à l'effon-*

drement simultané des deux classes en conflit » *(MC). C'est là*
que réside l'originalité du marxisme : comme dit Kautsky, « *c'est*
Marx qui, le premier, a considéré la lutte des classes comme la
force motrice de l'histoire ». *Pourtant Marx lui-même savait par-*
faitement qu'aucune des classes exploitées énumérées dans le
Manifeste *n'a été capable de jouer le rôle révolutionnaire qui lui*
est attribué. En aucun cas la lutte entre les maîtres et les esclaves,
les patriciens et les plébéiens, les barons et les serfs, les maîtres
et les compagnons n'a abouti à une «transformation révolutionnaire»
de la société. Ainsi Marx peut dire (non sans quelque exagération)
que « *l'esclavage est resté à la base de la production* » *tout le*
long de l'histoire antique (IA) et que la lutte des classes « *se*
termina à Rome par la défaite et la ruine du débiteur plébéien,
qui est remplacé par l'esclave » *(K) : nulle part dans son œuvre*
on ne trouve la moindre allusion à un quelconque « *effondrement*
simultané » *des classes antagonistes de la société antique. Il*
ne s'est pas davantage gêné pour passer l'éponge sur le « *mauvais*
côté » *de la société médiévale. Les soulèvements paysans* « *res-*
tèrent tous sans le moindre résultat » *(IA) et les compagnons*
« *ne parvinrent qu'à fomenter de petites rébellions dans certaines*
corporations » *(IA) : il est évident que le schéma qui voue à l'hégé-*
monie la classe opprimée de la période précédente et qui fait de
la lutte des classes le moteur du changement historique n'est
qu'une projection de la victoire anticipée du prolétariat industriel.

   Ce fut le mérite de marxistes comme Georg Lukacz (Histoire
et Conscience de classe, *1923) et Fritz Sternberg* (Der Impe-
rialismus, *1926) d'avoir montré que les concepts fondamentaux*
de la sociologie marxiste sont intimement liés à l'analyse du
monde moderne et que leur champ de validité est nécessairement
limité. Lorsqu'on relit la célèbre Préface à la Critique de l'Économie Politique *où Marx résume le* « *résultat général de ses*
études », *il faut toujours garder dans l'esprit l'* « *auto-critique* »
d'Engels (infra p. 103) *et ne jamais oublier que les études de*
Marx ont surtout porté sur le capitalisme industriel moderne :
la « *conception matérialiste de l'histoire* » *est d'abord et surtout*
la prise de conscience de la « *fin de la préhistoire* ».

1. — LES CONCEPTS FONDAMENTAUX

Introduction générale

   ...Nous ne connaissons qu'une seule science, la science de
l'histoire. L'histoire peut être considérée de deux côtés et être
divisée en histoire de la nature et histoire des hommes. Mais
les deux côtés ne peuvent être séparés du temps; tant qu'il y
aura des hommes, l'histoire de la nature et l'histoire des hommes
se conditionneront réciproquement. L'histoire de la nature,
ce qu'on appelle les sciences naturelles, ne nous intéresse pas
ici; nous devrons nous occuper de l'histoire des hommes.

Tout à l'opposé de la philosophie allemande qui du ciel descend sur la terre, on monte ici de la terre au ciel. Autrement dit, on ne part pas de ce que les hommes disent, s'imaginent, se représentent, ni des hommes dits, pensés, imaginés, représentés, pour aboutir aux hommes réels; on part des hommes réellement actifs et c'est par leur processus vital réel qu'on représente également le développement des réflexes idéologiques et des échos idéologiques de ce processus vital. Les formations vagues du cerveau des hommes sont nécessairement des sublimations de leur processus vital matériel, empiriquement constatable et lié à des présuppositions matérielles. La morale, la religion, la métaphysique et le reste de l'idéologie ainsi que les formes correspondantes de la conscience ne conservent donc pas plus longtemps l'apparence de l'indépendance. Elles n'ont pas d'histoire, elles n'ont pas de développement, mais les hommes qui développent leur production matérielle et leur commerce matériel modifient, en même temps que cette réalité qui est la leur, leur façon de penser et les produits de leur façon de penser. Ce n'est pas la conscience qui détermine la vie, c'est la vie qui détermine la conscience. Dans la première manière de considérer les choses on part de la conscience en tant qu'individu vivant, dans la seconde, qui correspond à la vie réelle, ou part des individus réels et vivants et l'on considère la conscience comme *leur* conscience.

Marx-Engels, *L'Idéologie allemande*, 1846, p. 22-23.

La société civile de l'État

Le fait est donc celui-ci : des individus déterminés, qui sont productivement actifs d'une façon déterminée, entrent en des rapports sociaux et politiques déterminés. L'observation empirique doit, dans chaque cas particulier, empiriquement et sans aucune mystification ou spéculation, présenter la connexion de la structure sociale et politique avec la production. La structure sociale et l'État découlent continuellement du processus vital d'individus déterminés, mais d'individus non pas tels qu'ils peuvent apparaître dans leur propre représentation ou dans celle d'autrui, mais tels qu'ils sont *réellement*, c'est-à-dire agissent, produisent matériellement, par conséquent tels qu'ils sont actifs dans des limites, présuppositions et conditions matérielles déterminées, indépendantes de leur libre arbitre.

Il découle de là qu'un mode de production déterminé ou un degré industriel déterminé est toujours lié à un mode déterminé de collaboration ou de degré social, ce mode de collaboration étant lui-même une « force productive », que la foule des forces productives accessibles aux hommes conditionne l'état social, et que l' « histoire de l'humanité » doit donc toujours être étudiée et travaillée en connexion avec l'histoire de l'industrie et de l'échange.

Il est donc déjà évident que la société civile est le véritable
foyer, la véritable scène de toute histoire et l'on voit à quel
point la conception passée de l'histoire était un non-sens en
négligeant les rapports réels et en se limitant aux grands événements historiques et politiques retentissants. La société civile
embrasse l'ensemble des rapports matériels des individus à
l'intérieur d'un stade de développement déterminé des forces
productives. Elle embrasse l'ensemble de la vie commerciale et
industrielle d'un stade et dépasse par là même l'État et la nation,
bien qu'elle doive, par ailleurs, s'affirmer à l'extérieur comme
nationalité et s'organiser à l'intérieur comme État. Le terme
de société civile apparut au xviiie siècle, dès que les rapports
de propriété se furent dégagés de la communauté antique et
médiévale. La société civile en tant que telle ne se développe
qu'avec la bourgeoisie; toutefois, l'organisation sociale née
directement de la production et du commerce, et qui forme en
tout temps la base de l'État et du reste de la superstructure
idéaliste, continue à être désignée sous le même nom.

... Cette conception de l'histoire a donc pour base le développement du processus réel de la production, et cela en partant
de la production matérielle de la vie immédiate; elle conçoit
la forme des relations humaines liée à ce mode de production
et engendrée par elle, je veux dire la société civile à ses différents
stades, comme étant le fondement de toute l'histoire, ce qui
consiste à la représenter dans son action en tant qu'État aussi
bien qu'à expliquer par elle l'ensemble des diverses productions
théoriques et des formes de la conscience, religion, philosophie,
morale, etc., et à suivre sa genèse en partant de ses productions,
ce qui permet alors naturellement de représenter la chose dans
sa totalité (et d'examiner aussi l'action réciproque de ces différents aspects).

Marx-Engels, *L'Idéologie allemande*, p. 22-7 et 33.

Le point de départ : les conditions naturelles

Naturellement, le point de départ, ce sont les facteurs naturels,
subjectivement et objectivement : peuplades, races, etc. Telles
races, telles dispositions, tels climats, telles conditions naturelles
— proximité de la mer, fertilité du sol, etc. — sont plus favorables
que d'autres à la production. On aboutit à une tautologie :
la richesse se crée d'autant plus facilement que ses éléments
subjectifs et objectifs existent à un degré plus élevé.

Marx, *Grundrisse...*, Introduction 1857, p. 8 et 30.

La même base économique — la même quant à ses conditions
principales — peut révéler une infinité de variations et de gradations, que l'on ne peut saisir sans en analyser les innombrables
conditions empiriques (milieu naturel, facteurs raciaux, influences
historiques agissant de l'extérieur, etc.).

Marx, *Le Capital* III, 1865, p. 842. (8, 172).

Abstraction faite du mode social de production, la productivité du travail dépend des conditions naturelles. Ces conditions peuvent toutes se ramener soit à la nature de l'homme lui-même, à sa race, etc., soit à la nature qui l'entoure. Les conditions naturelles externes se décomposent au point de vue économique en deux grandes classes : richesse naturelle en moyens de subsistance (fertilité du sol, eaux poissonneuses, etc.); et richesse naturelle en moyens de travail, tels que chutes d'eau vive, rivières navigables, bois, métaux, charbon, etc. Aux origines de la civilisation, c'est la première classe de richesses naturelles qui l'emporte; plus tard, dans une société plus avancée, c'est la seconde...

Le sol le plus fertile n'est nullement le plus propre et le plus favorable au développement de la production capitaliste qui suppose la domination de l'homme sur la nature. Une nature trop prodigue « retient l'homme par la main comme un enfant en lisière »; elle l'empêche de se développer en ne faisant pas de son développement une nécessité de nature. La patrie du capital ne se trouve pas sous le climat des tropiques, au milieu d'une végétation luxuriante, mais dans la zone tempérée.

MARX, *Le Capital* I, 1867, p. 537-539. (II, 186-187).

Forces productives et rapports de production

... Qu'est-ce que la société, quelle que soit sa forme? Le produit de l'action réciproque des hommes. Les hommes sont-ils libres de choisir telle ou telle forme sociale? Pas du tout. Supposez un niveau déterminé du développement des forces productives des hommes et vous aurez une forme déterminée des relations humaines et de la consommation. Supposez un niveau de développement déterminé de la production des relations humaines, de la consommation, et vous aurez une forme déterminée de régime social, une organisation déterminée de la famille, des ordres ou des classes, en un mot une société civile déterminée. Supposez une société civile déterminée et vous aurez des conditions politiques déterminées qui sont à leur tour l'expression officielle de la société civile.

Il n'est pas nécessaire d'ajouter que les hommes ne choisissent pas librement *leurs forces productives* — qui sont la base de toute leur histoire — car toute force productive est une force acquise, le produit d'une activité antérieure. Ainsi, les forces productives sont le résultat de l'énergie pratique des hommes, mais cette énergie elle-même est déterminée par les conditions dans lesquelles les hommes se trouvent placés, par les forces productives déjà acquises, par la forme sociale qui existe avant eux, qu'ils ne créent pas, qui est le produit de la génération précédente. Ce simple fait que toute génération nouvelle trouve devant elle les forces productives acquises par la génération antérieure, qui lui servent de matière première pour la production nouvelle, crée un enchaînement dans l'histoire des hommes; il constitue par là une histoire de l'humanité, qui est d'autant plus histoire de l'humanité que les forces productives des hommes et, en conséquence, leurs rapports sociaux ont grandi. Conséquence nécessaire : l'histoire sociale des hommes n'est jamais que l'histoire de leur développement individuel, qu'ils en aient conscience ou non. Leurs rapports matériels forment la base de tous leurs rapports. Ces rapports matériels ne sont que les formes nécessaires dans lesquelles leur activité matérielle et individuelle se réalise.

MARX, *Lettre à Paul Annenkov*, 28-12-1846.

Les rapports sociaux sont intimement liés aux forces productives. En acquérant de nouvelles forces productives, les hommes changent leur mode de production, et en changeant le mode de production, la manière de gagner leur vie, ils changent tous leurs rapports sociaux. Le moulin à bras vous donnera la société avec le suzerain, le moulin à vapeur, la société avec le capitalisme industriel.

Les mêmes hommes qui établissent les rapports sociaux conformément à leur productivité matérielle, produisent aussi les principes, les idées, les catégories, conformément à leurs rapports sociaux.

Ainsi ces idées, ces catégories sont aussi peu éternelles que les relations qu'elles expriment. Elles sont des *produits historiques et transitoires*.

Il y a un mouvement continuel d'accroissement dans les forces productives de destruction dans les rapports sociaux, de formation dans les idées; il n'y a d'immuable que l'abstraction du mouvement — *mors immortalis*.

MARX, *Misère de la philosophie*, 1847. (Pléiade I, 79).

... Dans la production, les hommes n'agissent pas seulement sur la nature, mais aussi les uns sur les autres. Ils ne produisent qu'en collaborant d'une manière déterminée et en échangeant entre eux leurs activités. Pour produire, ils entrent en relations et en rapports déterminés les uns avec les autres, et ce n'est que dans les limites de ces relations et de ces rapports sociaux que s'établit leur action sur la nature, la production.

Suivant le caractère des moyens de production, ces rapports sociaux que les producteurs ont entre eux, les conditions dans lesquelles ils échangent leurs activités et prennent part à l'ensemble de la production seront tout naturellement différents. Par la découverte d'un nouvel engin de guerre, l'arme à feu, toute l'organisation interne de l'armée a été nécessairement modifiée; les conditions dans lesquelles les individus constituent une armée et peuvent agir en tant qu'armée se sont trouvées transformées.

et les rapports des diverses armées entre elles en ont été changés également.

Donc, les rapports sociaux suivant lesquels les individus produisent, les rapports sociaux de production, changent, se transforment avec la modification et le développement des moyens de production matériels, des forces de production. Dans leur totalité, les rapports de production forment ce qu'on appelle les rapports sociaux, la société, et, notamment, une société à un stade de développement historique déterminé, une société à caractère distinctif original. La société *antique*, la société *féodale*, la société *bourgeoise* sont des ensembles de rapports de production de ce *genre* dont chacun caractérise en même temps un stade particulier de développement dans l'histoire de l'humanité.

MARX, *Travail salarié et capital*, 1849, W VI, p. 407. E. S.

Les moyens de production

Darwin a attiré l'attention sur l'histoire de la *technologie naturelle*, c'est-à-dire sur la formation des organes des plantes et des animaux considérés comme moyens de production pour leur vie. L'histoire des organes productifs de l'homme social, base matérielle de toute organisation sociale, ne serait-elle pas digne de semblables recherches? Et ne serait-il pas plus facile de mener cette entreprise à bonne fin, puisque, comme dit Vico, l'histoire de l'homme se distingue de l'histoire de la nature en ce que nous avons fait celle-là et non celle-ci? La technologie met à nu le mode d'action de l'homme vis-à-vis de la nature, le processus de production de sa vie matérielle et, par conséquent, l'origine des rapports sociaux et des idées ou conceptions intellectuelles qui en découlent. L'histoire de la religion elle-même, si l'on fait abstraction de cette base matérielle, manque de critérium. Il est, en effet, bien plus facile de trouver par l'analyse le contenu, le noyau terrestre des conceptions nuageuses des religions, que de faire voir par une voie inverse comment les conditions réelles de la vie revêtent peu à peu une forme éthérée. C'est là la seule méthode matérialiste, par conséquent scientifique. Ce qui distingue une époque déterminée d'une autre, c'est moins ce que l'on fabrique, que la manière de fabriquer, les moyens de travail par lesquels on fabrique. Les moyens de travail sont des gradimètres du développement du travailleur, et les exposants des rapports sociaux dans lesquels il travaille.

MARX, *Le Capital*, I, 389. (II, 59, note).

La division du travail

La *division du travail* entraîne la possibilité, même la réalité que l'activité spirituelle et matérielle, que la jouissance et le travail, la production et la consommation échoient à des individus différents...

...Avec la division du travail, où toutes ces contradictions sont données et qui repose à son tour sur la division naturelle du travail dans la famille et la séparation de la société en familles distinctes et opposées les unes aux autres, est donnée en même temps la *répartition*, quantitativement et qualitativement inégale, du travail et de ses produits, donc la propriété, qui a déjà son premier noyau, sa première forme, dans la famille où les enfants sont les esclaves de l'homme. L'esclavage, encore très grossier et latent, il est vrai, dans la famille, est la première propriété qui, d'ailleurs, répond ici déjà parfaitement à la définition des économistes modernes, d'après laquelle elle est la disposition de la force de travail d'autrui. Division du travail et propriété privée sont du reste des expressions identiques — dans l'une on exprime par rapport à l'activité ce qui est exprimé dans l'autre par rapport au produit de l'activité.

Marx-Engels, *L'Idéologie allemande*, 1846, p. 28-9.

Le travail s'organise, se divise autrement selon les instruments dont il dispose. Le moulin à bras suppose une autre division du travail que le moulin à vapeur. C'est donc heurter de front l'histoire que de vouloir commencer par la division du travail en général, pour en venir ensuite à un instrument spécifique de production, les machines.

... Sous le régime patriarcal, sous le régime des castes, sous le régime féodal et corporatif, il y avait division du travail dans la société tout entière selon les règles fixes. Ces règles ont-elles été établies par un législateur? Non. Nées primitivement des conditions de la production matérielle, elles n'ont été érigées en lois que bien plus tard. C'est ainsi que ces diverses formes de la division du travail devinrent autant de bases d'organisation sociale. Quant à la division du travail dans l'atelier, elle était très peu développée dans toutes ces formes de la société.

On peut même établir en règle générale, que moins l'autorité préside à la division du travail dans l'intérieur de la société, plus la division du travail se développe dans l'intérieur de l'atelier, et plus elle y est soumise à l'autorité d'un seul. Ainsi, l'autorité dans l'atelier et celle dans la société, par rapport à la division du travail, sont en *raison inverse* l'une de l'autre.

Marx, *Misère de la philosophie*, 1847. (Pléiade I, 99-101).

Le surtravail

Supposé que le travail nécessaire à l'entretien du producteur et de sa famille absorbât tout son temps disponible, où trouverait-il le moyen de travailler gratuitement pour autrui? Sans un certain degré de productivité du travail, point de temps disponible; sans ce surplus de temps, point de surtravail et, par conséquent, point de plus-value, point de produit net, point de capitalistes, mais aussi point d'esclavagistes, point de seigneurs féodaux, en un mot, point de classe propriétaire!

La nature n'empêche pas que la chair des uns serve d'aliment aux autres; de même elle n'a pas mis d'obstacle insurmontable à ce qu'un homme puisse arriver à travailler pour plus d'un homme, ni à ce qu'un autre réussisse à se décharger sur lui du fardeau du travail. Mais à ce fait naturel on a donné quelque chose de mystérieux en essayant de l'expliquer à la manière scolastique, par une qualité « occulte » du travail : sa productivité innée, productivité toute prête dont la nature aurait doué l'homme en le mettant au monde.

Les facultés de l'homme primitif, encore en germe, et comme ensevelies sous sa croûte animale, ne se forment au contraire que lentement sous la pression de ses besoins physiques. Quand, grâce à de rudes labeurs, les hommes sont parvenus à s'élever au-dessus de leur premier état animal, lorsque donc leur travail s'est déjà dans une certaine mesure socialisé, alors, et seulement alors, se produisent des conditions où le surtravail de l'un peut devenir une source de vie pour l'autre, et cela n'a jamais lieu sans l'aide de la violence qui soumet l'un à l'autre.

A l'origine de la vie sociale, les forces de travail acquises sont assurément minimes, mais les besoins le sont aussi, qui ne se développent qu'avec les moyens de les satisfaire. En même temps, la partie de la société qui subsiste du travail d'autrui ne compte presque pas encore, comparativement à la masse des producteurs immédiats. Elle grandit absolument et relativement à mesure que le travail social devient plus productif.

Du reste la production capitaliste prend racine sur un terrain préparé par une longue série d'évolutions et de révolutions économiques. La productivité du travail, qui lui sert de point de départ, est l'œuvre d'un développement historique dont les périodes se comptent non par siècles, mais par milliers de siècles.

MARX, *Le Capital*, I, p. 536-7. (II, 185-6).

... Tant que le travail humain était encore si peu productif qu'il ne fournissait que peu d'excédent au-delà des moyens de subsistance nécessaires, l'accroissement des forces productives, l'extension du trafic, le développement de l'État et du droit, la fondation de l'art et de la science n'étaient possibles que grâce à une division renforcée du travail, qui devait forcément avoir pour fondement la grande division du travail entre les masses pourvoyant au travail manuel simple et les quelques privilégiés adonnés à la direction du travail, au commerce, aux affaires de l'État et plus tard aux occupations artistiques et scientifiques.

La forme la plus simple, la plus naturelle, de cette division du travail était précisément l'esclavage.

ENGELS, *Anti-Dühring*, W XX, p. 169. (213-214).

La loi régulatrice et ses formes historiques

N'importe quel enfant sait que toute nation périrait, qui cesserait le travail, non pas une année, mais seulement quelques semaines. Chaque enfant sait également que les masses de produits correspondant aux différentes quantités de besoins exigent des masses différentes et quantitativement déterminées de la totalité du travail social. Il va de soi que la *forme déterminée* de la production sociale ne supprime nullement cette nécessité de la répartition du travail social en proportions déterminées, mais ne peut que modifier son *mode de manifestation*. Les lois naturelles ne peuvent jamais être abolies. Ce qui peut se modifier, dans des situations historiquement différentes, c'est seulement la forme sous laquelle ces lois se manifestent.

MARX, *Lettre à Kugelmann*, 11 juillet 1868.

La loi de la répartition équilibrée des forces de travail s'impose à toutes les sociétés. Les différents modes de production qui se succèdent dans l'histoire se définissent par la manière consciente ou inconsciente, centralisée ou décentralisée dont ils réalisent la coordination sociale du travail. Marx distingue trois types de régulation : 1° la réglementation « autoritaire- planifiée » (« communisme primitif », économie patriarcale, « despotisme oriental » de style péruvien); 2° la régulation par la « loi de la valeur » (économie marchande, économie capitaliste) et 3° la régulation par les « producteurs associés » (socialisme).

Les travailleurs et les moyens de production

Quelles que soient les formes sociales de la production, les travailleurs et les moyens de production en restent toujours les facteurs. Mais les uns et les autres ne le sont qu'à l'état virtuel tant qu'ils se trouvent séparés. Pour une production quelconque, il faut leur combinaison. C'est la manière spéciale d'opérer cette combinaison qui distingue les différentes époques économiques par lesquelles la structure sociale est passée.

MARX, *Le Capital*, II, p. 35. (II, 38).

Marx distingue trois types de combinaison fondée sur l'union du producteur et des moyens de production : 1° la « commune primitive », 2° la petite production indépendante paysanne et artisanale, 3° le communisme futur; et deux types de combinaison fondée sur la séparation du producteur d'avec les moyens de production : 1° l'esclavage (où le producteur fait partie des moyens de production) et 2° le salariat. Comme types intermédiaires Marx cite les formes sociales où les producteurs ont cessé d'être propriétaires et sont devenus simples possesseurs de leurs moyens de production : 1° la « commune primitive » transformée en rouage de l'État despotique ou du domaine féodal et 2° les paysans attachés à la glèbe (servage).

Le mode d'extorsion du surtravail

La forme économique spécifique dans laquelle du surtravail non payé est extorqué aux producteurs immédiats, détermine le rapport de domination et de servitude, tel qu'il découle directement de la production elle-même et, à son tour, réagit sur elle. C'est là, d'ailleurs, la base de toute la configuration que présente une collectivité économique, qui prend ses racines dans les conditions mêmes de la production, et c'est aussi sur ce fondement que repose la forme politique de cette société. C'est toujours dans les rapports immédiats entre les maîtres des conditions de production et les producteurs directs — rapports qui, sous toutes leurs formes, correspondent toujours et nécessairement à un niveau déterminé du développement du genre et du mode de travail et par suite de sa productivité sociale — c'est toujours dans ces rapports que nous découvrons le secret intime, le fondement caché de toute la structure sociale, et par conséquent de la forme politique revêtue par les rapports de souveraineté et de dépendance, bref, de toutes les formes spécifiques de l'État.

Cela n'empêche pas que la même base économique, — la même, du moins, quant aux conditions principales, — peut, en raison des innombrables conditions empiriques distinctes — facteurs naturels et raciaux, influences historiques agissant de l'extérieur, etc. — présenter dans sa manifestation une infinité de variations et de gradations qui ne peuvent être saisies que par l'analyse de ces circonstances empiriques données.

MARX, *Le Capital*, III, p. 841-42. (8, 172).

L'exploitation du travail : esclavage, servage, salariat

... Quoiqu'une partie seulement du travail journalier de l'ouvrier soit *payée*, tandis que l'autre partie reste *impayée*, et bien que ce soit précisément cette partie non payée ou surtravail qui constitue le fonds d'où se forme la plus-value ou profit, il semble que le travail tout entier soit du travail payé.

C'est cette fausse apparence qui distingue le *travail salarié* des autres formes *historiques* du travail. A la base du système du salariat même le travail non payé semble être du travail payé.

Dans le travail de l'*esclave*, c'est tout le contraire : même la
partie de son travail qui est payée apparaît comme du travail
non payé. Naturellement, pour pouvoir travailler, il faut bien
que l'esclave vive et une partie de sa journée de travail sert à
compenser la valeur de son propre entretien. Mais comme
il n'y a pas de marché conclu entre lui et son maître, comme
il n'y a ni vente ni achat entre les deux parties, tout son travail
a l'air d'être cédé pour rien.

Prenons, d'autre part, le *serf*... Ce paysan travaillait, par exemple, 3 jours pour lui-même sur son propre champ et les 3 jours
suivants il faisait du travail forcé et gratuit sur le domaine de
son seigneur. Ici donc le travail payé et le travail non payé
étaient visiblement séparés dans le temps et dans l'espace.
Et nos libéraux étaient transportés d'indignation à l'idée absurde
de faire travailler un homme pour rien.

(C'est pourtant ce qui se passe dans le travail salarié, mais)
la nature de toute cette opération est complètement masquée
par l'intervention du *contrat* et par la *paye* effectuée à la fin
de la semaine. Dans un cas (le salariat), le travail non payé
paraît être donné volontairement et dans l'autre (le servage)
arraché par la contrainte, C'est là toute la différence.

MARX, *Salaire, prix et profit*, 1865, W XVI, p. 134-35. E.S.

Sous-développement, division du travail et exploitation de classe

La scission de la société en une classe exploiteuse et une
classe exploitée, en une classe dominante et une classe opprimée était une conséquence nécessaire du faible développement
de la production dans le passé. Tant que le travail total de la
société ne fournit qu'un rendement excédant à peine ce qui
est nécessaire pour assurer strictement l'existence de tous,
tant que le travail réclame donc tout ou presque tout le temps
de la grande majorité des membres de la société, celle-ci se
divise nécessairement en classes. A côté de cette grande majorité,
exclusivement vouée à la corvée du travail, il se forme une classe
libérée du travail directement productif, qui se charge des affaires
communes de la société : direction du travail, affaires politiques,
justice, science, beaux-arts, etc. C'est donc la loi de la division
du travail qui est à la base de la division en classes. Cela n'empêche pas d'ailleurs que cette division en classes n'ait été accomplie par la violence et le vol, la ruse et la fraude, et que la classe
dominante, une fois mise en selle, n'ait jamais manqué de
consolider sa domination aux dépens de la classe travailleuse
et de transformer la direction sociale en exploitation des masses.

Mais si, d'après cela, la division en classes a une certaine
légitimité historique, elle ne l'a pourtant que pour un temps
donné, pour des conditions sociales données. Elle se fondait
sur l'insuffisance de la production; elle sera balayée par le

plein déploiement des forces productives modernes. Et en effet, l'abolition des classes sociales suppose un degré de développement historique où l'existence non seulement de telle ou telle classe dominante déterminée, mais d'une classe dominante en général, donc de la distinction des classes elle-même, est devenue un anachronisme, une vieillerie. Elle suppose donc un degré d'élévation du développement de la production où l'appropriation des moyens de production et des produits, et par suite, de la domination politique du monopole de la culture et de la direction intellectuelle par une classe sociale particulière est devenue non seulement une superfétation, mais aussi, au point de vue économique, politique et intellectuel, un obstacle au développement. Ce point est maintenant atteint.

ENGELS, *Anti-Dühring*, 1878, W XX, p. 262-63. E.S. (320-1).

La classe des commerçants

(Dans les économies non-marchandes) tous les éléments qui avaient fourni des points de départ à la formation des classes se rattachaient exclusivement à la production; ils séparaient les participants à la production en dirigeants et en exécutants, ou encore en producteurs grands, petits et moyens. Ici (dans les économies fondées sur la valeur d'échange) apparaît pour la première fois une classe qui, sans prendre part à la production, en conquiert la direction générale et s'assujettit économiquement les producteurs; une classe qui se fait l'intermédiaire indispensable entre deux producteurs et les exploite. Sous prétexte de débarrasser les producteurs de la peine et du risque de l'échange, d'étendre le placement de leurs produits sur des marchés éloignés et de devenir ainsi la classe la plus utile de la population, il se forme ainsi une classe de véritables parasites qui, comme salaire de services fort minces, soutire la crème de la production, s'acquiert richesse et influence, recrute de nouveaux membres et domine de plus en plus la production — jusqu'à ce qu'elle mette au jour (sa propre négation) : les crises.

ENGELS, *L'Origine de la famille...*, 1884, W XXI, p. 161.
(p. 216-7).

La domination idéologique

Les idées de la classe dominante sont, à toute époque, les idées dominantes; en d'autres termes, la classe qui représente la puissance *matérielle* dominante de la société est en même temps la puissance *spirituelle* qui prédomine dans cette société. La classe qui dispose des moyens de la production matérielle dispose en même temps et par là même des moyens de la production spirituelle, si bien que, en général, les idées de ceux à qui ces moyens font défaut, sont soumises à la classe dominante. Les idées dominantes ne sont rien d'autre que l'expression idéologique des conditions matérielles dominantes, les conditions matérielles dominantes ayant pris la forme d'idées; l'expression des conditions qui font justement de cette classe la classe dominante, donc les idées de sa domination. Les individus qui composent la classe dominante, ont, entre autres, également une conscience, une pensée de classe. Il va de soi que, dans la mesure où ils dominent comme classe et déterminent toute l'étendue d'une époque, ils s'en acquittent d'une façon intégrale, donc qu'ils dominent parmi d'autres également en tant que gens pensants, en tant que producteurs d'idées, dirigeant la production et la distribution des idées de leur époque.

... La division du travail, dans laquelle nous avons déjà reconnu des facteurs les plus importants et les plus puissants de l'histoire, se manifeste dans la classe dominante également comme division du travail spirituel et du travail matériel. A l'intérieur de cette classe, l'une des parties fonctionne comme penseurs de cette classe : ce sont ses idéologues actifs et conceptifs qui ont la spécialité de forger les illusions de cette classe sur elle-même, spécialité dont ils font leur principal gagne-pain. Les autres gardent, vis-à-vis de ces idées et de ces illusions, une attitude plutôt passive et réceptive, étant en réalité les membres actifs de cette classe et ayant moins le loisir de se faire des illusions et des idées sur eux-mêmes. Cette division peut même dégénérer, au sein de cette classe, en un certain antagonisme et une certaine rivalité entre les deux parties; opposition qui disparaît cependant automatiquement, dès qu'apparaît une collision pratique mettant en danger la classe elle-même. Aucun doute n'est alors plus possible : les idées dominantes sont les idées des classes dominantes et elles n'ont pas de puissance indépendante de la puissance de cette classe. L'existence, à une époque déterminée, d'idées révolutionnaires suppose préalablement l'existence d'une classe révolutionnaire...

MARX-ENGELS, *L'Idéologie allemande*, 1846, p. 44-45.

L'État et la société

Il s'agit donc toujours d'expliquer les rapports de domination et d'esclavage.

Ils sont nés par deux voies différentes.

Tels les hommes sortent primitivement du règne animal, — au sens étroit —, tels, ils entrent dans l'histoire : encore à demi-animaux, grossiers, impuissants encore en face des forces de la nature, ignorants encore de leurs propres forces; par conséquant, pauvres comme les animaux et à peine plus productifs qu'eux. Il règne alors une certaine égalité des conditions d'existence et, pour les chefs de famille, aussi une sorte d'égalité dans la position sociale, — tout au moins une absence de classes sociales qui continue dans les communautés naturelles agraires des peuples civilisés ultérieurs. Dans chacune de ces communautés existent, dès le début, certains intérêts communs, dont la garde doit être commise à des individus, quoique sous le contrôle de l'ensemble : jugements de litiges; répression des empiétements de certains individus au-delà de leurs droits; surveillance des eaux, surtout dans les pays chauds; enfin, étant donné le caractère primitif et sauvage de la situation, fonctions religieuses. De semblables attributions de fonctions se trouvent en tout temps dans les communautés primitives, ainsi dans les plus vieilles communautés de la Mark germanique et aujourd'hui encore aux Indes. Il va sans dire que ces individus sont armés d'une certaine plénitude de puissance et représentent les prémisses du pouvoir d'État. Peu à peu, les forces de production augmentent; la population plus dense crée des intérêts ici communs, là antagonistes, entre les diverses communautés, dont le groupement en ensembles plus importants provoque derechef une nouvelle division du travail, la création d'organes pour protéger les intérêts communs et se défendre contre les intérêts antagonistes. Ces organes, qui déjà en tant que représentants des intérêts communs de tout le groupe, ont vis-à-vis de chaque communauté prise à part une situation particulière, parfois même en opposition avec elle, prennent bientôt une autonomie plus grande encore, soit du fait de l'hérédité de la charge, qui s'instaure presque toute seule dans un monde où tout se passe selon la nature, soit du fait de l'impossibilité grandissante de s'en passer à mesure qu'augmentent les conflits avec d'autres groupes. Comment, de ce passage à l'autonomie vis-à-vis de la société, la fonction sociale a pu s'élever avec le temps à la domination sur la société; comment, là où l'occasion était favorable, le serviteur primitif s'est métamorphosé peu à peu en maître; comment, selon les circonstances, ce maître a pris l'aspect du despote ou du satrape oriental, du dynaste chez les Grecs, du chef de clan celte, etc.; dans quelle mesure, lors de cette métamorphose, il s'est finalement servi aussi de la violence; comment, au bout du compte, les individus dominants se sont unis pour former une classe dominante, ce sont là des questions que nous n'avons pas besoin d'étudier ici. Ce qui importe ici, c'est seulement de constater que, partout, une fonction sociale est à la base de la domination politique; et que la domination politique n'a subsisté que dans la mesure où elle remplissait la fonction sociale qui lui était confiée.

ENGELS, *Anti-Dühring*, W XX, p. 166-7. E.S. (p. 211-212).

L'État n'est donc pas du tout un pouvoir imposé du dehors de la société; il n'est pas davantage « la réalisation de l'idée morale », « l'image et la réalisation de la raison », comme le prétend Hegel. Non, il est un produit de la société parvenue à un degré de développement déterminé; il est l'aveu que cette société s'embarrasse dans une insoluble contradiction avec soi-même, s'étant scindée en antagonismes irréconciliables qu'elle est impuissante à conjurer. Mais afin que les classes antagonistes, aux intérêts économiques opposés, ne se consument pas, elles et la société, en luttes stériles, il est devenu nécessaire qu'un pouvoir, placé en apparence au-dessus de la société, soit chargé d'amortir le conflit en le maintenant dans les limites de « l'ordre » : ce pouvoir, issu de la société, mais qui veut se placer au-dessus d'elle et s'en dégage de plus en plus, c'est l'État.

... L'État étant né du besoin de tenir en bride les antagonistes de classes, mais étant né en même temps au milieu du conflit de ces classes, il est en règle générale l'État de la classe la plus puissante, de celle qui a la domination économique, laquelle, par son moyen, devient aussi classe politiquement dominante et ainsi acquiert de nouveaux moyens d'assujettir et d'exploiter la classe opprimée. C'est ainsi que l'État antique était avant tout l'État des propriétaires d'esclaves pour tenir ceux-ci sous le joug, de même que l'État féodal fut l'organe de la noblesse pour assujettir les paysans serfs et vassaux, et que l'État représentatif moderne sert d'instrument à l'exploitation du travail salarié par le capital. Par exception cependant, il se produit des périodes où les classes en lutte sont si près de s'équilibrer que le pouvoir de l'État acquiert, comme médiateur en apparence, une certaine indépendance momentanée vis-à-vis de l'une et de l'autre. C'est le cas de la monarchie absolue des XVIIe et XVIIIe siècles, qui mettait en balance la noblesse et la bourgeoisie ; c'est le cas du bonapartisme du premier et surtout du second empire français, faisant jouer le prolétariat contre la bourgeoisie et la bourgeoisie contre le prolétariat. La plus récente production en ce genre, où dominants et dominés font une figure également comique, c'est le nouvel empire allemand de nation bismarckienne : ici capitalistes et travailleurs sont mis en bascule les uns contre les autres, et également escroqués au profit des hobereaux prussiens dégénérés.

... L'État n'existe donc pas de toute éternité. Il y a eu des sociétés qui se sont passées de lui, qui n'avaient aucune notion d'État ni de pouvoirs de l'État. A un certain degré de l'évolution économique qui était nécessairement liée à la scission de la société en classes, cette scission fit de l'État une nécessité. Nous nous rapprochons maintenant à grands pas d'un degré de développement de la production où l'existence de ces classes a non seulement cessé d'être nécessité, mais devient un obstacle positif à la production. Les classes tomberont aussi fatalement qu'elles ont surgi. Avec elles inévitablement tombe l'État. La société qui réorganisera la production sur les bases d'une association libre et égalitaire des producteurs transportera toute la machine de l'État là où sera dorénavant sa place : au musée des antiquités, à côté du rouet et de la hache de bronze.

ENGELS, *L'Origine de la famille...*,
1884, W XXI, p. 166-168. (p. 223-7).

Villes et campagnes

La plus grande division du travail matériel et du travail spirituel, c'est la séparation de la ville et de la campagne. L'opposition entre la ville et la campagne commence avec le passage de la barbarie à la civilisation, du régime des tribus à l'État, de la localité à la nation et se retrouve dans toute l'histoire de la civilisation jusqu'à nos jours. La ville entraîne en même temps la nécessité de l'administration, de la police, des impôts, etc. en un mot du système communal et, par suite, de la politique en général. C'est ici qu'apparaît pour la première fois la division de la population en deux grandes classes, reposant directement sur la division du travail et les instruments de production. La ville est déjà le fait de la concentration de la population, des instruments de production, du capital, des jouissances, des besoins, tandis que la campagne montre justement le fait contraire, l'isolement et la séparation. L'opposition entre la ville et la campagne ne peut exister que dans le cadre de la propriété privée. C'est l'expression la plus grossière de la subordination de l'individu à la division du travail et à une activité déterminée qui lui est imposée, une subordination qui fait de l'un un animal borné de la ville, de l'autre un animal borné de la campagne, et reproduit chaque jour l'opposition entre leurs intérêts. Ici encore le travail est la chose principale, la puissance supérieure aux individus, et tant que cette puissance existe, la propriété privée doit exister. La suppression de l'opposition entre la ville et la campagne est une des premières conditions du communisme, condition qui dépend à son tour d'une masse de présuppositions matérielles que la simple volonté ne suffit pas à réaliser, comme chacun le voit du premier coup d'œil (il y aura lieu de développer encore ces conditions).

MARX-ENGELS, *L'Idéologie allemande*, 1846, p. 48.

La force motrice de l'histoire

Les hommes se sont libérés chaque fois dans la mesure où non pas leur idéal de l'homme mais les forces productives existantes leur prescrivaient et leur permettaient de se libérer. Toutes les libérations, dans le passé, étaient fondées sur des forces productives limitées dont la production, insuffisante pour l'ensemble de la société, ne pouvait entraîner une évolution que si une partie de la société vivait aux dépens de l'autre. En conséquence, les uns — la minorité — avaient le monopole de l'évolution, tandis que les autres — la majorité — étaient provisoirement (c'est-à-dire jusqu'à la production de forces productives nouvelles et révolutionnaires) exclus de toute évolution, contraints de lutter sans cesse pour la satisfaction de besoins les plus urgents. Aussi la société s'est-elle jusqu'ici toujours développée à l'intérieur d'un antagonisme. Chez les anciens,

c'était l'antagonisme des hommes libres et des esclaves, au Moyen
Age, c'était l'antagonisme des nobles et des serfs, et dans les
temps modernes c'est l'antagonisme de la bourgeoisie et du
prolétariat. C'est ce qui explique d'une part la manière monstrueuse, « inhumaine » dont la classe opprimée satisfait ses
besoins, et d'autre part le caractère étroit qui marque le développement des relations sociales et de la classe dominante elle-
même. Cette faible étendue du développement ne se manifeste
pas seulement dans l'exclusion d'une des classes, mais aussi
dans l'étroitesse d'esprit de la classe qui exclut l'autre. L' « inhumain » se rencontre également dans la classe dominante.

Ce prétendu « inhumain » est un produit des conditions
actuelles au même titre que l' « humain »; c'est leur côté négatif,
c'est la révolte contre les conditions dominantes fondées sur les
forces productives existantes et contre le mode de satisfaction
des besoins correspondant à ces forces productives, révolte
qui n'a pas son fondement dans une force productive nouvelle
et révolutionnaire.

MARX-ENGELS, L'Idéologie allemande, 1846,
p. 456-7.

La classe révolutionnaire

La classe révolutionnaire, parce qu'elle s'oppose à une classe,
ne se présente pas comme une classe, mais comme la représen-
tante de toute la société, elle apparaît comme la masse totale
de la société en face de l'unique classe dominante. Elle le peut,
parce qu'au début son intérêt coïncide encore réellement avec
l'intérêt commun de toutes les autres classes non dominantes
et que sous la pression des conditions anciennes il n'a pas encore
pu se développer comme intérêt particulier d'une classe particulière. Sa victoire est donc utile à plusieurs individus des autres
classes, qui ne parviennent pas à la domination, mais seulement
dans la mesure où elle met ces individus en position de s'élever
jusqu'à la classe dominante. Lorsque la bourgeoisie française
renversa la domination de l'aristocratie, elle permit ainsi à
plusieurs prolétaires de s'élever au-dessus du prolétariat, mais
seulement en leur permettant de devenir bourgeois. Toute classe
nouvelle établit donc sa domination sur une base plus large que
l'ancienne classe dominante; c'est pourquoi, plus tard, l'antagonisme de la classe non dominante contre la nouvelle classe
dominante se développe d'une manière si aiguë et si profonde.
D'où il résulte que la lutte à mener contre cette nouvelle classe
dominante aboutit de nouveau à une négation, plus distincte,
plus radicale, des conditions sociales antérieures, que ne pouvaient le faire toutes les classes qui avaient précédemment lutté
' ꞌ ꞌr la domination.

MARX-ENGELS, L'Idéologie allemande, 1846.

Une classe opprimée est la condition vitale de toute société fondée sur l'antagonisme des classes. L'affranchissement de la classe opprimée implique donc nécessairement la création d'une société nouvelle. Pour que la classe opprimée puisse s'affranchir, il faut que les pouvoirs productifs déjà acquis et les rapports sociaux existants ne puissent plus exister les uns à côté des autres. De tous les instruments de production, le plus grand pouvoir productif c'est la classe révolutionnaire elle-même. L'organisation des éléments révolutionnaires comme classe suppose l'existence de toutes les forces productives qui pouvaient s'engendrer dans le sein de la société ancienne.

MARX, Misère de la philosophie, 1847.
(Pléiade I, 135).

L'antagonisme

Les économistes ont une singulière manière de procéder. Il n'y a pour eux que deux sortes d'institutions, celles de l'art et celles de la nature. Les institutions de la féodalité sont des institutions artificielles, celles de la bourgeoisie sont des institutions naturelles. Ils ressemblent en ceci aux théologiens qui, eux aussi, établissent deux sortes de religions. Toute religion qui n'est pas la leur est une invention des hommes, tandis que leur propre religion est une émanation de Dieu. En disant que les rapports actuels — les rapports de la production bourgeoise — sont naturels, les économistes font entendre que ce sont là des rapports dans lesquels se crée la richesse et se développent les forces productives conformément aux lois de la nature. Donc ces rapports sont eux-mêmes des lois naturelles indépendantes de l'influence du temps. Ce sont des lois éternelles qui doivent toujours régir la société. Ainsi il y a eu de l'histoire, mais il n'y en a plus. Il y a eu de l'histoire, puisqu'il y a eu des institutions de féodalité, et que dans ces institutions de féodalité on trouve des rapports de production tout à fait différents de ceux de la société bourgeoise, que les économistes veulent faire passer pour naturels et partant éternels.

La féodalité aussi avait son prolétariat — le servage, qui renfermait tous les fermes de la bourgeoisie. La production féodale aussi avait deux éléments antagonistes, qu'on désigne également sous le nom de beau côté et de mauvais côté de la féodalité, sans considérer que c'est toujours le mauvais côté qui finit par l'emporter sur le côté beau. C'est le mauvais côté qui produit le mouvement qui fait l'histoire en constituant la lutte. Si, à l'époque du règne de la féodalité, les économistes, enthousiasmés des vertus chevaleresques, de la bonne harmonie entre le droit et les devoirs, de la vie patriarcale des villes, de l'état de prospérité de l'industrie domestique dans les campagnes, du développement de l'industrie organisée par corporations, jurandes, maîtrises, enfin de tout ce qui constitue le beau côté de la féodalité, s'étaient proposé le problème d'éliminer tout ce qui fait ombre à ce tableau — servage, privilèges, anarchie — qu'en serait-il arrivé? On aurait anéanti tous les éléments qui constituaient la lutte, et étouffé dans son germe le développement de la bourgeoisie. On se serait posé l'absurde problème d'éliminer l'histoire.

... Lorsque la bourgeoisie l'eut emporté, il ne fut plus question ni du bon, ni du mauvais côté de la féodalité. Les forces productives qui s'étaient développées par elle sous la féodalité lui furent acquises. Toutes les anciennes formes économiques, les relations civiles qui leur correspondaient, l'état politique qui était l'expression officielle de l'ancienne société civile, étaient brisés.

Ainsi, pour bien juger la production féodale, il faut la considérer comme un mode de production fondé sur l'antagonisme. Il faut montrer comment la richesse se produisait au-dedans de cet antagonisme, comment les forces productives se développaient, en même temps que l'antagonisme des classes, comment l'une des classes, le mauvais côté, l'inconvénient de la société, allait toujours croissant, jusqu'à ce que les conditions matérielles de son émancipation fussent arrivées au point de maturité. N'est-ce pas dire assez que le mode de production, les rapports dans lesquels les forces productives se développent, ne sont rien moins que des lois éternelles, mais qu'ils correspondent à un développement déterminé des hommes et de leurs forces productives, et qu'un changement survenu dans les forces productives des hommes amène nécessairement un changement dans leurs rapports de production? Comme il importe avant tout de ne pas être privé des fruits de la civilisation, des forces productives acquises, il faut briser les formes traditionnelles dans lesquelles elles ont été produites. Dès ce moment, la classe révolutionnaire devient conservatrice.

MARX, *Misère de la philosophie*, 1847. (Pléiade I, 88-90).

La lutte des classes

L'histoire de toute société jusqu'à nos jours n'a été que l'histoire des luttes de classes.

Hommes libres et esclaves, patriciens et plébéiens, barons et serfs, maîtres de jurandes et compagnons, en un mot, oppresseurs et opprimés, en opposition constante, ont mené une guerre ininterrompue, tantôt ouverte, tantôt dissimulée; une guerre qui finissait toujours, ou par une transformation révolutionnaire de la société tout entière, ou par la destruction des deux classes en lutte.

Dans les premières époques historiques, nous constatons presque partout une division hiérarchique de la société, une échelle graduée de positions sociales. Dans la Rome antique, nous trouvons des patriciens, des chevaliers, des plébéiens et des esclaves; au Moyen Age, des seigneurs, des vassaux, des maîtres, des compagnons, des serfs; et dans chacune de ces classes, des gradations spéciales.

La société bourgeoise moderne, élevée sur les ruines de la société féodale n'a pas aboli les antagonismes des classes. Elle n'a fait que substituer aux anciennes, de nouvelles classes, de nouvelles conditions d'oppression, de nouvelles formes de lutte.

Cependant, le caractère distinctif de notre époque, de l'ère de la bourgeoisie, est d'avoir simplifié les oppositions de classes. De plus en plus, l'ensemble de la société se divise en deux grands camps ennemis, en deux grandes classes directement opposées : la bourgeoisie et le prolétariat.

MARX-ENGELS, *Le Manifeste communiste*, 1848.

Violence politique et évolution économique

... Le rôle que joue la violence dans l'histoire vis-à-vis de l'évolution économique est donc clair. D'abord, toute violence politique repose primitivement sur une fonction économique de caractère social et s'accroît dans la mesure où la dissolution des communautés primitives métamorphose les membres de la société en producteurs privés, les rend donc plus étrangers encore aux administrateurs des fonctions sociales communes. Deuxièmement, après s'être rendue indépendante vis-à-vis de la société, après être passée de l'état de servante, à celui de maîtresse, la violence politique peut agir dans deux directions. Ou bien, elle agit dans le sens et dans la direction de l'évolution économique normale. Dans ce cas, il n'y a pas de conflit entre les deux, l'évolution économique est accélérée. Ou bien, la violence agit contre l'évolution économique, et dans ce cas, à quelques exceptions près, elle succombe régulièrement au développement économique...

... Pour M. Dühring la violence est le mal absolu, le premier acte de violence est pour lui le péché originel, tout son exposé est une jérémiade sur la façon dont toute l'histoire jusqu'ici a été ainsi contaminée par le péché originel, sur l'infâme dénaturation de toutes les lois naturelles et sociales par cette puissance diabolique, la violence. Mais que la violence joue encore dans l'histoire un autre rôle, un rôle révolutionnaire; que, selon les paroles de Marx, elle soit l'accoucheuse de toute vieille société qui en porte une nouvelle dans ses flancs; qu'elle soit l'instrument grâce auquel le mouvement social l'emporte et met en pièces des formes politiques figées et mortes — de cela, pas un mot chez M. Dühring. C'est dans les soupirs et les gémissements qu'il admet que la violence est peut-être nécessaire pour renverser le régime économique d'exploitation, — par malheur! Car tout emploi de la violence démoralise celui qui l'emploie. Et dire qu'on affirme cela en présence du haut essor moral et intellectuel

qui a été la conséquence de toute révolution victorieuse! Dire
qu'on affirme cela en Allemagne où un heurt violent, qui peut
même être imposé au peuple, aurait tout au moins l'avantage
d'extirper la servilité qui, à la suite de l'humiliation de la guerre
de Trente Ans, a pénétré la conscience nationale! Dire que cette
mentalité de prédicateur sans élan, sans saveur et sans force a
la prétention de s'imposer au parti le plus révolutionnaire que
connaisse l'histoire!

ENGELS, *Anti-Dühring*, W XX, p. 170-71, E.S. (p. 214-5).

Résumé

Dans la production sociale de leur existence, les hommes
entrent dans des rapports déterminés, nécessaires, indépendants
de leur volonté. Ces rapports de production correspondent à
un stade déterminé du développement de leurs forces productives matérielles. L'ensemble de ces rapports de production
constitue la structure économique de la société, la base réelle,
sur quoi s'élève une superstructure juridique et politique et à
laquelle correspondent des formes de conscience sociales déterminées. Le mode de production de la vie matérielle conditionne
la vie sociale, politique et intellectuelle en général. Ce n'est pas
la conscience des hommes qui détermine leur existence, mais,
au contraire, c'est leur existence sociale qui détermine leur
conscience. Ayant atteint un certain niveau de développement,
les forces productives de la société entrent en contradiction
avec les rapports de production existants, ou, ce qui n'en est
que l'expression juridique, avec le régime de la propriété au
sein duquel elles ont évolué jusqu'alors. De facteurs de développement des forces productives, ces rapports deviennent des
entraves de ces forces. Alors s'ouvre une ère de révolution
sociale. Parallèlement à la transformation de la base économique
s'effectue le bouleversement plus ou moins lent ou rapide de
toute l'énorme superstructure. Lorsqu'on considère de tels
bouleversements, il importe de distinguer toujours entre la
transformation matérielle des conditions de production économiques — transformation qu'on doit constater à l'aide des
méthodes exactes qu'emploient les sciences naturelles — et les
formes juridiques, politiques, religieuses, artistiques ou philosophiques, bref, les formes idéologiques dans lesquelles les
hommes prennent conscience de ce conflit et le mènent jusqu'au
bout. De même qu'on ne juge pas un individu sur l'idée qu'il se
fait de lui-même, de même on ne saurait juger une telle époque
de bouleversement sur la conscience qu'elle a d'elle-même. Il
faut, au contraire, expliquer cette conscience par les contradictions de l'existence matérielle, par le conflit qui existe entre les
forces productives sociales et les rapports de production. Un
type de société ne disparaît jamais avant que soient développées

toutes les forces productives que cette société est capable de contenir, et jamais un système de production nouveau et supérieur ne s'y substitue avant que les conditions d'existence matérielles de ce système aient été couvées dans le sein même de la vieille société. C'est pourquoi l'humanité ne se pose jamais que les problèmes qu'elle peut résoudre, car en y regardant de plus près, il se trouvera toujours que le problème lui-même ne surgit que là où les conditions matérielles pour le résoudre existent déjà ou du moins sont en voie de naître. Dans leurs grandes lignes, les modes de production asiatique, antique, féodal et bourgeois moderne peuvent être désignés comme autant d'époques progressives de l'évolution économique de la société. Le système de production bourgeois est la dernière forme antagonique du procès de production social, non point dans le sens d'un antagonisme individuel, mais d'un antagonisme qui naît des conditions d'existence sociales des individus. Les forces productives qui se développent au sein de la société bourgeoise créent en même temps les conditions matérielles pour résoudre cet antagonisme. Avec ce type de société s'achève donc la préhistoire de la société humaine.

MARX, Préface de la *Critique de l'Économie politique*, 1859.

Autocritique

... En général, le mot « matérialiste » sert à beaucoup d'écrivains récents en Allemagne de simple phrase avec laquelle on étiquette toutes sortes de choses sans les étudier davantage, pensant qu'il suffit de coller cette étiquette pour que tout soit dit. Or, notre conception de l'histoire est, avant tout, une directive pour l'étude, et non un levier servant à des constructions à la manière des Hégéliens. Il faut réétudier toute l'histoire, il faut soumettre à une investigation détaillée les conditions d'existence des diverses formations sociales avant d'essayer d'en déduire les modes de conception politiques, juridiques, esthétiques, philosophiques, religieux, etc., qui leur correspondent. Sur ce point, on n'a fait jusqu'à maintenant que peu de chose, parce que peu de gens seulement s'y sont attelés sérieusement. Sur ce point, nous avons besoin d'une aide de masse, le domaine est infiniment vaste, et celui qui veut travailler sérieusement peut faire beaucoup et s'y distinguer. Mais, au lieu de cela, les phrases vides sur le matérialisme historique (on peut précisément *tout* transformer en phrase) pour un trop grand nombre de jeunes Allemands ne servent qu'à faire le plus rapidement possible de leurs propres connaissances historiques relativement maigres — l'histoire économique n'est-elle pas encore dans les langes? — une construction systématique artificielle et à s'imaginer ensuite être des esprits tout à fait puissants.

ENGELS, *A Conrad Schmidt*, 5-8-1890. E.S.

... Il y a action et réaction de tous les facteurs au sein desquels le mouvement économique finit par se frayer son chemin comme une nécessité à travers la foule infinie de hasards.

... Sinon, l'application de la théorie à n'importe quelle période historique serait, ma foi, plus facile que la résolution d'une simple équation du premier degré.

... C'est Marx et moi-même, partiellement, qui devons porter la responsabilité du fait que, parfois, les jeunes donnent plus de poids qu'il ne lui est dû au côté économique. Face à nos adversaires, il nous fallait souligner le principe essentiel nié par eux, et alors nous ne trouvions pas toujours le temps, le lieu, ni l'occasion de donner leur place aux autres facteurs qui participent à l'action réciproque. Mais dès qu'il s'agissait de présenter une tranche d'histoire, c'est-à-dire de passer à l'application pratique, la chose changeait et il n'y avait pas d'erreur possible. Mais, malheureusement, il n'arrive que trop fréquemment que l'on croit avoir parfaitement compris une nouvelle théorie et pouvoir la manier sans difficultés, dès qu'on s'en est approprié les principes essentiels, et cela n'est pas toujours exact. Je ne puis tenir quitte de ce reproche plus d'un de nos récents « marxistes », et il faut dire aussi qu'on a fait des choses singulières...

ENGELS, *A Joseph Bloch*, 21-9-1890. E.S.

2. — REGARDS SUR LES SOCIÉTÉS PRÉCAPITALISTES

Les communautés archaïques

(Les communautés archaïques) nous offrent l'image d'une organisation planifiée et autoritaire *(plan-und autoritätsmässige)* du travail social... L'ensemble de la communauté repose sur une division du travail planifiée *(planmässig)*... La loi qui règle la division du travail dans la communauté agit avec l'autorité inviolable d'une loi physique, tandis que chaque artisan exécute chez lui, dans son atelier, d'après le mode traditionnel, mais avec indépendance et sans reconnaître aucune autorité, toutes les opérations qui sont de son ressort. La simplicité de l'organisme productif de ces communautés qui se suffisent à elles-mêmes, se reproduisent constamment sous la même forme, et, une fois détruites accidentellement, se reconstituent au même lieu et avec le même nom, nous fournit la clef de l'immutabilité des sociétés asiatiques, immutabilité qui contraste d'une manière si étrange avec la dissolution et la reconstruction incessantes des États asiatiques, les changements violents de leurs dynasties. La structure des éléments économiques fondamentaux de la société reste hors des atteintes de toutes les tourmentes de la région nuageuse de la politique.

MARX, *Le Capital*, I, p. 374-76. (II, 46-48).

Dans la communauté de l'Inde antique, dans la communauté familiale des Slaves du Sud, les produits ne se transforment pas en marchandises. Les membres de la commune se trouvent socialisés pour la production d'une manière immédiate; le travail est réparti d'après la tradition et les besoins ainsi que les produits dans la mesure où ils tombent dans la consommation. La production immédiatement sociale comme la répartition directe exclut tout échange de marchandises, donc aussi la transformation des produits en marchandises (du moins à l'intérieur de la commune), et par suite, leur transformation en *valeurs*.

ENGELS, *Anti-Dühring*, 1878, XX, p. 288. (E.S. p. 348).

Les communautés hindoues

... Quelque variée que pût paraître l'image politique du passé de l'Inde, son ordre social est resté inchangé depuis les temps les plus reculés jusque dans la première décade du dix-neuvième siècle. Le métier à filer et le rouet, avec ses millions de fileurs et de tisseurs qui se reproduisaient toujours de nouveau, furent le fondement de la structure de cette société...

Les Hindous, comme tous les peuples orientaux, ont laissé au gouvernement central le soin de s'occuper des grands travaux publics, base de leur agriculture et de leur commerce, tandis que, d'autre part, disséminés dans tout le pays, ils étaient réunis dans de petits centres par la combinaison du travail agricole et du travail artisanal. Ces deux circonstances avaient créé, depuis les temps les plus reculés, un système social très particulier : le *système villageois*, qui a permis à chacune de ces petites unités d'avoir son organisation indépendante et sa vie propre...

Quelque pénible qu'il soit pour le sentiment humain de voir comment ces innombrables et paisibles communautés sociales, travailleuses et patriarcales, se désagrègent et se noient dans une mer de souffrances, et comment ses restes perdent en même temps que leur vieille forme de civilisation leurs possibilités d'existence léguées par le passé, nous ne devons pourtant pas oublier que ces idylliques communes rurales, quelque inoffensives qu'elles paraissent, ont formé depuis toujours le fondement solide du despotisme oriental. De plus, elles ont restreint l'esprit humain à l'horizon le plus borné qu'on puisse imaginer, en en faisant un instrument soumis de la superstition, un esclave des habitudes traditionnelles et en le dépouillant de toute grandeur et de toute énergie historique. Nous ne devons pas oublier non plus l'égoïsme barbare qui, cramponné à un misérable lambeau de sol, contemple tranquillement la ruine des empires, la perpétration d'indicibles cruautés, le massacre de la population de grandes villes, incapable d'y voir autre chose qu'un événement de la nature, s'offrant lui-même en butin inerte à tout envahisseur qui daigne abaisser son regard jusqu'à lui. Nous ne devons pas oublier non plus que cette vie sans dignité, stagnante, végétative, que cette sorte d'existence passive suscitait, d'autre part, à titre de contraste, des forces destructives sauvages, incohérentes et illimitées, et faisait du meurtre lui-même un rite religieux en Hindoustan. Nous ne devons point oublier que ces petites communautés étaient contaminées par des distinctions de caste et par l'esclavage, qu'elles subjuguaient l'homme aux circonstances extérieures au lieu d'élever l'homme pour en faire le souverain des circonstances, qu'elles transformaient un état social se développant spontanément en un destin naturel inchangeant, donnant ainsi naissance à un culte abrutissant de la nature, dont la dégradation se manifeste en ceci que l'homme, le souverain de la nature, tombait à genoux pour adorer Kanuman, le singe, et Sabbala, la vache.

MARX, *Articles sur l'Inde*, 1853, W IX, p. 133 et 219.

La famille patriarcale

Pour rencontrer le *travail commun*, c'est-à-dire l'association immédiate, nous n'avons pas besoin de remonter à sa forme naturelle primitive telle qu'elle nous apparaît au seuil de l'histoire de tous les peuples civilisés. Nous en avons un exemple tout près de nous dans l'industrie rustique et patriarcale d'une famille de paysans qui produit, pour ses propres besoins, blé, bétail, toile, lin, vêtements, etc. Ces divers objets se présentent à la famille comme les produits divers de son travail, et non comme des marchandises qui s'échangent réciproquement. Les différents travaux d'où dérivent ces produits, agriculture, élevage du bétail, tissage, confection de vêtement, etc., possèdent de prime abord la forme de fonctions sociales parce que ce sont des fonctions de la famille qui a sa division de travail tout aussi bien que la production marchande. Les conditions naturelles variant avec le changement des saisons, ainsi que les différences d'âge et de sexe, règlent dans la famille la distribution du travail et la durée pour chacun. *La mesure de la dépense des forces individuelles par le temps*, apparaît ici directement comme le caractère social des travaux eux-mêmes, parce que les forces de travail individuelles ne fonctionnent que comme organes de la force commune de la famille.

MARX, *Le Capital* I, p. 83-84. (I, 89-90).

La plus-value dans les sociétés précapitalistes

La rente du travail (corvée) est la forme primitive de la plus-value et elle coïncide avec elle. Ici la coïncidence de la plus-value avec le travail non-payé d'autrui ne nécessite aucune analyse, puisqu'elle est encore concrètement visible, le travail que le producteur direct effectue pour lui-même étant encore séparé, dans l'espace et dans le temps, de celui qu'il fournit au propriétaire foncier; ce dernier travail apparaît directement sous la forme brutale de travail forcé pour le compte d'un tiers. De même la « qualité » inhérente au sol de rapporter de la rente se résume, elle aussi, à un mystère d'une évidente transparence, car la nature qui fournit la rente comprend aussi la force de travail des hommes enchaînés à la terre et le rapport de propriété qui oblige le propriétaire de cette force à l'utiliser et à l'exploiter au-delà de ce qui est nécessaire à la satisfaction de ses propres besoins...

La conversion de la rente-travail en rente-produit ne modifie pas, du point de vue économique, l'essence même de la rente foncière... La rente en produits s'accompagne toujours plus ou moins de survivances de la forme antérieure (corvée), peu importe que le propriétaire soit une personne privée ou l'État. La rente en nature suppose un niveau culturel plus élevé du producteur direct... Ce qui la distingue de la forme précédente est que le surtravail ne doit plus être accompli en nature ni, non plus, sous la surveillance et la contrainte directes du propriétaire foncier ou de son représentant; au contraire, le producteur direct sera désormais poussé à fournir le surtravail par la force des choses et point par contrainte; il le fournira sous sa propre responsabilité, stimulé par des dispositions légales plutôt que par le fouet... le travail que le producteur effectue pour son propre compte et le travail qu'il fournit au propriétaire foncier ne sont plus concrètement distincts, dans le temps et dans l'espace... Le surproduit constituant la rente provient du travail à la fois agricole et industriel de la famille rurale, la rente en nature se composant dans une proportion plus ou moins grande d'articles manufacturés (comme c'était souvent le cas au Moyen Age) ou étant exclusivement formée de produits agricoles. Dans cette forme, bien que la rente provienne du surtravail, elle n'épuise pas nécessairement la totalité du surplus de travail que la famille rurale peut fournir une fois ses besoins immédiats satisfaits. Au contraire, elle laisse au producteur direct plus de latitude que la rente en travail pour accomplir un surtravail à son propre profit, c'est-à-dire pour travailler au-delà de ses besoins immédiats, mais toujours à son compte...

Au lieu de verser le produit lui-même, le producteur immédiat en paie le prix au propriétaire foncier, État ou particulier. Un excédent de produit en nature ne suffit donc plus; celui-ci doit être converti en sa forme monétaire. Une fraction de son produit se transformera donc en marchandise et sera produite comme telle... Le caractère de tout le mode de production s'en trouve donc plus ou moins modifié... La transformation de la rente-produit en rente-argent se fait d'abord sporadiquement, mais s'étend par la suite à l'échelle nationale; elle suppose un développement déjà important du commerce, de l'industrie urbaine, de la production marchande en général, partant de la circulation monétaire... Cette forme ne peut se généraliser que dans les pays qui dominaient déjà le marché mondial lors du passage du mode féodal au mode capitaliste de production; mais dès que le fermier capitaliste commence à s'interposer entre le propriétaire foncier et l'agriculteur véritable, tous les rapports qui s'étaient constitués au sein de l'ancien mode de production se dissolvent. Le fermier capitaliste devient en fait le commandant de ces travailleurs des champs dont il exploite directement le surtravail... Le changement qui en résulte n'affecte pas seulement la forme réelle et accidentelle de la rente, comme dans les cas précédents, mais sa nature même. De forme normale et reconnue de la plus-value et du surtravail qu'elle était, elle tombe au rang d'une simple fraction de ceux-ci, d'un simple surplus par rapport au profit que l'exploiteur capitaliste s'approprie... La rente que le fermier capitaliste paie au propriétaire foncier ne représente plus qu'une partie supplémentaire de la plus-value qu'il extorque, grâce à son capital, à l'ouvrier agricole. Le montant plus ou moins élevé de la rente est déterminé par le profit moyen du capital dans les sphères de production non agricoles et par les prix de production qui en résultent. La rente a donc cessé d'être la forme normale du surtravail et et de la plus-value pour devenir un excédent, particulier à l'agriculture, sur la fraction du surtravail que le capital réclame comme son dû. Ce n'est plus la rente mais le profit qui est la forme normale de la plus-value.

MARX, *Le Capital*, III, p. 845-48. (E.S. VIII, 175-179).

L'extorsion du surtravail : primat des moyens extra-économiques dans les sociétés précapitalistes

Il est évident que dans toutes les formes sociales où le producteur direct reste le « possesseur » des moyens de production, le rapport de propriété doit fatalement se manifester simultanément comme un rapport de domination et de subordination... Nous supposons que le producteur direct possède ses propres moyens de production... Il pratique de façon autonome la culture de son champ et l'industrie rurale domestique qui s'y rattache. Cette autonomie persiste même lorsque les petits paysans, comme par exemple aux Indes, constituent une communauté de production plus ou moins primitive, puisqu'il ne s'agit ici que d'indépendance vis-à-vis du propriétaire foncier en titre. Dans ces conditions, il faut une contrainte extra-économique, de quelque nature qu'elle soit (après la conquête du pays, le premier souci des conquérants a toujours été de s'approprier également les hommes), pour les obliger à effectuer du travail pour le compte du propriétaire foncier en titre. Ce qui diffère ici de l'économie esclavagiste pratiquée sur les plantations, c'est que l'esclave ne travaille pas de façon indépendante, mais avec des moyens de production appartenant à autrui. Il faut donc nécessairement des rapports personnels de dépendance, une privation de liberté personnelle, quel que soit le degré de cette dépendance; il faut que l'homme soit lié à la glèbe, n'en soit qu'un simple accessoire, bref, il faut le servage dans toute l'acceptation du mot.

MARX, *Le Capital*, III, p. 841. (E.S. VIII, 170).

Le « mode de production asiatique »

La rente-produit est tout à fait apte à constituer, comme on peut le voir en Asie, la base de structures sociales stables et voici pourquoi : elle est liée à un certain type de production; elle relie nécessairement l'agriculture à l'industrie domestique; elle donne à la famille rurale une autarcie presque totale; elle ne dépend pas du marché ni des fluctuations de la production ni des accidents historiques qui affectent la société; bref, elle relève de l'économie naturelle... (Mais) la rente peut être assez importante pour compromettre la reproduction des conditions de travail, voire des instruments de production, pour rendre presque impossible l'élargissement de la production, et enfin pour réduire la subsistance des travailleurs au minimum.

MARX, *Le Capital*, III, p. 847. (E.S. VIII, 176).

On pense aux livraisons obligatoires des kolkhozes et à la « famine artificielle » qui s'est abattue sur les campagnes soviétiques lors de la « collectivisation ». Cf. infra les remarques de N. Khrouchtchev, Varga et Sakharov sur la politique agraire de Staline.

L'extorsion du surtravail par l'État propriétaire

Si les producteurs directs n'ont pas affaire à des propriétaires particuliers, mais directement à l'État, comme en Asie, où le propriétaire est en même temps le souverain, la rente coïncide avec l'impôt ou plutôt il n'existe pas alors d'impôt qui se différencie de cette forme de rente foncière. Dans ces conditions, le rapport de dépendance économique et politique n'a pas besoin de revêtir un caractère plus dur que la sujétion à l'État qui est le lot de tous. C'est l'État qui est ici le propriétaire foncier souverain et la souveraineté n'est que la concentration à l'échelle nationale de la propriété foncière. Mais, par contre, il n'existe pas alors de propriété foncière privée bien qu'il y ait possession et usufruit de la terre, privés aussi bien que collectifs.

MARX, *Le Capital*, III, p. 841. (E.S. VIII, 172).

Division du travail, échange et monnaie : les Incas

S'il est exact que l'échange privé suppose la division du travail, l'inverse n'est pas vrai. Chez les Péruviens par exemple, la division du travail était extrêmement poussée, sans qu'il y eût d'échange privé, d'échange de produits sous forme de marchandises.

MARX, *Contribution à la critique de l'économie politique*,
1859, W XIII, p. 45.

Il existe des formes de société très développées mais historiquement non mûres, dans lesquelles on trouve les formes les plus élevées de l'économie, par exemple la coopération, une division développée du travail, etc., sans qu'existe aucune espèce de monnaie.

... La production et la propriété communes (au Pérou) sont manifestement une forme secondaire introduite et transmise par des tribus conquérantes qui ont connu chez elles la propriété et la production communautaires dans la forme ancienne la plus simple... La perfection et l'élaboration systématique de ce régime instauré par un centre souverain en indique l'origine tardive...

Pour que les échangistes produisent des valeurs d'échange il faut non seulement de la division du travail en général mais une certaine forme spécifique du développement de la division du travail. Par exemple au Pérou le travail était divisé, mais cette division non seulement ne se basait pas sur la valeur d'échange, mais, au contraire, présupposait une production communautaire plus ou moins directe... Il s'agit donc d'une division du travail d'une forme historique particulière.

MARX, *Grundrisse...*, 1857-58, p. 23, 390 et 905.

Primat du politique dans les sociétés antiques

... Tant que la puissance de l'argent n'est pas le lien des choses et des hommes, *nexus rerum et hominum*, les liens sociaux doivent être organisés politiquement, religieusement, etc.

MARX, *Le Système monétaire achevé*, 1851,
dans *Grundrisse...*, p. 987.

(La cité antique) présuppose la communauté comme condition primordiale, mais non pas (comme en Asie) en tant que substance dans laquelle l'individu n'est qu'un accident ou un élément purement naturel; elle ne présuppose pas la terre comme base, mais la ville en tant que résidence d'agriculteurs — propriétaires fonciers... Les difficultés qu'une commune rencontre ne peuvent provenir que d'autres communes qui, ou bien ont déjà occupé les terres, ou bien l'empêchent de s'installer. C'est pourquoi la guerre est la grande tâche collective, le grand travail commun exigés pour assurer, protéger et perpétuer la possession des conditions objectives de la vie. C'est donc militairement que s'organise tout d'abord la commune; l'organisation militaire et guerrière est une des conditions de son existence en tant que propriétaire. La concentration des résidences dans la ville est la base de cette organisation guerrière ... Pour se procurer de quoi vivre l'individu est placé dans des conditions telles que c'est non pas l'acquisition de la richesse qui devient l'objet de son travail mais l'autarcie, sa propre reproduction comme propriétaire et donc comme membre de la commune. Le maintien de l'égalité entre ces paysans libres et indépendants est la condition de la durée de la commune; cela nécessite la reproduction de tous ses membres comme paysans indépendants, dont le temps excédentaire appartient justement à la commune, au travail de la guerre, etc... Le membre de la commune se reproduit non pas en coopérant à la création de richesses, mais à des travaux d'intérêt commun (imaginaire ou réel) en vue de maintenir la cohésion de la commune à l'intérieur et face à l'extérieur...

MARX, *Grundrisse...*, p. 378 et 380. (I, 439-441).

Mentalité anti-économique de l'Antiquité

... Les Anciens ne se sont jamais préoccupés de rechercher quelle était la forme de propriété foncière, etc. la plus productive et la plus enrichissante. Bien que Caton ait pu s'interroger sur la manière la plus avantageuse de cultiver le sol, ou que Brutus ait prêté son argent au taux le plus élevé, la richesse n'apparaît pas comme le but de la production. La recherche porte toujours sur le mode de propriété le plus susceptible de former les meilleurs citoyens... Combien paraît sublime l'antique conception qui fait de l'homme (quelle que soit l'étroitesse de sa base nationale, religieuse et politique) le but de la production, en comparaison de la conception moderne où le but de l'homme est la production, et la richesse le but de la production... Le monde antique est enfantin, mais il apparaît comme un monde supérieur et il l'est effectivement si l'on aspire à une forme fermée, à une figure aux contours bien définis. Il représente la satisfaction sur une base bornée; en revanche, le monde moderne laisse insatisfait, ou bien, lorsqu'il paraît satisfait de soi, il n'est que vulgarité.

MARX, *Grundrisse...*, 1857-58, p. 387-388. (I, 449-450).

Le « capitalisme » antique

On trouve souvent chez les historiens cette affirmation aussi erronée qu'absurde, que dans l'Antiquité classique le capital était complètement développé, à l'exception près que le travailleur libre et le système de crédit faisaient défaut. Mommsen lui aussi, dans son *Histoire romaine*, entasse de semblables quiproquos les uns sur les autres.

MARX, Le Capital, I, p. 175. (I, 171).

Absurdité puisque le travailleur libre est précisément une condition sine qua non *du mode de production capitaliste.*

La simple existence de la richesse monétaire ou même le fait qu'elle ait pu conquérir la suprématie ne suffit pas pour que la dissolution des modes de production et de comportement (communautaire, antique, etc.) aboutisse au *capital;* sinon la Rome antique, Byzance, etc., eussent avec le travail libre et le capital, clos leur histoire, ou plutôt en eussent commencé une nouvelle. La dissolution des anciens rapports de propriété y fut également liée au développement de la richesse monétaire, du commerce, etc. mais, au lieu de conduire à l'industrie, cette dissolution provoqua la domination de la campagne sur la ville.

MARX, Grundrisse..., p. 405. (I, 470).

Le goût de la possession peut exister sans l'argent; la soif de s'enrichir est le produit d'un développement social déterminé, elle n'est pas *naturelle* mais *historique.* D'où les récriminations des Anciens contre l'argent, source de tout mal... La soif d'argent ou d'enrichissement, c'est nécessairement la ruine des anciennes communautés. D'où leur opposition. L'argent étant lui-même la communauté, il ne peut en tolérer d'autres en face de lui. Mais cela suppose le plein développement des valeurs d'échange, et donc une organisation correspondante de la société. Dans l'Antiquité, la valeur d'échange n'était pas le *nervus rerum;* elle ne l'était que chez les peuples marchands (Phéniciens, Carthaginois, etc.) qui ne produisaient pas ce qu'ils vendaient (?) et qui... vivaient dans les interstices du moyen antique, comme les Juifs en Pologne... Chaque fois que ces peuples marchands entraient sérieusement en conflit avec les communautés anciennes, il leur en cuisait... Chez les Romains l'argent provenait du pillage... il ne remplissait pas sa troisième fonction (de capital). De la simple notion de l'argent il ressort qu'il ne peut constituer un élément développé de la production que si le travail salarié existe déjà...

MARX, Grundrisse..., p. 134 et suiv. (I, 163 et suiv.).

Le prolétariat antique

En différents endroits du « Capital » j'ai fait allusion au destin qui atteignit les plébéiens de l'ancienne Rome. C'étaient originairement des paysans libres cultivant, chacun pour son compte, leurs propres parcelles. Dans le cours de l'histoire romaine ils furent expropriés. Le même mouvement qui les sépara d'avec leurs moyens de production et de subsistance impliqua non seulement la formation de grandes propriétés foncières, mais encore celle de grands capitaux monétaires. Ainsi un beau matin il y avait, d'un côté, des hommes libres dénués de tout sauf leur force de travail, et de l'autre, pour exploiter ce travail, les déten-teurs de toutes les richesses acquises. Qu'est-ce qui arriva? Les prolétaires romains devinrent non des travailleurs salariés, mais un mob fainéant, plus abject que les ci-devant « poor whites » des pays méridionaux des États-Unis; et à leur côté se déploya un mode de production non capitaliste, mais escla-vagiste.Donc, des événements d'une analogie frappante, mais se passant dans des milieux historiques différents, amenèrent des résultats tout à fait disparates. En étudiant chacune de ces évolutions à part, et en les comparant ensuite, l'on trouvera facilement la clef de ces phénomènes, mais on n'y arrivera jamais avec le passe-partout d'une théorie historico-philoso-phique dont la suprême vertu consiste à être suprahistorique.

Marx, *Réponse à Michaïlovski*, 1877, (en français),
W XIX, p. 112.

Dans l'ancienne Rome, la lutte des classes ne se déroulait qu'à l'intérieur d'une minorité privilégiée, entre les libres citoyens riches et les libres citoyens pauvres, tandis que la grande masse productive de la population, les esclaves ne servait que de piédestal passif aux combattants.

Marx, Préface, 1869, *Le 18 Brumaire...*, E.S.

La féodalité

Transportons-nous... dans le sombre Moyen Age européen. Au lieu de l'homme indépendant, nous trouvons ici tout le monde en état de dépendance, serfs et seigneurs, vassaux et suzerains, laïques et clercs. Cette dépendance personnelle carac-térise aussi bien les rapports sociaux de la production matérielle que toutes les sphères de la vie auxquelles elle sert de fondement. Et c'est précisément parce que la société est basée sur la dépen-dance personnelle que tous les rapports sociaux apparaissent comme des rapports entre les personnes. Les travaux divers et leurs produits n'ont pas besoin, en conséquence, de revêtir une forme fantastique distincte de leur réalité. Ils se présentent comme services, prestations et livraisons en nature. La forme naturelle du travail, sa particularité, et non sa généralité, son caractère abstrait, comme dans la production marchande, en est aussi la forme sociale. La corvée est tout aussi bien mesurée par le temps que le travail qui produit des marchandises, mais chaque corvéable sait fort bien que c'est une quantité déterminée

de sa force de travail qu'il dépense au service de son maître.
La dîme à fournir au prêtre est plus claire que la bénédiction du
prêtre. De quelque manière donc qu'on juge les masques que
les hommes portent dans cette société, les rapports sociaux des
personnes dans leurs travaux respectifs s'affirment nettement
comme leurs propres rapports personnels, au lieu de se déguiser
en rapports sociaux des choses, des produits du travail.

Marx, Le Capital, I, p. 85. (I, 89).

Villes et campagnes précapitalistes

L'histoire de l'*Antiquité* classique est l'histoire de la cité.
Mais les cités ont pour base la propriété foncière et l'agriculture.
L'histoire *asiatique* est une sorte d'unité indifférenciée de la cité
et de la campagne. (Les grandes villes proprement dites doivent
être considérées comme de simples camps de nobles, institution
superfétatoire au-dessus de l'organisation économique proprement dite). Le Moyen Age part de la campagne, centre de l'histoire, dont le développement se déroule ensuite dans l'opposition
de la ville et de la campagne; c'est l'urbanisation de la campagne,
et non, comme dans l'Antiquité, la « ruralisation » de la cité.

Marx, Grundrisse..., p. 382. (I, 444).

Les corporations médiévales

L'industrie corporative du Moyen Age cherchait à empêcher
le maître, le chef de corps de métier, de se transformer en capitaliste, en limitant à un maximum très restreint le nombre des
ouvriers qu'il avait le droit d'employer. Le possesseur d'argent
ou de marchandises ne devient en réalité capitaliste que lorsque
la somme minimum qu'il avance pour la production dépasse déjà
de beaucoup le maximum du Moyen Age. Ici, comme dans les
sciences naturelles, se confirme la loi constatée par Hegel dans
sa *Logique*, loi d'après laquelle de simples changements dans la
quantité, parvenus à un certain degré, amènent des différences
dans la qualité.

Marx, Le Capital, I. p. 323. (I, 302).

LA THÉORIE DE L'ÉCONOMIE CAPITALISTE

Présentation

« *Les économistes ont une singulière manière de procéder, dit Marx dans* Misère de la philosophie. *Il n'y a pour eux que deux sortes d'institutions, celles de l'art et celles de la nature. Les institutions de la féodalité sont des institutions artificielles, celles de la bourgeoisie des institutions naturelles* ». *La théorie économique classique part d'une constellation de données apparemment « éternelles » comme la recherche du plus grand profit, l'existence de la propriété, la nécessité de l'échange, de la division du travail, de l'argent, etc., et déduit de ces données les lois de l'équilibre économique tel qu'il se réalise par ajustement de l'offre et de la demande. Arrachés de leur contexte historique, dépouillés de leur caractère spécifiquement capitaliste, les rapports bourgeois de production et d'échange se trouvent ainsi érigés en norme « naturelle » et sont censés exprimer et réaliser des « lois naturelles », « indépendantes de l'influence du temps », des lois « qui doivent toujours régir la société ».*

La dialectique

En éternisant de la sorte les rapports existants, en refusant de prendre en considération la possibilité d'un au-delà du capitalisme, les économistes et les penseurs bourgeois aboutissent à supprimer l'histoire et à arrêter le temps : jusqu'ici « il y a eu l'histoire, mais il n'y en a plus »... Ils nous expliquent par exemple « comment on produit dans des rapports donnés, mais ce qu'ils ne nous expliquent pas, c'est comment ces rapports se produisent, c'est-à-dire le mouvement historique qui les a fait naître ». Mais « tout ce qui existe, tout ce qui vit sur terre et sous l'eau n'existe, ne vit que par un mouvement quelconque », proclame Marx. Dans le monde humain, c'est le « mouvement de l'histoire » qui fait et défait les rapports sociaux, les institutions économiques et poli-

tiques, les idées et les représentations collectives. Tout ce qui existe n'est que le produit d'un devenir, le résultat d'un processus et sera nécessairement dépassé par le « mouvement continuel d'accroissement des forces productives » : « il n'y a d'immuable que l'abstraction du mouvement — mors immortalis *».*

La pensée de Marx s'annonce comme une vision radicalement historique de tout ce qui est : penser dialectiquement, c'est saisir ce mouvement dont toutes les formes apparemment statiques ne sont que des « produits historiques et transitoires » : la dialectique, dit-il dans le Capital *(Postface) est une « méthode essentiellement critique et révolutionnaire » qui intègre tout ce qui est « dans le flux du mouvement » dont il est issu et « inclut dans l'intelligence positive des choses existantes leur négation fatale et leur dépassement nécessaire ».*

Ainsi le capitalisme — la dernière forme de la « préhistoire de l'humanité » — n'est pas un ordre naturel, mais le résultat de l'histoire antérieure et l'annonce d'un ordre « nouveau et supérieur » qui inaugurera la véritable histoire de l'humanité. Le capitalisme n'est pas la brusque et miraculeuse apparition des « lois naturelles » de la production, mais le résultat de l'évolution de la « production marchande simple » telle qu'elle s'est développée dans les villes médiévales.

La production marchande

L'économie échangiste et les relations marchandes ont déjà existé à des époques très primitives de l'évolution sociale, bien avant le capitalisme, mais elles n'ont pu se manifester que de manière sporadique, sans entraîner des modifications qualitatives dans la vie de la société. « Dans le mode de production de la vieille Asie et de l'Antiquité en général, dit Marx (K), la transformation du produit en marchandise ne joue qu'un rôle subalterne... Des peuples marchands proprement dits n'existent que dans les intervalles du monde antique, comme les dieux d'Épicure, ou comme les Juifs dans les pores de la société polonaise ».

Lorsque les forces productives, la division du travail et les producteurs indépendants, artisans et paysans, ne sont que faiblement développés, le commerce, l'argent et le capital n'existent que dans les pores de l'économie et celle-ci reste confinée à la production de valeurs d'usage, *c'est-à-dire de produits destinés à la consommation de ceux qui se les approprient (producteurs ou classes dominantes). Aussi longtemps que le surproduit se présente essentiellement comme un surplus agricole et conserve sa forme naturelle (c'est-à-dire n'est pas converti en argent), le commerce, le marché et le capital ne peuvent se développer que de façon superficielle : la grande masse des producteurs, les paysans, n'apparaissent presque jamais sur le marché; ils consomment ce qu'ils produisent eux-mêmes, déduction faite du surproduit qu'ils versent aux classes dirigeantes. Pour la même raison, la grande*

*masse de la population est incapable d'acheter les produits de
l'artisanat urbain qui se trouve confiné dans les limites étroites
de la production de luxe. De même dans tous les systèmes économiques où la division du travail est réglementée par une autorité
centrale (les anciens de la communauté villageoise primitive,
l'État du despotisme oriental, le maître du domaine esclavagiste
ou féodal), les produits ne prennent pas la forme de la marchandise : « Seuls les produits de travailleurs privés indépendants et
sans lien les uns avec les autres se présentent les uns en face des
autres comme des marchandises » (K).*

*Cette étape du développement historique, la production mar-
chande, a été atteinte dans les villes médiévales avec leurs milliers
de petits producteurs qui vendent leurs produits pour pouvoir
acheter leur subsistance et à côté desquels apparaissent déjà des
marchands, usuriers et banquiers, qui achètent des marchandises
pour les revendre avec profit. Ici la propriété des moyens de production et des produits reposait sur le travail personnel et l'appoint
du travail d'autrui était l'exception. La petite production marchande signifie « échange limité, marché limité, mode de production
stable, isolement local du côté de l'extérieur, association locale
du côté de l'intérieur : la Mark (communauté agraire) dans la
campagne, la corporation dans la ville » (AD). La production
pour le marché n'était encore qu'à ses débuts. Pourtant un des
traits spécifiques de l'aliénation capitaliste est déjà manifeste :
les producteurs ont perdu le contrôle de leurs propres relations
sociales : « Chacun produit pour soi, avec ses moyens de production dus au hasard et pour son besoin individuel d'échange. Nul
ne sait quelle quantité de ses produits parviendra sur le marché
ni même quelle quantité il en faudra; nul ne sait si son produit
individuel trouvera à son arrivée un besoin réel, s'il retirera ses
frais ou même s'il pourra vendre. C'est le règne de l'anarchie
de la production sociale » (AD).*

*La collectivité a cessé d'être un « tout compact » et s'est disper-
sée en une multitude de* membra disjecta *(K I, 113), en une foule
de producteurs indépendants ou plutôt « indifférents » les uns aux
autres. Ici, les individus se sont émancipés des vieux rapports de
dépendance personnelle; ils ont coupé le « cordon ombilical »
qui les empêchait d'affirmer leur moi et qui les dépouillait de toute
« énergie historique ». Ils ont brisé tous les liens avec toute sorte
de communauté. Ils ont aboli les tabous de caste qui vouent leurs
membres à des tâches héréditaires; ils ont détruit les communautés
de style antique qui méprisaient l'industrie et le commerce et
abandonnaient l'entretien de ces importants « foyers » de l'histoire
au travail des classes inférieures, métèques, ilotes, esclaves ou
affranchis (GR 381). Ils ont dépassé les préjugés (d'origine
paysanne et guerrière) qui empêchaient les Anciens (voire même
un « géant de la pensée » comme Aristote) de reconnaître l'égale
dignité de toutes les activités créatrices de richesse. De même,
ils se sont émancipés des prescriptions corporatives qui interdisaient toute liberté de mouvement au travail et au capital*

*(K III, 886). Ici règne la liberté et l'égalité de tous les individus.
Mais leur production « n'est pas immédiatement sociale, elle
n'est pas le fruit d'une association qui répartit le travail parmi ses
membres » (GR 76). Aussi, nous l'avons déjà vu (supra p. 45),
leur émancipation ne leur a pas apporté la vraie liberté : « Les
individus sont subordonnés à la production sociale qui existe en
dehors d'eux comme une fatalité car la production sociale n'est
pas subordonnée aux individus et ceux-ci ne la gèrent pas comme
leur puissance commune ».*

*Dans les économies de marché, aucun organisme conscient
n'enregistre les besoins; les besoins et les modes de les satisfaire
se sont diversifiés et ont cessé de se définir par la subsistance
physiologique ou par la tradition : la grandeur du capitalisme,
dit Marx, est d'avoir « remplacé les besoins naturels par des
besoins produits historiquement » (GR 231). Mais, en même temps,
les besoins ne peuvent désormais être connus et satisfaits qu'indirectement, par l'intermédiaire du marché. Aussi l'« entendement
social » ne se fait-il valoir que « post festum » (K II, 314) : c'est
après avoir produit que les échangistes apprennent si leurs produits
correspondent à des besoins (solvables) ou non.*

*Nulle volonté collective n'établit une quelconque hiérarchie
entre les divers besoins et ne dirige la production en conséquence,
nul centre de répartition n'assure d'une manière consciente,
contrôlable et responsable, la répartition du produit entre les
membres de la collectivité : ici, c'est le hasard, l'arbitraire et leur
« jeu déréglé » qui semblent déterminer souverainement la distribution des producteurs et de leurs moyens de production entre les
diverses branches du travail social (K I,373). Pourtant, la « loi
de fer de la proportionnalité », la « loi régulatrice naturelle »
(cf. supra p. 83) n'a pas été abolie. C'est seulement son « mode
de manifestation » (Erscheinungsform) qui a été modifié. Une
« main invisible » (selon l'expression d'Adam Smith) coordonne
l'activité de toutes les sphères de la production et de la circulation
et assure la concordance de la production et des besoins. C'est la
valeur d'échange qui constitue désormais le « lien social » et la
« dépendance universelle et réciproque » de ces atomes isolés qui
agissent comme s'ils s'ignoraient mutuellement. C'est la « loi
de la valeur » qui détermine ici « combien de son temps disponible
la société peut dépenser à la production de chaque espèce de marchandises » et cette « loi » n'agit qu'« a posteriori », « comme une
nécessité naturelle, cachée, muette, saisissable seulement dans les
variations barométriques des prix du marché, s'imposant et dominant par des catastrophes l'arbitraire déréglé des producteurs
marchands » (K I,373). Les hommes sont condamnés à ignorer
les relations humaines qui sont objectivées dans l'économie marchande et à oublier que celle-ci n'est que la matérialisation des
rapports humains. C'est le « fétichisme qui s'attache aux produits
du travail dès qu'ils sont produits comme marchandises et qui par
conséquent est inséparable de la production des marchandises »
(K). Le fétichisme magique des primitifs exprimait la domination*

*de la nature sur les hommes; le fétichisme de l'économie mar-
chande exprime la domination sur les hommes de leurs propres
produits. Les rapports autrefois clairs et transparents entre
l'homme et la nature, entre l'homme et l'homme, disparaissent
dans l'anarchie des échanges, mais cette anarchie apparente est
à son tour niée par l'action spontanée d'une série de lois apparemment irréelles mais réellement opératoires derrière le chaos
des phénomènes, et qui se laissent ramener toutes à une loi fondamentale : la loi de la valeur.*

La valeur-travail

*Pressentie par Platon et saint Thomas d'Aquin, la théorie
de la valeur-travail est à la base à la fois de l'économie politique
classique, de William Petty à Ricardo, et de l'économie politique
socialiste, de William Thompson à Proudhon. « La valeur d'une
marchandise, avait écrit Ricardo, dépend de la quantité relative
de travail nécessaire à sa production. » Marx reprendra et perfec-
tionnera cette thèse ricardienne et c'est sur elle qu'il édifiera sa
théorie de la plus-value.*

*Dès qu'il entre dans le marché, le produit du travail subit
une véritable transmutation alchimique. Chaque marchandise,
outre sa* valeur d'usage *matérielle spécifique, acquiert une autre
signification, une* valeur d'échange *qui est irréductible à ses
propriétés physiques : tandis que la valeur d'usage d'un objet
est une qualité physique inhérente à son « être corporel » (K) et
résulte du travail* concret, individuel, *qui l'a produit, sa valeur
d'échange est littéralement « surnaturelle » (übernatürlich),
ce qui veut dire qu'elle est quelque chose de « purement social »
où « toutes les propriétés sensibles se sont évanouies ». Pour
comprendre pourquoi « un tome de Properce = huit onces de tabac
à priser » il faut faire abstraction de la disparité des valeurs
d'usage du tabac et de l'élégie. Or si l'on fait abstraction de
« l'être corporel » des objets, il ne reste aux marchandises qu'une
seule qualité : celle d'être des « produits du travail », ce travail
étant un « travail* abstrait *» qui ne tient pas compte des caractères
spécifiques de chaque travail concret.*

*La valeur d'échange d'une marchandise est déterminée par la
quantité de travail socialement nécessaire pour sa production,
c'est-à-dire par la quantité de travail conforme aux normes
moyennes de la productivité existant à une époque et dans une
société déterminées. Un bien n'a une valeur que parce que du travail
humain abstrait « est objectivé ou matérialisé en lui ». La grandeur
de sa valeur se mesure par le quantum de travail qui s'y trouve
contenu, la quantité de travail étant elle-même mesurée par la
durée du travail pendant laquelle la marchandise a été produite.*

*La mesure de la valeur par la quantité de travail présuppose
que le travail soit parfaitement homogène, autrement dit que les
qualifications différentes des travailleurs soient mesurables quan-*

titativement. Marx répond que les différences dans la qualité du travail ne tiennent pas à des causes naturelles, à une inégalité naturelle des aptitudes physiques et intellectuelles des hommes, mais à des causes historiques (formation professionnelle, éducation, etc.) : une heure de travail « composé » (qualifié) représentera la valeur d'une heure de travail « simple » (non qualifié), augmentée du coût social de production de cette qualification particulière.

C'est donc l'équivalence en heures de travail qui gouverne les échanges : s'il n'y avait pas une équivalence plus ou moins rigoureuse entre la durée de travail nécessaire pour produire la quantité de blé échangée contre une quantité déterminée de fer, la division du travail et la répartition des forces productives se modifieraient automatiquement. La valeur-travail est à la base de tous les systèmes économiques. Dans les économies fondées sur la production de valeurs d'usage, elle apparaît comme une comptabilisation plus ou moins consciente du temps de travail. Mais dans l'économie marchande la loi de la valeur se manifeste comme une loi aveugle et inconsciente qui règle par le mécanisme des prix la répartition du travail social et des moyens de production entre les diverses branches de l'économie. Ce sont les fluctuations spontanées des prix autour de la valeur qui obligent les agents économiques à élargir ou à rétrécir la production des différentes marchandises, à s'orienter vers les branches les plus avantageuses, où les prix des marchandises sont supérieurs à leurs valeurs, et à se retirer de celles où les prix des marchandises sont inférieurs à leur valeur. Et c'est également la loi de la valeur qui pousse les producteurs à rationaliser les méthodes de production, à appliquer des techniques plus efficaces et à remplacer le travail par des outils de plus en plus perfectionnés, c'est-à-dire à produire des marchandises avec des dépenses inférieures aux dépenses socialement nécessaires.

De la production marchande à la production capitaliste

La production marchande est née au sein d'une société où la majeure partie des producteurs étaient propriétaires de leurs moyens de production. Son développement ultérieur aboutit à la négation de cette propriété fondée sur le travail personnel. Et c'est la loi de la valeur en tant que « force motrice de l'anarchie sociale de la production » qui « transforme de plus en plus la grande majorité des hommes en prolétaires » (AD) : la concurrence provoque la ruine de masses de plus en plus larges de producteurs indépendants qui deviennent des ouvriers salariés et l'enrichissement d'un groupe de plus en plus restreint d'entrepreneurs qui se libèrent de la corvée du travail directement productif et deviennent des capitalistes.

Cette transformation de la production marchande en production capitaliste se fait « à l'insu des producteurs », « indépendamment de la volonté des hommes », par la seule action de la loi de la valeur.

En d'autres termes, dit Engels : « même en excluant toute possibilité de vol, de violence et de dol, en admettant que toute propriété privée repose à l'origine sur le travail personnel du possesseur et que, dans tout le cours ultérieur des choses, on n'échange que des valeurs égales contre des valeurs égales, nous obtenons tout de même nécessairement, dans la suite du développement de la production et de l'échange, le mode actuel de production capitaliste, la monopolisation des moyens de production et de subsistance entre les mains d'une seule classe peu nombreuse et la réduction de l'immense majorité au niveau de prolétaires non possédants » (AD).

En fait, cette conception *« idyllique » d'Engels (qu'on doit considérer comme l'exact opposé de la célèbre formule de Proudhon : « La propriété, c'est le vol »)* se double chez Marx d'une conception terroriste de la *« préhistoire du capital ».* Le capitalisme présuppose la séparation du capital et du travail, autrement dit la séparation des producteurs d'avec leurs moyens de travail; ensuite la monopolisation de ces moyens de production par un groupe de plus en plus restreint; enfin la création d'une classe de plus en plus nombreuse qui ne peut subsister qu'en vendant sur le marché l'usage de sa force de travail : le prolétariat. Or ces trois conditions majeures du mode de production capitaliste n'ont été réunies que par l'emploi systématique de la violence. C'est cette *« préhistoire sanglante du capital »* que Marx étudie dans la section du Capital consacrée à *« l'accumulation primitive du capital ».*

La préhistoire sanglante du capital

Le capitalisme présuppose l'existence d'un capital initial assez considérable pour rendre possible la concentration des moyens de production et le rassemblement des travailleurs. Or ce capital initial n'a pas été constitué par l'abstinence des capitalistes, l'épargne des bons pères de pères de familles et les autres procédés idylliques qu'exalte l'économie politique bourgeoise, mais par le pillage et l'exploitation forcenée de la planète tout entière. La spoliation des biens d'Église, le pillage de l'Amérique, les bouleversements monétaires qui suivirent l'afflux et puis la raréfaction des métaux précieux, « la réduction des indigènes en esclavage, leur enfouissement dans les mines ou leur extermination, la conquête et le pillage des Indes orientales, la transformation de l'Afrique en une sorte de garenne commerciale pour la chasse aux peaux noires, voilà, *dit Marx,* les procédés d'accumulation primitive qui signalent l'ère capitaliste à son aurore » (K).

Le capitalisme présuppose la séparation des producteurs d'avec leurs moyens de production et leur intégration dans la classe des ouvriers salariés. En Angleterre, dans la « métropole du capital », cette deuxième condition d'existence du capitalisme a été réalisée par l'expropriation violente de la population campagnarde; dans les colonies par l'introduction et la généralisation du travail forcé. A côté des yeomen *anglais chassés de leurs terres par l'élevage des moutons, on voit les* indios *condamnés à la* mita *(travail forcé), les Africains vendus comme esclaves ou condamnés à la corvée, les serfs russes transférés de force aux mines et aux manufactures de Pierre le Grand.*

Une troisième condition d'existence du capitalisme est la formation d'une classe qui n'a d'autres moyens de subvenir à ses besoins que la vente de sa force de travail. « Ce qui caractérise l'ère capitaliste, dit Marx, c'est que la force de travail prend pour le travailleur même la forme d'une marchandise. C'est à ce moment seulement que se généralise la forme marchande des produits de travail » (K).

Le licenciement des suites féodales, l'expropriation violente de la population campagnarde, la ruine du petit artisanat urbain ont rendu possible l'apparition du prolétariat moderne. Une « législation sanguinaire » (K) a accéléré la transformation de ces déracinés, de leurs femmes et de leurs enfants. en prolétaires et les livra à l' « autocratie du capital ». C'est donc le « péché originel » de l'économie politique qui se lit dans les « annales de fer et de feu » de l'accumulation primitive. « Quelques-unes de ses méthodes reposent sur l'emploi de la force brutale, mais toutes sans exception exploitent le pouvoir de l'État, la force concentrée et organisée de la société, afin de précipiter violemment le passage de l'ordre économique féodal à l'ordre économique capitaliste et abréger les phases de transition. La force est l'accoucheuse de toute vieille société en travail. La force est un facteur économique » (K).

Nécessité du capitalisme

Bien entendu, le fait du pillage et de la violence ne suffit pas à expliquer la constitution du capitalisme moderne avec sa mentalité productiviste et innovatrice. Lorsque Marx présente le capitaliste comme un « fanatique de l'accumulation », il renvoie implicitement aux problèmes que Max Weber, Sombart, Tawney et Robertson se posèrent par la suite au sujet de la « morale économique » du capitalisme. Mais le point de vue de Marx n'est ni psychologique — la bourgeoisie n'est pour lui qu'un « agent inconscient et sans volonté du progrès » (MC) — ni moral — les philanthropes « ne voient pas le côté révolutionnaire de la misère » (M), mais essentiellement historique : par-delà ses horreurs, le capitalisme correspond à une profonde nécessité historique et cette nécessité apparaît tout d'abord dans le vaste processus de socialisation du travail qu'il a déclenché et qui sera à la fin la cause de sa ruine.

Le capitalisme est né dans le monde de la petite production marchande où la propriété privée était fondée sur le travail personnel. Les moyens de travail étaient la propriété privée des producteurs, les forces productives pouvaient être utilisées individuellement parce qu'elles étaient « mesquines, minuscules, limitées » (AD). « Concentrer, élargir ces moyens de production dispersés et étriqués, en faire les leviers puissants de la production actuelle, tel fut précisément le rôle historique du mode de production capitaliste » (AD). Le développement du capitalisme se présente négativement comme un processus de dissociation et de désintégration : dissolution des derniers restes de l'économie fermée, destruction de l'artisanat, destruction des liens entre le producteur et le moyen de production, entre le travail et la propriété; destruction des séparatismes locaux, de l'ancienne division du travail et des hiérarchies séculaires; disparition enfin de l'ancienne mentalité théologique, traditionaliste, irrationaliste : « les hommes sont enfin contraints de regarder leur réalité avec des yeux désabusés » (MC). Or si le capitalisme a détruit le monde de la petite production individuelle qui le fit naître, son développement entraîne la reconstruction de la société sur une base absolument nouvelle et révolutionnaire. A la place de la « production marchande simple » et des producteurs individuels isolés du passé, le capitalisme met un mode de production fondé sur la coopération universelle et un nouveau sujet de l'histoire : le « travailleur collectif ».

Dans les temps précapitalistes, la coopération à grande échelle n'était employée que d'une manière sporadique et se fondait sur « des rapports directs de domination et de servitude, généralement sur l'esclavage » (K). C'est le capitalisme qui, le premier, développa la « puissance collective du travail » : méthodiquement organisée, de plus en plus perfectionnée, la coopération devient maintenant la forme principale de la production, pénètre dans tous les secteurs de l'activité et englobe la quasi-totalité des producteurs. C'est à cette « nécessité historique de transformer le travail isolé en travail social » que correspond le mode de production capitaliste (K). Dans le premier volume du Capital, Marx a décrit dans le détail comment le capitalisme a mené cette œuvre à bonne fin depuis le XVe siècle, en passant par les trois stades de la coopération simple, de la manufacture et de l'industrie. Pendant la période archaïque de la coopération simple, la division du travail et l'emploi des machines ne jouaient pas un rôle important : on se contentait de réunir des ouvriers pour l'accomplissement de tâches qu'ils auraient accomplies isolément. Pendant la seconde phase (manufacture) la coopération se fonde sur une division méthodique du travail qui réduit le producteur à une opération parcellaire et introduit une séparation de plus en plus profonde entre le travail intellectuel de direction et d'organisation et le travail matériel d'exécution : « La division manufacturière du travail oppose aux travailleurs la puissance intellectuelle de la production comme la propriété d'autrui et comme pouvoir qui les domine » (K). Viennent enfin le machinisme et la grande industrie qui « achèvent enfin la séparation entre le travail manuel et les puissances intellectuelles de la production. L'habileté de l'ouvrier apparaît chétive devant la science prodigieuse, les énormes forces naturelles, la grandeur du capital social incorporées au système mécanique qui constituent la puissance du Maître » (K). Ici la

*forme capitaliste de la socialisation du travail atteint son achève-
ment :* « *Au lieu du rouet, du métier de tisserand à la main, du
marteau de forgeron ont apparu la machine à filer, le métier
mécanique, le marteau à vapeur; au lieu de l'atelier individuel,
la fabrique qui commande la coopération de centaines et de milliers
d'hommes. Et de même que les moyens de production, la production
elle-même se transforme d'une série d'actes individuels en une
série d'actes sociaux et les produits, de produits d'individus,
deviennent des produits sociaux. Le fil, le tissu, la quincaillerie
qui sortent maintenant de la fabrique sont le produit collectif de
nombreux ouvriers, par les mains desquels ils sont passés forcément
tour à tour avant d'être finis. Pas un individu qui puisse dire d'eux :
c'est moi qui ai fait cela, c'est* mon *produit* » *(AD).*

*Or si la grandeur du capitalisme a été d'avoir socialisé le
travail et transformé les individus isolés du passé en membres
solidaires d'une œuvre commune, la forme capitaliste de la coopération est la caricature de la véritable coopération sociale. La
vraie coopération implique des hommes librement associés qui
règlent consciemment leur production d'après un plan commun.
Mais tout le système des rapports de production capitalistes
repose sur la* « *dégradante division du travail en travail manuel et en
travail intellectuel* », *le* « *despotisme du capital* » *et l'asservissement des travailleurs. Le trait fondamental du mode de production
capitaliste est la structure autoritaire et hiérarchique qui interdit
au travailleur toute participation au contrôle et à la gestion et le
réduit en un automate sans âme. La démocratie n'est bonne que
pour le monde formel de la politique, mais lorsqu'il s'agit des
usines la bourgeoisie* « *jette aux orties* » *la phraséologie démocratique : le* « *commandement du capital* » *est* « *despotique* » *et
« au fur et à mesure que le travail collectif se développe sur une
plus grande échelle, ce despotisme revêt des formes particulières
et adéquates* ». *Tout d'abord,* « *le capitaliste se libère de tout
travail manuel dès que son capital atteint la grandeur minima à
partir de laquelle devient possible la production capitaliste proprement dite. De même, la surveillance directe et constante des
ouvriers isolés ou des groupes d'ouvriers passe à une catégorie
particulière d'ouvriers salariés. Tout comme une armée a besoin
d'une hiérarchie de supérieurs militaires, la masse des ouvriers
réunis dans un travail commun sous le commandement d'un seul
et même capital, a besoin d'officiers supérieurs : industriels, administrateurs, managers, et de sous-officiers : surveillants, contre-
maîtres,* foremen, overlookers, *qui, pendant le processus de
travail, dirigent au nom du capital. Le travail de surveillance
s'attache à eux comme leur fonction exclusive* » *(K).*

*La réduction du prolétariat aux fonctions matérielles d'exécu-
tion dans les rapports de production se traduit par l'exploitation
du prolétariat dans les rapports de répartition. Marchandise, la
force de travail se vend sur le marché à un prix correspondant,
dans des limites assez élastiques que Marx a indiquées (p. 157),
permettant à l'ouvrier d'entretenir sa force de travail (se maintenir*

en vie) et d'assurer sa descendance (reproduire sa force de travail).
Or à partir d'un certain degré de la productivité du travail, la
force de travail achetée par le capitaliste produit davantage de
valeur qu'il n'en faut pour couvrir les frais d'entretien et de repro-
duction du travailleur. La différence entre la valeur produite par
la force de travail, et ses propres frais d'entretien constitue la
plus-value et revient, sous des formes diverses (profit, intérêt,
rente), aux détenteurs des moyens de production. La plus-value
n'est que la forme monétaire du surproduit et le salariat est la
forme spécifique par laquelle le capital s'approprie le surtravail
des ouvriers. L'appropriation du surtravail était claire et transpa-
rente dans le servage avec ses dîmes et ses corvées; dans l'escla-
vage on n'aperçoit clairement que le travail que l'esclave fournit
gratuitement à son maître; par contre, dans le salariat, un voile de
« mystère » recouvre le surtravail non payé. La théorie de la plus-
value résout ce mystère et révèle que le travailleur, en dépit de sa
liberté formelle, est aussi exploité que l'étaient ses ancêtres serfs
et esclaves. Marx appelle temps de travail nécessaire *cette partie*
de la journée de travail dans laquelle le travailleur produit des
marchandises dont la valeur d'échange est équivalente à la valeur
d'échange de sa propre force de travail. Le temps de travail
supplémentaire *désigne l'autre partie de la journée de travail.*
La plus-value est la valeur produite par ce surtravail non payé
et le taux *de la plus-value* ou taux d'exploitation *varie suivant le*
rapport entre la plus-value et les salaires, c'est-à-dire la manière
dont la valeur nouvellement produite se partage entre ouvriers et
capitalistes. Le profit capitaliste provient uniquement de la plus-
value et tout l'effort du capitaliste consiste à chercher à augmenter
la plus-value, soit directement en allongeant la durée du travail
(plus-value absolue*), soit indirectement en accroissant la pro-*
ductivité du travail (plus-value relative*). Ainsi le capital « est du*
travail mort qui, semblable au vampire, ne s'anime qu'en suçant
le travail vivant, et sa vie est d'autant plus allègre qu'il en pompe
davantage » (K).

Or c'est ici qu'apparaît « un des côtés civilisateurs du capital »
qui distingue radicalement le système d'exploitation capitaliste
de tous les systèmes antérieurs : la loi de l'accumulation.

L'accumulation du capital et l'effondrement du capitalisme

A la différence de toutes les classes dominantes du passé qui
consommaient improductivement le surproduit, le capitaliste se
présente comme un « fanatique de l'accumulation » qui, soumis
aux lois du marché et à la pression de la concurrence, doit affecter
une part toujours plus grande de son revenu au fonds d'accumula-
tion, à la reproduction et à l'élargissement continu de sa production.
« Un des côtés civilisateurs du capital, dit Marx, consiste à faire
produire ce surtravail d'une manière et dans des conditions qui
sont plus favorables que l'esclavage et le servage au développement

*des forces productives, des relations sociales et de la constitution
d'éléments devant servir à des progrès nouveaux »* (K).

La recherche de la plus-value relative *maximum* conduit les
capitalistes à remplacer le travail par la machine, à augmenter le
capital constant (c), *consacré à l'achat des matières premières
et des machines, par rapport au* capital variable (v) *consacré à
l'emploi des travailleurs. Une cascade de conséquences va résulter
de cet accroissement progressif de* c *par rapport à* v. *Il favorisera
en premier lieu les grosses entreprises qui peuvent seules utiliser
efficacement le nouvel outillage et accélérera la* concentration du
capital. *De plus l'éviction des ouvriers anciennement employés va
créer une armée industrielle de réserve qui permettra de maintenir
les salaires à un niveau suffisamment bas. C'est la loi de la « surpopulation relative » : un capital d'une grandeur donnée emploie,
en vertu du progrès technique, un nombre décroissant de salariés.*

Un autre rapport caractéristique de l'économie capitaliste
est celui qui existe entre le capital variable et la plus-value (pl) :
comme le progrès technique réduit sans cesse le temps de travail
consacré à la production des moyens de subsistance, une partie
toujours croissante du travail total de la société se transforme
en travail non payé : c'est la loi de la « baisse du salaire relatif »
(qui n'a rien à voir avec la « paupérisation absolue » qu'on a
abusivement prêtée à Marx).

Le troisième rapport découlant de la loi fondamentale de l'accumulation du capital sera la diminution du taux du profit si l'on
admet avec Marx que le taux du profit n'est pas égal au rapport
de la plus-value au capital variable, mais au rapport de la plus-
value au capital total. Étant donné qu'un capital d'une grandeur
donnée emploie de moins en moins de travailleurs, la valeur nouvelle ajoutée à la valeur qu'incarnent les moyens de production et les
matières premières doit diminuer relativement, tant dans la partie
représentant le travail nécessaire (v) que dans la partie représentant
le surtravail (pl). Il en résulte que pl a tendance à diminuer par
rapport au capital total (c + v) : c'est la loi de la baisse tendan-
cielle du taux du profit dont parle l'économie politique classique
et qui signifiera pour Marx la paralysie progressive de la production capitaliste.*

C'est de l'action de ces lois tendancielles que Marx déduira
l'effondrement fatal du capitalisme.

1. — L'ÉCONOMIE MARCHANDE

La nécessité de transformer le produit ou l'activité des individus en valeurs d'échange et en argent. afin qu'ils acquièrent et
affirment leur puissance sociale sous cette forme *matérielle*
prouve deux choses : 1° que les individus ne produisent plus que
pour et dans la société (disparition des cellules autarciques
d'autrefois); 2° que leur production n'est pas *encore* directement
sociale ni le fruit de l'association, et que le travail n'est pas réparti

de façon communautaire. Les individus restent subordonnés au travail social qui pèse sur eux comme une fatalité; la production sociale n'est pas encore subordonnée aux individus qui la manieraient comme une puissance et une faculté communes.

... A l'*échange privé* de tous les produits du travail, capacités et activité s'oppose la distribution (autoritaire) fondée sur la hiérarchie et la subordination naturelles ou politiques des individus au sein des sociétés patriarcale, antique et féodale. Mais l'échange privé s'oppose tout autant au libre rapport des individus associés sur la base de l'appropriation et du contrôle collectifs des moyens de production.

MARX, *Grundrisse...*, 1857-58, p. 76. (I, 96).

Liberté et égalité : le type idéal de l'économie marchande

Chacun des sujets est un échangiste, c'est-à-dire a le même rapport social vis-à-vis des autres que ceux-ci vis-à-vis de lui. Leur relation est donc celle de l'*égalité*... Leur rapport est fait de trois éléments formellement distincts : 1° les sujets du rapport : les *échangistes*; ensuite, les objets de leur échange, valeurs ou *équivalents* qui sont non seulement égaux, mais doivent l'être expressément; enfin, le procès d'échange lui-même, la médiation : par son intermédiaire les sujets sont posés comme échangistes égaux et leurs objets comme équivalents... La diversité de leurs besoins et de leurs productions fournit l'amorce de leur échange et de leur égalité sociale à travers lui. Cette *diversité naturelle* est donc la condition préalable de leur *égalité sociale* au sein de l'échange... Ce n'est pas seulement un rapport d'égalité, mais encore un rapport social... les échangistes sont conscients d'appartenir à la même espèce ou collectivité : les éléphants ne produisent pas pour des tigres... Cette diversité naturelle des individus et de leurs marchandises détermine l'intégration de ceux-ci dans des rapports sociaux d'échangistes égaux entre eux et supposés tels, et cette notion d'égalité est alors complétée par celle de *liberté*. Bien que A ressente en lui le besoin de la marchandise B, il ne s'en empare pas par la force, et vice versa : ils se reconnaissent mutuellement la qualité de propriétaires, de personnes... D'où les notions juridiques de *personne* et de *liberté*... Nul ne s'empare de la propriété d'autrui par la force. Mais ce n'est pas tout : chacun sert l'autre pour se servir soi-même, chacun se sert de l'autre comme de son moyen à lui... Cette réciprocité est un fait nécessaire; c'est la condition préalable et naturelle de l'échange; mais, en soi, elle est indifférente aux deux sujets de l'échange; elle compte seulement si elle satisfait l'intérêt... C'est dire que l'intérêt collectif apparaît certes comme le mobile de l'ensemble de l'acte et il est reconnu comme un fait par les deux parties; mais, en soi, il n'est pas le mobile; il se déroule pour ainsi dire à l'insu des intérêts particuliers, tournés vers eux-mêmes, puisque l'intérêt particulier de l'un s'oppose à celui

des autres... A partir de l'acte de l'échange, chacun des individus
est réfléchi en soi comme sujet exclusif et souverain. Ainsi
donc on aboutit à la liberté la plus complète de l'individu :
transaction volontaire, nulle violence d'où que ce soit...

Mais, dans les profondeurs, se déroulent de tout autres
mouvements, où disparaît cette apparente égalité et liberté
des individus.

Voici ce qu'on oublie d'emblée : ... tout cela présuppose la
division du travail dans laquelle les individus ont des rapports
tout différents de ceux des simples échangistes. Cette présupposition ne découle nullement de la volonté ni de la nature
immédiate de l'individu : elle est *historique* et l'individu se
trouve placé d'emblée dans *certaines conditions* par la société.
Enfin... On oublie aussi que les notions simples de valeur
d'échange et d'argent renferment déjà de manière latente
l'opposition entre salariat et capital, etc.

      MARX, *Grundrisse...*, 1857-58, p. 153-159. (I, 187-193).

Échange et aliénation

Les progrès de la propriété privée menèrent à l'échange entre
individus, à la transformation des produits en marchandises.
En cela réside le germe de toute la révolution qui va suivre.
Dès que les producteurs ne consomment plus leur produit
directement eux-mêmes, mais s'en dessaisirent par l'échange,
ils en perdirent la maîtrise. Ils ne surent plus ce qu'il en advenait
et il devint possible que le produit fût quelque jour employé
contre le producteur pour l'exploiter et l'opprimer. C'est
pourquoi aucune société ne saurait d'une façon durable rester
maîtresse de sa propre production ni conserver un contrôle sur
les effets sociaux de son mode de production, sans abolir
l'échange entre individus.

      ENGELS, *L'Origine de la famille...*, 1884, XXI, p. 110. (p. 137).

La production marchande comme toute autre forme de
production a ses lois originales, immanentes, inséparables
d'elle; et ces lois s'imposent malgré l'anarchie, en elle, par elle.
Elles se manifestent dans la seule forme qui subsiste de lien social,
dans l'échange, et elles prévalent en face des producteurs
individuels comme lois coercitives de la concurrence. Elles sont
donc, au début, inconnues à ces producteurs eux-mêmes et il
faut d'abord qu'ils les découvrent peu à peu par une longue
expérience. Elles s'imposent donc sans les producteurs et contre
les producteurs comme lois naturelles de leur forme de production, lois à l'action aveugle. Le produit domine les producteurs.

      ENGELS, *Anti-Dühring*, 1878, XX, p. 253. (E.S. p. 311).

La préhistoire sanglante du capital

... Au fond du système capitaliste, il y a la *séparation radicale du producteur d'avec les moyens de production.* Cette séparation se reproduit sur une échelle progressive, dès que le système capitaliste s'est une fois établi; mais comme celle-là forme la base de celui-ci, il ne saurait s'établir sans elle. Pour qu'il vienne au monde, il faut donc que, partiellement au moins, les moyens de production aient *déjà* été arrachés sans phrase aux producteurs, qui les employaient à réaliser leur propre travail, et qu'ils se trouvent *déjà* détenus par des producteurs marchands, qui eux les emploient à spéculer sur le travail d'autrui. Le *mouvement historique* qui fait divorcer le travail d'avec ses conditions extérieures, voilà donc le fin mot de l'accumulation appelée « primitive » parce qu'elle appartient à l'âge préhistorique du monde bourgeois.

La structure économique capitaliste est sortie des entrailles de l'ordre économique féodal. La dissolution de l'une a dégagé les éléments constitutifs de l'autre.

Quant au travailleur, au producteur immédiat, pour pouvoir disposer de sa propre personne, il lui fallait d'abord cesser d'être attaché à la glèbe ou d'être inféodé à une autre personne; il ne pouvait non plus devenir libre vendeur de travail, apportant sa marchandise partout où elle trouve un marché, sans avoir échappé au régime des corporations, avec leurs maîtrises, leurs jurandes, leurs lois d'apprentissage, etc. Le mouvement historique qui convertit les producteurs en salariés se présente donc comme leur affranchissement du servage et de la hiérarchie corporative. De l'autre côté, ces affranchis ne deviennent vendeurs d'eux-mêmes qu'après avoir été dépouillés de tous leurs moyens de production et de toutes les garanties d'existence offertes par l'ancien ordre des choses. L'histoire de leur expropriation n'est pas matière à conjecture : elle est écrite dans les annales de l'humanité en lettres de sang et de feu indélébiles.

... La création d'un prolétariat sans feu ni lieu — licenciés des grands seigneurs féodaux et cultivateurs victimes d'expropriations violentes et répétées — allait nécessairement plus vite que son absorption par les manufactures naissantes. D'autre part, ces hommes brusquement arrachés à leurs conditions de vie habituelles ne pouvaient se faire aussi subitement à la discipline du nouvel ordre social. Il en sortit donc une masse de mendiants, de voleurs, de vagabonds. De là vers la fin du XVᵉ siècle et pendant tout le XVIᵉ, dans l'ouest de l'Europe, une législation sanguinaire contre le vagabondage. Les pères de la classe ouvrière actuelle furent châtiés d'avoir été réduits à l'état de vagabonds et de pauvres. La législation les traita en criminels volontaires; elle supposa qu'il dépendait de leur libre arbitre de continuer à travailler comme par le passé et comme s'il n'était survenu aucun changement dans leur condition.

... C'est ainsi que la population des campagnes, violemment

expropriée et réduite au vagabondage, a été rompue à la discipline qu'exige le système du salariat par des lois d'un terrorisme
grotesque, par le fouet, par la marque au fer rouge, la torture
et l'esclavage.

Dès que ce mode de production a acquis un certain développement, son mécanisme brise toute résistance; la présence
constante d'une surpopulation relative maintient la loi de
l'offre et la demande du travail, et partant le salaire, dans des
limites conformes aux besoins du capital, et la sourde pression
des rapports économiques achève le despotisme du capitaliste
sur le travailleur. Parfois on a bien encore recours à la contrainte,
à l'emploi de la force brutale, mais ce n'est que par exception.
Dans le cours ordinaire des choses le travailleur peut être
abandonné à l'action des « lois naturelles » de la société, c'est-à-
dire à la dépendance du capital, engendrée, garantie et per-
pétuée par le mécanisme même de la production. Il en est autrement pendant la genèse historique de la production capitaliste.
*La bourgeoisie naissante ne saurait se passer de l'intervention cons-
tante de l'État*; elle s'en sert pour « régler » le salaire, c'est-à-dire
pour le déprimer au niveau convenable, pour prolonger la journée
de travail et maintenir le travailleur lui-même au degré de
dépendance voulu. C'est là un moment essentiel de l'accumulation
primitive.

... Tantae molis erat! (« Qu'il a fallu de peines... ») Voilà
de quel prix nous avons payé nos conquêtes; voilà ce qu'il
en a coûté pour dégager les « lois éternelles et naturelles » de
la production capitaliste, pour consommer le divorce du travailleur d'avec les conditions du travail, pour transformer
celles-ci en capital et la masse du peuple en salariés, en *pauvres
industrieux (labouring poor)*, chef-d'œuvre de l'art, création
sublime de l'histoire moderne. Si, d'après Augier, c'est « avec
des taches naturelles de sang sur une de ses faces » que « l'argent
est venu au monde », le capital y arrive suant le sang et la boue
par tous les pores.

MARX, *Le Capital*, I, p. 751 et suiv. (III, 154 et suiv.).

2. — DÉFINITION DU CAPITALISME

Ce qui constitue le *concept de capital*, c'est la séparation
entre les conditions du travail, d'un côté, et les producteurs de
l'autre — séparation qui, inaugurée par l'accumulation primitive, apparaît ensuite comme procès ininterrompu dans l'accumulation et la concentration du capital et se traduit finalement
par la centralisation en peu de mains des capitaux existants.

MARX, *Le Capital*, III, p. 274. (E.S. VI, p. 259).

La transformation de l'argent en capital exige que le possesseur
d'argent trouve sur le marché le travailleur *libre*... La nature

ne produit pas d'un côté des possesseurs d'argent ou de marchandises et de l'autre des possesseurs de leur seule force de travail. Un tel rapport n'est nullement le produit d'une évolution naturelle *(kein naturgeschichtliches)*, et ce n'est pas non plus un rapport social commun à toutes les périodes de l'histoire. Il est le résultat de l'histoire... Le capital est le seul mode de production où tous les produits ou du moins la plupart d'entre eux prennent la forme de marchandises... et cela ne peut arriver que dans un mode de production tout à fait spécial... Ce qui caractérise l'époque capitaliste c'est que la force de travail acquiert pour le travailleur lui-même la forme d'une marchandise qui lui appartient, et son travail, par conséquent, la forme de travail salarié. D'autre part, ce n'est qu'à partir de ce moment que la forme marchandise des produits devient la forme sociale dominante.

MARX, *Le Capital*, I, p. 176-178. (I, 171-173).

C'est l'appropriation de travail non payé et le rapport entre ce travail non payé et le travail matérialisé en général ou, pour parler en langage capitaliste, c'est le profit et le rapport entre ce profit et le capital utilisé, donc un certain niveau du taux de profit qui décident de l'extension ou de la limitation de la production, *au lieu que ce soit le rapport de la production aux besoins sociaux, aux besoins d'êtres humains socialement évolués.*

MARX, *Le Capital*, III, p. 287. (E.S. VI, 271).

Les *trois points* suivants sont décisifs :

1° Ce n'est que la production capitaliste qui fait de la marchandise la forme générale de tous les produits.

2° La production de marchandises conduit nécessairement à la production capitaliste, dès lors que l'ouvrier cesse de faire partie des conditions objectives de la production (esclavage, servage) ou que la communauté naturelle primitive (Inde) cesse d'être la base sociale; bref, dès lors que la force de travail elle-même devient en général marchandise.

3° La production capitaliste détruit la base de la production marchande, la production individuelle autonome et l'échange entre possesseurs de marchandises, c'est-à-dire l'échange entre équivalents. L'échange purement formel entre le capital et la force de travail devient la règle générale.

MARX, *Un chapitre inédit du Capital*, « 10/18 », trad.
Dangeville, p. 77.

COMMENTAIRE : Ces définitions du mode de production capitaliste s'appliquent à toutes *les sociétés industrielles modernes, quelle que soit la forme juridique de la propriété des moyens de production.* Toutes *les sociétés industrielles sont marquées par la* séparation *entre les conditions du travail et les producteurs.*

En France, en Allemagne, aux États-Unis, en Suède, etc., cette séparation n'a pas été « *inaugurée par l'accumulation primitive* ». *En U.R.S.S., en Chine, dans les* « *démocraties populaires* », *etc., cette* « *séparation* », *c'est-à-dire la* « *liquidation* » *des producteurs indépendants, paysans et artisans, a été le résultat de la* violence *(* « *dékoulakisation* », « *collectivisation* » *forcée). Mais dans tous les pays industriels sans exception, la* « *séparation entre les conditions de travail et les producteurs apparaît comme un procès ininterrompu dans l'accumulation et la concentration du capital et se traduit finalement par la centralisation des capitaux existants* » *entre les mains de quelques monopoles ou oligopoles privés ou publics. Dans tous les pays industriels : 1º La marchandise est la forme générale de tous les produits; 2º A partir d'un certain degré de* « *normalisation* » *(suppression des camps de travail forcé, suppression ou atténuation des livraisons obligatoires des* « *kolkhozes* », *etc.), la force de travail est devenue marchandise. 3º La* « *base de la production marchande* » *(la production indivi-duelle autonome) a été détruite* presque totalement *dans les pays dits socialistes où les artisans ont été fonctionnarisés et où les petits lopins individuels des ouvriers et des paysans sont cons-tamment menacés de liquidation (* « *socialisation* »*); elle a été détruite* partiellement *dans les pays dits* « *bourgeois* ». *Mais partout* « *l'échange purement formel entre le capital et la force de travail (le salariat) est devenu ou est en train de devenir la* « *règle générale* ». *Enfin, dans tous les pays industriels sans exception,* « *c'est le profit et le rapport entre ce profit et le capital utilisé* » *qui est* censé *décider de l'extension ou de la limitation de la production. En tout cas, dans aucun pays industriel existant, la production n'est directement réglée par les* « *besoins sociaux* », *c'est-à-dire par les besoins des consommateurs* « *socialement évolués* » *ou non.*

Historicité du capital

Si l'on dit que le capital est du travail accumulé... on n'a en vue que la *matière* du capital, et on néglige la *forme sans laquelle il n'est pas capital...* Ainsi le capital aurait existé dans toutes les formes de société, ce qui est parfaitement non-histo-rique. ... On aurait tort de croire que tout cela est une abstraction, également vraie pour tous les systèmes sociaux... Rien de plus facile que de prouver que le capital est une condition nécessaire à toute production humaine. On apporte la preuve en faisant abstraction de toutes les conditions spécifiques qui font du capital l'élément d'un stade *historique*.

MARX, *Grundrisse...*, 1857-58, p. 168-69. (I, 204-5).

On conclut que tous les moyens de production sont virtuel-lement ou réellement du capital, et que, partout, le capital est un moment nécessaire du processus du travail en général, abstraction faite de toutes les formes historiques, qu'il est donc éternel, inhérent à la nature même du travail humain. On démontre l'identité en retenant l'élément identique de tous les processus de production et en négligeant leurs différences spécifiques... Il est aberrant de prendre un rapport *social* de production tel qu'il se présente dans des objets pour la propriété *naturelle* et objective de ces choses. Le travail est l'éternelle et naturelle condition de l'existence... Les moyens et matériaux du travail... jouent leur rôle dans *tout* processus de travail, dans *tous* les temps et dans *toutes* les circonstances. Si je leur colle le nom de capital, j'aurai démontré que le capital est une loi éternelle et que Kirghize qui, avec un couteau dérobé aux Russes, coupe des joncs pour en faire son canot est tout autant un capitaliste que M. de Rothschild. Je pourrai démontrer aussi bien que les Grecs et les Romains célébraient la cène, parce qu'ils buvaient du vin et mangeaient du pain, et que les Turcs s'aspergent d'eau bénite parce qu'ils se lavent.

MARX, *Un chapitre inédit du Capital*, « 10/18 », trad. Dangeville,
p. 155-7.

Le capital n'est pas une chose mais un rapport social : le moyen de production ne devient capital que lorsqu'il y a séparation entre les conditions de production et les producteurs et dans la mesure où le travail devient travail salarié.

Sociologie de l'argent : l'éthos capitaliste

La soif d'enrichissement est autre chose que la soif instinctive de richesses particulières, telles les habits, les armes, les bijoux, les femmes, le vin; elle n'est possible que si la richesse générale, en tant que telle, s'individualise dans un objet particulier, l'argent. L'argent n'est donc pas seulement l'objet, mais encore la source de la soif de s'enrichir. Le goût de la possession peut exister sans l'argent; la soif de s'enrichir est le produit d'un développement social déterminé, elle n'est pas *naturelle*, mais *historique*. D'où les récriminations des Anciens contre l'argent, source de tout Mal.

La soif de jouissance sous une forme générale, et l'avarice sont les deux manifestations particulières de la soif d'argent. La soif abstraite de jouissances suppose un objet contenant la possibilité de toutes les jouissances : l'argent dans sa fonction de *représentant matériel de la richesse;* l'avarice, elle aussi, n'existe que dans la mesure où l'argent est la forme générale de la richesse en face des marchandises qui sont ses substances particulières. Pour le retenir et satisfaire son besoin d'avarice, le thésauriseur doit tout sacrifier et renoncer à toute relation avec les objets qui satisfont des besoins particuliers.

La soif d'argent ou d'enrichissement, c'est nécessairement la

ruine des anciennes communautés. D'où leur antagonisme.
L'argent étant lui-même la *communauté*, il ne peut en tolérer
d'autres en face de lui. Mais cela suppose le plein développement des valeurs d'échange, et donc une organisation correspondante de la société. Dans l'antiquité, la valeur d'échange
n'était pas le *nervus rerum*...

De la simple notion d'argent, il ressort qu'il ne peut constituer un élément développé de la production que si le *travail
salarié* existe *déjà*... Lorsque le travail devient travail salarié,
le but en est directement l'argent; la richesse générale est donc
posée à la fois comme son but et son objet... De but, l'argent
devient maintenant le moyen de rendre tous les individus
zélés au travail; on produit la richesse générale pour s'emparer
de son représentant. Aussi jaillissent les véritables sources de
la richesse. Le but du travail n'est plus, dès lors, tel produit
spécifique ayant des rapports particuliers avec tel ou tel besoin
de l'individu, c'est l'argent, richesse ayant une forme universelle,
si bien que le zèle au travail de l'individu ne connaît plus de
limites : indifférent à ses propres particularités, le travail revêt
toutes les formes qui servent à ce but. Le zèle se fait inventif
et crée des objets nouveaux pour le besoin social. Il est donc
évident que, sur la base du travail salarié, l'argent n'agit pas
comme un dissolvant, mais comme élément productif, alors
que la communauté antique était en opposition directe avec le
système généralisé du travail salarié...

L'époque antérieure au développement de la société industrielle moderne fait preuve d'une soif d'argent universelle;
celle-ci affecte aussi bien les individus que les États. N'étant
préoccupée que des moyens de s'emparer du représentant de
la richesse, cette époque est incapable de voir comment les
sources de la richesse se développent effectivement. Lorsque
l'or n'est pas issu de la circulation, mais est trouvé tout fait,
le pays s'appauvrit — comme c'est le cas de l'Espagne; en
revanche, les nations qui sont obligées de travailler pour l'enlever
aux Espagnols développent les sources de la richesse et s'en-
richissent réellement.

> Marx, *Grundrisse...*, 1857-58, p. 134-36. (I, 163-5).

Le mode de régulation

Aucun type de société ne peut empêcher que la production
ne soit réglée, d'une manière ou d'une autre, par le temps
de travail disponible de la société. Mais tant que cette fixation
de la durée du travail ne s'effectue pas sous le contrôle conscient
de la société (ce qui présuppose la propriété commune), mais
par le mouvement des prix des marchandises, ta thèse exposée
avec tant de justesse dans l'*Esquisse d'une critique de l'économie
politique* reste entièrement valable.

> Marx, *Lettre à Engels*, 8 janvier 1868.

La forme sous laquelle cette répartition proportionnelle du travail social se manifeste, dans un état social où la coordination sociale du travail s'affirme comme *échange privé*, c'est précisément la valeur d'échange de ces produits. La science consiste précisément à montrer comment se manifeste la loi de la valeur... L'économie vulgaire ne soupçonne pas le moins du monde que les conditions réelles de l'échange quotidien et les grandeurs de la valeur (= les quantités de travail incorporées dans les marchandises) ne sont pas directement identiques. L'ironie de la société bourgeoise consiste précisément à ceci : *a priori*, il n'y a aucune réglementation consciente, sociale de la production. La rationalité, la nécessité naturelle ne s'impose ici que sous la forme d'une moyenne qui agit aveuglément.

MARX, *Lettre à Kugelmann*, 11 juillet 1868.

Le prolétariat

La production capitaliste ne commence en fait à s'établir que là où un seul maître exploite beaucoup de salariés à la fois, où le processus de travail, exécuté sur une grande échelle, demande pour l'écoulement de ses produits un marché étendu. Une multitude d'ouvriers fonctionnant en même temps sous le commandement du même capital, dans le même espace (ou si l'on veut sur le même champ de travail), en vue de produire le même genre de marchandises, voilà *le point de départ historique de la production capitaliste*.

MARX, *Le Capital*, I, p. 337. (II, 416).

La coopération

Quand plusieurs travailleurs fonctionnent ensemble en vue d'un but commun dans le même processus de production ou dans des processus différents mais connexes, leur travail prend la forme coopérative.

De même que la force d'attaque d'un escadron de cavalerie ou la force de résistance d'un régiment d'infanterie diffèrent essentiellement de la somme des forces individuelles, déployées isolément par chacun des cavaliers ou fantassins, de même la somme des forces mécaniques d'ouvriers isolés diffère de la force mécanique qui se développe dès qu'ils fonctionnent conjointement et simultanément dans une même opération indivise, qu'il s'agisse par exemple de soulever un fardeau, de tourner une manivelle ou d'écarter un obstacle. Dans de telles circonstances, le résultat du travail commun ne pourrait être obtenu par le travail individuel, ou ne le serait qu'après un long laps de temps ou sur une échelle tout à fait réduite.

Il s'agit non seulement d'augmenter les forces productives individuelles, mais de créer par le moyen de la coopération une force nouvelle ne fonctionnant que comme force collective.

A part la nouvelle puissance qui résulte de la fusion de nombreuses forces en une force commune, le seul contact social produit une émulation et une excitation des esprits animaux *(animal spirits)* qui élèvent la capacité individuelle d'exécution assez pour qu'une douzaine de personnes fournissent dans leur journée combinée de 144 heures un produit beaucoup plus grand que douze ouvriers isolés dont chacun travaillerait douze jours de suite. Cela vient de ce que l'homme est par nature, sinon un animal politique, suivant l'opinion d'Aristote, mais dans tous les cas un animal social.

MARX, *Le Capital*, I, 340-342. (E.S. II, 18-19).

Le travailleur collectif et le capital

Le capitaliste n'est point capitaliste parce qu'il est directeur industriel; il devient au contraire chef d'industrie parce qu'il est capitaliste. Le commandement dans l'industrie devient l'attribut du capital, de même qu'aux temps féodaux la direction de la guerre et l'administration de la justice étaient les attributs de la propriété foncière.

L'ouvrier est propriétaire de sa force de travail tant qu'il en débat le prix de vente avec le capitaliste, et il ne peut vendre que ce qu'il possède, sa force individuelle. Ce rapport ne se trouve en rien modifié parce que le capitaliste achète 100 forces de travail au lieu d'une, ou passe contrat non avec un, mais avec 100 ouvriers indépendants les uns des autres et qu'il pourrait employer sans les faire coopérer. Le capitaliste paye donc à chacun des 100 ouvriers sa force de travail indépendante, mais il ne paye pas la force combinée de la centaine. Comme personnes indépendantes, les ouvriers sont des individus isolés qui entrent en rapport avec le même capital mais non entre eux. Leur coopération ne commence que dans le processus de travail; mais là ils ont déjà cessé de s'appartenir. Dès qu'ils y entrent, ils sont incorporés au capital. En tant qu'ils coopèrent, qu'ils forment les membres d'un organisme actif, ils ne sont même qu'un mode particulier d'existence du capital. La force productive que des salariés déploient en fonctionnant comme travailleur collectif est par conséquent force productive du capital. Les forces sociales du travail se développent sans être payées dès que les ouvriers sont placés dans certaines conditions, et le capital les y place. Parce que la force sociale du travail ne coûte rien au capital, et que, d'un autre côté, le salarié ne la développe que lorsque son travail appartient au capital, elle semble être une force dont le capital est doué *par nature*, une force productive qui lui est immanente.

... L'emploi sporadique de la coopération sur une grande échelle, dans l'antiquité, le Moyen Age et les colonies modernes, se fonde sur des rapports immédiats de domination et de servitude, généralement sur l'esclavage. Sa forme capitaliste présuppose au contraire le travailleur libre, vendeur de sa force. Dans l'histoire, elle se développe en opposition avec la petite culture des paysans et l'exercice indépendant des métiers, que ceux-ci possèdent ou non la forme corporative. En face d'eux, la coopération capitaliste n'apparaît point comme une forme particulière de la coopération; mais au contraire la coopération elle-même apparaît comme la forme particulière de la production capitaliste.

Si la puissance collective du travail, développée par la coopération, apparaît comme force productive du capital, *la coopération apparaît comme mode spécifique de la production capitaliste.*

... Le mode de production capitaliste se présente donc comme *nécessité historique* pour transformer le travail isolé en travail social; mais, entre les mains du capital, cette socialisation du travail n'en augmente les forces productives que pour l'exploiter avec plus de profit.

> Marx, *Le Capital*, I, p. 348-351. (II, 25-27).

La division du travail et la manufacture

Les connaissances, l'intelligence et la volonté que le paysan et l'artisan indépendants déploient, sur une petite échelle, à peu près comme le sauvage pratique tout l'art de la guerre sous forme de ruse personnelle, ne sont désormais requises que pour l'ensemble de l'atelier. Les puissances intellectuelles de la production se développent d'un seul côté parce qu'elles disparaissent sur tous les autres. Ce que les ouvriers parcellaires perdent se concentre en face d'eux dans le capital. La division manufacturière leur oppose les puissances intellectuelles de la production comme la propriété d'autrui et comme pouvoir qui les domine. Cette scission commence à poindre dans la coopération simple où le capitaliste représente vis-à-vis du travailleur isolé l'unité et la volonté du travailleur collectif; elle se développe dans la manufacture, qui mutile le travailleur au point de le réduire à une parcelle de lui-même; elle s'achève enfin dans la grande industrie qui fait de la science une force productive indépendante du travail et l'enrôle au service du capital.

Dans la manufacture, l'enrichissement du travailleur collectif, et par suite du capital, en forces productives sociales, a pour condition l'appauvrissement du travailleur en forces productives individuelles.

... Un certain rabougrissement de corps et d'esprit est inséparable de la division du travail dans la société. Mais comme la période manufacturière pousse beaucoup plus loin cette division sociale, en même temps que, par la division qui lui est propre, elle attaque l'individu à la racine même de sa vie, c'est elle qui la première fournit l'idée et la matière d'une *pathologie industrielle.*

« Subdiviser un homme, c'est l'exécuter, s'il a mérité une sentence de mort; c'est l'assassiner s'il ne la mérite pas. La subdivision du travail est l'assassinat du peuple. » (David Urquhart.)

... La division du travail dans sa forme capitaliste — et sur les bases historiques données, elle ne pouvait revêtir aucune autre forme — n'est qu'une méthode particulière de produire de la plus-value relative, ou d'accroître aux dépens du travailleur le rendement du capital, ce qu'on appelle *richesse sociale (Wealth of Nations).* Aux dépens du travailleur, elle développe la force collective du travail pour le capitaliste. Elle crée des circonstances nouvelles qui assurent la domination du capital sur le travail. Elle se présente donc et comme un progrès historique, une phase nécessaire dans la formation économique de la société, et comme un moyen civilisé et raffiné d'exploitation.

MARX, *Le Capital*, I, p. 379, 381-3. (II, 50, 51, 52, 53).

La grande industrie mécanique et le despotisme du capital

La grande industrie mécanique achève enfin la *séparation entre le travail manuel et les puissances intellectuelles de la production qu'elle transforme en pouvoirs du capital sur le travail.* L'habileté de l'ouvrier apparaît chétive devant la science prodigieuse, les énormes forces naturelles, la grandeur du travail social incorporées au système mécanique, qui constituent la puissance du *Maître.* Dans le cerveau de ce maître, son monopole sur les machines se confond avec l'existence des machines.

... La subordination technique de l'ouvrier à la marche uniforme du moyen de travail et la composition particulière du travailleur collectif d'individus des deux sexes et de tout âge créent une discipline de caserne, parfaitement élaborée dans le régime de fabrique. Là, le soi-disant travail de surveillance, et la division des ouvriers en simples soldats et sous-officiers industriels sont poussés à leur dernier degré de développement.

... Jetant aux orties la division des pouvoirs, ailleurs tant prônée par la bourgeoisie, et le système représentatif dont elle raffole, le capitaliste formule en législateur privé et d'après son bon plaisir son pouvoir autocratique sur ses bras dans son code de fabrique. Ce code n'est du reste qu'une *caricature de la régulation sociale* telle que l'exigent la coopération en grand et l'emploi de moyens de travail communs, surtout des machines. Ici le fouet du conducteur d'esclaves est remplacé par le livre de punitions du contremaître. Toutes ces punitions se résolvent naturellement en amendes et en retenues sur le salaire, et l'esprit retors des Lycurgues de fabrique fait en sorte qu'ils profitent encore plus de la violation que de l'observation de leurs lois (1).

... La division manufacturière du travail suppose l'autorité absolue du capitaliste sur des hommes transformés en simples membres d'un mécanisme qui lui appartient. La division sociale du travail met en face les uns des autres des producteurs indépendants qui ne reconnaissent en fait d'autorité que celle de la concurrence, d'autre force que la pression exercée sur eux par leurs intérêts réciproques, de même que dans le règne animal la guerre de tous contre tous, *bellum omnium contra omnes*, entretient plus ou moins les conditions d'existence de toutes les espèces. Et cette conscience bourgeoise qui exalte la division manufacturière du travail, la condamnation à perpétuité du travailleur à une opération de détail et sa subordination passive au capitaliste, elle pousse les hauts cris et se pâme quand on parle de contrôle, de réglementation sociale du procès de production! Elle dénonce toute tentative de ce genre comme une attaque contre les droits de la Propriété, de la Liberté, du Génie du capitaliste. « Voulez-vous donc transformer la société en une fabrique? » glapissent alors ces enthousiastes apologistes du système de la fabrique. Le régime des fabriques n'est bon que pour les prolétaires.

MARX, *Le Capital* I, p. 445-6 et 375. (II, 105-6 et II, 46).

La valeur de la force de travail

Le capital ne se produit que là où le détenteur des moyens de production et de subsistance rencontre sur le marché le travailleur libre qui vient y vendre sa force de travail, et cette *unique condition historique* recèle tout un monde nouveau. Le capital s'annonce dès l'abord comme une époque de la production sociale.

Il nous faut maintenant examiner de plus près la force de travail. Cette marchandise, de même que toute autre, possède une valeur. Comment la détermine-t-on? Par le temps de travail nécessaire à sa production.

---

(1) « L'esclavage auquel la bourgeoisie a soumis le prolétariat se présente sous son vrai jour dans le système de la fabrique. Ici toute liberté cesse de fait et de droit. L'ouvrier doit être le matin dans la fabrique à 5 heures et demie; s'il vient deux minutes trop tard, il encourt une amende; s'il est en retard de dix minutes, on ne le laisse entrer qu'après le déjeuner, et il perd le quart de son salaire journalier. Il lui faut manger, boire et dormir sur commande... La cloche despotique lui fait interrompre son sommeil et ses repas. Et comment se passent les choses à l'intérieur de la fabrique? Ici le fabricant est législateur absolu. Il fait des règlements comme l'idée lui en vient, modifie et amplifie son code suivant son bon plaisir, et s'il y introduit l'arbitraire le plus extravagant, les tribunaux disent aux travailleurs : Puisque vous avez accepté volontairement ce contrat, il faut vous y soumettre... Ces travailleurs sont condamnés à être ainsi tourmentés physiquement et moralement depuis leur neuvième année jusqu'à leur mort. » Engels, *Situation des classes laborieuses en Angleterre*, 1844.

En tant que valeur, la force de travail représente le quantum de travail social réalisé en elle. Mais elle n'existe en fait que comme puissance ou faculté de l'individu vivant. L'individu étant donné, il produit sa force vitale en se reproduisant ou en se conservant lui-même. Pour son entretien ou pour sa conservation, il a besoin d'une certaine somme de moyens de subsistance. Le temps de travail nécessaire à la production de la force de travail se résout donc dans le temps de travail nécessaire à la production de ces moyens de subsistance; ou bien la force de travail a juste la valeur des moyens de subsistance nécessaires à celui qui la met en jeu.

... Les besoins naturels, tels que nourriture, vêtements, chauffage, habitation, etc., diffèrent suivant le climat et autres particularités physiques d'un pays. D'un autre côté, le nombre même des besoins dits naturels, aussi bien que le mode de les satisfaire, est un produit historique, et dépend ainsi, en grande partie, du degré de civilisation atteint. Les origines de la classse salariée dans chaque pays, le milieu historique où elle s'est formée continuent longtemps à exercer la plus grande influence sur les habitudes, les exigences, et par contrecoup les besoins qu'elle apporte dans la vie. La force de travail renferme donc, au point de vue de la valeur, un élément moral et historique; ce qui la distingue des autres marchandises. Mais pour un pays et une époque donnés, la mesure nécessaire des moyens de subsistance est aussi donnée.

Marx, Le Capital, I, p. 178-9. (I, 173-4).

Cet élément historique et social qui influence la valeur du travail, peut augmenter ou diminuer, disparaître complètement de telle sorte que la *limite physiologique* subsiste seule...

Si vous comparez l'étalon des salaires et de la valeur du travail dans différents pays et à des époques historiques différentes dans le même pays, vous trouverez que la *valeur du travail* elle-même n'est pas une grandeur fixe, qu'elle est variable même si l'on suppose que les valeurs de toutes les autres marchandises restent constantes.

La question se résout donc en celle du rapport de forces entre le capital et le travail.

Marx, Salaire, prix et profit, 1865, XVI, p. 149. E.S.

3. — L'EXPLOITATION

Nous allons donc, en même temps que le possesseur d'argent et le possesseur de force de travail, quitter la sphère bruyante de la circulation où tout se passe à la surface et aux regards de tous, pour les suivre tous deux dans le laboratoire secret de la production, sur le seuil duquel il est écrit : *No admittance except on business* (On n'entre pas ici, sauf pour affaires). Là, nous allons voir non seulement comment le capital produit, mais encore comment il est produit lui-même. La fabrication de la plus-value, ce grand secret de la société moderne, va enfin se dévoiler.

MARX, *Le Capital*, I, p. 184. (I, 178).

La plus-value

Lors de la vente de la force de travail, il a été sous-entendu que sa valeur journalière = 3 shillings — somme d'or dans laquelle 6 heures de travail sont incorporées — et que, par conséquent, il faut travailler 6 heures pour produire la somme moyenne de subsistances nécessaires à l'entretien quotidien du travailleur.

... Regardons-y de plus près. La valeur journalière de la force de travail revient à 3 shillings parce qu'il faut une demi-journée de travail pour produire quotidiennement cette force, c'est-à-dire que les subsistances nécessaires pour l'entretien journalier de l'ouvrier coûtent une demi-journée de travail. Mais le travail passé que la force de travail recèle et le travail actuel qu'elle peut exécuter, ses frais d'entretien journaliers et la dépense qui s'en fait par jour, ce sont là deux choses tout à fait différentes. Les frais de la force en déterminent la valeur d'échange, la dépense de la force en constitue la valeur d'usage. Si une demi-journée de travail suffit pour faire vivre l'ouvrier pendant 24 heures, il ne s'ensuit pas qu'il ne puisse travailler une journée tout entière. *La valeur que la force de travail possède et la valeur qu'elle peut créer diffèrent donc de grandeur.* C'est cette différence de valeur que le capitaliste avait en vue lorsqu'il acheta la force de travail. L'aptitude de celle-ci à faire des filés ou des bottes n'était qu'une *conditio sine qua non*, car le travail doit être dépensé sous une forme utile pour produire de la valeur. Mais ce qui décida l'affaire, c'était l'utilité spécifique de cette marchandise d'être source de valeur, et de plus de valeur qu'elle n'en possède elle-même. C'est là le service spécial que le capitaliste lui demande. Il se conforme en ce cas aux lois éternelles de l'échange des marchandises. En effet, le vendeur de la force de travail, comme le vendeur de toute autre marchandise, en réalise la valeur échangeable et en aliène la valeur usuelle.

Il ne saurait obtenir l'une sans donner l'autre. La valeur d'usage de la force de travail, c'est-à-dire le travail, n'appartient pas plus au vendeur que n'appartient à l'épicier la valeur d'usage de l'huile vendue. L'homme aux écus a payé la valeur journalière de la force de travail; son usage pendant le jour, le travail d'une journée entière lui appartient donc. Que l'entretien journalier de cette force ne coûte qu'une demi-journée de travail, bien qu'elle puisse opérer ou travailler pendant la journée entière, c'est-à-dire que la valeur créée par son usage pendant un jour soit le double de sa propre valeur journalière, c'est là une chance particulièrement heureuse pour l'acheteur, mais qui ne lèse en rien le droit du vendeur.

Notre capitaliste a prévu le cas, et c'est ce qui le fait rire. L'ouvrier trouve donc dans l'atelier les moyens de production nécessaires pour une journée de travail non pas de 6, mais de 12 heures. Puisque 10 livres de coton avaient absorbé six heures de travail et se transformaient en 10 livres de filés, 20 livres de coton absorberont 12 heures de travail et se transformeront en 20 livres de filés. Examinons maintenant le produit du travail prolongé. Les 20 livres de filés contiennent 5 journées de travail dont 4 étaient réalisées dans le coton et les broches consommés, 1 absorbée par le coton pendant l'opération du filage. Or l'expression monétaire de 5 journées de travail est 30 shillings. Tel est donc le prix des 20 livres de filés. La livre de filés coûte après comme avant 1 shilling 6 d. Mais la somme de valeur des marchandises employées dans l'opération ne dépassait pas 27 shillings et la valeur des filés atteint 30 shillings. La valeur du produit s'est accrue de 1/9 sur la valeur avancée pour sa production. Les 27 shillings avancés se sont donc transformés en 30 shillings. Ils ont enfanté une plus-value de 3 shillings. Le tour est fait. *L'argent s'est métamorphosé en capital.*

La loi des échanges a été rigoureusement observée, équivalent contre équivalent. Sur le marché, le capitaliste achète à sa juste valeur chaque marchandise — coton, broches, force de travail. Puis il fait ce que fait tout autre acheteur, il consomme leur valeur d'usage. La consommation de la force de travail, étant en même temps production de marchandises rend un produit de 20 livres de filés, valant 30 shillings. Alors le capitaliste qui avait quitté le marché comme acheteur y revient comme vendeur. Il vend les filés à 1 shilling 6 d. la livre, pas un liard au-dessus ou au-dessous de leur valeur, et cependant il retire de la circulation 3 shillings de plus qu'il n'y avait mis. Cette transformation de son argent en capital se passe dans la sphère de la circulation, et ne s'y passe pas. La circulation sert d'intermédiaire. C'est là, sur le marché, que se vend la force de travail, pour être exploitée dans la sphère de la production où elle devient source de plus-value, et tout est ainsi pour le mieux dans le meilleur des mondes possibles.

Le capitaliste, en transformant l'argent en marchandises qui servent d'éléments matériels pour un nouveau produit, en leur incorporant ensuite la force de travail vivante, transforme la valeur — du travail passé, mort, devenu chose — en capital, en valeur grosse de valeur, monstre animé qui se met à travailler comme s'il avait le diable au corps.

La production de plus-value n'est donc autre chose que la production de valeur, prolongée au-delà d'un certain point. Si le processus de travail ne dure que jusqu'au point où la valeur de la force de travail payée par le capital est remplacée par un équivalent nouveau, il y a simple production de valeur; quand il dépasse cette limite, il y a production de plus-value.

MARX, *Le Capital*, I, p. 198 et suiv. (I, 191 et suiv.).

Profit, rente, intérêt

La *plus-value*, c'est-à-dire la partie de la valeur totale des marchandises dans laquelle est incorporé le *surtravail* ou le *travail impayé*, je l'appelle le *profit*. Le profit n'est pas empoché en entier par l'entrepreneur capitaliste. Le monopole foncier met le propriétaire en mesure de s'approprier une partie de cette *plus-value* sous le nom de *rente*, que la terre soit employée à des fins agricoles, à des bâtiments, à des chemins de fer ou à toute autre fin productive. D'autre part, le fait même que la possession des *instruments de travail* donne à l'entrepreneur capitaliste la possibilité de produire une *plus-value*, ou, ce qui revient au même de *s'approprier une certaine quantité de travail impayé*, ce fait met le possesseur des moyens de travail qui les prête en entier ou en partie à l'entrepreneur capitaliste, c'est-à-dire, en un mot, le *capitaliste financier*, en mesure de réclamer pour lui-même sous le nom d'*intérêt* une autre partie de cette plus-value, de sorte qu'il ne reste à l'entrepreneur capitaliste *comme tel* que ce qu'on appelle le *profit industriel* ou *commercial*...

Rente foncière, intérêt et profit industriel ne sont que des noms *différents* pour exprimer les *différentes parties* de la *plus-value* de la marchandise, autrement dit du *travail impayé incorporé dans celle-ci*, et ils ont tous *la même source et rien que cette source*...

Marx, *Salaire, prix et profit*, 1865, XVI, p. 137. E.S.

Le taux de la plus-value

La période d'activité, qui dépasse les bornes du travail nécessaire, coûte, il est vrai, du travail à l'ouvrier, une dépense de force, mais ne forme aucune valeur pour lui. Elle forme une plus-value qui a pour le capitalisme tous les charmes d'une création *ex nihilo*. Je nomme cette partie de la journée de travail *temps extra*, et le travail dépensé en elle *surtravail*. S'il est d'une importance décisive pour l'entendement de la valeur en général de ne voir en elle qu'une simple coagulation de temps de travail, que du travail réalisé, il est d'une égale importance pour l'entendement de la plus-valeur de la comprendre comme une simple coagulation de temps de travail extra, comme du surtravail réalisé. Les différentes formes économiques revêtues par la société, l'esclavage par exemple, et le salariat, ne se distinguent que par le mode dont ce surtravail est imposé et extorqué au producteur immédiat, à l'ouvrier.

De ce fait que la valeur du capital variable égale la valeur de la force de travail qu'il achète, que la valeur de cette force de travail détermine la partie nécessaire de la journée de travail et que la plus-value de son côté est déterminée par la partie extra de cette même journée, il suit que : la plus-value est au capital variable ce qu'est le surtravail au travail nécessaire ou le taux de la plus value $\dfrac{P}{v} = \dfrac{surtravail}{travail\ nécessaire}$. Les deux proportions

présentent le même rapport sous une forme différente; une fois sous forme de travail réalisé, une autre fois, sous forme de travail en mouvement.

Le taux de la plus-value est donc l'expression exacte du degré d'exploitation de la force de travail par le capital ou du travailleur par le capitaliste.

... « Il reste encore à savoir, dit John Stuart Mill, dans ses *Principes d'économie politique,* si les inventions mécaniques faites jusqu'à ce jour ont allégé le labeur quotidien d'un être humain quelconque. » Ce n'était pas là leur but. Comme tout autre développement de la force productive du travail, l'emploi capitaliste des machines ne tend qu'à diminuer le prix des marchandises, à raccourcir la partie de la journée où l'ouvrier travaille pour lui-même, afin d'allonger l'autre où il ne travaille que pour le capitaliste. C'est une méthode particulière pour fabriquer de la plus-value relative.

MARX, *Le Capital,* I, p. 225 et 387-8. (I, 215 et II, 58).

Effets sur l'ouvrier

... Il a été démontré que le point de départ de la grande industrie est le moyen de travail qui, une fois révolutionné, revêt sa forme la plus développée dans le système mécanique de la fabrique. Avant d'examiner de quelle façon le matériel humain y est incorporé, il convient d'étudier les effets rétroactifs les plus immédiats de cette révolution sur l'ouvrier.

a) *Appropriation des forces de travail supplémentaires. Travail des femmes et des enfants.*

En rendant superflue la force musculaire, la machine permet d'employer des ouvriers sans grande force musculaire, mais dont les membres sont d'autant plus souples qu'ils sont moins développés. Quand le capital s'empara de la machine, son cri fut : du travail de femmes, du travail d'enfants! Ce moyen puissant de diminuer le labeur de l'homme se changea aussitôt en moyen d'augmenter le nombre des salariés; il courba tous les membres de la famille, sans distinction d'âge et de sexe, sous le bâton du capital. Le travail forcé pour le capital usurpa la place des jeux de l'enfance et du travail libre pour l'entretien de la famille; et le support économique des mœurs de famille était ce travail domestique.

La valeur de la force de travail était déterminée par les frais d'entretien de l'ouvrier et de sa famille. En jetant la famille sur le marché, en distribuant ainsi sur plusieurs forces la valeur d'une seule, la machine la déprécie. Il se peut que les quatre forces, par exemple, qu'une famille ouvrière vend maintenant, lui rapportent plus que jadis la seule force de son chef; mais aussi quatre journées de travail en ont remplacé une seule, et le prix a baissé en proportion de l'excès de surtravail de quatre sur le surtravail d'un seul. Il faut maintenant que quatre personnes fournissent non seulement du travail, mais encore du travail extra au capital, afin qu'une seule famille vive. C'est ainsi que la machine, en augmentant la matière humaine exploitable, élève en même temps le degré d'exploitation.

... b) *Prolongation de la journée de travail.*

Si la machine est le moyen le plus puissant d'accroître la productivité du travail, c'est-à-dire de raccourcir le temps nécessaire à la production des marchandises, elle devient, comme support du capital, dans les branches d'industrie dont elle s'empare d'abord, le moyen le plus puissant de prolonger la journée de travail au-delà de toute limite naturelle. Elle crée et des conditions nouvelles qui permettent au capital de lâcher bride à cette tendance constante qui le caractérise, et des motifs nouveaux qui intensifient sa soif du travail d'autrui.

Et tout d'abord le mouvement et l'activité du moyen de travail devenu machine se dressent indépendants devant le travailleur. Le moyen de travail est dès lors un *perpetuum mobile* industriel qui produirait indéfiniment, s'il ne rencontrait une barrière naturelle dans ses auxiliaires humains, dans la faiblesse de leurs corps et la force de leur volonté. L'automate, en sa qualité de capital, est fait homme dans la personne du capitaliste. Une passion l'anime : il veut tendre l'élasticité humaine et broyer toutes ses résistances. La facilité apparente du travail à la machine et l'élément plus maniable et plus docile des femmes et des enfants l'aident dans cette œuvre d'asservissement.

... La machine produit une plus-value relative, non seulement en dépréciant directement la force de travail et en la rendant indirectement meilleur marché par la baisse de prix qu'elle occasionne dans les marchandises d'usage commun, mais en ce sens que, pendant la période de sa première introduction sporadique, elle transforme le travail employé par le possesseur de machines en travail plus efficace, dont le produit, doué d'une valeur sociale supérieure à sa valeur individuelle, permet au capitaliste de remplacer la valeur journalière de la force de travail par une moindre portion du rendement journalier. Pendant cette période de transition où l'industrie mécanique reste une espèce de monopole, les bénéfices sont par conséquent extraordinaires et le capitaliste cherche à exploiter à fond cette lune de miel au moyen de la plus grande prolongation possible de la journée. La grandeur du gain aiguise l'appétit.

A mesure que les machines se généralisent dans une même branche de production, la valeur sociale du produit mécanique descend à sa valeur individuelle. Ainsi se vérifie la loi d'après laquelle *la plus-value provient non des forces de travail que le capitaliste remplace par la machine, mais au contraire de celles qu'il y occupe.* La plus-value ne provient que de la partie variable du capital, et la somme de la plus-value est déterminée par deux facteurs : son taux et le nombre des ouvriers occupés simultanément.

... De là ce phénomène merveilleux dans l'histoire de l'industrie moderne, que la machine renverse toutes les limites morales et naturelles de la journée de travail. De là ce paradoxe économique, que le moyen le plus puissant de raccourcir le temps de travail devient par un revirement étrange le moyen le plus infaillible de transformer la vie entière du travailleur et de sa famille en temps disponible pour la mise en valeur du capital. « Si chaque outil, tel était le rêve d'Aristote, le plus grand penseur de l'antiquité, si chaque outil pouvait exécuter sur sommation, ou bien de lui-même, sa fonction propre, comme les chefs-d'œuvre de Dédale se mouvaient d'eux-mêmes, ou comme les trépieds de Vulcain se mettaient spontanément à leur travail sacré, si, par exemple, les navettes des tisserands tissaient d'elles-mêmes, le chef d'atelier n'aurait plus besoin d'aides, ni le maître d'esclaves. » Et Antipatros, un poète grec du temps de Cicéron, saluait l'invention du moulin à eau pour la mouture des grains, cette forme élémentaire de tout machinisme productif, comme l'aurore de l'émancipation des femmes esclaves et le retour de l'âge d'or! Ah ces païens! Maître Bastiat, après son maître MacCulloch, a découvert qu'ils n'avaient aucune idée de l'économie politique ni du christianisme. Ils ne comprenaient point, par exemple, qu'il n'y a rien comme la machine pour faire prolonger la journée de travail. Ils excusaient l'esclavage des uns parce qu'il était la condition du développement intégral des autres; mais pour prêcher l'esclavage des masses, afin d'élever au rang d' « éminents filateurs », de « grands banquiers » et d' « influents marchands de cirage perfectionné », quelques parvenus grossiers ou à demi décrottés, la bosse de la charité chrétienne leur manquait.

c) *Intensification du travail.*

La prolongation démesurée du travail quotidien produite par la machine entre des mains capitalistes finit par amener une réaction de la société qui, se sentant menacée jusque dans la racine de sa vie, décrète des limites légales à la journée : dès lors l'*intensification* du travail, phénomène que nous avons déjà rencontré, devient prépondérante. L'analyse de la plus-value absolue avait trait à la durée du travail, tandis qu'un degré moyen de son intensité était sous-entendu. Nous allons maintenant examiner la conversion d'un genre de grandeur dans l'autre, de l'extension en intensité.

Il est évident qu'avec le progrès mécanique et l'expérience accumulée d'une classe spéciale d'ouvriers consacrée à la machine, la rapidité et par cela même l'intensité du travail s'augmentent naturellement. C'est ainsi que dans les fabriques anglaises la prolongation de la journée et l'accroissement dans l'intensité du travail marchent de front pendant un demi-siècle.

MARX, *Le Capital*, I, p. 413 et 422-9. (II, 78 et 86-92).

Salaire et mystification

La forme salaire, ou paiement direct du travail, fait donc disparaître toute trace de la division de la journée en travail nécessaire et surtravail, en travail payé et non payé, de sorte que tout le travail de l'ouvrier libre est pensé être payé. Dans le servage, le travail du corvéable pour lui-même et son travail forcé pour le seigneur sont nettement séparés l'un de l'autre par le temps et l'espace. Dans le système esclavagiste, la partie même de la journée où l'esclave ne fait que remplacer la valeur de ses subsistances, où il travaille donc en fait pour lui-même ne semble être que du travail pour son propriétaire. Tout son travail revêt l'apparence du travail non payé. C'est l'inverse dans le travail salarié : même le surtravail ou travail non payé revêt l'apparence de travail payé. Là le rapport de propriété dissimule le travail de l'esclave pour lui-même, ici le rapport monétaire dissimule *le travail gratuit du salarié pour son capitaliste*.

MARX, *Le Capital*, I, p. 565. (II, 210-211).

4. — ACCUMULATION ET CONCENTRATION

Surtravail et accumulation

Le capital — le capitaliste n'est que le capital personnifié, ne fonctionnant dans le processus de production qu'en tant que représentant du capital — extrait, dans le procès social de production qui lui correspond, une certaine quantité de surtravail des producteurs immédiats, autrement dit des ouvriers. Ce surtravail, que le capital obtient sans contrepartie, reste essentiellement du travail forcé, bien qu'il apparaisse comme le résultat d'un contrat librement conclu. Ce surtravail s'exprime en une plus-value et cette plus-value se manifeste comme surproduit. Le surtravail comme tel, c'est-à-dire le travail dépassant les besoins immédiats, devra toujours exister. Dans le système capitaliste comme dans le système esclavagiste, etc., il prend seulement une forme antagoniste, ayant pour complément l'oisiveté totale d'une partie de la société. Une certaine quantité de surtravail est exigée par l'assurance contre les accidents, par l'extension progressive du procès de reproduction, compte tenu du développement des besoins et du progrès de la population, ce qui, du point de vue capitaliste, s'appelle l'accumulation. Un des aspects civilisateurs du capital est de faire produire ce surtravail d'une manière et dans des conditions qui sont plus favorables au développement des forces productives, des conditions sociales et à la création des éléments pour une formation sociale supérieure qu'elles ne l'ont été sous les formes sociales antérieures de l'esclavage, du servage, etc.

D'une part, le capital parvient ainsi à un stade où l'autorité et le monopole du développement social (y compris ses avantages matériels et intellectuels) exercés par une partie de la société aux dépens de l'autre disparaîtra; d'autre part, il crée les moyens matériels et le germe d'un état de choses qui, dans un type supérieur de la société, permettront de combiner ce surtravail avec une réduction plus sensible du temps consacré — en général — au travail matériel. En effet, suivant le développement de la force productive du travail, le surtravail peut être important, bien que la journée de travail totale soit petite, de même qu'il peut être relativement peu important, bien que la journée de travail soit longue... Il dépend, au surplus, de la productivité du travail de savoir combien on peut produire de valeur d'usage dans un temps donné, et partant dans un temps donné de surtravail. La véritable richesse de la société et la possibilité d'un élargissement continuel de son procès de reproduction ne dépendent donc pas de la durée du surtravail, mais de sa productivité et des conditions plus ou moins fécondes dans lesquelles le surtravail s'accomplit.

MARX, *Le Capital*, III, 872-3. (E.S. VIII, 197-198).

La loi de l'accumulation du capital

Le capitaliste n'a aucune valeur historique, aucun droit historique à la vie, aucune raison d'être sociale, qu'autant qu'il fonctionne comme *capital personnifié*. Ce n'est qu'à ce titre que la nécessité transitoire de sa propre existence est impliquée dans la *nécessité transitoire du mode de production capitaliste*. Le but déterminant de son activité n'est donc ni la valeur d'usage, ni la jouissance, mais bien la valeur d'échange et son accroissement continu. Agent fanatique de l'accumulation, il force les hommes, sans merci ni trêve, *à produire pour produire*, et les pousse ainsi instinctivement à développer les puissances productrices et les conditions matérielles qui seules peuvent former la base d'une société nouvelle et supérieure. Le capitaliste n'est respectable qu'autant qu'il est le capital fait homme. Dans ce rôle, il est, lui aussi, comme le thésauriseur, dominé par sa passion aveugle pour la richesse abstraite, la valeur. Mais ce qui chez l'un paraît être une manie individuelle est chez l'autre l'effet du mécanisme social dont il n'est qu'un rouage. Le développement de la production capitaliste nécessite un agrandissement continu du capital placé dans une entreprise, et la concurrence impose les lois immanentes de la production capitaliste comme lois coercitives externes à chaque capitaliste individuel. Elle ne lui permet pas de conserver son capital sans l'accroître, et il ne peut continuer de l'accroître à moins d'une accumulation progressive.

Sa volonté et sa conscience ne réfléchissant que les besoins du capital qu'il représente, dans sa consommation personnelle, il ne saurait guère voir qu'une sorte de vol, d'emprunt au moins, fait à l'accumulation; et, en effet, la tenue des livres en parties doubles met les dépenses privées au passif, comme sommes dues par le capitaliste au capital.

Enfin, accumuler, c'est conquérir le monde de la richesse sociale, étendre sa domination personnelle, augmenter le nombre de ses sujets, c'est sacrifier à une ambition insatiable.

Mais le péché originel opère partout et gâte tout. A mesure que se développe le mode de production capitaliste, et avec lui l'accumulation et la richesse, le capitaliste cesse d'être simple incarnation du capital. Il ressent une « émotion humaine » pour son propre Adam, sa chair, et devient si civilisé, si sceptique, qu'il ose railler l'austérité ascétique comme un préjugé de thésauriseur passé de mode. Tandis que le capitaliste de vieille roche flétrit toute dépense individuelle qui n'est pas de rigueur, n'y voyant qu'un empiétement sur l'accumulation, le capitaliste modernisé est capable de voir dans la capitalisation de la plus-value un obstacle à ses convoitises. Consommer, dit le premier, c'est « s'abstenir » d'accumuler; accumuler, dit le second, c'est « renoncer » à la jouissance. « Deux âmes, hélas! habitent mon cœur, et l'une veut faire divorce d'avec l'autre. »

A l'origine de la production capitaliste — et cette phase historique se renouvelle dans la vie privée de tout industriel parvenu — l'avarice et l'envie de s'enrichir l'emportent exclusivement. Mais le progrès de la production ne crée pas seulement un nouveau monde de jouissance : il ouvre, avec la spéculation et le crédit, mille sources d'enrichissement soudain. A un certain degré de développement, il impose même au malheureux capitaliste une prodigalité toute de convention, à la fois étalage de richesse et moyen de crédit. Le luxe devient une nécessité de métier et entre dans les frais de représentation du capital. Ce n'est pas tout : le capitaliste ne s'enrichit pas, comme le paysan et l'artisan indépendants, proportionnellement à son travail et à sa frugalité personnels, mais en raison du travail gratuit d'autrui qu'il absorbe, et du renoncement à toutes les jouissances de la vie imposée à ses ouvriers. Bien que sa prodigalité ne revête donc jamais les franches allures de celle du seigneur féodal, bien qu'elle ait peine à dissimuler l'avarice la plus sordide et l'esprit de calcul le plus mesquin, elle grandit néanmoins à mesure qu'il accumule, sans que son accumulation soit nécessairement restreinte par sa dépense, ni celle-ci par celle-là. Toutefois il s'élève dès lors en lui un conflit à la Faust entre le penchant à l'accumulation et le penchant à la jouissance.

... Accumuler pour accumuler, produire pour produire, tel est le mot d'ordre de l'économie politique proclamant la mission historique de la période bourgeoise. Et elle ne s'est pas fait

un instant illusion sur les douleurs d'enfantement de la richesse :
mais à quoi bon les jérémiades qui ne changent rien aux fatalités
historiques? A ce point de vue, si le prolétaire n'est qu'une machine à produire de la plus-value, le capitaliste n'est qu'une
machine à capitaliser cette plus-value.

Marx, Le Capital, I, 621-5. (III, 32-36).

Accumulation et chômage

... Dans le progrès de l'accumulation, il n'y a donc pas seulement accroissement quantitatif et simultané des divers éléments
réels du capital : le développement des puissances productives
du travail social, que ce progrès amène, se manifeste encore par
des changements qualitatifs, par des changements graduels
dans la composition technique du capital, dont le facteur objectif
gagne progressivement en grandeur proportionnelle par rapport
au facteur subjectif. C'est-à-dire que la masse de l'outillage et
des matériaux augmente de plus en plus en comparaison de la
somme de force de travail nécessaire pour les mettre en œuvre.
A mesure donc que l'accroissement du capital rend le travail
plus productif, il en diminue la demande proportionnellement à
sa propre grandeur.

... Nous venons de démontrer que l'accumulation qui fait
grossir le capital social réduit simultanément la grandeur
proportionnelle de sa partie variable et diminue ainsi la demande
de travail relative. Maintenant, quel est l'effet de ce mouvement
sur le sort de la classe salariée?

La loi de la décroissance proportionnelle du capital variable,
et de la diminution correspondante dans la demande de travail
relative, a donc pour corollaires l'accroissement absolu du
capital variable et l'augmentation absolue de la demande de
travail suivant une proportion décroissante, et enfin, pour
complément, la production d'une surpopulation relative. Nous
l'appelons « relative », parce qu'elle provient, non d'un accroissement positif de la population ouvrière qui dépasserait les
limites de la richesse en voie d'accumulation, mais, au contraire,
d'un accroissement accéléré du capital social qui lui permet de
se passer d'une partie plus ou moins considérable de ses manou-
vriers. Comme cette surpopulation n'existe que par rapport
aux besoins momentanés de l'exploitation capitaliste, elle peut
s'enfler et se resserrer d'une manière subite.

En produisant l'accumulation du capital, et à mesure qu'elle
y réussit, la classe salariée produit donc elle-même les instruments de sa mise en retraite ou de sa métamorphose en surpopulation relative. Voilà la <i>loi de population</i> qui distingue l'époque
capitaliste et correspond à son mode de production particulier.
En effet, chacun des modes historiques de la production sociale
a aussi sa loi de population propre, loi qui ne s'applique qu'à
lui, qui passe avec lui et n'a par conséquent qu'une valeur histo-

rique. Une loi de population abstraite et immuable n'existe que pour la plante et l'animal, et encore seulement tant qu'ils ne subissent pas l'influence de l'homme.

MARX, *Le Capital* I, 665-6. (III, 74).

Les crises cycliques

La présence de cette réserve industrielle, sa rentrée tantôt partielle, tantôt générale, dans le service actif, puis sa reconstitution sur un cadre plus vaste, tout cela se retrouve au fond de la vie accidentée que traverse l'industrie moderne, avec son cycle décennal à peu près régulier — à part d'autres secousses irrégulières — de périodes d'activité ordinaire, de production à haute pression, de crise et de stagnation.

Cette marche singulière de l'industrie, que nous ne rencontrons à aucune époque antérieure de l'humanité, était également impossible dans la période d'enfance de la production capitaliste.

Alors, le progrès technique étant lent et se généralisant plus lentement encore, les changements dans la composition du capital social se firent à peine sentir. En même temps, l'extension du marché colonial récemment créé, la multiplication correspondante des besoins et des moyens de les satisfaire, la naissance de nouvelles branches d'industrie activaient, avec l'accumulation, la demande de travail. Bien que peu rapide, au point de vue de notre époque, le progrès de l'accumulation vint se heurter aux limites naturelles de la population, et nous verrons plus tard qu'on ne parvint à reculer ces limites qu'à force de coups d'État.

C'est seulement sous le régime de la grande industrie que la production d'un superflu de population devient un ressort régulier de la production des richesses.

L'expansion de la production par des mouvements saccadés est la cause première de sa contraction subite; celle-ci, il est vrai, provoque à son tour celle-là, mais l'expansion exorbitante de la production, qui forme le point de départ, serait-elle possible sans une armée de réserve aux ordres du capital, sans un surcroît de travailleurs indépendant de l'accroissement naturel de la population? Ce surcroît s'obtient à l'aide d'un procédé bien simple et qui tous les jours jette des ouvriers sur le pavé, à savoir l'application de méthodes qui, rendant le travail plus productif, en diminuent la demande. La conversion, toujours renouvelée, d'une partie de la classe ouvrière en autant de bras à demi occupés ou tout à fait désœuvrés imprime donc au mouvement de l'industrie moderne sa forme typique.

Comme les corps célestes une fois lancés dans leurs orbites les décrivent pour un temps indéfini, de même la production sociale une fois jetée dans ce mouvement alternatif d'expansion et de contraction le répète par une nécessité mécanique. Les effets deviennent causes à leur tour, et des péripéties, d'abord irrégulières et en apparence accidentelles, affectent de plus en plus la forme d'une périodicité normale. Mais c'est seulement de l'époque où l'industrie mécanique, ayant jeté des racines assez profondes, exerça une influence prépondérante sur toute la production nationale, où, grâce à elle, le commerce étranger commença à primer le commerce intérieur, où le marché universel s'annexa successivement de vastes terrains au Nouveau Monde, en Asie et en Australie, où enfin les nations industrielles entrant en lice furent devenues assez nombreuses, c'est de cette époque seulement que datent les cycles renaissants dont les phases successives embrassent des années et qui aboutissent toujours à une crise générale, fin d'un cycle et point de départ d'un autre. Jusqu'ici la durée périodique de ces cycles est de dix ou onze ans, mais il n'y a aucune raison pour considérer ce chiffre comme constant. Au contraire, on doit inférer des lois de la production capitaliste, telles que nous venons de les développer, qu'il est variable et que la période des cycles se raccourcira graduellement.

MARX, *Le Capital* 1, 666-7. (III, 76-7).

Rôle de l'armée de réserve industrielle

Pendant les périodes de stagnation et d'activité moyenne, l'armée de réserve industrielle pèse sur l'armée active, pour en refréner les prétentions pendant la période de surproduction et de haute prospérité. C'est ainsi que la surpopulation relative, une fois devenue le pivot sur lequel tourne la loi de l'offre et de la demande de travail, ne lui permet de fonctionner qu'entre les limites qui laissent assez de champ à l'activité d'exploitation et à l'esprit dominateur du capital.

... Et c'est là l'effet général de toutes les méthodes qui concourent à rendre des travailleurs surnuméraires. Grâce à elles, l'offre et la demande de travail cessent d'être des mouvements partant de deux côtés opposés, celui du capital et celui de la force de travail. Le capital agit des deux côtés à la fois. Si son accumulation augmente la demande de bras, elle en augmente aussi l'offre en fabriquant des surnuméraires. Ses dés sont pipés. Dans ces conditions, la loi de l'offre et la demande de travail consacre le despotisme capitaliste.

Aussi, quand les travailleurs commencent à s'apercevoir que leur fonction d'instruments de mise en valeur du capital devient plus précaire, à mesure que leur travail et la richesse de leurs maîtres augmentent; dès qu'ils découvrent que l'intensité de la concurrence qu'il se font les uns aux autres dépend entièrement de la pression exercée par les surnuméraires; dès qu'afin d'affaiblir l'effet funeste de cette loi « naturelle » de l'accumulation capitaliste, ils s'unissent pour organiser l'entente et l'action commune entre les occupés et les non-occupés, aussitôt le capital et son sycophante l'économiste de crier au sacrilège, à la violation de la loi « éternelle » de l'offre et de la demande. Il est vrai qu'ailleurs, dans les colonies, par exemple, où la formation d'une réserve industrielle rencontre des obstacles importants, les capitalistes et leurs avocats d'office ne se gênent pas *pour sommer l'État* d'arrêter les tendances dangereuses de cette loi « sacrée ».

MARX, Le Capital I, 674-75. (III, 82-3).

La réserve industrielle est d'autant plus nombreuse que la richesse sociale, le capital en fonction, l'étendue et l'énergie de son accumulation, partant aussi le nombre absolu de la classe ouvrière et la puissance productive de son travail, sont plus considérables. *Les mêmes causes qui développent la force expansive du capital amenant la mise en disponibilité de la force de travail, la réserve industrielle doit augmenter avec les ressorts de la richesse.* Mais plus la réserve grossit, comparativement à l'armée active du travail, plus grossit aussi la surpopulation consolidée dont la misère est en raison directe du labeur imposé. Plus s'accroît enfin cette couche des Lazare de la classe salariée, plus s'accroît aussi le paupérisme officiel. *Voilà la loi générale absolue, de l'accumulation capitaliste.* L'action de cette loi comme de toute autre, est naturellement modifiée par des circonstances particulières.

... La loi selon laquelle une masse toujours plus grande des éléments constituants de la richesse peut, grâce au développement continu des pouvoirs collectifs du travail, être mise en œuvre avec une dépense de force humaine toujours moindre, cette loi qui met l'homme social à même de produire davantage avec moins de labeur, se tourne dans le milieu capitaliste — où ce ne sont pas les moyens de production qui sont au service du travailleur, mais le travailleur qui est au service des moyens de production — en loi contraire. C'est-à-dire que, plus le travail gagne en ressources et en puissance, plus il y a pression des travailleurs sur leurs moyens d'emploi, plus la condition d'existence du salarié, la vente de sa force devient précaire. L'accroissement des ressorts matériels et des forces collectives du travail, plus rapide que celui de la population, s'exprime donc en la formule contraire, savoir : *la population productrice croît toujours en raison plus rapide que le besoin que le capital peut en avoir.*

MARX, Le Capital I, p. 679. (III, 87).

Accumulation du capital, accumulation de la misère

L'analyse de la plus-value relative nous a conduit à ce résultat : dans le système capitaliste, toutes les méthodes pour multiplier les puissances du travail collectif s'exécutent aux dépens du travailleur individuel; tous les moyens pour développer la production se transforment en moyens de dominer et d'exploiter le producteur : ils font de lui un homme tronqué, fragmentaire, ou l'appendice d'une machine; ils lui opposent comme autant de pouvoirs hostiles les puissances scientifiques de la production, ils substituent au travail attrayant le travail forcé; ils rendent les conditions dans lesquelles le travail se fait de plus en plus anormales et soumettent l'ouvrier durant son service à un despotisme aussi illimité que mesquin; ils transforment sa vie entière en temps de travail et jettent sa femme et ses enfants sous les roues du Jaggernaut capitaliste.

Mais toutes les méthodes qui aident à la production de la plus-value favorisent également l'accumulation, et toute extension de celle-ci appelle à son tour celles-là. Il en résulte que, quel que soit le taux des salaires, haut ou bas, la condition du travailleur doit empirer à mesure que le capital s'accumule. Enfin la loi, qui toujours équilibre le progrès de l'accumulation et celui de la surpopulation relative, rive le travailleur au capital plus solidement que les coins de Vulcain ne rivaient Prométhée à son rocher. C'est cette loi qui établit une corrélation fatale entre l'accumulation du capital et l'accumulation de la misère, de telle sorte qu'accumulation de richesse à un pôle, c'est également accumulation de pauvreté, de souffrance, d'ignorance, d'abrutissement, de dégradation morale, d'esclavage, au pôle opposé, du côté de la classe qui produit le capital même.

MARX, *Le Capital* I, 680. (III, 88).

La concentration du capital

Dans les sociétés par actions, la fonction est séparée de la propriété du capital; donc, le travail est, lui aussi, entièrement séparé de la propriété des moyens de production et du surtravail. D'une part, le résultat du développement suprême de la production capitaliste marque le point nécessaire de transition vers la retransformation du capital en propriété des producteurs, non plus en propriété privée de producteurs pris individuellement, mais en propriété sociale et directe des producteurs associés; d'autre part, il marque le point de transition vers la transformation de toutes les fonctions impliquées dans le procès de reproduction et rattachées jusqu'alors à la propriété capitaliste en simples fonctions des producteurs associés, autrement dit en fonctions sociales.

Nous sommes en présence de la suppression du mode de production capitaliste au sein même de ce mode de production, donc d'une contradiction qui se supprime elle-même et apparaît manifestement comme simple moment de transition vers une nouvelle forme de production...

MARX, *Le Capital*, III, 478-9. (E.S. VII, 104-5).

Un trust unique...

Dans une branche de production particulière, la centralisation n'aura atteint sa dernière limite qu'au moment où tous les capitaux qui s'y trouvent engagés ne forment plus qu'un seul capital individuel. Dans une société donnée, elle n'aura atteint sa dernière limite qu'au moment où le capital national tout entier ne formera plus qu'un seul capital entre les mains d'un seul capitaliste ou d'une seule compagnie de capitalistes.

MARX, *Le Capital*, I, 660-661. (III, 68).

Concentration et étatisation

Dans les trusts, la libre concurrence se convertit en monopole, la production sans plan de la société capitaliste capitule devant la production planifiée de la société socialiste qui s'approche. Tout d'abord, certes, pour le plus grand bien des capitalistes. Mais, ici, l'exploitation devient si palpable qu'il faut qu'elle s'effondre. Pas un peuple ne supporterait une production dirigée par des trusts, une exploitation à ce point cynique de l'ensemble par une petite bande d'encaisseurs de coupons.

Quoi qu'il en soit, avec trusts ou sans trusts, il faut finalement que le représentant officiel de la société capitaliste, l'État, en prenne la direction. La nécessité de la transformation en propriété d'État apparaît d'abord dans les grands organismes de communication : postes, télégraphes, chemins de fer.

Si les crises ont fait apparaître l'incapacité de la bourgeoisie à continuer à gérer les forces productives modernes, la transformation des grands organismes de production et de communication en sociétés par actions et en propriétés d'État montre combien on peut se passer de la bourgeoisie pour cette fin. Toutes les fonctions sociales du capitaliste sont maintenant assurées par des employés rémunérés. Le capitaliste n'a plus aucune activité sociale hormis celle d'empocher les revenus, de détacher les coupons et de jouer à la Bourse, où les divers capitalistes se dépouillent mutuellement de leur capital. Le mode de production capitaliste, qui a commencé par évincer des ouvriers, évince maintenant les capitalistes et, tout comme les ouvriers, il les relègue dans la population superflue, sinon, dès l'abord dans l'armée industrielle de réserve.

Mais ni la transformation en sociétés par actions, ni la transformation en propriété d'État ne supprime la qualité de capital des forces productives. Pour les sociétés par actions, cela est évident. Et l'État moderne n'est à son tour que l'organisation que la société bourgeoise se donne pour maintenir les conditions extérieures générales du mode de production capitaliste contre des empiètements venant des ouvriers comme des capitalistes isolés. L'État moderne, quelle qu'en soit la forme, est une machine essentiellement capitaliste : l'État des capitalistes, le

capitaliste collectif en idée. Plus il fait passer de forces productives dans sa propriété, et plus il devient capitaliste collectif
en fait, plus il exploite de citoyens. Les ouvriers restent des
salariés, des prolétaires. Le rapport capitaliste n'est pas supprimé,
il est au contraire poussé à son comble. Mais, arrivé à ce comble,
il se renverse. La propriété d'État sur les forces productives
n'est pas la solution du conflit, mais elle renferme en elle le moyen
formel, la façon d'accrocher la solution.

> ENGELS, *Anti-Dühring*, 1878, W XX, p. 258-260.
> (E.S. p. 317-320).

5. — MATURITÉ ET DÉCLIN DU CAPITALISME

Un système planétaire

La tendance à créer le *marché mondial* existe donc immédiatement dans la notion de capital. Toute limite lui apparaît
comme un obstacle à surmonter. Il commencera par soumettre
chaque élément de la production à l'échange et par abolir la
production de valeurs d'usage immédiate n'entrant pas dans
l'échange : il substitue donc la production capitaliste aux modes
de production antérieurs qui, sous son angle de vue, ont un
caractère naturel. Le *commerce* cesse d'être une fonction permettant d'échanger l'excédent entre les producteurs autonomes :
il devient une présupposition et un élément fondamental embrassant toute la production.

> MARX, *Grundrisse...*, 1857-1858, p. 365. (I, 425).

L'autorité dans les différents régimes sociaux

L'autorité que le capitaliste assume en tant que personnification du capital dans le processus direct de la production, la
fonction sociale qu'il exerce comme directeur et maître de la
production, diffèrent essentiellement de l'autorité telle qu'elle
existe dans les systèmes de production fondés sur le travail
d'esclaves, de serfs, etc.
Sur la base de la production capitaliste, la masse des producteurs directs affronte le caractère social de leur propre production
sous la forme d'une sévère autorité organisatrice et d'un mécanisme social parfaitement hiérarchisé qui règle le processus de
travail (*c'est la « technostructure » de Galbraith...* K.P.). Mais
cette autorité n'appartient à ses détenteurs qu'en tant qu'ils
personnifient les conditions du travail vis-à-vis du travail. En
revanche, dans les anciens modes de production, l'autorité
n'appartient à ses détenteurs qu'en tant qu'ils agissent comme
dominateurs politiques ou théocratiques. [A l'opposé des
anciennes classes dirigeantes politiques et théocratiques qui
étaient toutes plus ou moins organisées et hiérarchisées] les
détenteurs de l'autorité capitaliste ne se mettent en contact

qu'en tant que possesseurs [indépendants] de marchandises;
il règne donc parmi eux l'anarchie la plus complète, au sein de
laquelle la coordination *(Zusammenhang)* de la production
sociale globale s'affirme uniquement comme une loi naturelle
[= la loi de la valeur] toute-puissante vis-à-vis de l'arbitraire
individuel.

MARX, Le Capital, III, p. 937-38. (E.S. VIII, 255).

Dans les régimes « marxistes-léninistes », les détenteurs de
l'autorité agissent à la fois en tant que dominateurs politiques,
dominateurs théocratiques — possesseurs exclusifs de la vérité
idéologique et membres de l'appareil gestionnaire. Ils appa-
raissent comme des rouages d'un « mécanisme social parfaite-
ment organisé et hiérarchisé » mais qui doit périodiquement se
détraquer (purges et autres « révolutions culturelles »). D'autre
part, il serait passionnant de voir de plus près comment la « loi
de la valeur » (= la nécessité d'assurer la concordance de la
production et des besoins des consommateurs) persiste à affirmer
sa « toute-puissance » vis-à-vis de leur arbitraire individuel et de
leurs fanfaronnades « volontaristes ».

La classe ouvrière

Comme n'importe quel autre sujet entrant dans la circulation,
l'ouvrier possède une valeur d'usage qu'il échange contre de
l'argent, forme générale de la richesse; mais, il convertit son
argent uniquement en marchandises consommées immédiatement
pour satisfaire ses différents besoins.

Après avoir échangé cette valeur d'usage contre la forme universelle de la richesse, il jouit lui aussi de la richesse universelle
dans les limites de son équivalent, — comme dans tout échange,
les limites quantitatives se transforment en limites qualitatives.
Néanmoins, l'ouvrier n'est pas lié à des objets particuliers, ni
à un mode spécifique de satisfaction de ses besoins. Il n'est pas
exclu qualitativement — mais quantitativement — de la sphère
des jouissances. C'est ce qui le distingue de l'esclave, du
serf, etc. (...)

Dans l'échange, l'ouvrier touche l'équivalent en argent, sous
forme de richesse générale : il est — du moins *en apparence* —
l'égal du capitaliste, comme c'est le cas de tous les échangistes.
En fait, cette égalité est déjà rompue, puisque cet échange,
apparemment si simple, implique au préalable, le rapport
entre l'ouvrier et le capitaliste, c'est-à-dire une valeur d'usage
spécifiquement différente de la valeur d'échange et opposée à
la valeur en tant que telle. C'est dire qu'ils se tiennent par
avance dans un rapport économique tout différent, extérieur à
celui de l'échange, qui, par définition, est indifférent à la nature
particulière de la valeur d'usage des marchandises échangées.
Néanmoins, cette apparence existe comme illusion du côté de
l'ouvrier et, dans une certaine mesure aussi, de l'autre côté :

elle modifie considérablement l'attitude des travailleurs modernes par rapport à celle des travailleurs de tous les autres modes de la production sociale.

> Marx, *Grundrisse...*, 1857-8, p. 194-195. (I, 233-4).

L'ouvrier en tant que consommateur

Dans la production fondée sur l'esclavage ainsi que dans la production patriarcale où l'industrie est liée à l'agriculture et où l'immense majorité de la population pourvoit directement à la plupart de ses besoins, la sphère de la circulation et de l'échange est extrêmement étroite. Dans la production esclavagiste par exemple, l'esclave n'est pas considéré comme un échangiste. En revanche, dans la production capitaliste, la consommation dépend en tous points de l'échange; car le travail n'y est jamais une valeur d'usage immédiate pour le travailleur... Contrairement à l'esclave, le travailleur salarié est un centre autonome de la circulation, un échangiste, un individu qui subsiste grâce à l'échange... Ce qui distingue le rapport capitaliste de tout autre régime de domination, c'est que le travailleur fait face au capital comme consommateur et acquéreur de valeur, *en tant que possesseur d'argent* et centre de la circulation simple. Or en devenant l'un de ces innombrables centres, l'ouvrier cesse d'être déterminé par sa condition d'ouvrier *(seine Bestimmtheit als Arbeiter ist ausgelöscht)*.

> Marx, *Grundrisse...*, p. 322-23. (I, 377-8).
> *(Que dirait Marx s'il vivait aujourd'hui?)*

En tant que possesseur d'argent, le travailleur se trouve vis-à-vis du vendeur dans le même rapport que tout autre client. Naturellement, les conditions de son existence imposent des limites assez étroites à son choix. Une certaine latitude lui est toutefois permise; ainsi l'ouvrier anglais de la ville inclut le journal dans ses subsistances nécessaires... Ce qui compte, c'est qu'il agit en agent libre, il paie de sa poche; c'est lui qui est responsable de la manière dont il dépense son salaire. Il apprend à être son propre maître, contrairement à l'esclave, qui a besoin d'un maître. Le système capitaliste apparaît ici comme une promotion dans l'échelle sociale.

> Marx, *Un chapitre inédit du Capital*, « 10/18 », trad. Dangeville, p. 214-5.

Les contradictions du capitalisme

Chacun des capitalistes sait que ses ouvriers ne lui font pas face comme consommateurs dans la production; il s'efforce donc de restreindre autant que possible leur consommation, c'est-à-dire leur salaire. Cela ne l'empêche pas de souhaiter que les ouvriers des *autres* capitalistes fassent la plus grande consommation possible de *ses* marchandises. L'illusion de chaque capi-

taliste privé est de considérer les ouvriers non comme des
ouvriers mais comme des consommateurs... C'est ce qui l'incite
à négliger la juste proportion ce de qu'il faut produire pour les
ouvriers : elle tend à dépasser largement leur demande, tandis
que, par ailleurs, la demande des classes non ouvrières disparaît
ou se réduit fortement. — *C'est ainsi que se prépare l'effondrement*. ...De par sa nature même, le capital pose donc des entraves
au travail et à la création de valeurs, ce qui est en contradiction
avec sa tendance à les accroître sans limites. Le capital est ainsi
une contradiction vivante : il impose aux forces productives une
limite *spécifique*, tout en les poussant à dépasser toute limite.

MARX, Grundrisse..., p. 322-23. (I, 378).

Contradiction dans le mode de production capitaliste : les
ouvriers en tant qu'acheteurs de marchandises sont importants
pour le marché. Mais à les considérer comme vendeurs de leur
marchandise, la force de travail, la société capitaliste tend à les
réduire au minimum du prix.

MARX, Le Capital, II p. 316. (IV, 294).

La révolution technologique

La science qui oblige les éléments inanimés des machines à
tourner en automates utiles, cette science n'existe pas dans la
conscience de l'ouvrier. A travers la machine, elle agit sur lui
comme une puissance étrangère, comme la puissance même de
la machine... Dispersé, subordonné au processus d'ensemble
du machinisme, le travail est un simple élément d'un système
dont l'unité réside non pas dans l'individu, mais dans la machine
vivante une comme un organisme puissant face à l'activité
individuelle et insignifiante du travailleur. ... Dans la mesure où
le machinisme se développe en même temps que s'accumulent la
science et les forces productives de la société, ce n'est plus dans
le travail, mais dans le capital que se manifeste l'ensemble de
l'activité sociale... Dans le machinisme, le savoir est pour le
travailleur quelque chose d'étranger, d'extérieur, et, tandis que
le travail vivant est subordonné au travail matérialisé, le travailleur devient chose superflue... C'est pourquoi le capital tend à
donner à la production un caractère scientifique et à réduire le
travail direct au rôle d'un simple moment du processus...
L'invention devient alors une spécialité, et l'application de la
science à la production immédiate devient pour l'inventeur une
sollicitation et un postulat déterminants... A mesure que la
grande industrie se développe, la création de la richesse vraie
dépend moins du temps et de la quantité de travail employés
que de l'action des facteurs dont la puissante efficacité est sans
commune mesure avec le temps de travail immédiat; elle dépend
plutôt de l'état général de la science et du progrès technologique... La science réelle se manifeste dans l'énorme dispro-

portion entre le temps de travail et son produit ainsi que dans la disproportion qualitative entre le travail réduit à une pure abstraction et la puissance du processus de production qu'il contrôle. Face à ce processus l'homme se comporte en surveillant et en régulateur... Il se place à côté du processus de la production au lieu d'en être l'agent principal. Le maître pilier de la production n'est ni le travail immédiat ni le temps de travail mais l'intelligence et la maîtrise de la nature par l'ensemble de la société — bref l'épanouissement de l'individu social. Le vol du temps de travail d'autrui, base actuelle de la richesse, paraît une assise misérable comparée à celle que crée et développe la grande industrie elle-même. Lorsque, dans sa forme immédiate, le travail aura cessé d'être la grande source de la richesse, le temps de travail cessera et devra cesser d'être la mesure du travail, tout comme la valeur d'échange cessera d'être la mesure de la valeur d'usage...

De même qu'avec le développement de la grande industrie, l'appropriation du temps de travail d'autrui cesse d'être la raison et la source de la richesse, de même le travail immédiat cesse d'être comme tel la base de la production; car, d'une part, il se change en une activité de surveillance et de direction et, d'autre part, le produit a cessé d'être l'œuvre du travail direct et isolé : c'est la combinaison (ou coordination) de l'activité sociale qui apparaît en fait comme le producteur. Dans la grande industrie, la donnée primordiale, c'est, d'une part, l'assujettissement des forces naturelles à l'entendement social, et, d'autre part, l'abolition du travail individuel dans son immédiateté et dans sa particularité, et sa transformation en travail social. Ainsi disparaît l'autre base de ce mode de production.

MARX, *Grundrisse...*, 1857-58, p. 584-587, 591, 594, 597.

6. — LA CRISE DU CAPITALISME

C'est une pure tautologie que d'affirmer que les crises résultent du manque d'une consommation ou de consommateurs solvables. Le système capitaliste ne connaît que des consommateurs payants exceptés les pauvres et les filous. Dire que des marchandises restent invendues, ne signifie pas autre chose qu'elles n'ont pas trouvé d'acheteurs solvables, donc des consommateurs (...). Si l'on veut donner à cette tautologie l'apparence d'un fondement plus sérieux en disant que la classe ouvrière reçoit une part trop faible de son propre produit, et que, pour remédier à cet inconvénient, il suffit de lui en accorder une part plus considérable en augmentant son salaire, nous ferons remarquer que les crises sont chaque fois préparées précisément par une période de hausse générale des salaires où la classe ouvrière reçoit réellement une part plus importante du produit annuel, destiné à la consommation. Or, du point de vue de ces chevaliers du « simple » bon sens, cette période devrait au contraire prévenir les crises. Il apparaît, par conséquent, que la production capitaliste implique des conditions indépendantes de toute volonté, bonne ou mauvaise, lesquelles ne permettent cette prospérité relative de la classe ouvrière que passagèrement, et toujours uniquement comme prélude d'une crise.

MARX, *Le Capital*, II, 414. (E.S. V, 63).

Le mot « surproduction » nous induit en erreur. Tant que les besoins les plus urgents d'une grande partie de la société ne sont pas satisfaits ou que seuls le sont les besoins immédiats, il ne saurait naturellement être question de *surproduction de produits* dans le sens qu'il y aurait trop de produits par rapport aux besoins. Il faudrait dire au contraire qu'en ce sens, sur la base de la production capitaliste, il y a toujours *sous-production*. La limite de la production, c'est le *profit des capitalistes* et nullement *le besoin des producteurs*.

MARX, *Théories de la plus-value*, 1862-3. (II, 528).

Le processus de production capitaliste consiste essentiellement dans la production de plus-value, représentée dans le surproduit ou la partie aliquote des marchandises produites, dans laquelle est réalisé du travail non payé. Il ne faut jamais oublier que la production de cette plus-value — et la retransformation d'une partie de cette plus-value en capital, ou l'accumulation, fait partie intégrante de cette production — est le but immédiat et le mobile déterminant de la production capitaliste. Il serait donc faux de voir dans cette dernière ce qu'elle n'est pas : une production ayant pour but immédiat la jouissance ou la production de moyens de jouissance pour le capitaliste (et naturellement encore bien moins pour l'ouvrier!) On oublierait alors totalement le caractère spécifique de cette production.

Il faut que toute la masse des marchandises, le produit total représentant le capital constant et le capital variable ainsi que la plus-value, se vende. Si la vente ne s'opère pas, ou qu'elle ne s'opère que partiellement ou à des prix inférieurs aux prix de production, il y a bien exploitation de l'ouvrier, mais elle ne profite pas au capitaliste, ne comporte qu'une réalisation partielle, ou même pas de réalisation de plus-value; elle peut même s'accompagner d'une perte partielle ou totale du capital. Les conditions de l'exploitation directe et celles de sa réalisation ne sont pas les mêmes; elles diffèrent de temps et de lieu et même de sens. Les uns n'ont d'autre limite que la force productive de la société, les autres la proportionnalité des différentes branches de production et la force de consommation de la société. Mais cette dernière n'est déterminée ni par la force productive absolue, ni par la force de consommation absolue; elle l'est par la force de consommation basée sur une répartition antagonique qui réduit la consommation de la grande masse de la société à un minimum réglé par des limites plus ou moins étroites. Elle est en outre limitée par le désir d'accumuler, d'augmenter le capital et de produire de la plus-value à une échelle élargie. Cette loi imposée à la production capitaliste par les transformations continuelles des méthodes de production, la dépréciation concomitante du capital existant, la concurrence générale est la nécessité d'améliorer la production et d'en étendre l'échelle, ne fût-ce que pour la maintenir et ne pas courir à la ruine. Il faut donc élargir sans cesse le marché, dont les connexions et les conditions maîtresses échappent de plus en plus au contrôle, pour devenir des lois naturelles indépendantes du producteur. La contradiction intérieure tend à se compenser par l'extension du champ extérieur de la production. Mais à mesure que la force productive se développe, elle entre en conflit plus aigu avec les fondements étroits des rapports de consommation. Il n'y a rien d'étonnant, dans ces conditions, à ce qu'un excès de capital coexiste avec un excès de population. Bien que la réunion de ces deux excès fasse monter la masse de la plus-value produite, il y aurait également augmentation dans l'opposition des conditions où cette plus-value est produite, et des conditions où elle est réalisée.

Marx, Le Capital, III, 271-273. (E.S. VI, 257).

... La production capitaliste tend constamment à dépasser les limites qui lui sont immanentes, mais elle n'en triomphe que par des moyens qui lui opposent ces limites à nouveau et sur une échelle encore plus gigantesque.

La véritable limite de la production capitaliste c'est le capital lui-même, autrement dit le fait que le capital et la réalisation de sa valeur apparaissent comme le point de départ et le terme, comme le modèle et le but de la production; que la production n'est telle que pour le capital, au lieu que les moyens de production soient simplement des moyens pour une intensification toujours croissante du processus vital de la société des producteurs. Les limites en dehors desquelles ne peut s'effectuer la conservation et la réalisation de la valeur du capital, qui reposent sur l'expropriation et l'appauvrissement des larges masses de producteurs, ces limites entrent constamment en conflit avec les méthodes de production que le capital doit employer pour atteindre ses buts, méthodes qui visent à l'accroissement illimité de la production, autrement dit la production pour la production, le développement absolu de la productivité sociale du travail. Le moyen — développement absolu des forces de la productivité sociale — se trouve en conflit permanent avec le but restreint : la mise en valeur du capital existant.

Si le mode capitaliste de production est un moyen historique pour développer la force productive matérielle et pour créer le marché mondial qui lui correspond, il est en même temps la contradiction permanente entre cette tâche historique qui est sienne et les conditions sociales de la production qui lui correspondent...

Marx, Le Capital, III, 278-9. (E.S. VI, 263).

Loi de la baisse tendancielle du taux du profit

... Une loi de la production capitaliste veut que celle-ci, en se développant, révèle une diminution relative du capital variable par rapport au capital constant, et partant par rapport au capital total mis en mouvement. Cela signifie simplement que le même nombre d'ouvriers, la même quantité de force de travail, rendus disponibles par un capital variable, d'une valeur donnée, par suite des méthodes de production particulières qui se développent au sein de la production capitaliste, met en mouvement, transforme et consomme productivement, dans le même laps de temps, une masse sans cesse croissante de moyens de travail, de machines et de capital fixe de toute sorte, matières premières ou auxiliaires, et par suite un capital constant d'une valeur toujours croissante... Cette importance croissante du capital constant, bien qu'elle ne représente que de loin l'accroissement de la masse réelle des valeurs d'usage, s'accompagne d'une baisse toujours plus importante des prix des produits. Considéré en soi, tout produit individuel contient une somme moindre de travail qu'à un stade inférieur de la production, où le capital avancé en travail se trouve dans une proportion bien plus élevée par rapport au capital avancé en moyens de production... La tendance réelle de la production capitaliste... entraîne, avec la décroissance relative continue du capital variable par rapport au capital constant, une composition organique de plus en plus élevée du capital total; la conséquence immédiate en est que, le degré d'exploitation du travail restant inchangé ou augmentant même, le taux de plus-value s'exprime dans un taux de profit général toujours décroissant... La tendance progressive à la baisse du taux général du profit n'est donc qu'*une expression particulière au mode de production capitaliste* pour le développement progressif de la productivité sociale du travail... Comme la masse du travail vivant employé diminue toujours par rapport à la masse du travail objectivé mis en mouvement, c'est-à-dire des moyens de production consommés productivement, il s'ensuit que la partie de ce travail vivant, non payée et réalisée comme plus-value, doit se trouver en une proportion sans cesse décroissante par rapport à l'importance du capital total employé. Mais ce rapport de la masse de plus-value à la valeur du capital total employé constitue le taux du profit; celui-ci doit, par conséquent, baisser constamment.

MARX, *Le Capital*, III, p. 239-251. (VI, 226 et suiv.).

Rapports de production et rapports de répartition

L'analyse scientifique du mode de production capitaliste prouve... qu'il est un mode de production d'une espèce particulière, déterminé historiquement d'une manière spécifique;

qu'il suppose, comme tout autre mode de production, un niveau
donné des forces productives sociales et de leurs formes de développement, niveau qui constitue sa condition historique : celle-ci
est elle-même le résultat et le produit historiques d'un procès
antérieur et c'est là que le nouveau mode de production trouve
sa base de départ; que les rapports de production correspondant
à ce mode de production spécifique historiquement déterminé
— rapports que les hommes contractent dans le processus de
leur existence sociale, dans la production de leur vie sociale
— ont un caractère spécifique, historique et transitoire; et qu'enfin les rapports de distribution sont essentiellement identiques
à ces rapports de production, qu'ils en sont le pendant, de sorte
que les uns et les autres ont le même caractère historique transitoire.

   L'opinion qui reconnaît le caractère historique des conditions
de distribution, mais refuse de l'attribuer aux conditions de
production, est, d'une part, la seule opinion de la critique de
l'économie bourgeoise à ses débuts, critique encore très naïve.
Mais, d'autre part, elle repose sur la confusion et l'identification du procès social de production avec le processus élémentaire de travail, tel que l'accomplit, sans le moindre concours
de la société, tout homme placé dans un isolement anormal.
Dans la mesure où le procès de travail se déroule simplement
entre l'homme et la nature, ses éléments primitifs restent communs à toutes les formes sociales de développement de ce processus. Mais toute forme historique déterminée de ce processus
en développe les fondements matériels et les formes sociales.
Arrivée à un certain niveau de maturité, la forme historique
donnée disparaît et fait place à une forme supérieure. On
s'aperçoit que le moment d'une telle crise est venu, dès que
s'approfondissent et s'étendent la contradiction et l'antagonisme entre les rapports de distribution — et par suite la
forme historique déterminée des rapports de production correspondants, — d'une part, et les forces productives, la capacité
de production et le développement de leurs agents, d'autre
part. C'est alors que surgit un conflit entre le développement
matériel de la production et sa structure sociale.

   MARX, *Le Capital*, III, p. 940. (E.S. VIII, 258).

Bilan du capitalisme

   La propriété privée, comme antithèse de la propriété collective, n'existe que là où les instruments et les autres conditions
extérieures du travail appartiennent à des particuliers. Mais
selon que ceux-ci sont les travailleurs ou les non-travailleurs,
la propriété privée change de face. Les formes infiniment nuancées
qu'elle affecte à première vue ne font que réfléchir les états
intermédiaires entre ces deux extrêmes.

   La propriété privée du travailleur sur les moyens de son activité productive est le corollaire de la petite industrie, agricole ou manufacturière, et celle-ci constitue la pépinière de la production sociale, l'école où s'élaborent l'habileté manuelle, l'adresse ingénieuse et la libre individualité du travailleur. Certes, ce mode de production se rencontre au milieu de l'esclavage, du servage et d'autres. états de dépendance. Mais il ne prospère, il ne déploie toute son énergie, il ne revêt sa forme intégrale et classique que là où le travailleur est le propriétaire libre des conditions de travail qu'il met lui-même en œuvre, le paysan du sol qu'il cultive, l'artisan de l'outillage qu'il manie, comme le virtuose de son instrument.

Ce régime industriel de petits producteurs indépendants, travaillant à leur compte, présuppose le morcellement du sol et l'éparpillement des autres moyens de production. Comme il en exclut la concentration, il exclut aussi la coopération sur une grande échelle, la subdivision de la besogne dans l'atelier et aux champs, le machinisme, la domination savante de l'homme sur la nature, le libre développement des puissances sociales du travail, le concert et l'unité dans les fins, les moyens et les efforts de l'activité collective. Il n'est compatible qu'avec un état de la production et de la société étroitement borné. Éterniser ce régime, ce serait, comme le dit pertinemment Pecqueur, « décréter la médiocrité en tout ». Mais, arrivé à un certain degré, il engendre de lui-même les agents matériels de sa dissolution. A partir de ce moment, des forces et des passions qu'il comprime commencent à s'agiter au sein de la société. Il doit être, il est anéanti. Son mouvement éliminateur transformant les moyens de production, individuels et épars, en moyens de production socialement concentrés, faisant de la propriété naine du grand nombre la propriété colossale de quelques-uns, cette douloureuse, cette épouvantable expropriation du peuple travailleur, voilà les origines, voilà la genèse du capital. Elle embrasse toute une série de procédés violents, dont nous n'avons passé en revue que les plus marquants sous le titre de méthodes d'accumulation primitive.

L'expropriation des producteurs immédiats s'exécute avec un vandalisme impitoyable qu'aiguillonnent les mobiles les plus infâmes, les passions les plus sordides et les plus haïssables dans leur petitesse. La propriété privée, fondée sur le travail personnel, cette propriété qui soude pour ainsi dire le travailleur isolé et autonome aux conditions extérieures du travail, va être supplantée par la propriété privée capitaliste, fondée sur l'exploitation du travail d'autrui, sur le salariat.

Dès que ce processus de transformation a décomposé suffisamment et de fond en comble la vieille société, que les producteurs sont changés en prolétaires et leurs conditions de travail en capital, qu'enfin le régime capitaliste se soutient par la seule force économique des choses, alors la socialisation ultérieure du travail, ainsi que la métamorphose progressive du sol et des autres moyens de production en instruments socialement exploités, communs, en un mot, l'élimination ultérieure des propriétaires privés, va revêtir une nouvelle forme. Ce qui est maintenant à exproprier, ce n'est plus le travailleur indépendant, mais le capitaliste, le chef d'une armée ou d'une escouade de salariés.

Cette expropriation s'accomplit par le jeu des *lois immanentes de la production capitaliste*, lesquelles aboutissent à la *concentration des capitaux*. Corrélativement à cette centralisation, à l'expropriation du grand nombre des capitalistes par le petit nombre, se développent, sur une échelle toujours croissante, l'application de la science à la technique, l'exploitation de la terre avec méthode et ensemble, la transformation de l'outil en instruments puissants seulement par l'usage commun, partant l'économie des moyens de production, le rassemblement de tous les peuples dans le réseau du marché universel, d'où le caractère international imprimé au régime capitaliste. A mesure que diminue le nombre des potentats du capital qui usurpent et monopolisent tous les avantages de cette période d'évolution sociale, s'accroissent la misère, l'oppression, l'esclavage, la dégradation, l'exploitation, mais aussi la résistance de la classe ouvrière sans cesse grossissante et de plus en plus disciplinée, unie et organisée par le mécanisme même de la production capitaliste. Le monopole du capital devient une entrave pour le mode de production qui a grandi et prospéré avec lui et sous ses auspices. La socialisation du travail et la centralisation de ses ressorts matériels arrivent à un point où elles ne peuvent plus tenir dans leur enveloppe capitaliste. Cette enveloppe se brise en éclats. L'heure de la propriété capitaliste a sonné. Les expropriateurs sont à leur tour expropriés.

L'appropriation capitaliste, conforme au mode de production capitaliste, constitue la première négation de cette propriété privée qui n'est que le corollaire du travail indépendant et individuel. Mais la production capitaliste engendre elle-même sa propre négation avec la fatalité qui préside aux métamorphoses de la nature. C'est la négation de la négation. Elle rétablit non la propriété privée du travailleur, mais sa propriété *individuelle*, fondée sur les acquêts de l'ère capitaliste, sur la *coopération* et la *possession commune de tous les moyens de production*, y compris le sol.

Pour transformer la propriété privée et morcelée, objet du travail individuel, en propriété capitaliste, il a naturellement fallu plus de temps, d'efforts et de peines, que n'en exigera la métamorphose en propriété sociale de la propriété capitaliste, qui de fait repose déjà sur un mode de production collectif. Là il s'agissait de l'expropriation de la masse par quelques usurpateurs; ici il s'agit de l'expropriation de quelques usurpateurs par la masse.

MARX, *Le Capital*, I, p. 801-4. (III, 203-5).

IV

LA SOCIÉTÉ BOURGEOISE ET L'ÉTAT

Présentation

Le monde que Marx a connu était limité à l'extrémité occidentale du continent européen : sa théorie économique est centrée sur l'Angleterre et c'est principalement de l'expérience anglaise et française qu'il a tiré les concepts fondamentaux de sa conception de l'histoire. Le capitalisme industriel était alors à ses débuts; la bourgeoisie en tant que force historique indépendante venait à peine de sortir de la gangue de l'ancien régime; la race humaine vivait encore pour la plus grande part ainsi qu'elle avait toujours vécu. Les paysans constituaient le gros de la population; les artisans et les petits boutiquiers précapitalistes formaient la grande majorité de la population citadine. L'Orient était encore un monde à part tandis que l'Amérique était encore en friche et l'Afrique tropicale inconnue. L'industrie dans laquelle le jeune Marx voyait « le livre ouvert des forces essentielles de l'homme », « le fondement de ce que les philosophes appellent la substance ou l'essence de l'homme », était représentée essentiellement par les machines à vapeur primitives et les filatures de Manchester. La grandeur de Marx fut précisément d'avoir fondé toute sa philosophie, toute sa théorie économique et sociologique, toute sa pédagogie révolutionnaire sur le progrès technique et le rôle révolutionnaire que le capitalisme industriel était appelé à jouer dans le monde.

Pour Marx le capitalisme n'est pas un mode de production parmi d'autres, mais un tournant de l'histoire, une date absolue dans l'histoire du genre humain, signifiant un renversement radical de toutes les données qui ont déterminé l'image traditionnelle de la nature et de l'histoire. Jusqu'alors les « forces productives » n'étaient intervenues que superficiellement dans la vie des plantes et des animaux. Maintenant l'industrie transforme la nature tout entière en esclave et mesure ses forces en chevaux-vapeur, comme par dérision : la nature n'est plus une donnée immuable à laquelle l'homme doit se soumettre, mais un « produit » d'une activité titanesque qui a la terre tout entière pour théâtre.

Corrélativement, l'histoire devient pour la première fois une histoire « vraiment universelle » (IA) qui englobe l'humanité tout entière et met à l'ordre du jour des tâches réellement œcuméniques exigeant la « coopération à l'échelle mondiale ».

L'ère planétaire

Jusqu'alors l'échange se limitait à l'échange intermittent de produits de luxe, les sociétés vivaient repliées sur elles-mêmes et l'histoire était une juxtaposition d'histoires locales aussi étrangères les unes aux autres que si elles se déroulaient sur des planètes différentes. En réalisant le marché mondial, en instaurant une division internationale du travail, le capitalisme a « transformé l'histoire en histoire réellement mondiale » (IA) : à la place des « individus locaux » du passé on voit apparaître des « individus empiriquement universels, réellement cosmo-historiques », « délivrés des limites locales et nationales », insérées dans un réseau d'interdépendances qui fonctionne pour la première fois « à l'échelle mondiale ». Jusqu'alors l'intégration des peuples dans des ensembles plus vastes était imposée par la violence et ne pouvait se perpétuer que par la violence. Marx avait un concept si strict du déterminisme économique qu'il allait jusqu'à contester l'existence des « bases économiques » de l'Empire romain. « Rome, dit-il, ne dépassa jamais la ville (le stade de l'économie urbaine) et n'avait, pour ainsi dire, avec les provinces que des rapports politiques que des événements politiques pouvaient naturellement interrompre » (IA). La bourgeoisie a réussi là où tous les empires et toutes les religions soi-disant universelles ont échoué : « de même qu'elle a subordonné la campagne à la ville, elle a assujetti les pays barbares et demi-civilisés aux pays civilisés, les nations paysannes aux nations bourgeoises, l'Orient à l'Occident » (MC). Le monde unifié créé par la bourgeoisie repose sur des relations économiques qu'aucun « événement politique » ou autre ne peut interrompre : « le bas prix de ses marchandises est la grosse artillerie avec laquelle elle démolit toutes les murailles de Chine et obtient la capitulation des barbares les plus opiniâtrement xénophobes » (MC). Son expansion impérialiste dans le monde colonial a entraîné des calamités sans nom, mais elle a été un facteur décisif du progrès : Marx ira jusqu'à dire que la domination britannique en Inde a constitué la « seule vraie révolution sociale que l'Asie ait jamais connue »...

Cette mondialisation de l'histoire va de pair avec une profonde transformation de toutes les sociétés soumises au mode de production capitaliste. Toutes les données traditionnelles de la vie en commun, tous les rapports traditionnels sont renversés. Dans toutes les sociétés jusqu'ici les paysans formaient la grande majorité de la population. L'extinction des paysans *sera le premier résultat de l'expansion du capitalisme.*

Ville et campagne

La bourgeoisie, est-il dit dans le Manifeste, *a dépeuplé les campagnes, créé des villes immenses et libéré ainsi « une part considérable de la population de l'idiotie de la vie rurale ». Marx avait en vue l'Angleterre, pays qui avait délibérément sacrifié son agriculture pour se spécialiser dans la production industrielle. L'expérience n'en a pas moins confirmé son anticipation. Dans tous les pays industrialisés l'agriculture représente en effet une part constamment décroissante du revenu national et de la population active. A l'époque du* Manifeste *les agriculteurs représentaient 70 % de la population active des États-Unis. Un demi-siècle plus tard ce pourcentage était ramené à 31 % (1910) et aujourd'hui il est tombé à moins de 8 %.*

A l'époque où Marx et Engels énoncèrent cette impressionnante prophétie, seule une petite minorité de la population citadine habitait dans des villes de plus de 100 000 habitants. En 1865 encore, il n'existait dans le monde que 5 villes millionnaires en habitants. En 1951 il y en avait 55. Or en même temps qu'il renversait les rapports traditionnels entre les villes et les campagnes, le capitalisme modifiait profondément la structure des populations urbaines. La « loi générale de la production capitaliste » : la loi de l'accumulation du capital signifiera la concentration et la centralisation du capital, la disparition des classes moyennes et la transformation de l'immense majorité de la population en salariés.

Concentration du capital et polarisation sociale

L'évolution du mode de production capitaliste entraîne nécessairement une concentration et une centralisation du capital. Le progrès technique implique tout d'abord l'accroissement du volume moyen des entreprises seules capables d'assumer les dépenses de plus en plus élevées que nécessite l'emploi de l'outillage lourd. Ainsi un nombre élevé de petites et moyennes entreprises est battu dans la concurrence par un nombre de plus en plus restreint de grandes entreprises qui contrôlent une fraction croissante du capital et de la force de travail. Le processus d'expropriation qui a marqué les débuts du capitalisme et qui a entraîné la disparition des producteurs indépendants artisans et paysans se poursuit à l'intérieur même de la société capitaliste aux dépens des capitalistes eux-mêmes. A la place de la multitude anarchique d'atomes isolés qui peuplaient l'espace économique du début du capitalisme nous voyons apparaître une structure plus ou moins centralisée dans laquelle deux ou trois ou cinq sociétés, à l'intérieur de chaque branche de la production, font plus de la moitié du chiffre d'affaires et imposent leur diktat aux autres. Quelques douzaines de groupes d'intérêt possèdent la moitié du capital et occupent plus du tiers des salariés américains.

A la question : le socialisme expropriera-t-il et abolira-t-il la propriété privée péniblement acquise du petit fermier et du petit patron? le Manifeste *répond : « il est inutile de l'abolir; le développement de l'industrie l'a déjà largement supprimée, et il la fera disparaître un jour ». En un sens, l'évolution effective de la société capitaliste a confirmé ce pronostic : aux États-Unis en 1820 la catégorie des propriétaires-entrepreneurs de tout genre englobait 80 % de la population active; son pourcentage tombe à 31 % en 1900 et en 1960 il ne représente plus que 14 %. Parallèlement une profonde transformation s'opère à l'intérieur de la classe dirigeante elle-même. Si le capitalisme s'est défini il y a cent ans comme le régime où le producteur est séparé de ses moyens de production, il tend progressivement à se caractériser par la séparation du propriétaire d'avec ses moyens de production. Ainsi Marx considérait les sociétés par actions comme une « négation de la propriété privée à l'intérieur de la propriété privée » (K); de même Engels constatait que « des employés salariés s'acquittent aujourd'hui (1877) de toutes les fonctions sociales du capitaliste » (AD), et il ajoutait : « la production capitaliste, après avoir d'abord éliminé les travailleurs, élimine maintenant les capitalistes, les réduit comme les travailleurs, sinon encore à l'état d'armée de réserve industrielle, du moins à l'état de population superflue. » Chaque étape de la concentration du capital signifie une dépossession de plus en plus profonde des capitalistes-propriétaires tantôt au profit d'une minorité d'actionnaires, tantôt au profit d'organismes corporatifs (trusts et cartels), tantôt au profit d'organismes étatiques (capitalisme d'État). Cette ultime phase de la concentration où l'État apparaît comme « le capitaliste collectif idéal » (AD) sera considérée par Lénine et les bolcheviks comme un fait accompli. Ainsi le premier Congrès de la IIIe Internationale proclamera dans son Manifeste (1919) : « L'étatisation de la vie économique contre laquelle protestait tout le libéralisme capitaliste est un fait accompli. Revenir en arrière, non point à la libre concurrence mais seulement à la domination des monopoles est désormais impossible. La question est uniquement de savoir quel sera désormais celui qui prendra en mains la production étatisée : l'État impérialiste ou l'État du prolétariat victorieux »...*

Or c'est au moment où l'État s'identifiera avec le capital concentré que la vieille opposition entre l'État et la société prend sa forme la plus aiguë.

L'État et la société

A l'époque du Manifeste, Marx *croyait que la bourgeoisie avait définitivement domestiqué l'État et qu'elle était en train de le réduire au rôle de « veilleur de nuit » que lui réservaient les libéraux anglais. L' « indépendance de l'État » était pour lui un vestige du passé précapitaliste. Ses vaticinations sur les « faux frais de la production » montrent combien Marx a pris au sérieux les revendications manchestériennes du « gouvernement bon marché » : la résorption du politique dans l'économique que Saint-Simon et Cobden réclamaient pour l'avenir était devenue dans son esprit une actualité immédiate ou imminente...*

On conçoit dès lors l'amère déception que lui causèrent les événements de 1852 en France. L'État « semble être devenu complètement indépendant sous le second Bonaparte », constate Marx le lendemain du coup d'État (B). A l'optimisme débordant de ses écrits antérieurs se substitue maintenant une vision proprement tragique de la croissance incessante de l'État qui sort renforcé des guerres aussi bien que des révolutions, de la lutte des classes comme de l'équilibre entre les classes et qui « se nourrit sur la société et en paralyse le mouvement » : Marx y verra une nouvelle « aliénation » aussi pesante et intolérable que l'aliénation capitaliste.

Poussé par un insatiable besoin de « sujets », l'État a anéanti les autonomies féodales, ecclésiastiques et urbaines de la même manière que le capitalisme a exproprié les producteurs indépendants. La même usurpation fatale, la même mystification objective par laquelle le capitaliste « représente vis-à-vis du travailleur isolé l'unité et la volonté du travailleur collectif » (K), transforme également l'État en personnification fétichisée de l'intérêt général. Chaque progrès de la centralisation bureaucratique, chaque extension du domaine soumis à la réglementation étatique signifie une frustration de plus en plus profonde de la société qui recule constamment devant l'État et renonce à la libre disposition d'elle-même. Ainsi « chaque intérêt commun fut immédiatement détaché de la société, opposé à elle à titre d'intérêt supérieur, général, enlevé à l'initiative des membres de la société, transformé en objet de l'activité gouvernementale ».

Dans l'État bureaucratique comme dans l'économie capitaliste l'homme s'asservit à ses propres produits et se laisse dominer par des puissances objectives dans lesquelles il ne se reconnaît pas. Qu'il s'agisse de la critique du « despotisme du capital », qu'il s'agisse de la critique du pouvoir exécutif qui représente « l'hétéronomie de la nation en opposition à son autonomie » (B), une seule et même conception de la liberté est à la base de la critique marxienne : celle qui voit dans la liberté la possibilité pour l'individu non seulement de résister aux exigences de l'autorité, mais aussi et surtout de limiter le domaine des réglementations autoritaires, d'enrichir et d'approfondir la spontanéité de la vie sociale, de redonner à la société toutes les prérogatives usurpées par l'État et le capital. Si la bourgeoisie n'a pas su accomplir sa tâche, ce sera la révolution prolétarienne qui exterminera le monstre le plus froid et « fera de ce mot d'ordre des révolutions bourgeoises : le gouvernement à bon marché, une réalité en détruisant ces deux grandes sources de dépenses : l'armée permanente et la bureaucratie ».

L'épopée bourgeoise

La bourgeoisie a joué dans l'histoire un rôle éminemment révolutionnaire.

Partout où elle a conquis le pouvoir, la bourgeoisie a détruit toutes les conditions féodales, patriarcales, idylliques. Les liens féodaux bariolés qui attachaient l'homme a son supérieur naturel, elle les a déchirés impitoyablement, pour ne laisser subsister d'autre lien entre l'homme et l'homme que l'intérêt tout nu, que le froid « argent comptant ». Les frissons sacrés de l'exaltation religieuse, de l'enthousiasme chevaleresque, de la sentimentalité du philistin, elle les a noyés dans les eaux glacées du calcul égoïste. La dignité de la personne, elle l'a fondue dans la valeur d'échange, et, à la place des innombrables libertés garanties et chèrement acquises, elle a mis l'unique liberté, celle du commerce, sans foi ni scrupule. En un mot, à l'exploitation masquée par des illusions religieuses et politiques, elle a substitué l'exploitation ouverte, éhontée, directe et sans fard.

La bourgeoisie a dépouillé de leur auréole toutes les activités jusqu'alors religieusement respectées. Elle a changé en salariés à ses gages le médecin, le juriste, le prêtre, le poète, l'homme de science.

La bourgeoisie a déchiré le voile de douce sentimentalité qui recouvrait les relations de famille et les a ramenées à de pures relations d'argent.

La bourgeoisie a révélé comment la brutale manifestation de la force au Moyen Age, tant admirée par la réaction, trouva son complément harmonieux dans le désœuvrement le plus sordide. C'est elle qui, la première, a démontré ce que peut accomplir l'activité des hommes. Elle a réalisé de tout autres merveilles que les pyramides d'Égypte, les aqueducs romains et les cathédrales gothiques, elle a mené à bien d'autres expéditions que les invasions barbares et les croisades.

La bourgeoisie ne peut exister sans bouleverser perpétuellement les instruments de production, donc le mode de production, donc l'ensemble des conditions sociales. Les classes industrielles antérieures, par contre, ne pouvaient exister qu'à condition de conserver intact l'ancien mode de production. Ce bouleversement continuel de la production, ce constant ébranlement de toutes les conditions sociales, cette insécurité et cette agitation perpétuelles distinguent l'époque bourgeoise de toutes les précédentes. Toutes les institutions traditionnelles, et figées, avec leur cortège d'idées admises et de croyances vénérées, se dissolvent; celles qui les remplacent deviennent caduques avant d'avoir pu s'ossifier. Tous les usages, anciens et nouveaux, se volatilisent, tout ce qui était sacré est profané, et les hommes sont forcés, enfin, de regarder d'un œil désabusé leur position dans la vie et leurs relations sociales.

MARX-ENGELS, *Le Manifeste communiste*, 1848.

L'ère planétaire

Poussée par le besoin de débouchés toujours nouveaux, la bourgeoisie envahit le globe entier. Il lui faut pénétrer partout, s'établir partout, créer partout des moyens de communication.

Par l'exploitation du marché mondial, la bourgeoisie donne un caractère cosmopolite à la production et à la consommation de tous les pays. Au désespoir des réactionnaires, elle a enlevé à l'industrie sa base nationale. Les vieilles industries nationales sont détruites ou sur le point de l'être. Elles sont supplantées par de nouvelles industries, dont l'introduction devient une question vitale pour toutes les nations civilisées, industries qui n'emploient plus des matières premières indigènes, mais des matières premières venues des régions les plus éloignées, et dont les produits se consomment non seulement dans le pays même, mais dans toutes les parties du globe. A la place des anciens besoins, satisfaits par les produits nationaux, naissent de nouveaux besoins, réclamant pour leur satisfaction les produits des contrées et des climats les plus lointains. A la place de l'ancien isolement où chaque lieu et chaque nation se suffisaient à eux-mêmes, se développe un trafic universel, une interdépendance universelle des nations. Et ce qui est vrai de la production matérielle, ne l'est pas moins de la production intellectuelle. Les productions intellectuelles des diverses nations deviennent la propriété commune de toutes. La partialité et l'étroitesse de l'esprit national deviennent de plus en plus impossibles et, des nombreuses littératures nationales et locales, se forme une littérature universelle.

Ibid.

Rôle révolutionnaire de l'impérialisme

Les effets dévastateurs de l'industrie anglaise sur un pays comme l'Inde qui est aussi grand que l'Europe... s'y montrent dans toute leur atrocité. Mais nous ne devons pas oublier qu'ils ne sont que le produit organique de l'ensemble du système actuel de production. Cette production repose sur la suprématie du Capital. La concentration du Capital est essentielle pour l'existence du Capital en tant que puissance autonome. L'effet destructeur de cette concentration sur les marchés du monde ne fait que dévoiler, dans des proportions gigantesques, les lois organiques immanentes de l'économie politique telles qu'elles agissent aujourd'hui dans chaque ville du monde civilisé. L'ère historique bourgeoise doit créer la base matérielle d'un monde nouveau : d'une part, le trafic mondial fondé sur l'interdépendance des peuples et les moyens de ce trafic; d'autre part, le développement des forces productives et la transformation de la production matérielle en une domination scientifique des forces naturelles. L'industrie et le commerce bourgeois créent ces conditions.

matérielles d'un monde nouveau de la même manière que les révolutions géologiques ont créé le visage du globe terrestre.

C'est seulement lorsqu'une grande révolution sociale aura maîtrisé les conquêtes de l'époque bourgeoise — le marché mondial et les forces productives modernes — et les aura soumises au contrôle commun des peuples les plus avancés, c'est alors que le progrès humain cessera de ressembler à cet horrible dieu païen qui ne voulait boire le nectar que dans les crânes des ennemis tués.

MARX, Articles dans le *New York Tribune*, 1853,
W IX, p. 132, 220 et suiv.

La bourgeoisie et le pouvoir

Du seul fait qu'elle est une *classe* et non plus un *ordre*, la bourgeoisie est contrainte de s'organiser sur le plan national, et non plus sur le plan local, et de donner une forme universelle à ses intérêts communs. En émancipant de la communauté la propriété privée, l'État a acquis une existence particulière à côté de la société bourgeoise et en dehors d'elle; mais cet État n'est pas autre chose que la forme d'organisation que les bourgeois se donnent par nécessité, pour garantir réciproquement leur propriété et leurs intérêts, tant à l'extérieur qu'à l'intérieur. L'indépendance de l'État n'existe plus aujourd'hui que dans les seuls pays où les ordres ne sont pas encore entièrement parvenus dans leur développement au stade des classes et jouent encore un rôle alors qu'ils sont éliminés dans les pays plus évolués, dans des pays donc où il existe un mélange et dans lesquels par conséquent aucune partie de la population ne peut parvenir à dominer les autres. C'est tout spécialement le cas en Allemagne. L'exemple le plus achevé de l'État moderne est l'Amérique du Nord. Les écrivains français, anglais et américains modernes en arrivent tous sans exception à déclarer que l'État n'existe qu'à cause de la propriété privée, si bien que cette conviction est passée dans la conscience commune.

L'État étant donc la forme par laquelle les individus d'une classe dominante font valoir leurs intérêts communs et dans laquelle se résume toute la société bourgeoise d'une époque, il s'ensuit que toutes les institutions communes passent par l'intermédiaire de l'État et reçoivent une forme politique. De là, l'illusion que la loi repose sur la volonté et qui mieux est, sur une volonté *libre*, détachée de sa base concrète.

MARX-ENGELS, *L'Idéologie allemande*, 1846, p. 62.

La bourgeoisie anglaise

Les tories, les whigs, les partisans de Peel... appartiennent plus ou moins au passé. Le parti qui représente officiellement la société anglaise moderne, l'Angleterre maîtresse du marché mondial, ce sont les libre-échangistes (les Manchestériens, les réformateurs du parlement et des finances). Ceux-ci représentent le parti de la bourgeoisie consciente, du capital industriel, qui veut utiliser sa force sociale comme force politique et extirper les derniers vestiges orgueilleux de la société féodale... Ils entendent par libre-échange l'absolue liberté de mouvement du capital débarrassé de toutes les entraves politiques, nationales et religieuses...

La royauté, avec sa « splendeur barbare », sa cour, sa liste civile et sa meute de laquais, rentre dans les faux frais de la production. La nation peut aussi bien produire et commercer sans la royauté, donc : à bas le trône. Les sinécures de l'aristocratie, la chambre des pairs : faux frais de la production. La grande armée permanente : faux frais. Les colonies : faux frais. L'église officielle avec ses richesses gagnées par le pillage et la mendicité : faux frais... Tout l'appareil compliqué de la législation anglaise avec sa chancellerie : faux frais. Les guerres nationales : faux frais. Il coûtera moins cher à l'Angleterre d'exploiter les nations étrangères en entretenant avec elles des relations pacifiques...

... Leur dernier mot, c'est nécessairement la république bourgeoise, où la libre concurrence s'exercera dans tous les domaines, et où il ne restera que le minimum d'autorité gouvernementale indispensable à l'administration extérieure et intérieure des intérêts généraux de classe et des affaires de la bourgeoisie...

MARX, *Les Chartistes*, Articles dans le *New York Tribune*, 1852,
W VIII, p. 342-3.

La bourgeoisie française

En Angleterre, c'est l'industrie qui prédomine; en France, c'est l'agriculture. En Angleterre, l'industrie a besoin du libre-échange; en France, elle a besoin de la protection douanière, du monopole national à côté des autres monopoles. L'industrie ne domine pas la production française, les industriels français, par conséquent, ne dominent pas la bourgeoisie française. Pour faire triompher leurs intérêts contre les autres fractions de la bourgeoisie, ils ne peuvent pas comme les Anglais se mettre à la tête du mouvement et pousser en même temps à l'extrême leurs intérêts de classe; il leur faut se mettre à la suite de la révolution et servir des intérêts qui sont contraires aux intérêts généraux de leur classe...

En France, le petit bourgeois fait ce que, normalement, devrait faire le bourgeois industriel; l'ouvrier fait ce qui, normalement, serait la tâche du petit bourgeois et la tâche de l'ouvrier, qui l'accomplit? Personne. On ne la résout pas en France, en France on la proclame.

MARX, *Les luttes de classes en France*, 1850,
W VII, p. 79. E.S.

Un capitalisme bloqué

En empêchant l'accroissement de la population, le système de la parcellisation du sol tend indirectement à freiner l'extension des manufactures. Qui plus est, il aboutit directement à ce résultat en tenant une nombreuse population attachée et occupée à la terre, l'agriculture représentant la principale occupation, celle qui entraîne fierté et satisfaction.

Le surplus économique est thésaurisé dans le but d'augmenter l'héritage, et cette population n'est pas disposée à essaimer loin de ses foyers en quête d'occupations différentes ou d'habitudes nouvelles. La formation du capital et le développement de la production capitaliste se trouvent ainsi entravés par les conditions économiques mêmes qui favorisent la thésaurisation. Devenir propriétaire, posséder une maison ou une parcelle de terre, tel devient aussi le but principal de l'ouvrier et de presque tous les paupérisés...

Aussi l'industrie manufacturière française se compose-t-elle de petites entreprises. On constate, une fois de plus, combien l'expropriation des travailleurs de la terre est nécessaire au développement de la grande industrie...

L'accumulation capitaliste est tout le contraire de l'« épargne » et de la thésaurisation des *producteurs immédiats*. Le degré où le *surtravail* des producteurs peut être « épargné », « thésaurisé », « accumulé » — bref, être concentré et utilisé *comme capital* — correspond très exactement au degré de thésaurisation du surtravail. Il dépend donc du degré où la grande masse des producteurs réels est dépouillée des conditions nécessaires à l'« épargne », etc., étant privée de toute possibilité de s'approprier son propre surtravail du fait qu'elle est expropriée de ses moyens de production.

MARX, *Pages éparses*, 1867,
Un Chapitre inédit du Capital, trad. Dangeville, Paris 1971.

Démission de la bourgeoisie

Je ne dirai pas que le mouvement de 1848-49 a échoué parce que les bourgeois régimbaient contre le suffrage universel direct. Je dirais plutôt qu'à cette époque les bourgeois ont préféré le repos avec l'esclavage à la simple perspective de la lutte avec la liberté.

MARX, *Lettre à Engels*, 11 février 1865.

Le bonapartisme : religion de la bourgeoisie

Le bonapartisme est la vraie religion de la bourgeoisie moderne. Elle s'aperçoit de plus en plus qu'elle n'a pas l'étoffe nécessaire pour gouverner directement et que, par conséquent, dans les pays où une oligarchie ne peut pas, comme en Angleterre, se charger, contre une bonne rétribution, de diriger l'État et la société dans l'intérêt de la bourgeoisie, une semi-dictature bonapartiste est la forme normale; cette semi-dictature réalise les grands intérêts matériels de la bourgeoisie, mais ne le lui laisse aucune part au pouvoir même. D'autre part, cette dictature se voit à son tour obligée d'adopter, bien qu'à contrecœur, les intérêts matériels de la bourgeoisie. C'est ainsi que nous voyons Bismarck adopter le programme du *Nationalverein*.

ENGELS, *Lettre à Marx*, 13 avril 1866.

Bismarck et Napoléon III

Toutes les qualités qui ont valu du succès à Bismarck et à Bonaparte sont des qualités de commerçant : la poursuite d'un objectif précis, en tergiversant et en expérimentant jusqu'à ce que le moment propice soit venu, la diplomatie de la porte de derrière toujours ouverte, les concessions et les marchandages, l'art d'encaisser des insultes quand l'intérêt l'exige, le *ne soyons pas larrons*, en un mot, partout le commerçant.

ENGELS, *Lettre à Marx*, 27 avril 1867.

Bismarck est un homme d'un grand sens pratique, d'une grande habileté, un homme d'affaires né, accompli... Mais, très souvent, une intelligence aussi développée dans le domaine de la vie pratique ne se sépare pas d'une étroitesse de vue correspondante... Bismarck n'a jamais montré même la trace d'une idée politique originale. Mais il s'assimile les idées élaborées par d'autres. Cette étroitesse fut un bonheur pour lui; sans elle, il ne serait jamais parvenu à se représenter l'histoire universelle à un point de vue spécifiquement prussien.

ENGELS, *Le Rôle de la violence dans l'histoire*, 1887-88,
W XXI, p. 427. E.S.

Bismarck et Napoléon III illustrent cette habileté sans perspective et cette roublardise bornée du banal commerçant spéculateur qui se fixe un but, et qui, incapable de mesurer les causes et les effets, arrive au résultat opposé.

ENGELS, *Lettre à Laura Lafargue*, 9 novembre 1891. E.S.

Bilan 1874

La bourgeoisie est politiquement à son déclin... En Angleterre, le suffrage universel mettra nécessairement fin à toute la domination bourgeoise. En France, la bourgeoisie n'a régné que deux ans, en 1849-1850; elle ne peut prolonger son existence sociale qu'en remettant sa domination politique entre les mains de Bonaparte... Ce qui distingue la bourgeoisie de toutes les classes qui régnèrent jadis, c'est cette particularité que, dans son développement, il y a un tournant à partir duquel tout accroissement de ses moyens de puissance, donc en premier lieu, de ses capitaux, ne fait que contribuer à la rendre de plus en plus inapte à la domination politique : *derrière la bourgeoisie, il y a les prolétaires.*

En Allemagne, la bourgeoisie abandonne au gouvernement tout le pouvoir politique effectif (...); elle achète son émancipation sociale graduelle au prix d'une rénonciation immédiate à son propre pouvoir politique. Naturellement, le principal motif qui rend une telle convention acceptable par la bourgeoisie, ce n'est pas sa peur du gouvernement, mais du prolétariat.

Si lamentables que soient les manifestations de notre bourgeoisie dans le domaine politique, il est indéniable que, sous le rapport industriel et commercial, elle fait enfin son devoir... Nous avons enfin un commerce mondial, une industrie vraiment grande, une bourgeoisie vraiment moderne...

ENGELS, Préface de 1874
à la réédition de la *Guerre des paysans*, E.S.

Bilan 1892

Il semble que ce soit une loi du développement historique, que la bourgeoisie ne puisse, en aucun pays d'Europe, s'emparer du pouvoir politique — du moins pour un temps assez prolongé — de la même manière exclusive que l'aristocratie féodale au Moyen Age. Même en France, où la féodalité fut complètement extirpée, la bourgeoisie en tant que classe n'a détenu le pouvoir que pendant des périodes très courtes. Pendant le règne de Louis-Philippe (1830-1848), une très petite fraction de la bourgeoisie seulement régna, la fraction la plus nombreuse étant exclue du suffrage par un *cens* très élevé. Sous la deuxième République (1848-1851), la bourgeoisie tout entière régna, mais trois ans seulement; son incapacité fraya la route à l'Empire. C'est seulement sous la troisième République que la bourgeoisie, en son entier, a conservé le pouvoir pendant plus de vingt ans; elle donne déjà des signes réconfortants de décadence. Un règne durable de la bourgeoisie n'a été possible que dans des pays comme l'Amérique, où il n'y avait pas de féodalité et où, d'emblée, la société se constitua sur la base bourgeoise. Cependant en Amérique, comme en France, les successeurs de la bourgeoisie, les ouvriers, frappent déjà à la porte.

ENGELS, *Socialisme utopique et Socialisme scientifique*, 1892,
W XXII, p. 307. E.S.

Les États-Unis : paradis perdu de la société civile

Aux États-Unis la République est la forme de la conservation de la société bourgeoise parce que les classes déjà constituées mais non encore fixées, modifient et remplacent constamment leurs éléments constitutifs, parce que les moyens de production modernes, au lieu de correspondre à une société stagnante, compensent plutôt le manque relatif de têtes et de bras, car, enfin, le mouvement jeune et fiévreux de la production matérielle qui a un monde nouveau à conquérir, n'a eu ni le temps ni l'occasion de détruire l'ancien monde spirituel.

MARX, *Le 18 Brumaire...*, 1852, W VIII, p. 122. E.S.

(C'est) un pays où la société bourgeoise ne s'est pas développée sur la base du féodalisme, mais s'est construite elle-même; où elle apparaît non pas comme la survivance d'un mouvement séculaire, mais comme le point de départ d'un mouvement nouveau; où l'État, à la différence de toutes les sociétés antérieures, fut d'emblée subordonné à la société bourgeoise et à sa production et ne put jamais prétendre à la poursuite de fins propres; où la société bourgeoise s'est développée dans des proportions et avec une liberté jamais vues auparavant (...) dans la conquête des forces de la nature; où enfin les antagonismes de la société bourgeoise n'apparaissent eux-mêmes que comme des moments passagers. Quoi d'étonnant à ce que les rapports de production dans lesquels cet immense nouveau monde s'est développé d'une manière si rapide, surprenante et heureuse, soient considérés par Carey comme les conditions normales et éternelles?

MARX, *Bastiat et Carey*, juillet 1857, GR, p. 844.

Les petits bourgeois démocrates

Le démocrate, parce qu'il représente la petite bourgeoisie, par conséquent une *classe intermédiaire*, au sein de laquelle s'émoussent les intérêts de deux classes opposées, s'imagine être au-dessus des antagonismes de classe. Les démocrates reconnaissent qu'ils ont devant eux une classe privilégiée, mais eux, avec tout le reste de la nation, ils constituent le *peuple*. Ce qu'ils représentent, c'est le *droit du peuple*; ce qui les intéresse, c'est *l'intérêt du peuple*. Ils n'ont donc pas besoin, avant d'engager une lutte, d'examiner les intérêts et les positions des différentes classes. Ils n'ont pas besoin de peser trop minutieusement leurs propres moyens. Ils n'ont qu'à donner le signal pour que le *peuple* fonce avec toutes ses ressources inépuisables sur ses *oppresseurs*. Mais si, dans la pratique, leurs intérêts apparaissent sans intérêt, et si leur puissance se révèle comme une impuissance, la faute en est ou aux sophistes criminels qui divisent le *peuple indivisible* en plusieurs camps ennemis, ou à l'armée qui est trop abrutie et trop aveuglée pour considérer les buts de la démocratie comme son propre bien, ou encore, c'est qu'un détail d'exécution a tout fait échouer, ou, enfin, qu'un hasard imprévu a fait perdre cette fois la partie. En tout cas, le démocrate sort de la défaite la plus honteuse tout aussi pur qu'il était innocent lorsqu'il est entré dans la lutte, avec la conviction nouvelle qu'il doit vaincre, non pas parce que lui et son parti devront abandonner leur ancien point de vue, mais parce que, au contraire, les conditions devront mûrir.

MARX, *Le 18 Brumaire...*, 1852, W VIII, p.144-5. E.S.

Les paysans

Les paysans parcellaires constituent une masse énorme dont les membres vivent tous dans la même situation, mais sans être unis les uns aux autres par des rapports variés. Leur mode de production les isole les uns des autres, au lieu de les amener à des relations réciproques. Cet isolement est encore aggravé par le mauvais état des moyens de communication en France et par la pauvreté des paysans. L'exploitation de la parcelle ne permet aucune division du travail, aucune utilisation des méthodes scientifiques, par conséquent, aucune diversité de développement, aucune variété de talents, aucune richesse de rapports sociaux. Chacune des familles paysannes se suffit presque complètement à elle-même, produit directement elle-même la plus grande partie de ce qu'elle consomme et se procure ainsi ses moyens de subsistance bien plus par un échange avec la nature que par un échange avec la société. La parcelle, le paysan et sa famille; à côté, une autre parcelle, un autre paysan et une autre famille. Un certain nombre de ces familles forment un village et un certain nombre de villages un département. Ainsi, la grande masse de la nation française est constituée par une simple addition de grandeurs de même nom, à peu près de la même façon qu'un sac rempli de pommes de terre forme un sac de pommes de terre. Dans la mesure où des millions de familles paysannes vivent dans des conditions économiques qui les séparent les unes des autres et opposent leur genre de vie, leurs intérêts et leur culture à ceux des autres classes de la société, elles constituent une classe. Mais elles ne constituent pas une classe dans la mesure où il n'existe entre les paysans parcellaires qu'un lien local et où la similitude de leurs intérêts ne crée entre eux aucune communauté, aucune liaison nationale ni aucune organisation politique. C'est pourquoi ils sont incapables de défendre leurs intérêts de classe en leur propre nom, soit par l'intermédiaire d'un Parlement, soit par l'intermédiaire d'une Assemblée. Ils ne peuvent se représenter eux-mêmes, ils doivent être représentés. Leurs représentants doivent en même temps leur apparaître comme leurs maîtres, comme une autorité supérieure, comme une puissance gouvernementale absolue, qui les protège contre les autres classes et leur envoie d'en haut la pluie et le beau temps. L'influence politique des paysans parcellaires trouve, par conséquent, son ultime expression dans la subordination de la société au pouvoir exécutif.

... La propriété parcellaire, par sa nature même, sert de base à une bureaucratie toute puissante et innombrable. Elle crée sur toute la surface du pays l'égalité de niveau des rapports et des personnes et, par conséquent, la possibilité pour un pouvoir central d'exercer la même action sur tous les points de cette même masse. Elle anéantit les couches aristocratiques intermédiaires, placées entre la masse du peuple et ce pouvoir central. Elle provoque, par conséquent, de toutes parts, l'intervention directe de ce pouvoir, et l'ingérence de ses organes directs.

MARX, *Le 18 Brumaire...*,
W VIII, p. 198-9 et 202. E.S.

La fin des paysans

... Une révolution silencieuse s'accomplit dans la société, une révolution à laquelle il faut se soumettre et qui se soucie des existences humaines qu'elle sacrifie aussi peu qu'un tremblement de terre s'inquiète des maisons qu'il détruit. Les classes et les races qui sont trop faibles pour maîtriser les nouvelles conditions de la vie doivent succomber. Peut-il y avoir quelque chose de plus puéril et de plus borné que les opinions de ces économistes qui se figurent très sérieusement que ce lamentable état de transition ne signifie rien d'autre que l'adaptation de la société à l'instinct de gain des capitalistes, propriétaires fonciers ou barons de la finance? En Grande-Bretagne, ce processus est transparent. L'application des méthodes scientifiques à la production expulse les hommes de la campagne et les concentre dans les villes industrielles.

... La population paysanne, l'élément le plus sédentaire et le plus conservateur de la société moderne disparaît, tandis que le prolétariat industriel, à cause précisément du mode moderne de production, se voit entassé dans de grands centres, où il est entouré des puissantes forces productives dont la genèse a été jusqu'ici le martyrologe des travailleurs. Qui est-ce qui empêchera les ouvriers de faire un pas de plus et de s'emparer des forces qui se sont jusqu'ici emparées d'eux? Où sera la puissance capable de leur résister? Nulle part!

MARX, *L'Émigration forcée*, 1853, W VIII, p. 544-5.

La bureaucratisation de l'État

Les buts de l'État se transforment en buts de la bureaucratie ou les buts de la bureaucratie en buts de l'État. La bureaucratie est un cercle d'où personne ne peut s'échapper. Sa hiérarchie est une *hiérarchie du savoir*. La tête s'en remet aux cercles inférieurs du soin de connaître le détail, et les cercles inférieurs s'en remettent à la tête pour ce qui est de la connaissance du général, et ainsi ils se dupent mutuellement.

La bureaucratie est l'État imaginaire à côté de l'État réel, le spiritualisme de l'État... Elle tient en sa possession l'essence de l'État, l'essence spirituelle de la société : c'est sa *propriété privée*. L'esprit général de la bureaucratie est le *secret*, le mystère, gardé dans son sein par la hiérarchie, et envers le dehors par sa nature de corporation fermée. Aussi l'esprit politique manifeste, tout comme la mentalité politique, apparaissent-ils à la bureaucratie comme une *trahison* envers son mystère. L'*autorité* est en conséquence le principe de son savoir, et l'idolâtrie de l'autorité est sa *mentalité*. Mais dans le sein même de la bureaucratie le *spiritualisme* devient un *matérialisme sordide*, le matérialisme de l'obéissance passive, du culte de l'autorité, du *mécanisme* d'une pratique formelle ossifiée, de principes, d'idées et de traditions fixes. Quant au bureaucrate pris individuellement, les buts de l'État deviennent ses buts privés : c'est la *curée aux postes plus élevés*, c'est le *carriérisme*.

MARX, *Critique de la Philosophie hégélienne de l'État*, 1843,
W I, p. 249.

Signification de la centralisation politique

Ce pouvoir exécutif, avec son immense organisation bureaucratique et militaire, avec son mécanisme étatique complexe et artificiel, son armée de fonctionnaires d'un demi-million d'hommes et son autre armée de cinq cent mille soldats, effroyable corps parasite, qui recouvre comme d'une membrane le corps de la société française et en bouche tous les pores, se constitua à l'époque de la monarchie absolue, au déclin de la féodalité, qu'il aida à renverser. Les privilèges seigneuriaux des grands propriétaires fonciers et des villes se transformèrent en autant d'attributs du pouvoir d'État, les dignitaires féodaux en fonctionnaires appointés, et la carte bigarrée des droits souverains médiévaux contradictoires devint le plan bien réglé d'un pouvoir d'État, dont le travail est divisé et centralisé comme dans une usine. La première Révolution française, qui se donna pour tâche de briser tous les pouvoirs indépendants, locaux, territoriaux, municipaux, provinciaux, pour créer l'unité bourgeoise de la nation, devait nécessairement développer l'œuvre commencée par la monarchie absolue : la centralisation, mais en même temps aussi l'étendue, les attributs et l'appareil du pouvoir gouvernemental. Napoléon acheva de perfectionner ce mécanisme d'État. La monarchie légitime et la monarchie de juillet ne firent qu'y ajouter une plus grande division du travail, croissant au fur et à mesure que la division du travail à l'intérieur de la société bourgeoise créait de nouveaux groupes d'intérêts, et par conséquent un nouveau matériel pour l'administration d'État. Chaque intérêt commun fut immédiatement détaché de la société, opposé à elle à titre d'intérêt supérieur, *général*, enlevé à l'initiative des membres de la société, transformé en objet de l'activité gouvernementale, depuis le pont, la maison d'école et la propriété communale du plus petit hameau jusqu'aux chemins de fer, aux biens nationaux et aux universités. La République parlementaire, enfin, se vit contrainte, dans sa lutte contre la révolution, de renforcer par ses mesures de répression les moyens d'action et la centralisation du pouvoir gouvernemental. Toutes les révolutions politiques n'ont fait que perfectionner cette machine, au lieu de la briser.

... La centralisation politique dont la société moderne a besoin ne peut s'élever que sur les débris de l'appareil gouvernemental, militaire et bureaucratique, forgé autrefois pour lutter contre le féodalisme. La destruction de l'appareil d'État ne mettra pas en danger la centralisation. La bureaucratie n'est que la forme inférieure et brutale d'une centralisation, qui est encore infectée de son contraire, le féodalisme.

Marx, Le 18 Brumaire..., 1852, W VIII, p. 197. E.S.

Perspectives internationales : la menace russe

Le tsar réclame un protectorat exclusif sur la Turquie. L'humanité ne doit pas oublier que la Russie a été la « protectrice » de la Pologne, la « protectrice » de la Crimée, la « protectrice » de la Courlande, la « protectrice » de la Géorgie, de la Mingrélie, des tribus caucasiennes et circassiennes. Et maintenant, de la Turquie... Pour illustrer la prétendue antipathie qu'éprouve la Russie envers toute politique d'annexions, je rappelle les faits suivants concernant les conquêtes russes depuis Pierre le Grand. Les frontières russes ont avancé :

en direction de Berlin, Dresde et Vienne, de 700 miles;
en direction de Constantinople, de 500 miles;
en direction de Stockholm, de 600 miles;
en direction de Téhéran, de 1.000 miles.

La Russie a conquis sur la Suède un territoire plus vaste que celui qui reste à ce royaume; sur la Pologne, un territoire presque égal à celui de l'Empire autrichien; sur la Turquie d'Europe, une superficie plus grande que la Prusse (sans ses provinces rhénanes); sur la Turquie d'Asie, une superficie aussi grande que toute l'Allemagne; sur la Perse, une superficie égale à l'Angleterre; sur la Tartarie, un territoire égal à celui de la Turquie d'Europe, de la Grèce, de l'Italie et de l'Espagne réunies. Dans les soixante dernières années, l'ensemble des conquêtes faites par la Russie égale en étendue et en importance tout le territoire que cet empire possédait auparavant en Europe.

Marx, L'Expansion russe, 1853, W IX, p. 115-6.

La conquête de Constantinople mettra la Russie à deux pas de la Méditerranée; grâce à Durazzo et à la côte d'Albanie (...), elle sera au centre même de l'Adriatique (...); enserrant l'Autriche de trois côtés, elle comptera les Habsbourg [*aujourd'hui : l'Autriche, la Hongrie et la Tchécoslovaquie*] parmi ses vassaux. Autre chose encore serait possible, sinon probable : la frontière occidentale de l'Empire, fortement incurvée et sans lignes naturelles fortement accusées, aurait besoin d'une rectification; et l'on s'apercevrait que la frontière naturelle de la Russie va de Dantzig [*aujourd'hui Gdansk*] ou peut-être de Stettin [*aujourd'hui Szczecin*] à Trieste. Et aussi certainement qu'une conquête fait suite à une autre et qu'une annexion en entraîne une autre, la conquête de la Turquie par la Russie ne serait que le prélude [*mais cela ne s'est guère révélé nécessaire*] pour l'annexion de la Hongrie, de la Prusse [*aujourd'hui disparue de la carte*], de la Galicie [*province autrichienne jusqu'en 1918, aujourd'hui en partie polonaise, en partie ukrainienne*], jusqu'à ce que soit réalisé cet empire slave, que certains philosophes panslavistes fanatiques rêvent déjà.

ENGELS, *La Turquie*, 1853, W IX, p. 16-17.

La politique extérieure de la Russie ne se soucie absolument pas des principes, au sens le plus ordinaire du terme. Elle n'est ni légitimiste ni révolutionnaire, mais elle utilise avec une égale dextérité tous les prétextes qui pourraient servir à l'agrandissement territorial de l'État, se désintéressant totalement de la question de savoir si celui-ci sera obtenu par le moyen de la victoire des peuples révoltés ou par celui des querelles dynastiques.

MARX, *La Russie et l'Autriche*, 1860, W IX, p. 396.

La traditionnelle politique de conquête des tsars [repose sur une diplomatie qui] n'est possible qu'aussi longtemps que le peuple demeure absolument passif, aussi longtemps qu'il n'a d'autre volonté que celle de son gouvernement, aussi longtemps qu'il n'a d'autre vocation que celle de fournir les soldats et les impôts requis pour la réalisation des objectifs de la diplomatie. Dès que la Russie se développera intérieurement et, par conséquent, dès qu'elle connaîtra les luttes de partis à l'intérieur, la conquête d'un régime constitutionnel où les luttes de partis pourront se manifester sans violence ne sera plus qu'une question de temps. Mais alors la politique traditionnelle de conquête sera, elle aussi, une chose du passé. La fixité et l'immutabilité des objectifs diplomatiques disparaîtront dans les luttes des partis pour le pouvoir, de même que s'évanouira la toute-puissance de l'État sur les forces de la nation. La Russie sera (...) un pays européen comme les autres et la force toute particulière de sa diplomatie traditionnelle sera brisée à jamais (...). Si, à la place du tsar tout-puissant, surgit une Assemblée nationale (...), alors disparaîtront tous les prétextes à la folie d'armement qui transforme l'Europe tout entière en un camp militaire et qui fait apparaître la guerre presque comme une délivrance...

> ENGELS, *La Politique étrangère du tsarisme*, 1890,
> W XXII, p. 38.

L'Irlande

Le peuple qui subjugue un autre peuple se forge ses propres chaînes...

... Abstraction faite de toute justice internationale, c'est une *condition préliminaire de l'émancipation de la classe ouvrière anglaise* de transformer la présente *Union forcée* — c'est-à-dire l'esclavage de l'Irlande — en *Confédération égale et libre*, s'il se peut, en *séparation complète*, s'il le faut...

> MARX, *Note confidentielle*, 28 mars 1870 (en français).

La Pologne

Polonais et révolutionnaire sont synonymes... Les intérêts du panslavisme s'opposent directement à la restauration de la Pologne. Car une Pologne sans la Galicie, une Pologne qui ne s'étend pas de la Baltique aux Carpathes n'est pas la Pologne.

> ENGELS, *Le Panslavisme démocratique*,
> NRhZ, 15 février 1849, W VI, p. 284.

Devait-on céder des contrées entièrement habitées par des Allemands (la Silésie), devait-on céder des grandes villes entièrement allemandes (Dantzig, etc.) à un peuple qui n'avait pas encore prouvé qu'il fût capable de s'élever au-dessus d'un état de féodalité basé sur le servage?

Une guerre contre la Russie offrait l'unique solution possible. Dans cette éventualité, la question de la démarcation des différentes nations révolutionnaires eût été subordonnée à celle de l'établissement, au préalable, d'une frontière sûre contre l'ennemi commun. Les Polonais, mis en possession de vastes territoires dans l'Est, eussent été plus traitables au sujet de l'Ouest; et, en fin de compte, Riga et Mitau leur auraient paru tout aussi importants que Dantzig et Elbing.

> ENGELS, *Révolution et contre-révolution en Allemagne*,
> février 1852, W VIII, p. 51. E.S.

L'Allemagne des poètes et des philosophes

Cette Allemagne « insondable » n'a jamais existé autre part

que dans l'imagination de Victor Hugo. C'était l'Allemagne qui était censée ne s'occuper que de musique, de rêves, de nuages, et qui laissait aux bourgeois et aux journalistes français le soin de diriger les affaires d'ici-bas... C'est aujourd'hui le pays le plus prosaïque, le plus terre-à-terre du monde.

ENGELS, *Lettre à Paul Lafargue*, 5 décembre 1892. E.S.

La Chine

Devant les armes britanniques, l'autorité de la dynastie mandchoue est tombée en pièces; la foi superstitieuse en l'éternité du Céleste Empire s'est écroulée; son barbare et hermétique isolement du monde civilisé a été violé (...). Dans la même mesure où l'opium a obtenu la souveraineté sur les Chinois, l'Empereur et ses mandarins pédantesques ont été dépossédés de leur propre souveraineté. Il semblerait que l'histoire avait d'abord voulu enivrer tout ce peuple avant de pouvoir l'éveiller de sa torpeur séculaire (...). L'isolement complet était la condition première de la préservation de la veille Chine. Cet isolement ayant pris fin violemment avec le concours de l'Angleterre, la dissolution doit s'ensuivre aussi sûrement que celle d'une momie soigneusement conservée dans un cercueil hermétiquement scellé, quand elle est mise en contact avec l'air...

MARX, *La Révolution en Chine et en Europe*, 1853,
W IX, p. 96-7.

La guerre de 1894 entre la Chine et le Japon, [laquelle a entraîné la perte de Formose et le début du démembrement de la Chine] signifie la fin de l'ancienne Chine, une révolution complète, quoique graduelle, de toute sa base économique (...). La guerre a porté à la vieille Chine un coup mortel. L'isolement n'est plus possible, l'introduction des chemins de fer, des machines à vapeur, de l'électricité, de la grande industrie est devenue une nécessité, ne serait-ce que pour la défense militaire. Mais en même temps s'écroule l'ancien système de la petite économie paysanne, où la famille fabriquait elle-même ses articles industriels, et de ce fait aussi tout l'ancien système social... (Cela entraînera) une émigration massive des coolies chinois en Europe; pour nous cette guerre hâtera donc la débâcle et aggravera les contradictions jusqu'à la crise. Voilà bien encore la superbe ironie de l'histoire : la production capitaliste n'a plus que la Chine à conquérir, mais en y parvenant enfin, elle rend sa propre existence impossible dans sa patrie... Des millions de gens seront contraints d'émigrer; ils trouveront le chemin de l'Europe et y afflueront. Mais la concurrence chinoise, dès qu'elle sera massive, aura vite fait d'aggraver à l'extrême la situation chez vous [aux États-Unis] comme chez nous, et c'est ainsi que la conquête de la Chine par le capitalisme poussera vers sa chute le capitalisme en Europe et en Amérique.

ENGELS, *Lettres à Kautsky*, 23 septembre 1894,
et à Sorge, 10 novembre 1894, E.S.

V

LE MOUVEMENT OUVRIER

Présentation

Lorsque Marx a formulé pour la première fois sa théorie du prolétariat, celui-ci n'était encore, en Allemagne, qu'une « abstraction » dont la réalité ne pouvait être saisie que par anticipation. L'entreprise fondée par Krupp, à Essen, employait à sa mort, en 1826, quatre ouvriers, en 1835, lorsque fut installée dans ses locaux la première machine à vapeur, elle occupait 67 travailleurs; leur nombre aura à peine doublé en 1846. A la même date en France, la « classe manufacturière » (2 500 000 personnes dont 897 000 chômeurs soit 1 600 000 au travail, sur lesquels 384 700 femmes et 208 000 enfants) est moins nombreuse que la classe des artisans (3 800 000) et celle des ouvriers agricoles qui représentent la grande majorité de la population active (14 millions).

Dans ce monde où l'on avait recensé près d'un million de domestiques et un demi-million de vagabonds, le prolétariat n'était encore qu'un noyau informe, à peine dégagé de la masse des artisans. Et pourtant c'est sur cette classe encore embryonnaire et quasi inconsciente que Marx a établi sa perspective historique plaçant toute sa confiance dans l'action des « lois fatales » du développement capitaliste et dans le mûrissement de la conscience de classe du prolétariat.

Au fur et à mesure que diminue le nombre des propriétaires des moyens de production, les travailleurs salariés s'accroissent et absorbent la totalité de la population. Le prolératiat est tout d'abord le produit de la dissolution de l'ancienne société : « les petits commerçants, les boutiquiers, les artisans et les paysans s'enfoncent par degrés dans le prolétariat ». Puis, le « progrès de l'industrie précipite dans le prolétariat des fractions entières de la classe dominante » (MC) : c'est la « prolétarisation » des classes moyennes, leur transformation, de propriétaires de capital, en simples propriétaires d'une force de travail.

Se fondant sur les réalités de son temps, Marx a cru pouvoir identifier la généralisation du salariat (confirmée par les faits) avec la « prolétarisation de la population » (en quoi il se trompait). Ainsi il a pu définir le mouvement prolétarien comme « le mouvement autonome de l'immense majorité dans l'intérêt de l'immense majorité » (MC). Seule classe capable de s'identifier avec le progrès de l'industrie, synonyme d'anéantissement pour toutes les autres classes; seule capable de transcender les particularismes et les nationalismes qui aveuglent les autres classes; seule capable de s'élever au niveau de l'histoire planétaire; seule classe lucide face aux bourgeois « agents passifs et insconscients du progrès », aux paysans « barbares », condamnés à l' « idiotie », et aux petits bourgeois aveuglés par la défense de leurs « intérêts mesquins et anachroniques, le prolétariat est la classe qui porte l'avenir dans ses bras » (MC).

Ce « messianisme » prolétarien explique les « illusions naïves » de 1848-1850. Il explique aussi la place subordonnée qu'occupe la politique en tant que telle dans la théorie marxiste. De là vient également le refus systématique que Marx et Engels ont opposé à la tradition machiavélienne qui met l'accent sur l'élite plutôt que sur la classe, ainsi que la lutte incessante qu'ils ont menée contre la théorie blanquiste du primat de l' « avant-garde ». Les « communistes » dont parle le Manifeste *ne constituent pas un « parti distinct en face des autres partis ouvriers » et les partis eux-mêmes ne sont que des expressions passagères et limitées du mouvement ouvrier, totalité qui les dépasse de toutes parts et se manifeste à tous les niveaux de la vie sociale. « Le parti au sens éminemment historique du terme » dont parle Marx dans sa lettre à Freiligrath (du 29-2-1860), désigne l'ensemble des forces par lesquelles se manifeste « l'auto-activité », « l'auto-émancipation » du prolétariat, « l'économie politique ouvrière » dans les usines, les syndicats, les coopératives, les partis au sens ordinaire du terme. De ce « parti » qui « naît spontanément du sol de la société moderne », les organisations purement politiques ne sont que des expressions « éphémères », de simples « épisodes ». La politique n'est qu'une des dimensions de l'action par laquelle le prolétariat sort de sa passivité originelle et s'affirme dans l'histoire. Si la « conquête de la démocratie », la « dictature du prolétariat » en tant que démocratisation intégrale de l'État, est la condition du socialisme, celui-ci se situe d'emblée en dehors de la sphère politique, se manifeste essentiellement dans le travail de reconstruction économique, dans la démocratisation des « rapports de production », la gestion et le contrôle de la production par les « individus librement associés ».*

1. — SITUATION DE LA CLASSE OUVRIÈRE

Une classe encore archaïque : femmes et enfants

Parmi les 419 560 ouvriers employés dans les usines de l'Empire britannique en 1839, 192 887, soit presque la moitié, étaient âgés de moins de 18 ans, et 242 996 étaient du sexe féminin, dont 112 192 au-dessous de 18 ans. Restent donc 80 695 travailleurs masculins de moins de 18 ans et 96 569 d'hommes adultes (soit 23 %), c'est-à-dire pas *même le quart* du total. Dans les usines cotonnières 56,25 %, dans les usines lainières 69,50 %, dans les usines à soie 70,50 %; dans les filatures de lin 70,50 % du total des travailleurs étaient du sexe féminin. Ces chiffres suffisent à prouver l'éviction des ouvriers mâles adultes... Le machinisme évince de plus en plus le travail de l'homme adulte. Le travail aux machines n'exige aucune force, mais une grande agilité des doigts. Non seulement donc les hommes n'y sont pas indispensables, mais même le développement plus fort des muscles et des os de leurs mains les y rend moins propres que les femmes et les enfants; et ils sont ainsi tout naturellement évincés de ce genre de travail.

ENGELS, *Situation des classes laborieuses en Angleterre*, 1845
W II, p. 366.

Prépondérance du travail non qualifié

Les différences d'intérêt et de situation s'effacent de plus en plus au sein du prolétariat parce que le machinisme efface de plus en plus les différences du travail et ramène presque partout le salaire à un niveau également bas.

MARX-ENGELS, *Le Manifeste communiste*, 1848.

La gradation hiérarchique d'ouvriers spécialisés qui caractérise la division manufacturière du travail est remplacée dans la fabrique automatique par la tendance à égaliser ou à niveler les travaux incombant aux aides du machinisme.

MARX, *Le Capital*, I, 1867, p. 441. (II, 107).

Qu'en est-il du travail complexe qui dépasse le niveau du travail moyen, travail d'intensité supérieure, de poids spécifique plus élevé. Ce genre de travail se résout en un composé du travail simple, en travail simple d'une puissance plus élevée. Ainsi par exemple une journée de travail complexe équivaut à trois journées de travail simple. Ce n'est pas encore le lieu de parler ici des lois qui règlent cette réduction...

MARX, *Critique de l'Économie politique*, 1859, XIII, p. 19.
(Ces « lois » ne seront jamais formulées.)

La distinction entre le travail complexe et le travail simple *(skilled and unskilled labour)* repose souvent sur de pures illusions, ou du moins sur des différences qui ne possèdent depuis longtemps aucune réalité... D'ailleurs il ne faut pas s'imaginer que le travail prétendument supérieur *(skilled)* occupe une large place dans le travail national. D'après le calcul de Laing, il y avait en 1843 en Angleterre, y compris le pays de Galles, 11 millions 30 000 habitants dont l'existence reposait sur le travail simple. Déduction faite d'un million d'aristocrates et d'un million correspondant de pauvres, de vagabonds, de criminels, de prostituées, etc., sur les 18 millions qui composaient la population, il reste 4 millions 650 000 pour la classe moyenne, y compris les petits rentiers, les employés, les écrivains, les artistes, les instituteurs, etc. Pour obtenir ces 4 millions 2/3 il compte dans la partie travailleuse de la classe moyenne, outre les banquiers, les financiers, etc., les ouvriers de fabrique les mieux payés! Il lui reste alors les 11 millions 30 000 sus-mentionnés qui tirent leur subsistance du travail simple. « La grande classe qui n'a à donner pour sa nourriture que du travail ordinaire, forme la grande masse du peuple », dit James Mill...

MARX, *Le Capital, I*, 1867, p. 206-7. (I, 197).

Les ouvriers d'industrie : classe minoritaire

Un pays est d'autant plus riche que sa population productive est faible par rapport à la population générale, tout comme le capitaliste individuel trouve son avantage à occuper moins d'ouvriers pour produire la même plus-value. Le pays est d'autant plus riche que la population productive est faible par rapport à la population improductive, la quantité des produits restant la même. La faiblesse relative de la population productive ne ferait qu'exprimer sous une autre forme le degré relativement élevé de la productivité du travail.

MARX, *Théories de la plus-value*, 1862-3.

D'après le dernier rapport sur les fabriques (1861), le nombre total des personnes occupées dans les fabriques proprement dites du Royaume-Uni était de 775 534 unités (ouvriers et personnel administratif), alors que le personnel domestique féminin était, pour la seule Angleterre, d'un million.

Belle organisation! Une jeune fille s'éreinte 12 heures à la fabrique pour que le patron puisse, avec une partie de son travail non payé, occuper sa sœur comme servante, son frère comme groom, son cousin comme soldat ou agent de police.

MARX, *ibid.*

Ouvriers et « tertiaires »

L'accroissement extraordinaire de la productivité dans les sphères de la grande industrie... permet d'employer progressivement une partie plus considérable de la classe ouvrière à des services improductifs et de reproduire notamment en proportion toujours plus grande sous le nom de classe domestique, composée de laquais, cochers, cuisinières, bonnes, etc., les anciens esclaves domestiques. D'après le recensement de 1861, la population de l'Angleterre et du Pays de Galles comprenait 20 066 224 personnes dont si l'on en déduit :

a) ce qui est trop vieux ou trop jeune pour travailler, les femmes, les adolescents et enfants improductifs;

b) puis les professions « idéologiques » telles que gouvernement, police, clergé, magistrature, armée, savants, artistes, etc.;

c) ensuite, les gens exclusivement occupés à manger le travail d'autrui sous forme de rente foncière, d'intérêts, de dividendes, etc.;

d) et enfin les pauvres, les vagabonds, les criminels, etc., il en reste en gros 8 millions d'individus des deux sexes et de tout âge, y compris les capitalistes fonctionnant dans la production, le commerce, la finance, etc.

(Composition de la population active)

Sur ces 8 millions on compte :

Travailleurs agricoles (y compris les bergers, les valets et les filles de ferme)	1 098 261
Ouvriers des fabriques textiles	642 607
Ouvriers des mines de charbon et de métal	565 835
Ouvriers employés dans la métallurgie	396 998
Classe domestique	1 208 648

Si nous additionnons les travailleurs employés dans les fabriques textiles et le personnel des mines, nous obtenons le chiffre de 1 208 442; si nous additionnons les premiers et le personnel de toutes les usines et de toutes les manufactures de métal, nous avons un total de 1 039 605 personnes, c'est-à-dire chaque fois un nombre plus petit que celui des esclaves domestiques modernes. Voilà le magnifique résultat de l'exploitation capitaliste des machines!

MARX, *Le Capital,* I, 1867 p. 469-470. (II, 126-7).

Conclusion théorique : nécessité de répartir également le travail directement productif

Supposons que par suite de l'accroissement de la productivité un tiers de la population, au lieu de deux, participe directement à la production matérielle. Autrefois, c'était deux tiers qui fournissaient les subsistances pour les trois tiers, maintenant c'est un tiers pour trois tiers. Le revenu net, distinct, du revenu des ouvriers, est maintenant de deux tiers au lieu d'un tiers. S'il n'y avait pas antagonisme de classes, la nation disposerait maintenant non plus d'un tiers, mais de deux tiers pour la production immatérielle. S'il existait une répartition égale (du travail), les trois tiers auraient plus de temps pour le travail improductif et les loisirs. Mais dans la production capitaliste, tout prend un aspect contradictoire, tout *est* contradictoire.

MARX, *Théories de la plus-value,* 1862-63, p. 189.

(Sur la généralisation du travail manuel, cf. *infra* p. 214).

Nivellement international des salaires

Dans les pays coloniaux, la loi de l'offre et de la demande favorise l'ouvrier. De là le niveau relativement élevé des salaires aux États-Unis. Le capital a beau s'y évertuer; il ne peut empêcher que le marché du travail ne s'y vide constamment par la transformation continuelle des ouvriers salariés en paysans indépendants, se suffisant à eux-mêmes. La situation d'ouvrier salarié n'est, pour une grande partie des Américains, qu'un stade transitoire qu'ils sont sûrs de quitter au bout d'un temps plus ou moins rapproché.

MARX, *Salaire, prix et profit*, 1865, XVI, p. 149. E.S.

La grande république (les États-Unis) a donc cessé d'être la terre promise des travailleurs émigrants. La production capitaliste y marche à pas de géant, surtout dans les États de l'Est, quoique l'abaissement des salaires et la servitude des ouvriers soient loin *encore* d'y avoir atteint le niveau *normal* européen.

MARX, *Le Capital*, I, 1867, p. 814. (III, 214).

Un écrivain du XVIIIe siècle, l'auteur de l'*Essai sur l'industrie et le commerce*, ne fait que trahir le secret intime du capitaliste anglais lorsqu'il déclare que la grande tâche historique de l'Angleterre, c'est de ramener chez elle le salaire au niveau français ou hollandais... (le travail est en France d'un bon tiers meilleur marché qu'en Angleterre)... De nos jours ses aspirations ont été de beaucoup dépassées, grâce à la concurrence cosmopolite dans laquelle le développement de la production capitaliste a jeté tous les travailleurs du globe. Il ne s'agit plus seulement de réduire les salaires anglais au niveau de ceux de l'Europe continentale, mais de faire descendre dans un avenir plus ou moins proche, le niveau européen au niveau chinois...

A mesure qu'il développe le pouvoir productif du travail, le système capitaliste développe aussi les moyens de tirer plus de travail du salarié, soit en prolongeant sa journée, soit en rendant son labeur plus intense, soit en augmentant en apparence le nombre des travailleurs employés en remplaçant une force supérieure et plus chère par plusieurs forces inférieures et à bon marché, l'homme par la femme, l'adulte par l'adolescent et l'enfant, un Yankee par trois Chinois.

MARX, *Le Capital*, I, 1867, p. 630-631. (III, 49 et 79).

2. — L'AUTO-ÉMANCIPATION DU PROLÉTARIAT : LES ÉCRITS DE JEUNESSE

De la classe en soi à la classe pour soi

Les conditions économiques ont d'abord transformé la masse du pays en travailleurs. La domination du capital a créé à cette

masse une situation commune, des intérêts communs. Ainsi
cette masse est déjà une classe vis-à-vis du capital, mais pas
encore pour elle-même. Dans la lutte, cette masse se réunit,
elle se constitue en classe pour elle-même.

MARX, *Misère de la philosophie*, 1847.

Contre l'anti-syndicalisme proudhonien

Les économistes disent aux ouvriers : Ne vous coalisez pas.
En vous coalisant, vous entravez la marche régulière de l'industrie...

Les socialistes (Proudhon) disent aux ouvriers : Ne vous
coalisez pas... Les maîtres seront des maîtres, après comme
avant. Ainsi pas de coalition, pas de politique, car faire des
coalitions, n'est-ce pas faire de la politique?

Malgré les uns et les autres, les coalitions n'ont pas cessé de
grandir avec le développement de l'industrie moderne. C'est
à tel point maintenant que le degré où est arrivé la coalition
dans un pays, marque nettement le degré qu'il occupe dans la
hiérarchie du marché de l'univers. L'Angleterre, où l'industrie
a atteint le plus haut degré de développement, a les coalitions
les plus vastes et les mieux organisées.

MARX, *Misère de la Philosophie*, 1847.

Contre l'apolitisme anarchiste

(Stirner) se figure que les prolétaires sont indifférents aux droits
politiques et à la forme du gouvernement. Les ouvriers tiennent
à tel point aux droits politiques, c'est-à-dire au droit à l'exercice
actif des droits politiques que là où ils l'*ont*, comme aux États-
Unis, ils le font directement valoir, et que là où ils ne l'ont pas,
ils veulent l'acquérir. Voir les déclarations des ouvriers américains au cours d'innombrables meetings, et toute l'histoire du
chartisme anglais et du réformisme et du communisme français.

MARX-ENGELS, *L'Idéologie allemande*, 1846, p. 220.

Le parti ouvrier face à la révolution démocratique

Les ouvriers savent fort bien que la bourgeoisie devra leur
faire non seulement de plus larges concessions politiques que la
monarchie absolue, mais qu'au service de son commerce et de
son industrie, elle fait surgir malgré elle les conditions favorables
à l'union de la classe ouvrière. Or, l'union des ouvriers est la
première exigence de leur triomphe. Les ouvriers savent que la
suppression des conditions bourgeoises de la propriété ne saurait être réalisée par la conservation du régime féodal de la
propriété. Ils savent que le mouvement révolutionnaire de la

bourgeoisie contre les castes féodales et la monarchie absolue ne peut qu'accélérer leur propre mouvement révolutionnaire. Ils savent que leur propre lutte contre la bourgeoisie ne pourra éclater que le jour où la bourgeoisie aura triomphé... Ils peuvent et doivent accepter la révolution bourgeoise comme une condition de la révolution ouvrière. Mais ils ne peuvent la considérer un seul instant comme leur but final.

MARX, *La Critique moralisante*, novembre 1847, W IV, p. 352.

La révolution prolétarienne

Elle établira tout d'abord une constitution démocratique et, par là, directement ou indirectement, la domination politique du prolétariat. Directement, en Angleterre, où les prolétaires constituent déjà une majorité du peuple. Indirectement, en France et en Allemagne, où la majorité du peuple est composée non seulement de prolétaires, mais aussi de petits paysans et de petits bourgeois... Cela nécessitera peut-être une deuxième lutte, mais qui ne peut se terminer que par la victoire du prolétariat...

La Révolution communiste ne sera pas une révolution purement nationale. Elle se produira en même temps dans tous les pays civilisés, c'est-à-dire tout au moins en Angleterre, en Amérique, en France et en Allemagne. Elle se développera dans chacun de ces pays, plus rapidement ou plus lentement, selon que l'un ou l'autre de ces pays possède une industrie plus développée... C'est pourquoi elle sera plus lente et plus difficile en Allemagne et plus facile en Angleterre...

ENGELS, *Principes du communisme*, décembre 1847,
W IV, p. 373 et suiv.

Le parti révolutionnaire

Quelle est la position des communistes vis-à-vis des prolétaires pris en masse?

Les communistes ne forment pas un parti distinct opposé aux autres partis ouvriers.

Ils n'ont point d'intérêts qui les séparent du prolétariat en général.

Ils ne proclament pas de principes sectaires sur lesquels ils voudraient modeler le mouvement ouvrier.

Les communistes ne se distinguent des autres partis ouvriers que sur deux points :

1. Dans les différentes luttes nationales des prolétaires, ils mettent en avant et font valoir les intérêts communs du prolétariat;

2. Dans les différentes phases évolutives de la lutte entre prolétaires et bourgeois, ils représentent toujours et partout les intérêts du mouvement général.

Pratiquement, les communistes sont donc la section la plus résolue, la plus avancée de chaque pays, la section qui anime toutes les autres; théoriquement ils ont sur le reste du prolétariat l'avantage d'une intelligence nette des conditions, de la marche et des fins générales du mouvement prolétarien.

Le but immédiat des communistes est le même que celui de toutes les fractions du prolétariat : organisation des prolétaires en parti de classe, destruction de la suprématie bourgeoise, conquête du pouvoir politique par le prolétariat.

MARX-ENGELS, *Le Manifeste communiste*, février 1848.

Un parti démocratique

L'organisation (de la « Ligue des Communistes ») était totalement démocratique; ses chefs étaient élus et révocables, et c'était suffisant pour empêcher toute tentative de conspiration, c'est-à-dire de dictature.

ENGELS, *Histoire de la Ligue des Communistes*, 1885, W XXI, p. 215.

3. — LA GRANDE ILLUSION : LA RÉVOLUTION DE 1848

Révolution permanente

La position du parti ouvrier révolutionnaire vis-à-vis de la démocratie petite-bourgeoise est la suivante : il marche avec elle contre la fraction dont elle poursuit la chute; il s'oppose à elle toutes les fois qu'elle veut établir ses propres positions.

Tandis que les petits-bourgeois démocratiques veulent amener la révolution à son terme au plus vite..., notre intérêt, notre tâche est de rendre la révolution permanente, jusqu'à ce que toutes les classes plus ou moins possédantes aient été écartées du pouvoir, que le pouvoir d'État ait été conquis par le prolétariat et que, non seulement dans un pays, mais dans tous les pays qui dominent le monde, l'association des prolétaires ait fait assez de progrès pour faire cesser dans ces pays la concurrence des prolétaires, et concentrer dans leurs mains du moins les forces productives décisives.

Au lieu de se ravaler une fois encore à servir de claque aux démocrates bourgeois, les ouvriers, et surtout la Ligue, doivent travailler à constituer, à côté des démocrates officiels, une organisation autonome, secrète et publique, du parti ouvrier...

Il faut qu'à côté des nouveaux gouvernements officiels, ils créent en même temps leurs propres gouvernements ouvriers révolutionnaires, soit sous forme de municipalités ou de conseils municipaux, soit par des clubs ou des comités ouvriers, de telle façon que les gouvernements démocratiques bourgeois non seulement perdent aussitôt l'appui des ouvriers, mais se sentent de prime abord surveillés et menacés par des autorités qui ont derrière elles toute la masse des ouvriers, garde civique dirigée contre les ouvriers. Là où ce rétablissement ne peut être empêché, les ouvriers doivent essayer de s'organiser en garde prolétarienne autonome, avec un chef élu par eux-mêmes et son propre état-major également élu par eux, et sous les ordres non pas du pouvoir public, mais des conseils municipaux révolutionnaires obtenus par les ouvriers.

Il va de soi qu'au début du mouvement les ouvriers ne peuvent encore proposer de mesures directement communistes. Mais ils peuvent :

1. Forcer les démocrates à intervenir, dans le maximum de cas possible, dans l'ancien ordre social, à en troubler la marche régulière et à se compromettre eux-mêmes, à concentrer entre les mains de l'État le plus possible de forces productives, de moyens de transport, d'usines, de chemins de fer, etc.

2. Ils doivent pousser à l'extrême les projets des démocrates qui, en tout cas, ne se conduiront pas en révolutionnaires mais en réformistes, et transformer ces projets en attaques directes contre la propriété privée...

Si les ouvriers allemands ne peuvent s'emparer du pouvoir et faire triompher leurs intérêts de classe sans passer par toute une évolution révolutionnaire d'une assez longue durée, ils ont, cette fois du moins, la certitude que le premier acte du drame révolutionnaire imminent coïncide avec le triomphe direct de leur propre classe en France et s'en trouve accéléré.

Mais ils doivent contribuer eux-mêmes au maximum à leur victoire finale en prenant conscience de leurs intérêts de classe, en se posant aussitôt que possible en parti indépendant, sans se laisser détourner un seul instant, par les phrases hypocrites des petits-bourgeois, de l'organisation autonome du parti du prolétariat. Leur cri de guerre doit être : La révolution en permanence !

MARX, *Adresse du Conseil général à la Ligue communiste*,
mars 1850, W VII, p. 248-254.

Le 15 septembre 1850 Marx rompt avec les « gauchistes » Willich et Schaper. Il ne sera plus jamais question de « révolution permanente » dans ses écrits ultérieurs.

L'insurrection est un art

... L'insurrection est un art aussi bien que la guerre ou n'importe quel autre art; elle est soumise à certaines règles pratiques dont la négligence entraîne la ruine du parti qui les omet. Ces règles, logiquement déduites de la nature des partis et des circonstances avec lesquels il faut compter en pareil cas, sont tellement claires et simples que la courte expérience de 1848 les a assez bien apprises aux Allemands. Premièrement, ne jamais jouer avec l'insurrection si vous n'êtes pas absolument décidés à affronter toutes les conséquences de votre jeu. L'insurrection est un calcul avec des grandeurs très indéterminées dont la valeur peut varier tous les jours; les forces de l'adversaire ont tout l'avantage de l'organisation, de la discipline et de l'habitude de l'autorité; si vous ne pouvez leur opposer des forces bien supérieures, vous êtes défait, perdu. Deuxièmement, une fois entré dans la carrière insurrectionnelle, agir avec la plus grande détermination et de façon offensive. La défensive est la mort de tout soulèvement armé; il est perdu avant de s'être mesuré avec ses ennemis. Attaquez vos adversaires à l'improviste, pendant que leurs forces sont éparpillées, préparez de nouveaux succès, si petits soient-ils, mais quotidiens; maintenez l'ascendant moral que vous a donné le premier soulèvement victorieux; ralliez ainsi à vos côtés les éléments vacillants qui toujours suivent l'impulsion la plus forte et cherchent toujours à aller du côté le plus sûr; forcez vos ennemis à battre en retraite avant qu'ils aient pu réunir leurs forces contre vous, en disant avec Danton, le plus grand maître en politique révolutionnaire connu jusqu'ici : *De l'audace, de l'audace, encore de l'audace.*

ENGELS, *Révolution et contre-révolution en Allemagne*, août 1852, W VIII, p. 95-6. E.S.

Tragédie de l'extrémisme

Le pire qui puisse arriver au chef d'un parti extrême c'est d'être obligé de prendre le pouvoir en mains, à une époque où le mouvement n'est pas encore mûr pour la domination de la classe qu'il représente et pour l'application des mesures qu'exige la domination de cette classe. Ce qu'il peut faire ne dépend pas de sa volonté, mais du stade où en est arrivé l'antagonisme des différentes classes et du degré de développement des conditions d'existence matérielle, et de l'état de la production et des transports, qui déterminent, à chaque moment donné, le degré de développement des antagonismes de classes.

Ce qu'il *doit* faire, ce que son propre parti exige de lui, ne dépend pas de lui, encore une fois, mais non plus du degré de développement de la lutte de classe et de ses conditions. Il est lié aux doctrines qu'il a enseignées et aux revendications qu'il a posées jusque-là, doctrines et revendications qui ne sont pas issues des rapports *momentanés* des classes sociales en présence, mais de la plus ou moins grande compréhension des tendances générales du développement social et politique. Il se trouve ainsi nécessairement placé devant un dilemme insoluble : ce qu'il *peut* faire contredit toute son action posée, ses principes et les intérêts immédiats de son parti, et ce qu'il *doit* faire est irréalisable. En un mot, il est obligé de ne pas représenter son parti, sa classe, mais la classe pour la domination de laquelle les conditions sont mûres. Il est obligé, dans l'intérêt de tout le mouvement, de défendre l'intérêt d'une classe qui lui est étrangère et de nourrir sa propre classe de phrases, de promesses et de l'assurance que les intérêts de cette classe étrangère sont ses propres intérêts. Quiconque tombe dans cette situation fausse est irrémédiablement perdu.

ENGELS, *La Guerre des paysans*, 1850, W VII, p. 400-401. E.S.

Coup d'œil rétrospectif

Les innocentes illusions et l'enthousiasme presque enfantin avec lequel nous saluions avant 1848 l'ère de la révolution, s'en sont allés à tous les diables... En outre nous savons maintenant quel rôle la sottise joue dans les révolutions et comment les coquins l'exploitent.

MARX, *Lettre à Engels*, 13 février 1863.

L'autocritique d'Engels

L'histoire nous a donné tort à nous aussi, elle a révélé que notre point de vue d'alors était une illusion. Elle est encore allée plus loin : elle n'a pas seulement dissipé notre erreur d'alors, elle a également bouleversé totalement les conditions dans lesquelles le prolétariat doit combattre. Le mode de lutte de 1848 est périmé aujourd'hui sous tous les rapports...

L'histoire nous a donné tort à nous et à tous ceux qui pensaient de façon analogue. Elle a montré clairement que l'état du développement économique sur le continent était alors bien loin d'être mûr pour l'abolition de la production capitaliste; elle l'a prouvé par la révolution économique qui depuis 1848 a gagné tout le continent et qui n'a véritablement donné droit de cité qu'à ce moment (1895...) à la grande industrie en France, en Autriche, en Hongrie, en Pologne et dernièrement en Russie et fait vraiment de l'Allemagne un pays industriel de premier ordre — tout cela sur une base capitaliste, c'est-à-dire encore très capable d'extension en 1848... Il était impossible en 1848 de conquérir la transformation sociale par un simple coup de main.

ENGELS, Introduction, 1895, à MARX : *Les Luttes de classes en France*, W XXII, p. 515. E.S.

4. — LE RÉVEIL DU MOUVEMENT OUVRIER : LES ÉCRITS DE MATURITÉ

La fondation de l'Internationale

Considérant que l'émancipation de la classe ouvrière doit être l'œuvre de la classe ouvrière elle-même...

Que l'émancipation économique de la classe ouvrière est par conséquent le grand but, auquel tout mouvement politique doit être subordonné comme un moyen...

Que l'émancipation du travail est un problème qui n'est ni local, ni national, mais social, embrassant tous les pays dans lesquels existe la société moderne et dépend pour sa solution de l'action solidaire, pratique et théorique des pays les plus avancés;

Que le présent réveil des classes ouvrières dans les nations les plus industrielles d'Europe, s'il fait naître de nouveaux espoirs, doit servir d'avertissement solennel pour ne pas retomber dans les vieilles erreurs et réclame l'entente immédiate des mouvements encore isolés.

Pour ces raisons, l'Association internationale des travailleurs a été fondée.

MARX, *Statuts provisoires*, 1864, W XVI, p. 14.

Les syndicats

Les syndicats sont nés tout d'abord de tentatives spontanées de la part d'ouvriers pour supprimer ou du moins restreindre cette concurrence, pour arracher des conditions de travail contractuelles les élevant au moins au-dessus de la condition de simples esclaves.

C'est pourquoi l'objectif immédiat s'est borné aux revendications journalières, aux moyens de défense contre les empiètements incessants du Capital, bref aux questions de salaires et de durée du travail. Cette activité des syndicats n'est pas seulement légitime, elle est nécessaire. On ne saurait s'en dispenser tant que subsiste le mode actuel de production. Au contraire, il faut la généraliser en créant des syndicats et en les unissant dans tous les pays.

D'un autre côté, les syndicats, sans en avoir conscience, sont devenus les foyers d'organisation de la classe ouvrière, comme les municipalités et les communes du moyen âge le furent pour la bourgeoisie. Si les syndicats sont indispensables pour la guerre d'escarmouches quotidienne entre le Capital et le Travail, ils sont encore beaucoup plus importants en tant que mécanismes organisés pour hâter l'abolition du système même du salariat.

Jusqu'ici les syndicats ont envisagé trop exclusivement les luttes locales et immédiates contre le Capital. Ils n'ont pas encore compris parfaitement leur force offensive contre le système d'esclavage du salariat et contre le mode de production actuel. C'est pourquoi ils se sont tenus trop à l'écart des mouvements sociaux et politiques généraux. Ces derniers temps pourtant, ils semblent s'éveiller en quelque sorte à la conscience de leur grande tâche historique, comme on peut l'inférer, par exemple, de leur participation, en Angleterre au mouvement politique le plus récent, de la conscience élevée qu'ils ont, aux États-Unis, de leur fonction...

En dehors de leurs buts primitifs, il faut que les syndicats apprennent à agir désormais de manière plus consciente en tant que foyers d'organisation de la classe ouvrière dans l'intérêt puissant de leur émancipation complète. Il faut qu'ils soutiennent tout mouvement social et politique qui tend à ce but.

MARX, *Résolution sur les syndicats adoptée par le I*^{er} *congrès de l'Internationale*, 1866. (Pléiade I, 1470).

Autonomie des syndicats

... Jamais les syndicats ne doivent être rattachés à une association politique ou se trouver sous sa dépendance s'ils veulent accomplir leur tâche; le faire, c est leur porter un coup mortel. Les syndicats sont les écoles du socialisme. C'est dans les syndicats que les ouvriers s'éduquent et deviennent socialistes parce que, tous les jours, se mène sous leurs yeux la lutte avec le Capital. Tous les partis politiques, quels qu'ils puissent être, sans exception, n'enthousiasment les masses des ouvriers qu'un certain temps, momentanément; les syndicats, par contre, captent la masse de façon durable; seuls, ils sont capables de représenter un véritable parti ouvrier et d'opposer un rempart à la puissance du Capital. La grande masse des ouvriers, à quelque parti qu'ils appartiennent, est arrivée à comprendre qu'il faut que sa situation matérielle soit améliorée. Or, une fois la situation matérielle de l'ouvrier améliorée, il peut se consacrer à l'éducation de ses enfants, sa femme et ses enfants n'ont pas besoin d'aller à la fabrique, il peut lui-même cultiver davantage son esprit, mieux soigner son corps, il devient alors socialiste sans s'en douter...

MARX, *Déclaration à Hamann*, 1869.

Limites de l'action revendicative

En même temps, et tout à fait en dehors de l'asservissement général qu'implique le régime du salariat, les ouvriers ne doivent pas s'exagérer le résultat final de cette lutte quotidienne. Ils ne doivent pas oublier qu'ils luttent contre les effets et non contre les causes de ces effets, qu'ils ne peuvent que retenir le mouvement descendant, mais pas en changer la direction, qu'ils n'appliquent que des palliatifs, mais sans guérir le mal. Ils ne devraient donc pas se laisser absorber exclusivement par ces escarmouches inévitables que font naître sans cesse les empiétements ininterrompus du Capital ou les variations du marché. Il faut qu'ils comprennent que le régime actuel, avec toutes les misères dont il les accable, engendre en même temps les *conditions matérielles et* les *formes sociales* nécessaires pour la reconstruction économique de la société. Au lieu du mot d'ordre *conservateur* : « *Un salaire équitable pour une journée de travail équitable* », ils devraient inscrire sur leur drapeau le mot d'ordre *révolutionnaire :* « *Abolition du salariat* ».

MARX, *Salaire, prix et profit*, 1865, W XVI, p. 152.

E.S.

L'économie politique ouvrière

Après une lutte de trente années, soutenue avec la plus admirable persévérance, la classe ouvrière anglaise, profitant d'une division momentanée entre les seigneurs de la terre et les seigneurs de l'argent, réussit à conquérir la loi des dix heures. Les immenses bienfaits physiques, moraux et intellectuels qui en résultèrent pour les ouvriers des usines ont été enregistrés dans les rapports bisannuels des inspecteurs des fabriques et, de tous côtés, on se plaît maintenant à les reconnaître. La plupart des gouvernements continentaux furent obligés d'introduire chez eux la loi anglaise des fabriques, sous une forme plus ou moins modifiée, et le Parlement anglais est lui-même forcé d'en étendre chaque année le domaine d'application...

Cette lutte pour la limitation légale de la journée de travail fut menée avec d'autant plus d'acharnement que, sans parler de l'effet de terreur produit sur la cupidité, elle intervenait dans le grand combat engagé entre la loi aveugle de l'offre et de la demande, qui est toute l'économie politique de la classe bourgeoise, et la production sociale contrôlée par l'esprit social de prévoyance, qui constitue l'économie politique de la classe ouvrière.

Mais il était réservé à l'économie politique de la classe ouvrière de remporter bientôt un triomphe plus grand encore sur l'économie politique du Capital. Nous voulons parler du *mouvement coopératif* et surtout des manufactures coopératives créées par l'initiative isolée de quelques « bras » entreprenants. La valeur de cette grande expérience sociale ne saurait être surfaite. Les ouvriers ont prouvé par des faits, non plus par de simples arguments, que la production sur une grande échelle et au niveau des exigences de la science moderne, pouvait se passer d'une classe d'entrepreneurs employant une classe de « bras »; ils ont montré que, pour être féconds, les instruments de travail ne doivent pas être monopolisés et servir ainsi d'instruments d'asservissement et d'exploitation de l'ouvrier lui-même; ils ont montré que, comme le travail de l'esclave et le travail du serf, le travail salarié n'était qu'une forme transitoire et inférieure destinée à disparaître devant le travail associé accomplissant sa tâche d'une main consentante, avec un esprit lucide et un cœur joyeux.

MARX, *Adresse inaugurale de la I*re *Internationale*, 1864.

Les coopératives

L'œuvre de l'Association internationale est de généraliser et d'unifier les *mouvements spontanés* de la classe ouvrière, mais non de leur prescrire ou de leur imposer un système *doctrinal* quel qu'il soit. Par conséquent, le Congrès ne doit pas proclamer un *système spécial* de coopération, mais doit se limiter à l'énonciation de quelques principes généraux.

a) Nous reconnaissons le mouvement coopératif comme une des forces transformatrices de la société présente, fondée sur l'antagonisme des classes. Son grand mérite est de montrer pratiquement que le système actuel de *subordination du travail au capital,* despotique et paupérisateur, peut être supplanté par le système républicain de l'association de *producteurs libres et égaux.*

b) Mais le mouvement coopératif limité aux formes minuscules issues des efforts individuels des esclaves salariés, est impuissant à transformer par lui-même la société capitaliste. Pour convertir la production sociale en un large et harmonieux système de travail coopératif, des changements généraux sont indispensables. *Ces changements* ne seront jamais réalisés sans l'emploi des forces organisées de la société. Donc, le pouvoir gouvernemental, arraché aux mains des capitalistes et des propriétaires fonciers, doit passer aux mains des classes ouvrières elles-mêmes.

c) Nous recommandons aux ouvriers d'encourager la *coopérative de production* plutôt que la *coopérative de consommation.* Celle-ci touchant seulement la surface du système économique actuel, l'autre l'attaquant dans sa base.

d) Nous recommandons à toutes les sociétés coopératives de consacrer une partie de leurs fonds à la propagande de leurs principes, de prendre l'initiative de nouvelles sociétés coopératives de production et de faire cette propagande aussi bien par la parole que par la presse.

e) Dans le but d'empêcher les sociétés coopératives de dégénérer en sociétés ordinaires bourgeoises (sociétés par actions), tout ouvrier employé doit recevoir le même salaire, *associé ou non.* Comme compromis *purement temporaire,* nous consentons à admettre un bénéfice très minime aux sociétaires.

Marx, *Rapport du Conseil central,* 1865, W XVI, p. 195.
(Pléiade I, 1469).

La suprématie politique

Dans toute lutte de classe contre classe, le but vers lequel tend le combat est le pouvoir politique. La classe dirigeante défend sa suprématie politique, c'est-à-dire sa majorité assurée dans les corps législatifs; la classe inférieure combat, d'abord pour une part, ensuite pour la totalité de ce pouvoir, afin d'être en

mesure de changer les lois existantes conformément à ses propres
intérêts et desiderata...

... Dans la lutte politique de classe contre classe, l'organisation est l'arme la plus importante.

> ENGELS, *Les Syndicats*, 1881, W XIX, p. 258.

Socialisme et suffrage universel en Angleterre

Pour la classe ouvrière anglaise, suffrage universel et pouvoir
politique sont synonymes. Les prolétaires constituent la grande
majorité de la population. La conquête du suffrage universel
en Angleterre, plus que n'importe quelle mesure appelée socialiste sur le continent européen, marquerait un progrès vers le
socialisme. Elle aurait inévitablement pour conséquence l'hégémonie politique de la classe ouvrière.

> MARX, *Les Chartistes*, août 1852,
> W VIII. p. 344.

Le crétinisme parlementaire

La gauche de l'Assemblée (de Francfort), l'élite et l'orgueil de
l'Allemagne révolutionnaire qu'elle croyait être, était complètement grisée par les quelques piètres succès qu'elle avait rempor-
tés... Ces pauvres imbéciles... croyaient que leurs piètres amende-
ments, passés à deux ou trois voix de majorité, changeraient la
face de l'Europe. Dès le début de leur carrière législative, ils
étaient atteints... par cette maladie incurable : le *crétinisme
parlementaire*, mal qui fait pénétrer dans ses infortunées victimes
la conviction solennelle que le monde entier, son histoire et son
avenir, est gouverné et déterminé par la majorité dans ce corps
représentatif particulier qui a l'honneur de les compter parmi ses
membres, et que tout ce qui se passe au dehors des murs de leur
Chambre, — guerres, révolutions, constructions de chemins
de fer, colonisation de nouveaux continents, découverte de mines
d'or californiennes, canaux de l'Amérique centrale, armées
russes et autres choses semblables ayant quelques prétentions
à exercer de l'influence sur les destinées de l'humanité, — que
tout cela n'est rien comparé aux événements incommensurables
tournant autour de l'importante question, quelle qu'elle soit,
qui, en tel ou tel moment, occupe l'attention de leur auguste
maison.

> ENGELS, *Révolution et contre-révolution en Allemagne*,
> avril 1852, W VIII, p. 87-88. E.S. p. 282.

Cette maladie toute spéciale qui, depuis 1848, a sévi sur l'ensemble du continent, à savoir le crétinisme parlementaire, qui
relègue dans un monde imaginaire ceux qui en sont atteints et

leur enlève toute intelligence, tout souvenir et toute compréhension pour le rude monde extérieur...

> Marx, *Le 18 Brumaire...*, février 1852,
> W VIII, p. 173. E.S., 1945, p. 65.

Ils (les dirigeants du parti allemand) sont atteints de
crétinisme parlementaire au point de se figurer qu'ils sont au-
dessus de toute critique et de condamner la critique comme un
crime de lèse-majesté.

> Marx, *Lettre à Sorge*, 19 sept. 1879, XXXIV, p. 413-4.

La social-démocratie allemande est-elle réellement infectée
de la maladie parlementaire et croit-elle que, grâce au suffrage
universel, le Saint-Esprit se déverse sur les élus, transformant
les séances des fractions en conciles infaillibles et les résolutions
des fractions en dogmes intangibles?

> Marx-Engels, *Lettre circulaire à Bebel, Liebknecht,*
> *Bracke et autres,* septembre 1879, XXXIV, p. 399.

5. — LA POLITIQUE INTERNATIONALE
DU PROLÉTARIAT

Guerre contre l'irrédentisme slave

Les Slaves d'Autriche (Tchèques, Slovaques, Croates, Slo-
vènes, etc.) sont des peuples-déchets d'une évolution millénaire
et c'est pourquoi ils cherchent leur salut dans la négation de
toute l'évolution européenne puisqu'ils exigent que cette dernière
n'aille pas de l'Ouest vers l'Est mais de l'Est vers l'Ouest et
voient dans le knout russe l'instrument de leur libération...
Hongrois et Allemands doivent prendre une terrible revanche
sur la barbarie slave. La guerre générale qui s'ensuivra fera
éclater le séparatisme slave et détruira toutes ces petites nations
à grosse tête de telle sorte que disparaîtra jusqu'à leur nom. La
guerre mondiale qui s'approche provoquera la disparition non
seulement des dynasties et des classes réactionnaires, mais aussi
de peuples réactionnaires tout entiers. Et ce sera également un
progrès.

> Engels, *Le Combat des Hongrois,*
> NRhZ, 13 janvier 1849, W VI, 172 et 176.

Lutte impitoyable, combat à mort avec les Slaves traîtres à
la révolution, extermination, terrorisme sans égards, non dans
l'intérêt de l'Allemagne mais dans celui de la révolution...

> Engels, *Le Panslavisme démocratique,*
> NRhZ, 15 février 1849, VI, 286.

La guerre de Crimée : guerre « populaire »

L'oligarchie anglaise a dû accepter la guerre contre la Russie sous la pression du peuple... La seule guerre populaire possible est celle contre la Russie... Cette guerre transforme la politique extérieure en affaire du peuple... C'est pourquoi la guerre contre la Russie signifie pour l'aristocratie anglaise la fin de son monopole politique.

MARX, *Neue Oder Zeitung*, 2 janvier 1855, W X, p. 589-590.

Défense de la patrie 1859

Pour ce qui est des gouvernements, il est évident à tous les points de vue, ne fût-ce que dans l'intérêt de l'existence même de l'Allemagne, qu'il faut exiger d'eux non pas de rester neutres (dans la guerre d'Italie), mais de se montrer patriotes... Les démocrates vulgaires se figurent qu'une défaite de l'Autriche, complétée par la révolution en Hongrie et en Galicie, provoquerait la révolution en Allemagne. Ces imbéciles oublient qu'en ce moment la révolution, c'est-à-dire la désintégration des armées allemandes, profiterait non pas aux révolutionnaires mais à la Russie et à Bonaparte... Le sort de l'Allemagne est en jeu.

MARX, *Lettre à Engels*, 18 mai 1859.

Engels : guerre sur deux fronts 1859

Les événements mondiaux semblent vouloir prendre une tournure très satisfaisante. On ne peut pas imaginer meilleure base pour une vraie révolution allemande que celle qui est offerte par l'alliance franco-russe. A nous autres, Allemands, il faut que l'eau nous arrive jusqu'au cou pour que nous entrions en une « fureur teutonique »; et cette fois, la menace de noyade semble vouloir s'approcher très près de nous. Tant mieux. Dans une telle crise, tous les pouvoirs établis tomberont en ruine, et tous les partis, les uns après les autres, seront éliminés... Le moment arrivera où seul le parti le plus déterminé et le plus audacieux se trouvera en mesure de sauver la nation...

ENGELS, *Lettre à Lassalle*, 18 mai 1859.

Guerre contre la barbarie orientale 1867

Le prolétariat allemand sera forcé par sa situation géographique de déclarer la guerre à la barbarie orientale, car c'est de là, de l'Asie, qu'est partie toute la réaction contre l'Occident. C'est ainsi que le parti ouvrier sera entraîné sur le terrain révolutionnaire où il agira pour se libérer complètement.

MARX, *Discours à l'Association culturelle des ouvriers allemands*,
28 février 1867, W XVI, p. 524.

Restauration de la Pologne

Une seule alternative est laissée à l'Europe. Ou bien la barbarie asiatique, sous la direction moscovite, s'abattra sur sa tête telle une avalanche, ou bien elle rétablira la Pologne, plaçant de la sorte entre elle et l'Asie vingt millions de héros, et gagnant un répit pour accomplir sa régénération sociale.

MARX, *L'Anniversaire de l'insurrection polonaise de 1863-64*,
22 janvier 1867, W XVI, p. 204.

Le modèle de 1793

...L'Allemagne ne pourra se défendre contre les Russes que par des moyens révolutionnaires et il est possible que nous soyons portés au pouvoir selon un processus identique à celui de 1793.

ENGELS, *Lettre à Sorge*, 24 octobre 1891.

La guerre de 1870 — Guerre de suicide — Lutte fratricide

A l'arrière-plan de cette guerre de suicide, se dresse la sinistre figure de la Russie. Quelles que soient les sympathies auxquelles les Allemands puissent à bon droit prétendre dans une guerre de défense contre l'agression bonapartiste, ils les perdraient aussitôt s'ils permettaient au gouvernement allemand de faire appel au Cosaque ou d'en accepter l'aide... Tandis que la France et l'Allemagne officielles se précipitent dans une lutte fratricide, les ouvriers de France et d'Allemagne échangent des messages de paix et d'amitié. Ce fait unique sans parallèle dans l'histoire du passé, ouvre la voie à un avenir plus lumineux. Il prouve qu'à l'opposé de la vieille société, avec ses misères économiques et son délire politique, une nouvelle société est en train de naître, dont la règle internationale sera la *Paix*, parce que dans chaque nation régnera le même principe : le *Travail*.

Première Adresse de l'Internationale, juillet 1870.

[*En août 1870, Marx adresse une lettre officielle au comité du parti social-démocrate l'exhortant à s'opposer énergiquement à l'annexion de l'Alsace-Lorraine :*]

La camarilla militaire, les professeurs, les bourgeois et les politiciens de brasserie prétendent que cette annexion permettra à l'Allemagne de s'épargner éternellement une guerre contre la France. Au contraire, c'est le moyen le plus efficace pour faire de la guerre une *institution européenne* et de transformer la paix en un simple armistice. C'est le meilleur moyen de ruiner et la France et l'Allemagne par une auto-lacération réciproque... Si vous annexez l'Alsace-Lorraine, la France s'alliera avec la Russie. Si vous concluez une paix honorable avec la France, la guerre fatale entre l'Allemagne et la Russie émancipera l'Europe

de la dictature moscovite, fera absorber la Prusse par l'Allemagne,
permettra au continent occidental de se développer pacifiquement, et enfin aidera au déclenchement de la révolution russe.

MARX, *Lettre au Comité Central*, 30 août 1870,
W XVII, p. 269.

Le tsar Alexandre se flatte que la guerre de 1870, du fait de
l'épuisement réciproque de l'Allemagne et de la France, fera de
lui l'arbitre suprême de l'Ouest européen... Est-ce que les
patriotes teutons croient réellement que paix et liberté seront
garanties à l'Allemagne en jetant la France dans les bras de la
Russie? Si la fortune de ses armes, l'arrogance du succès et
l'intrigue dynastique conduisent l'Allemagne à une spoliation
du territoire français, il ne lui restera alors que deux partis
possibles. Ou bien elle doit, à ses risques et périls, devenir
l'instrument avoué de l'expansion russe, ou bien, après un
court répit, elle devra se préparer à nouveau à une autre « guerre
défensive », qui ne sera pas une « guerre localisée » mais une
guerre de races, une guerre contre les races latines et slaves
coalisées.

MARX, *Seconde Adresse de l'Internationale*, 9 septembre 1870.

Les nations et l'Europe

Une sincère collaboration des nations européennes n'est
possible que si chacune d'elles reste autonome chez elle.

ENGELS, *Préface à la traduction polonaise*
du Manifeste communiste, 1892, W XXII, p. 283.

Sans restaurer l'autonomie et l'unité de chaque nation, il
sera impossible d'accomplir l'union internationale du prolétariat ou la coopération pacifique et intelligente de ces nations
vers des buts communs.

ENGELS, *Préface à la traduction italienne*
du Manifeste communiste, 1893, W XXII, p. 366.

C'est votre grand compatriote Saint-Simon qui, le premier,
a prévu que l'alliance des trois grandes nations occidentales —
France, Angleterre, Allemagne — est la première condition
internationale de l'émancipation politique et sociale de l'Europe.
Cette alliance, noyau de l'alliance européenne qui en finira à
tout jamais avec les guerres de cabinets et de races, j'espère la
voir accomplir par les prolétaires des trois nations.

ENGELS, *Adresse au conseil national du Parti Ouvrier français*,
2 décembre 1890. *(On retrouve cette idée dans l'interview*
donnée à l'Éclair le 6 avril 1892.)

Le prolétariat et le tiers monde : l'Egypte

Il me semble que dans la question égyptienne vous êtes trop favorable au parti dit national. Nous ne savons pas grand-chose d'Arabi, mais on peut parier à dix contre un que c'est un vulgaire pacha qui ne veut pas céder aux financiers la perception des impôts, parce qu'il préfère, selon la bonne coutume orientale, les empocher lui-même. C'est l'éternelle histoire des pays paysans qui se répète. De l'Irlande à la Russie, de l'Asie Mineure à l'Égypte, le paysan est là pour être exploité. C'est ainsi depuis les royaumes assyrien et perse. Le satrape — alias le pacha — personnifie la forme essentielle d'exploitation en Orient, de même que, de nos jours, le marchand et le juriste personnifient la forme moderne et occidentale d'exploitation. La répudiation des dettes du khédive, c'est très bien, mais que s'ensuit-il? Nous, les socialistes d'Europe occidentale, ne devrions pas mordre aussi facilement à cet hameçon que les fellahs égyptiens ou... tous les Romans. C'est curieux! Les révolutionnaires des pays romans se plaignent d'avoir toujours fait des révolutions au profit des autres (...) pour la simple raison qu'ils se laissent toujours éblouir par le mot « révolution ». Et pourtant, dès qu'une émeute éclate quelque part, le monde révolutionnaire roman s'exalte sans le moindre sens critique. A mon avis, nous pouvons parfaitement prendre la défense des fellahs opprimés, sans partager leurs illusions du moment présent (car un peuple paysan doit être leurré durant des siècles avant d'être assagi par l'expérience), et nous pouvons intervenir contre les violences des Anglais sans nous solidariser pour cela avec leurs adversaires militaires actuels. Dans toutes les questions de politique internationale, il faut se méfier au plus haut point de la sentimentalité des journaux de parti français et italiens; nous les Allemands, devons garder, dans ce domaine aussi, la supériorité que nous donne, dans la théorie, la manière critique d'envisager les choses.

ENGELS, *Lettre à Bernstein*, 9 août 1882. E.S.

Le socialisme et les pays sous-développés

La véritable mission de la société bourgeoise, c'est de créer le marché mondial, du moins dans ses grandes lignes, ainsi qu'une production conditionnée par le marché mondial. Comme le monde est rond, cette mission semble achevée depuis la colonisation de la Californie et de l'Australie et l'ouverture du Japon et de la Chine. Pour nous, la question difficile est celle-ci : sur le continent [européen], la révolution est imminente et prendra tout de suite un caractère socialiste; mais ne sera-t-elle pas forcément étouffée dans ce petit coin, puisque, sur un terrain beaucoup plus grand, le mouvement de la société bourgeoise est encore dans sa phase ascendante?

MARX, *Lettre à Engels*, 2 octobre 1858. E.S.

Une fois l'Europe organisée [sur une base socialiste], ainsi que l'Amérique du Nord, cela donnera une si forte impulsion et un tel exemple que les pays à demi civilisés suivront d'eux-mêmes notre sillage; rien que les besoins économiques y pourvoiront déjà. Les phases sociales et économiques que ces pays auront à franchir ensuite, avant d'atteindre à leur tour l'organisation socialiste, ne peuvent, selon moi, que faire l'objet d'hypothèses assez oiseuses. Une chose est sûre : le prolétariat victorieux ne peut imposer le bonheur à aucun peuple étranger sans compromettre sa propre victoire. Bien entendu, cela n'exclut nullement les guerres défensives de divers genres...

ENGELS, *Lettre à Kautsky*, 12 septembre 1882. E.S.

VI

LE SOCIALISME

Conditions objectives du socialisme

Le développement des forces productives est une condition pratique préalable absolument indispensable, car sans lui c'est la *pénurie* qui deviendrait générale et, avec le *besoin*, c'est aussi la lutte pour le nécessaire qui recommencerait et l'on retomberait fatalement dans la même vieille gadoue.

> Marx-Engels, *L'Idéologie allemande*, 1846, p. 34.

Si la société telle qu'elle est ne contenait pas, à l'état latent, les conditions matérielles de production et de circulation propices à une société sans classes, toutes les tentatives révolutionnaires ne seraient que du donquichottisme...

Le capital a accompli sa fonction historique lorsque, d'une part, les besoins sont assez développés pour que le surtravail en sus de ce qui est nécessaire soit devenu lui-même un besoin général et découle des besoins de l'individu lui-même, et d'autre part, que le zèle au travail imposé par la sévère discipline du capital aux générations successives soit devenu le bien commun de l'humanité nouvelle.

> Marx, *Grundrisse...*, 1857-58, p. 77 et 231.

1. — LA PRISE DU POUVOIR

La première étape de la révolution ouvrière, c'est la constitution du prolétariat en classe dominante, la conquête de la démocratie.

Le prolétariat se servira de sa suprématie politique pour arracher peu à peu tout capital à la bourgeoisie, pour centraliser tous les instruments de production dans les mains de l'État, c'est-à-dire du prolétariat organisé en classe dirigeante, et pour accroître au plus vite la masse des forces productives.

Cela ne pourra naturellement se faire, au début, que par des interventions despotiques contre le droit de propriété et le régime bourgeois de la production, donc par des mesures qui, du point de vue économique, paraîtront insuffisantes et précaires, mais qui, au cours du mouvement, se dépasseront elles-mêmes et seront indispensables comme moyens de bouleverser l'ensemble du système de production.

MARX-ENGELS, *Le Manifeste communiste*, 1848.

Contre la Terreur

Nous imaginons la Terreur comme le règne de ceux qui répandent la terreur. Mais tout au contraire, c'est le règne de ceux qui sont eux-mêmes terrifiés. La *terreur* n'est en grande partie que cruautés inutiles perpétrées par des gens qui sont eux-mêmes effrayés, pour tenter de se rassurer.

ENGELS, *Lettre à Marx*, 4 septembre 1870.

Pas de violence contre les paysans

BAKOUNINE : Pour les marxistes, la paysannerie représente la réaction, ... un niveau inférieur de civilisation... La plèbe paysanne sera donc probablement gouvernée par le prolétariat industriel des villes...

MARX : Une révolution sociale radicale est liée à certaines conditions historiques du développement économique; ces dernières sont sa condition préalable. Elle n'est donc possible que là où, par la production capitaliste, le prolétariat industriel occupe, au moins, une position importante dans la masse du peuple; et pour qu'il ait une chance quelconque de victoire, il faut qu'il soit au moins capable de faire immédiatement pour les paysans, autant — *mutatis mutandis* — que la bourgeoisie française a fait dans sa révolution pour les paysans français d'alors. Belle idée que le travail au pouvoir inclue la domination, l'oppression du travail agricole...

MARX, *Notes sur l'État et l'Anarchie de Bakounine*, 1874,
W XVIII, p. 632-3.
La pratique des « marxistes-léninistes » a confirmé les prophéties de Bakounine...

Contre la dictature d'un parti

Blanqui est un révolutionnaire purement politique et n'est socialiste que de sentiment... La nécessité de la dictature après la réussite (du coup de main révolutionnaire) ressort de la conception de Blanqui : chaque révolution est un coup de main venant d'une petite minorité révolutionnaire. Naturellement, il ne s'agit pas de la dictature de *toute la classe* révolutionnaire, du prolétariat, mais de la dictature d'un *petit nombre* de ceux qui ont fait le coup de main et qui déjà d'avance sont organisés sous la dictature ou sous la domination des quelques-uns. On sent que Blanqui est un révolutionnaire d'une génération passée. En France, ses idées ne trouvent plus d'échos que seulement chez les ouvriers peu mûrs et impatients.

ENGELS, *Littérature d'Émigrés*, 1874.

La dictature de la classe est le contraire de la dictature d'un parti. Les régimes « marxistes » actuels sont en réalité « blanquistes-léninistes »...

Qu'est-ce que la dictature du prolétariat?

BAKOUNINE : Que veut dire « le prolétariat élevé au rang de classe dominante »?

MARX : Cela veut dire que le prolétariat (...) a conquis assez de force et d'organisation pour employer dans sa lutte contre les classes privilégiées des moyens de violence généraux; mais il ne peut employer que des moyens économiques qui suppriment son propre caractère de salarié et, par conséquent, son propre caractère de classe. Aussi avec sa victoire totale en est-il fini de sa domination, car son caractère de classe disparaît.

BAKOUNINE : Est-ce à dire que tout le prolétariat sera à la tête du gouvernement?

MARX : Dans une trade-union, par exemple, tout le syndicat forme-t-il son comité exécutif? Toute division du travail cessera-t-elle dans la fabrique, et les diverses fonctions qui en découlent cesseront-elles?...

BAKOUNINE : Les Allemands sont environ quarante millions. Tous les quarante millions, par exemple, seront-ils membres du gouvernement?

MARX : Certainement! Car la chose commence par le self-government de la commune...

BAKOUNINE : Par gouvernement du peuple les marxistes entendent le gouvernement du peuple à l'aide d'un petit nombre de dirigeants élus par le peuple.

MARX : Aneries!... L'élection est une forme politique qui se retrouve aussi dans la plus petite commune russe comme dans l'*artel* [vieille institution coopérative russe]. Le caractère de l'élection ne dépend pas de son appellation, mais au contraire de sa base économique, des rapports économiques entre les électeurs. Dès que les fonctions ont cessé d'être politiques : 1o il n'existe plus de fonction gouvernementale; 2o la répartition des fonctions générales est devenue une chose technique (*Geschäftssache*) et ne donne aucun pouvoir; 3o l'élection n'a rien du caractère politique actuel.

BAKOUNINE : L'élection par le suffrage universel de tout le peuple des représentants du peuple et des dirigeants de l'État : voilà le dernier mot des marxistes comme de l'école démocratique. C'est un mensonge sous lequel se cache le despotisme de la minorité gouvernante, d'autant plus dangereuse qu'elle apparaît comme l'expression de la soi-disant volonté du peuple.

MARX : Dans les conditions actuelles « tout le peuple » n'est qu'une fiction. Sous la propriété collective disparaît la soi-disant volonté du peuple pour faire place à la volonté réelle des coopérateurs.

MARX, Extraits commentés de *L'État et l'Anarchie* de Bakounine, 1874, W XVIII, p. 633-636.

Quelles sont ces « mesures économiques » qui assureront la déprolétarisation du prolétariat (l'abolition du salariat) ? Quels seront les nouveaux « rapports économiques entre les électeurs » ? Comment est-ce que la « soi-disant volonté du peuple » sera remplacée par la « volonté réelle des coopérateurs » ? Dans aucun pays soi-disant « marxiste » on ne s'est jamais posé ces questions. Voyons donc quelles sont les réponses de Marx.

2. — LA BASE ÉCONOMIQUE :
LE MODE DE PRODUCTION SOCIALISTE

Représentons-nous, enfin, une réunion d'hommes libres travaillant avec des moyens de production communs et dépensant, d'après un plan concerté, leurs nombreuses forces individuelles comme une seule et même force de travail social. Le produit total des travailleurs associés est un produit social. Une partie sert de nouveau comme moyen de production et reste sociale. Mais l'autre partie est consommée et, par conséquent, doit se répartir entre tous. Le mode de répartition variera suivant l'organisme particulier de la société et le degré de développement historique des travailleurs. Supposons, pour mettre cet état de choses en parallèle avec la production marchande, que la part accordée à chaque travailleur soit en raison de son *temps de travail*. Le temps de travail jouerait donc un double rôle. D'un côté, sa distribution dans la société règle le rapport exact des diverses fonctions aux divers besoins. De l'autre, il mesure la part individuelle de chaque producteur dans le travail commun, et en même temps la portion qui lui revient dans la partie commune réservée à la consommation. Les rapports sociaux des hommes dans leurs travaux et avec les objets utiles qui en proviennent restent ici simples et transparents, dans la production aussi bien que dans la distribution.

MARX, *Le Capital*, I, 84.

Aucun pays soi-disant « marxiste » et « socialiste » n'a fait le moindre pas dans cette direction.

Généralisation du travail manuel

(Le prolétariat s'empare du pouvoir pour se supprimer en tant que classe. Grâce à la généralisation du travail manuel, le travail

directement productif « cesse d'être la vocation exclusive d'une
classe particulière » (K) : tous les membres de la société, y
compris les enfants « dès l'âge de 9 ans »... doivent consacrer une
partie de leur temps de travail au travail directement productif.)
Obligation égale au travail pour tous les membres de la société...
   ENGELS, *Principes du Communisme*, 1847, W IV, p. 373
et MARX-ENGELS, *Le Manifeste communiste*, 1848, W IV, p. 48.

Dans une société rationnelle n'importe quel enfant, dès l'âge
de neuf ans, doit être un travailleur productif... Si l'on veut
manger, il faut travailler, et non seulement avec son cerveau,
mais aussi avec ses mains.
   MARX, Résolution du Ier Congrès de l'Internationale
    sur le *Travail des adolescents*, 1866, W XVI, p. 193.

Si le travail était demain réduit à une mesure normale, proportionnée à l'âge et au sexe des salariés, la population ouvrière
actuelle ne suffirait pas, il s'en faut de beaucoup, à l'œuvre de la
production nationale. Bon gré, mal gré, il faudrait convertir
de soi-disant « travailleurs improductifs » en « travailleurs
productifs »...
Étant donné que l'intensité et la productivité du travail, le
temps que la société doit consacrer à la production matérielle
est d'autant plus court, et le temps disponible pour le libre
développement des individus d'autant plus grand que le travail
est distribué plus également entre tous les membres de la société,
et qu'une couche sociale a moins le pouvoir de se décharger sur
une autre de cette nécessité imposée par la nature. Dans ce sens,
le raccourcissement de la journée trouve sa dernière limite dans
la *généralisation du travail manuel*.
   MARX, *Le Capital*, I, p. 671 et 555. (III, 80 et II, 220.)

Aucun individu ne peut se décharger sur d'autres de sa part de
travail productif, condition naturelle de l'existence humaine.
ENGELS, *Anti-Dühring*, 1878, W XX, p. 273-74. (E.S. p. 333.)

Dans les pays soi-disant « marxistes » et « socialistes », le
travail directement productif reste toujours la « vocation exclusive
d'une classe particulière », voire d'une sous-classe très parti-
culière de travailleurs forcés. Et si l'on évoque de temps à
autre « l'obligation du travail manuel », c'est uniquement pour
intimider les non-conformistes. Comme le dit si bien Madame
*Arthur London, dans l'*Aveu *p. 188, « je trouve un peu bizarre*
d'envoyer quelqu'un travailler à l'usine pour le punir ou le réédu-
quer. Considérerait-on le travail en usine comme des travaux
forcés? C'est une appréciation drôlement vexante pour la classe

ouvrière ». Beau socialisme, en effet, que celui où la condition de l'ouvrier est représentée comme un châtiment pour intellectuels récalcitrants...

Les « rapports de production » : l'autogestion

(Toutes les entreprises sont transformées en coopératives auto-gérées unies dans une fédération de plus en plus centralisée:)
La Commune visait à l'expropriation des expropriateurs. Elle voulait... transformer les moyens de production, la terre et le capital, aujourd'hui essentiellement moyens d'asservissement et d'exploitation du travail, en simples instruments d'un travail libre et associé... Si la production coopérative ne doit pas rester un leurre et un piège; si elle doit évincer le système capitaliste; si l'ensemble des associations coopératives doit régler la production nationale selon un plan commun, la prenant ainsi sous leur propre direction et mettant fin à l'anarchie constante et aux convulsions périodiques qui sont le destin inéluctable de la production capitaliste, que serait-ce, messieurs, sinon du communisme, du très possible communisme?
MARX, *La Guerre civile en France*, 1871, W XVII, p. 342-3. E.S.

La centralisation nationale des moyens de production deviendra la base naturelle d'une société qui se composera d'associations de producteurs libres et égaux qui agiront en pleine conscience suivant un plan commun et rationnel. Tel est le but vers lequel tend le grand mouvement économique du XIXe siècle.
MARX, *La Nationalisation de la terre*, W XVIII, p. 62.

Le Parti ouvrier allemand tend à supprimer le travail salarié, et par là même les différences de classes, en organisant la production industrielle et agricole sur une base coopérative et sur une échelle nationale; il appuie toute mesure qui permet d'atteindre ce but...
ENGELS, *Critique du Programme de Gotha*, 1875, W XXXIV, p. 128. E.S.

La Commune de Paris exigeait que les ouvriers fissent marcher les usines sous la forme de coopératives. Marx et moi n'avons jamais douté que, lors du passage à l'économie communiste, nous devrons utiliser l'exploitation coopérative sur une grande échelle comme étape intermédiaire. Or, il faudra s'arranger pour que la société, donc tout d'abord l'État, conserve la propriété des moyens de production de sorte que les intérêts particuliers des coopératives ne pourront s'affirmer vis-à-vis de la société dans son ensemble...
ENGELS, *Lettre à Bebel*, 20-23 janvier 1886.

Le décret de loin le plus important de la Commune instituait une organisation de la grande industrie et même de la manufacture, qui devait non seulement reposer sur l'association des travailleurs dans chaque fabrique, mais aussi réunir toutes ces associations dans une grande fédération; bref, une organisation, qui, comme Marx le dit très justement, devait aboutir finalement au communisme...

ENGELS, Introduction, 1891, à Marx,
La Guerre civile en France. E.S.

Aucun pays « socialiste » n'a fait le moindre pas dans cette direction. Dans la mesure où elle n'est pas un flatus vocis, *l'autogestion yougoslave présuppose une absence totale de « fédération » et de « plan commun ».*

Abolition de l'économie du marché et de la valeur d'échange

Au sein d'un ordre social communautaire, fondé sur la propriété commune des moyens de production, les producteurs n'échangent pas leurs produits; de même, le travail incorporé dans les produits n'apparaît pas davantage comme *valeur* de ces produits, comme une quantité réelle possédée par eux, puisque désormais, au rebours de ce qui se passe dans la société capitaliste, ce n'est plus par la voie d'un détour, mais directement, que les travaux de l'individu deviennent partie intégrante du travail de la communauté.

MARX, Critique du Programme de Gotha, 1875,
W XIX, p. 19-20. E.S.

La société peut calculer simplement combien il y a d'heures de travail dans une machine à vapeur, dans un hectolitre de froment de la dernière récolte, dans cent mètres carrés de tissu de qualité déterminée. Il ne peut donc pas lui venir à l'idée de continuer à exprimer les quanta de travail qui sont déposés dans les produits, et qu'elle *connaît d'une façon directe et absolue,* dans un étalon seulement relatif, flottant, inadéquat (la monnaie) autrefois inévitable comme expédient, en un tiers produit, au lieu de le faire dans son étalon naturel, adéquat, absolu, le *temps...* Donc la société n'attribue pas de valeurs aux produits. Elle n'exprimera pas le fait simple que les cent mètres de tissu ont demandé pour leur production, disons mille heures de travail, sous cette forme louche et absurde qu'ils *vaudraient* mille heures de travail. Certes, la société sera obligée de savoir combien de travail il faut pour produire chaque objet d'usage. Elle aura à dresser le plan de production d'après les moyens de production, dont font tout spécialement partie les forces de travail. Ce sont, en fin de compte, les effets utiles des divers objets d'usage, pesés entre eux et par rapport aux quantités de travail nécessaires

à leur production, qui détermineront le plan. Les gens régleront tout *très simplement* sans intervention de la fameuse « valeur »...
      ENGELS, *Anti-Dühring*, 1878, W XX, p. 288-89. (E.S. p. 349.)

Dans tous les pays soi-disant « marxistes » et « socialistes », la production reste toujours une production de marchandises. Nulle part on n'a tenté de réaliser une « production immédiatement socialisée » basée sur une comptabilité directe en temps de travail. Personne ne connaît « d'une façon directe et absolue » les quanta de travail incorporés dans les produits. On ne les connaît (on n'est censé les connaître) que sous la « forme louche et absurde » que dénonce la « critique de l'économie politique ».

Régulation de la production par les consommateurs

Dans la société communiste, il sera facile de connaître la production et la consommation. Comme l'on sait ce dont chacun a besoin en moyenne, il est facile de calculer ce dont un certain nombre d'individus a besoin et comme alors la production ne sera plus entre les mains de quelques producteurs privés mais dans les mains de la Commune et de son administration, ce sera un rien *(eine Kleinigkeit...)* de régler la production en fonction des besoins... L'administration centrale pourra facilement connaître les besoins... Une telle statistique (de la consommation) établie une fois, ce qui peut se faire facilement dans un ou deux ans, la moyenne de la consommation annuelle ne pourra se modifier qu'en fonction de l'accroissement de la population; il sera donc facile de fixer d'avance, à un moment requis, quelle quantité de chaque article sera exigée par le besoin du peuple. On commandera ces articles à la source, directement. On les fournira sans passer par les intermédiaires accapareurs *(Zwischenschieber)*, sans les exposer à plus de transbordements que ceux qui sont nécessités par la nature des communications mêmes; on fera donc de grandes économies de force de travail, on n'aura plus besoin de payer le profit des spéculateurs, des grands et des petits commerçants.
      ENGELS, *Discours d'Elbersfeld*, 1845, W II, p. 539 et 541.

Comme disait Lénine en 1905, « la société socialiste est une vaste coopérative de consommation, dont la production est rationnellement organisée en vue de la consommation » (Œuvres 4ᵉ éd. IX, p. 383). Les économies « marxistes » et « socialistes » actuelles ressemblent à tout ce qu'on veut sauf à une « vaste coopérative de consommation »...

Pas de surproduction

La société répartit, d'après un plan, ses moyens de production et ses forces productives dans la mesure où ils sont nécessaires à la satisfaction de ses divers besoins, de telle sorte que toute

sphère de production reçoive la quantité nécessaire à la satisfaction du besoin auquel elle correspond.

MARX, *Théories de la plus-value*, II, p. 528-9.

La société emploie directement le capital suivant ses besoins
dans les différentes sphères de production. Il ne peut y avoir de
surproduction.

MARX, *Théories de la plus-value*, III, p. 115.

Plutôt une certaine surproduction

(Il faudrait) une surproduction relative continuelle; il faut,
d'une part, une certaine quantité de capital fixe qui produit
davantage qu'il n'est directement nécessaire; d'autre part et
surtout, une provision de matières premières, etc., dépassant les
besoins immédiats annuels (ceci vaut surtout pour les moyens
de subsistance). Une telle sorte de surproduction équivaut au
contrôle de la société sur les moyens matériels de sa propre
reproduction. Mais, dans le cadre de la société capitaliste, elle
est un élément d'anarchie.

MARX, *Le Capital*, II, p. 473. (E.S. V, p. 116-117.)

*Une telle « anarchie » serait hautement souhaitable dans les
économies « marxistes » et « socialistes » où sévit une crise
chronique de sous-production d'articles de consommation.*

Les rapports de répartition

Le capital-argent disparaît en production socialiste. La société
répartit la force de travail et les moyens de production entre les
diverses branches de l'industrie. Les producteurs pourront, si
l'on veut, recevoir des bons en échange desquels ils prélèveront
sur les dépôts sociaux de consommation une quantité correspondant à leur temps de travail. Ces bons ne sont pas de l'argent.
Ils ne circulent pas.

MARX, *Le Capital*, II, p. 360. (E.S. V, 13.)

*Aucun pays « socialiste » n'a fait le moindre pas dans cette
direction.*

Le producteur reçoit donc individuellement — les défalcations
une fois faites — l'équivalent exact de ce qu'il a donné à la
société. Ce qu'il lui a donné, c'est son *quantum* individuel de
travail. Par exemple, la journée sociale de travail représente la
somme des heures de travail individuelles; le temps de travail
individuel de chaque producteur est la portion qu'il a fournie
de la journée sociale de travail, la part qu'il y a prise. Il reçoit
de la société un bon certifiant qu'il a fourni telle somme de travail

(défalcation faite du travail effectué pour le fonds collectif) et, avec ce bon, il retire des réserves sociales une quantité d'objets de consommation correspondant à la quantité du travail fourni. Le même quantum de travail qu'il a donné à la société sous une forme, il le reçoit d'elle sous une autre forme...

Mais un individu est physiquement ou intellectuellement supérieur à un autre, et il fournit ainsi dans le même temps plus de travail ou peut travailler plus de temps qu'un autre. Le travail, pour servir de mesure, doit être déterminé selon sa durée ou selon son intensité, sinon il cesserait de faire fonction d'étalon. Ce droit *égal* est un droit *inégal* pour un travail inégal. Il ne reconnaît aucune distinction de classe, étant donné que chacun est un travailleur comme un autre, mais il reconnaît tacitement l'inégalité des talents individuels et, par suite, des capacités productives comme des privilèges naturels. *C'est donc, d'après son contenu, un droit de l'inégalité, comme tout droit.*

... De plus : un ouvrier est marié, un autre non; l'un a plus d'enfants que l'autre, etc. A égalité de travail et par conséquent à égalité de participation au fonds social de consommation, l'un reçoit donc effectivement plus que l'autre, l'un est plus riche que l'autre, etc. Pour éviter tous ces inconvénients, le droit devrait être non pas égal, mais inégal.

Mais ces inconvénients sont inévitables dans la première phase de la société communiste, telle qu'elle vient de sortir de la société capitaliste après un long et douloureux enfantement. Le droit ne peut jamais être à un niveau plus élevé que la structure économique et le développement culturel de la société lequel est fonction de la première.

Dans une phase supérieure de la société communiste, lorsque auront disparu l'asservissante subordination des individus à la division du travail et, avec elle, l'opposition entre le travail intellectuel et le travail corporel, lorsque le travail sera devenu non seulement le moyen de vivre, mais vraiment le premier besoin de la vie; quand, avec l'épanouissement universel des individus, les forces productives se seront accrues et que toutes les sources de la richesse coopérative jailliront avec abondance, — alors seulement l'étroit horizon du droit bourgeois pourra être complètement dépassé et la société pourra écrire sur ses drapeaux : « De chacun selon ses capacités, à chacun selon ses besoins! »

MARX, *Critique du programme de Gotha*, 1875,
W, XIX, p. 21. E.S.

Dans aucun pays « socialiste » on n'a fait la moindre tentative de définir publiquement *les critères qui servent de base à la différenciation des salaires et des traitements. Aucun docteur « marxiste » n'a jamais tenté de mesurer l'* « intensité » *du travail des membres de la police politique ou des cadres moyens et supérieurs du Parti.*

L'égalité

L'un des principes les plus essentiels du communisme consiste dans l'idée empirique basée sur la nature humaine que les différences de la *tête* et des facultés intellectuelles en général n'entraînent aucunement des différences de l'*estomac* et des besoins physiques; que, par conséquent, la maxime fausse, fondée sur les conditions actuelles : « A chacun selon ses capacités », doit, dans la mesure où elle se rapporte à la jouissance au sens étroit du terme, être transformée en cette autre : « *A chacun selon son besoin* »; qu'en d'autres termes la *différence* dans l'activité, dans les travaux, ne fonde aucune *inégalité*, aucun *privilège* quant à la possession et à la jouissance.

MARX-ENGELS, *L'Idéologie allemande*, 1846, p. 584-85.

Comment se résout dès lors l'importante question de la rétribution plus élevée du travail composé? Dans la société des producteurs privés, ce sont les personnes privées et leurs familles qui supportent les frais de la formation de l'ouvrier qualifié; c'est aux personnes privées que revient donc le prix le plus élevé de la force de travail qualifiée : l'esclave habile se vend plus cher, le salarié habile se rétribue plus cher. Dans la cité à organisation socialiste, c'est la société qui supporte ces frais. C'est donc à elle qu'en appartiennent les fruits, les valeurs plus grandes du travail composé une fois qu'elles sont produites. L'ouvrier lui-même n'a pas de droit supplémentaire.

ENGELS, *Anti-Dühring*, 1878, W XX, p. 187. (E.S. p. 233.)

Dans la plupart des pays « socialistes », l'égalitarisme est dénoncé comme une « déviation petite-bourgeoise ». Leur principale innovation en matière de distribution est représentée par les « magasins spéciaux » exclusivement réservés à l'élite au pouvoir.

Fin de la division du travail, naissance de l'homme total

Dans la société communiste où personne ne se voit attribuer une sphère exclusive d'activité, mais où chacun peut se donner une formation complète dans n'importe quel domaine, c'est la société qui règle la production générale. Elle me donne ainsi la possibilité de faire aujourd'hui ceci, demain cela, de chasser le matin, de pêcher l'après-midi, de faire de l'élevage le soir, de faire de la « critique » après dîner, sans jamais devenir chasseur, pêcheur, pâtre ou « critique ».

MARX-ENGELS, *L'Idéologie allemande*, 1846, p. 30.

C'est une question de vie ou de mort. Oui, la grande industrie oblige la société sous peine de mort à remplacer l'individu morcelé, porte-douleur d'une fonction productive de détail, par l'individu intégral qui sache tenir tête aux exigences les plus diversifiées du travail et ne donne, dans des fonctions alternées, qu'un libre essor à la diversité de ses capacités naturelles ou acquises.

La bourgeoisie qui, en créant pour ses fils les écoles polytechniques, agronomiques, etc., ne faisait pourtant qu'obéir aux tendances intimes de la production moderne, n'a donné aux prolétaires que l'ombre de l'*enseignement professionnel.* Mais si la législation de fabrique, première concession arrachée de haute lutte au capital, s'est vue contrainte de combiner l'instruction élémentaire, si misérable qu'elle soit, avec le travail industriel, *la conquête inévitable du pouvoir politique par la classe ouvrière* va introduire l'enseignement de la technologie, pratique et théorique, dans les écoles du peuple. Il est hors de doute que de tels ferments de transformation, dont le terme final est la suppression de l'ancienne division du travail, se trouvent en contradiction flagrante avec le mode capitaliste de l'industrie et le milieu économique où il place l'ouvrier. Mais la seule voie réelle, par laquelle un mode de production et l'organisation sociale qui lui correspond marchent à leur dissolution et à leur métamorphose, est le développement historique de leurs antagonismes immanents. C'est là le secret du mouvement historique que les doctrinaires, optimistes ou socialistes ne veulent pas comprendre. *Ne sutor ultra crepidam :* Savetier, reste à la savate! Ce *nec plus ultra* de la sagesse du métier et de la manufacture, devient démence et malédiction le jour où l'horloger Watt découvre la machine à vapeur, le barbier Arkwright le métier continu, et l'orfèvre Fulton le bateau à vapeur.

Marx, Le Capital, I, p. 513-514. (II, 166.)

Pour la manière de penser des classes cultivées, c'est forcément une monstruosité que de croire qu'un jour il n'y aura plus de manœuvre ni d'architecte de profession, et que l'homme qui, pendant une demi-heure, aura donné des instructions comme architecte, poussera aussi quelque temps la brouette, jusqu'à ce qu'on fasse de nouveau appel à son activité d'architecte. Quel beau socialisme que celui qui éternise les manœuvres de profession!

Engels, Anti-Dühring, 1878, W XX, p. 186. (E.S. p. 233.)

Fin de l'opposition entre la ville et la campagne

... Construction de grands palais sur les domaines nationaux pour servir d'habitation à des communautés de citoyens occupés dans l'industrie ou l'agriculture, et unissant les avantages de la vie citadine à ceux de la vie à la campagne, sans avoir leurs inconvénients...

Engels, Principes du communisme, 1847, W IV, p. 373.

La suppression de l'opposition de la ville et de la campagne n'est pas seulement possible. Elle est devenue une nécessité directe de la production industrielle elle-même, comme elle est également devenue une nécessité de la production agricole et de l'hygiène publique. Ce n'est que par la fusion de la ville et de la campagne que l'on peut éliminer la pollution actuelle de l'air, de l'eau et du sol; elle seule peut amener les masses qui aujourd'hui languissent dans les villes au point où leur fumier servira à produire des plantes, au lieu de produire des maladies... En produisant une race de producteurs développés dans tous les sens, qui comprendront les bases scientifiques de l'ensemble de la production industrielle et dont chacun aura parcouru dans la pratique toute une série de branches de la production d'un bout à l'autre, la société socialiste créera une nouvelle force productive compensant très largement le travail de transport des matières premières ou des combustibles tirés de grandes distances. La suppression de la séparation de la ville et de la campagne n'est donc pas une utopie, même dans les cas où elle présupposerait la répartition la plus égale possible de la grande industrie à travers tout le pays... Bismarck peut descendre au cercueil avec la fière conscience que son souhait le plus cher sera sûrement exaucé : le déclin des grandes villes.

ENGELS, *Anti-Dühring*, 1878, W XX, p, 276. (E.S. p. 335-6.)

3. — LA FORME POLITIQUE
DE L'ÉMANCIPATION DU TRAVAIL

La Commune de Paris

... Le philistin social-démocrate entre une fois de plus dans une terreur sacrée au mot de dictature du prolétariat. Allons bon, voulez-vous savoir, Messieurs, de quoi cette dictature a l'air? Regardez la Commune de Paris. C'était la dictature du prolétariat.

ENGELS, Préface à la *Guerre civile en France* de MARX. E.S.

La Commune fut composée de conseillers municipaux, élus au suffrage universel dans les divers arrondissements de la ville, responsables et révocables à court terme. La majorité de ses membres étaient naturellement des ouvriers ou des représentants reconnus de la classe ouvrière. La Commune devait être, non pas un organe parlementaire, mais un organisme de travail, exécutif et législatif à la fois. La police, jusqu'alors instrument du gouvernement central, fut immédiatement dépouillée de ses attributs politiques et transformée en un agent de la Commune, responsable et, à tout moment, révocable. Il en fut de même des fonctionnaires de toutes les autres branches de l'administration. Depuis les membres de la Commune jusqu'en bas, ce service public devait être assuré pour des *salaires d'ouvriers*.

Les privilèges d'usage et les indemnités de représentation des hauts dignitaires de l'État disparurent avec les dignitaires eux-mêmes. Les fonctions publiques cessèrent d'être la propriété privée des créatures du gouvernement central. Non seulement l'administration municipale, mais toute l'initiative jusqu'alors exercée par l'État fut déposée entre les mains de la Commune.

... Les fonctions, peu nombreuses, mais importantes, qui resteraient encore à un gouvernement central, ne devaient pas être supprimées, comme on l'a intentionnellement voulu faire croire, mais devaient être remplies par des agents communaux strictement responsables. L'unité de la nation ne devait pas être brisée, mais, au contraire, elle devait être organisée par la Constitution communale et devait devenir une réalité par la destruction du pouvoir d'État qui prétendait être l'incarnation de cette unité et restait indépendant de la nation et supérieur à elle alors qu'il n'en était qu'une excroissance parasitaire. Tandis que les organes purement répressifs de l'ancien pouvoir gouvernemental devraient être amputés, ses fonctions légitimes seraient arrachées à une autorité qui usurpait une prééminence au-dessus de la société elle-même, et rendues aux agents responsables de la société... D'autre part, rien ne pouvait être plus étranger à l'esprit de la Commune que de remplacer le suffrage universel par des investitures hiérarchiques.

... La Commune a fait de ce mot d'ordre des révolutions bourgeoises, le gouvernement à bon marché, une réalité en détruisant ces deux grandes sources de dépenses, l'armée permanente et le fonctionnarisme d'État... Mais ni le gouvernement à bon marché, ni la « vraie République » n'étaient son but dernier; ils n'étaient que ses corollaires... C'était essentiellement un gouvernement de la classe ouvrière, le produit de la lutte de la classe des producteurs contre la classe des accapareurs, la forme politique enfin découverte sous laquelle on pouvait réaliser l'émancipation économique du travail. Sans cette dernière condition, la Constitution communale eût été une impossibilité et un leurre. La domination politique du producteur ne peut coexister avec la prolongation de son esclavage social. La Commune devait donc servir de levier pour détruire les fondements économiques sur lesquels repose l'existence des classes, et donc la domination de classe. Une fois le travail émancipé, tout homme devient un travailleur et le travail productif cesse d'être un attribut de classe.

Marx, *La Guerre civile en France*, 1871, W XVII, p. 339-341.

E.S.

Deux moyens infaillibles pour garder le pouvoir

Pour ne pas perdre la suprématie qu'elle venait de conquérir, la classe ouvrière devait, d'une part, supprimer toute la vieille machine d'oppression qui jusque-là n'avait fonctionné que contre elle, et, d'autre part, prendre des précautions contre ses propres délégués et fonctionnaires, en les déclarant, sans exception aucune, révocables à tout moment.

Pour éviter cette transformation de l'État et de ses organismes, de serviteurs de la société en maîtres de la société — transformation inéluctable jusque-là dans tous les États, — la Commune usa de deux moyens infaillibles. D'abord, elle fit occuper tous les postes dans l'administration, la justice et l'enseignement, par voie d'élection au suffrage universel, avec le droit pour les électeurs de rappeler leurs élus à tout moment. En second lieu, elle ne rétribua les fonctionnaires supérieurs comme subalternes, que par un salaire égal à celui que recevaient les autres ouvriers. Le plus haut traitement qu'elle attribuât était de 6 000 francs. De cette façon un frein sûr était mis à la chasse aux places et à l'arrivisme, sans compter les mandats impératifs qui, par-dessus le marché, étaient introduits pour les délégués aux corps représentatifs.

ENGELS, Préface (1891) à la *Guerre civile en France*. E.S.

Début du dépérissement de l'État

Le moins qu'on puisse dire de l'État, c'est qu'il est un mal dont hérite le prolétariat victorieux dans la lutte pour sa domination de classe, et dont il devra, comme l'a fait la Commune, supprimer immédiatement, aussi vite que possible, les pires côtés, jusqu'au jour où une génération, élevée dans une société nouvelle d'hommes libres, pourra se débarrasser de tout ce fatras qu'est l'État.

ENGELS, *ibid.*

Il faut une haute dose d'effronterie ou une propension plus qu'infantile à l'auto-mystification pour voir dans les régimes « marxistes-léninistes » actuels une « réalisation » quelconque de l'idéal libertaire de la Commune.

Disparition des frontières, fin des antagonismes nationaux

Déjà les démarcations et les antagonismes nationaux des peuples disparaissent de plus en plus avec le développement de la bourgeoisie, la liberté du commerce et le marché mondial, avec l'uniformité de la production industrielle et les conditions d'existence qui y correspondent.

L'avènement du prolétariat les fera disparaître plus vite encore. L'action commune des différents prolétariats, dans les pays civilisés, tout au moins, est une des premières conditions de leur émancipation.

Abolissez l'exploitation de l'homme par l'homme, et vous abolissez l'exploitation d'une nation par une autre nation.

Lorsque l'antagonisme des classes, à l'intérieur des nations, aura disparu, l'hostilité de nation à nation disparaîtra.

MARX-ENGELS, *Le Manifeste communiste*, 1848.

Sous le « socialisme » stalinien et post-stalinien, les frontières se sont transformées en barrages infranchissables. Alors que dans les pays capitalistes le refus d'un passeport suscite immédiatement de violentes réactions, dans les pays « socialistes » — à l'exception de la Yougoslavie — seuls les « bons citoyens » peuvent voyager. L'instauration du « socialisme » en Europe de l'Est a vidé la Prusse orientale, la Silésie, le pays des Sudètes, etc. de leur population allemande; l' « édification du socialisme » en U.R.S.S. a ressuscité la vieille méthode assyrienne de la déportation des nationalités récalcitrantes ou supposées telles. D'autre part, l'histoire des relations internationales à l'intérieur du « bloc socialiste » est une longue suite d'annexions (pays baltes, etc.), d'interventions militaires (Hongrie, Tchécoslovaquie, les innombrables incidents frontaliers sino-soviétiques) et de revendications territoriales. Les Albanais revendiquent la région yougoslave de Kossovo; les Bulgares élèvent périodiquement des prétentions sur la Macédoine yougoslave. Les Roumains — persécuteurs des Hongrois de Transylvanie — n'acceptent pas l'annexion de la Bessarabie par les Russes. Les Chinois revendiquent une grande partie de l'Asie soviétique et sont en même temps accusés de pratiquer une politique de « génocide » à l'égard des Tibétains, des Turcs du Sin-Kiang et des Mongols...

Le dépérissement de l'État

Le prolétariat s'empare du pouvoir d'État et transforme les moyens de production d'abord en propriété d'État. Mais par là, il se supprime lui-même en tant que prolétariat, il supprime toutes les différences de classe et oppositions de classes et également l'État en tant qu'État...

Quand l'État devient effectivement le représentant de toute la société, il se rend lui-même superflu. Dès qu'il n'y a plus de classe sociale à tenir dans l'oppression; dès que, avec la domination de classe et la lutte pour l'existence individuelle motivée par l'anarchie antérieure de la production, sont éliminés également les collisions et les excès qui en résultent, il n'y a plus rien à réprimer qui rende nécessaire un pouvoir de répression, un État. Le premier acte dans lequel l'État apparaît réellement comme représentant de toute la société — la prise de possession des moyens de production au nom de la société, — est en même temps son dernier acte propre en tant qu'État. L'intervention d'un pouvoir d'État dans des rapports sociaux devient superflue dans un domaine après l'autre, et entre alors naturellement en sommeil. Le gouvernement des personnes fait place à l'administration des choses et à la direction des opérations de production. L'État n'est pas « aboli », *il s'éteint.*

ENGELS, *Anti-Dühring*, 1878, W XX, p. 262. (E.S. p. 320.)

Le saut dans le règne de la liberté

Avec la prise de possession des moyens de production par la société, la production marchande est éliminée, et par suite, la domination du produit sur le producteur. L'anarchie à l'intérieur de la production sociale est remplacée par l'organisation planifiée consciente. La lutte pour l'existence individuelle cesse. Par là, pour la première fois, l'homme se sépare, dans un certain sens, définitivement du règne animal, passe de conditions animales d'existence à des conditions réellement humaines. Le cercle des conditions de vie entourant l'homme, qui jusqu'ici dominait l'homme, passe maintenant sous la domination et le contrôle des hommes, qui, pour la première fois, deviennent des maîtres réels et conscients de la nature, parce que et en tant que maîtres de leur propre socialisation. Les lois de leur propre pratique sociale, qui, jusqu'ici, se dressaient devant eux comme des lois naturelles, étrangères et dominatrices, sont dès lors appliquées par les hommes en pleine connaissance de cause et par là dominées. La propre socialisation des hommes qui, jusqu'ici, se dressait devant eux comme octroyée par la nature et l'histoire, devient maintenant leur acte propre et libre. Les puissances étrangères objectives qui, jusqu'ici, dominaient l'histoire, passent sous le contrôle des hommes eux-mêmes. Ce n'est qu'à partir de ce moment que les hommes feront euxmêmes leur histoire en pleine conscience; ce n'est qu'à partir de ce moment que les causes sociales mises par eux en mouvement auront aussi d'une façon prépondérante, et dans une mesure toujours croissante, les effets voulus par eux. C'est le saut de l'humanité du règne de la nécessité dans le règne de la liberté.

ENGELS, *Anti-Dühring*, 1878, W XX, p. 264. (E.S. p. 322.)

LES MARXISTES

I

LA SOCIAL-DÉMOCRATIE

A. La social-démocratie occidentale

   1. Marx et Engels, pédagogues de la social-démocratie

   2. Le révisionnisme réformiste et l'orthodoxie

B. La social-démocratie russe

   1. Marxisme et populisme

   2. La fondation du bolchevisme

   3. La révolution de 1905

C. L'impérialisme, la guerre et la fin de la social-démocratie révolutionnaire

   1. L'impérialisme

   2. La faillite de la social-démocratie

A. — LA SOCIAL-DÉMOCRATIE OCCIDENTALE

Présentation

A l'époque où Marx et Engels écrivaient dans le Manifeste *la nécrologie pour ainsi dire dithyrambique de la bourgeoisie, le capitalisme et le mouvement ouvrier n'étaient encore qu'à leurs débuts. Les 9/10 de la population mondiale restaient en dehors du « mode de production capitaliste » et de la révolution industrielle; l'Angleterre était la « manufacture du monde » — le seul pays où le capitalisme englobait effectivement la totalité de l'économie et de la population. En revanche, les paysans et les petits bourgeois précapitalistes formaient la grande majorité de la population de la France et de l'Allemagne. L'Amérique était encore au stade du défrichement : c'est en 1890 que la production industrielle dépassa pour la première fois la production agricole et c'est en 1920 que la population urbaine dépassa la population rurale. La Russie avec son immense population de serfs perpétuait le « despotisme oriental»; le Japon n'était pas entré dans l'histoire planétaire « réellement universelle » que Marx avait génialement anticipée dans l'Idéologie allemande. Les potentialités révolutionnaires que Marx avait salué dans le capitalisme n'ont commencé à se réaliser que pendant la seconde moitié du XIXᵉ siècle. Entre 1859 (l'année de publication de la* Critique de l'Économie politique) *et 1914, la production industrielle mondiale a été multipliée par 7 (par 12 aux États-Unis et en Russie), les échanges internationaux ont décuplé tandis que, dans les principaux pays capitalistes (l'Angleterre, l'Amérique, l'Allemagne, la France), les ouvriers salariés — une minorité à l'époque de Marx — constituaient une masse compacte représentant la majorité de la population laborieuse.*

Le développement colossal des forces productives a entraîné la première réalisation des prophéties marxistes concernant le rôle historique du prolétariat. Si l'écrasement de la Commune marqua la fin des révolutions du XIXᵉ siècle, le début du XXᵉ vit une magnifique floraison du mouvement ouvrier. En France,

*le nombre des ouvriers syndiqués passe de 420 000 en 1895 à
plus d'un million en 1913, et au Parlement on compte en 1914,
87 socialistes contre 50 en 1893. En Allemagne, les syndicats
d'obédience social-démocrate totalisent moins d'un demi-million
de membres en 1898 et 2 574 000 en 1913; dès 1877 la social-
démocratie avait recueilli 500 000 suffrages; après l'abolition
des lois d'exception, plus de 2 millions d'électeurs faisaient en
1898 élire 56 députés socialistes; la fraction social-démocrate
au Reichstag comptera 110 députés en 1912. Les effectifs des
trade-unions anglais passent de 1,5 million en 1893 à plus de
4 millions en 1913 et le nombre des députés travaillistes aux
Communes de 2 en 1900 à 42 en 1910. De cent mille adhérents
en 1886, la Fédération Américaine du Travail (A.F.L.) passe à
1 020 000 en 1914. Si le* Labour *américain et le travaillisme
anglais s'avèrent imperméables au marxisme, de nouveaux partis
d'obédience marxiste naissent dans les pays agraires de l'Est de
l'Europe : en Russie où Georges Plékhanov fonde en 1883 le
Groupe de Libération du Travail, en Bulgarie (1891), en Roumanie
(1893), etc. En 1912 l'Internationale Ouvrière (reconstituée en
1891) enregistrait 3 372 000 adhérents dans le monde entier;
en outre son influence s'exerçait sur 7 315 000 coopérateurs,
10 838 000 syndiqués, 11 à 12 millions d'électeurs et les lecteurs
de 200 grands quotidiens.*

*Les prévisions de Marx entraient dans la première phase de
leur réalisation : le prolétariat était en passe de devenir une
puissance historique décisive; les idéologies rivales (proudhonisme,
bakouninisme) avaient disparu ou déclinaient; le marxisme était
devenu l'idéologie prédominante du mouvement ouvrier du moins
en Europe continentale et à travers l'œuvre de ses grands théoriciens
— Kautsky, Bernstein, Mehring, Rosa Luxemburg, en Allemagne,
Hilferding, Renner, Otto Bauer, Friedrich Adler en Autriche,
Georges Sorel en France, Labriola en Italie — il exerçait une
influence féconde sur la pensée européenne. On a dit de Max
Weber qu'il « se transforma en sociologue au cours d'un long et
intense dialogue avec l'ombre de Karl Marx ». On pourrait
dire la même chose de Sombart, de Schumpeter ou de Simmel,
de Mannheim ou de Troeltch (dont le principal livre de sociologie*
Les doctrines sociales des Églises chrétiennes, *1911, est une
réponse aux* Origines du Christianisme *de Kautsky, 1908)...*

*Cette période héroïque de la social-démocratie fut à tous les
points de vue l'âge d'or de la pensée marxiste. « Le socialisme,
c'est la science appliquée à tous les domaines de l'activité humaine »,
disait Bebel et ses camarades s'enorgueillissaient d'être les gardiens
de tous les trésors, « les descendants non seulement de Saint-
Simon, de Fourier et d'Owen, mais aussi de Kant, de Fichte,
de Hegel : les héritiers de la philosophie classique allemande »
(Engels : Ludwig Feuerbach, etc.).*

*La même soif de connaissance qui animait le siècle des Lumières,
remplissait d'enthousiasme une nouvelle génération d'encyclo-
pédistes annonciateurs d'une nouvelle tentative de connaître et*

d'organiser rationnellement le monde. Tout d'abord, les marxistes se sont appliqués à combler quelques-unes des lacunes de la doctrine économique que Marx avait laissé inachevée : théorie des crises (Kautsky 1902), valeur de la force de travail qualifié (Otto Bauer et Hilferding, 1904-5), valeur et prix de l'or (Bauer, Hilferding, Kautsky et Varga, 1912-3), rente foncière et question agraire (Kautsky en 1899 et Vandervelde en 1906), concentration monopolistique et expansion impérialiste (Hilferding : Le Capital financier, *1910, Rosa Luxemburg :* L'Accumulation du capital, *1913). C'est également à cette première génération de social-démocrates qu'on doit les plus importantes contributions marxistes aux sciences humaines : histoire économique (Cunow), ethnologie (Pikler), histoire des mouvements sociaux (Beer), sociologie de l'antiquité gréco-romaine (Ciccoti, Pöhlmann), histoire du christianisme (Sorel, Kautsky, Bernstein), histoire de la Révolution française (Jaurès, Kautsky), sociologie de la littérature (Mehring), etc.*

« Aucun mouvement politique ou social, dit Isaiah Berlin, n'a attribué autant d'importance à la recherche et à l'érudition. » Or dans la mesure même où le marxisme devenait institution et « Weltanschauung scientifique » son âme révolutionnaire dépérissait. L'Europe n'avait connu ni grandes guerres, ni bouleversements révolutionnaires, ni profondes crises économiques depuis 1870. Les mouvements de conjoncture se caractérisent par des dépressions brèves (4 années sur 35) et qui n'entraînent qu'une baisse relativement légère de la production (— 4 % en 1883, — 7 % en 1892, — 9 % en 1907). En même temps la condition matérielle des travailleurs s'était considérablement améliorée : entre 1850 et 1900 les salaires réels ont presque doublé. La vieille stratégie, fondée sur l'imminence d'une catastrophe, semblait dépassée. Enfin les progrès de la démocratie laissaient entrevoir la possibilité d'un passage graduel et pacifique du capitalisme au socialisme par le développement des partis et des syndicats ouvriers, la circulation de plus en plus importante des journaux socialistes, l'amélioration de la législation sur le travail.

Déjà Engels — dans son « Testament » — avait mis en doute l'efficacité des méthodes insurrectionnelles. Cinq ans plus tard (1900) le socialiste Millerand entrait au gouvernement Waldeck-Rousseau-Gallifet (le bourreau de la Commune). Or, tout en dénonçant le « ministérialisme » des millerandistes, assez nombreux à l'époque, les social-démocrates se voyaient contraints par les progrès mêmes du mouvement ouvrier d'accepter la perspective d'une période de transition plus ou moins longue, au cours de laquelle les représentants du prolétariat pourraient et devraient partager le pouvoir avec ceux des classes possédantes. Même Rosa Luxemburg, théoricienne de l'extrême-gauche socialiste, admettait dans Réforme ou Révolution? *(1899) qu' « il peut y avoir des moments où la prise finale du pouvoir par les représentants du prolétariat ne serait encore possible et où, cependant, leur participation au gouvernement bourgeois apparaîtrait comme nécessaire ».*

C'est alors que Bernstein lança sa célèbre offensive révisionniste. S'apercevant de l'énorme contradiction qui existait entre le langage révolutionnaire de la social-démocratie et sa pratique réformiste, Bernstein engagea ses camarades à avoir « le courage de paraître ce qu'ils sont en réalité, de s'émanciper d'une phraséologie dépassée dans les faits et d'accepter d'être un parti des réformes socialistes et démocratiques ». Remettant en cause les lois économiques de la société capitaliste, les révisionnistes allemands et russes (Struve, Tougan-Baranowski, Boulgakov) s'en prirent aux théories marxistes de la valeur, de la plus-value, de la concentration et de la paupérisation. Sur le plan pratique, Bernstein contesta la légitimité de l'idéologie de classe et affirma que l'intérêt de classe allait s'effacer devant l'intérêt collectif et de même qu'il contestait la capacité gestionnaire du prolétariat, il refusait de revendiquer pour le seul prolétariat l'exclusivité du pouvoir.

Si Bernstein fut conduit à une révision du marxisme par l'acceptation de l'évolution réformiste des partis socialistes, Sorel entreprit de réviser Marx en partant d'un rejet complet de cette politique réformiste. Puisque la lutte des classes — l'idée maîtresse du marxisme — avait été abandonnée par les partis et n'existait plus que dans le mouvement syndical, seul le syndicalisme révolutionnaire pouvait être considéré comme le véritable héritier du marxisme.

Le « marxisme orthodoxe » a triomphé sur tous les fronts, sur le révisionnisme syndicaliste de gauche ainsi que sur le révisionnisme de droite. Mais le vrai vainqueur fut Bernstein. L'évolution réformiste du marxisme devenait chaque jour plus évidente; l'orthodoxie révolutionnaire se réduisait à un verbalisme sans support. Dans un discours célèbre au congrès socialiste d'Amsterdam (1904) Jaurès — le moins marxiste des socialistes — accusait la social-démocratie allemande d'une double impuissance, révolutionnaire et parlementaire, et il ajoutait : « Vous avez masqué votre impuissance d'action en vous réfugiant dans l'intransigeance des formules théoriques, que votre éminent camarade Kautsky vous fournira jusqu'à épuisement final. » Kautsky lui-même avait commencé à douter de la vocation révolutionnaire de l'Occident. Dans un article de 1902, intitulé Les Slaves et la Révolution *il envisageait la possibilité d'un déplacement du centre révolutionnaire vers la Russie et il concluait : « En 1848, les Slaves furent cette gelée rigoureuse qui fit périr les fleurs du printemps des peuples. Peut-être leur sera-t-il donné maintenant d'être la tempête qui rompra la glace de la réaction et apportera un nouveau et radieux printemps pour les peuples. »*

Par un curieux renversement des perspectives, le marxisme révolutionnaire allait abandonner le terrain des sociétés industrielles de l'Occident pour se réfugier dans les pays agraires de l'Orient.

1. — MARX ET ENGELS,
PÉDAGOGUES DE LA SOCIAL-DÉMOCRATIE

L'Angleterre

... Quoiqu'il soit probable que l'initiative révolutionnaire parte de la France, l'Angleterre seule peut servir de *levier* pour une révolution sérieusement économique. C'est le seul pays où il n'y ait plus de *paysans* et où la propriété foncière soit concentrée en peu de mains. C'est le seul pays où la *forme capitaliste*, c'est-à-dire le travail combiné sur une grande échelle sous des maîtres capitalistes, se soit emparée de presque toute la production. C'est le seul pays où la *grande majorité de la population consiste en ouvriers salariés*. C'est le seul pays où la lutte des classes et l'organisation de la classe ouvrière des *trade-unions* aient acquis un certain degré de maturité et d'universalité, à cause de sa domination sur le marché du monde, c'est le seul pays où chaque révolution dans les faits économiques doit immédiatement réagir sur le monde tout entier. Si le landlordisme et le capitalisme ont leur siège classique dans ce pays, par contrecoup, les conditions matérielles *de leur destruction* y sont plus mûres...

Les Anglais ont toute la *matière* nécessaire à la révolution sociale. Ce qui leur manque, c'est l'*esprit généralisateur et la passion révolutionnaire...*

L'Angleterre ne doit pas être simplement traitée comme un pays à côté des autres pays. Elle doit être considérée comme la *métropole du Capital*.

MARX, *Circulaire de la I*re *Internationale*, 1-1-1870.

Absence d'internationalisme prolétarien

Engels à Marx (24-10-1869) : L'affaire irlandaise montre quel malheur c'est pour un peuple d'avoir assujetti un autre peuple... Les choses auraient pris un autre tour en Angleterre sans la nécessité de dominer militairement l'Irlande.

Marx à Kugelmann (6-4-1868) : ... Ce n'est là que la punition subie par l'Angleterre et par conséquent par la classe ouvrière anglaise pour son crime envers l'Irlande, vieux de plusieurs siècles.

Les immigrants irlandais menacent le salaire et la situation matérielle et morale de la classe ouvrière anglaise. Le résultat, c'est que tous les centres industriels et commerciaux anglais ont maintenant une classe ouvrière scindée en deux. L'ouvrier anglais hait l'ouvrier irlandais comme un concurrent qui déprime les salaires et le standard de vie. Il ressent pour lui des antipathies nationales et religieuses. En outre le feu révolutionnaire de l'ouvrier celte ne se combine pas avec la nature solide mais lente de l'ouvrier anglo-saxon... L'ouvrier anglais se sent membre

d'une nation dominatrice et devient de ce fait l'instrument de
ses aristocrates et capitalistes contre l'Irlande et consolide leur
emprise sur lui-même...

MARX, *Rapport confidentiel*, 1870, W XVI, p. 416.

Pourquoi il n'y a pas de socialisme en Angleterre

Marx à Engels (5-2-1851) : Les libre-échangistes utilisent la
prospérité ou la demi-prospérité pour acheter le prolétariat...

Engels à Marx (7-10-1858) : Le prolétariat anglais s'embour-
geoise de plus en plus. La nation la plus bourgeoise entre toutes
semble vouloir finalement posséder à côté de la bourgeoisie
une aristocratie bourgeoise et un prolétariat bourgeois.

Marx à Engels (9-4-1863) : Combien faudra-t-il de temps aux
ouvriers anglais pour se débarrasser des théories bourgeoises
qui semblent les avoir contaminés? Il faut attendre.

Engels à Sorge (7-12-1889) : Ce qu'il y a de fâcheux ici, c'est
la *respectability* bourgeoise profondément ancrée dans la chair
des ouvriers. Socialement, la répartition de la société en une
infinité de degrés reconnus et admis sans contestation, dont
chacun a sa fierté propre, mais aussi son respect inné pour ses
supérieurs, est fixé de façon si ancienne et si solide que les
bourgeois ont toujours assez facilement des moyens d'appât...
Si l'on met en face les Français, on remarque tout de même à
quoi sert une révolution...

Monopole industriel et embourgeoisement ouvrier

Voici la vérité : tant que dura le monopole industriel de
l'Angleterre, la classe ouvrière anglaise participa dans une
certaine mesure aux avantages du monopole. Certes, ces avantages étaient distribués très inégalement; la minorité privilégiée
en empochait la plus grande partie, mais même la grande masse
elle-même en recevait de temps à autre une part. C'est là la
raison pour laquelle il n'y a pas eu de socialisme en Angleterre
depuis l'extinction de l'owenisme. Mais à présent que le monopole
s'est écroulé (à la suite de l'industrialisation de l'Allemagne,
de l'Amérique, etc.), la classe ouvrière va perdre cette position
privilégiée... et sera amenée au niveau des ouvriers des autres
pays. Et voilà pourquoi il y aura de nouveau du socialisme en
Angleterre.

ENGELS, Article dans *Commonwealth*, 1885, repris dans la
Préface de 1892 à la réédition de la *Situation des classes
laborieuses en Angleterre*.

Pourquoi il n'y a pas de socialisme en Amérique

Engels à Sorge (29 juin 1883) : S'il y avait derrière l'énergie et la force vitale américaine, la clarté théorique de l'Europe, l'affaire serait réglée en dix ans. Mais c'est, en un mot, historiquement impossible.

Engels à H. Wichewetzky (3-2-1886) : ... Même en Amérique la condition de la classe ouvrière doit graduellement aller en s'abaissant de plus en plus. Car, s'il y a trois pays (disons l'Angleterre, l'Amérique et l'Allemagne) en compétition dans des conditions comparativement égales pour la possession du marché mondial, il n'y a de probable qu'une surproduction chronique, chacun des trois étant capable de pourvoir à toute la quantité voulue...

Engels à H. Wichewetzky (3 juin 1886) : L'Amérique est l'idéal de tout bourgeois : une contrée riche, vaste, ayant des institutions purement bourgeoises, vierges de vestiges féodaux ou de traditions monarchiques, et sans un prolétariat permanent et héréditaire... Comme il n'y avait pas, jusqu'à présent, de classes à intérêts opposés, notre — et votre — bourgeoisie pensait que l'Amérique se tenait au-dessus des antagonismes de classes. Cette illusion est maintenant détruite, le dernier paradis bourgeois sur terre est en train de se changer en purgatoire et ne peut être sauvé de devenir comme l'Europe un enfer que par le pas en avant que provoquera le développement du prolétariat.

Engels à Sorge (8 août 1887) : L'Amérique est en avance sur tout le monde au point de vue de la pratique et elle est encore dans les langes sur le plan de la théorie. Mais, c'est un pays sans tradition (sauf les traditions religieuses) et qui part de la République démocratique, et un peuple plein d'énergie comme aucun autre.

Engels à Sorge (8 février 1888) : L'Amérique est purement bourgeoise; elle n'a pas le moindre passé féodal et par conséquent elle est fière de son organisation purement bourgeoise.

Engels à Sorge (24-10-1891) : Le niveau de vie de l'ouvrier américain est considérablement plus élevé que même celui de l'Anglais, et cela seul suffit pour lui assurer encore pour quelque temps une position d'arrière-garde.

Engels à Schlüter (30-3-1892) : Ce qui est notre plus grand obstacle en Amérique réside dans la position exceptionnelle des ouvriers indigènes. Jusqu'en 1848, on ne peut parler d'une classe permanente d'ouvriers indigènes qu'exceptionnellement. Les embryons qui existaient dans les villes de l'Est pouvaient toujours espérer devenir cultivateurs ou bourgeois. Maintenant, il s'est développée une classe de ce genre et elle s'est d'ailleurs organisée en grande partie en trade-unions. Mais elle occupe toujours une position aristocratique et elle abandonne tant qu'elle peut les métiers vulgaires mal payés aux immigrants, dont une partie minime entre dans ces trade-unions aristocratiques. Or ces immigrants sont divisés en nationalités qui ne se comprennent pas entre elles et, en grande partie, ne comprennent pas davantage la langue du pays... A cela s'ajoute l'indifférence d'une société qui a grandi sur une base purement capitaliste sans aucun arrière-fond sentimental de féodalité, à l'égard des vies humaines qui succombent dans la concurrence.

Engels à Sorge (31-12-1892) : Dans un pays si jeune, qui n'a jamais connu le féodalisme, élevé dès le début sur une base bourgeoise, les préjugés bourgeois sont solidement installés même dans la classe ouvrière... L'ouvrier américain se figure que la société bourgeoise traditionnellement héritée est une chose par nature et en tout temps progressive, un *nec plus ultra...*

Engels à Sorge (16-1-1895) : Le recul temporaire du mouvement en Amérique m'a déjà frappé... L'Amérique est le plus jeune mais aussi le plus vieux pays du monde... Tout ce qui a perdu la vie en Europe peut trouver en Amérique une survie de deux générations encore... L'évolution de la race anglo-saxonne avec sa vieille liberté germanique est une évolution tout à fait particulière, lente et zigzaguante...

Contre les « marxistes »

Les Allemands n'ont pas compris que leur théorie peut servir de levier qui mettrait en mouvement les masses américaines; pour la plupart, ils ne comprennent pas la théorie elle-même, et ils la considèrent d'une façon dogmatique, comme une doctrine, comme quelque chose qui doit être appris par cœur et qui satisfait immédiatement tous les besoins. C'est pour eux un credo et non un guide pour l'action...

ENGELS, *Lettre à Sorge*, 29 novembre 1886.

Le premier pas d'importance pour tout pays qui vient d'entrer dans le mouvement, consiste à organiser les ouvriers en parti politique indépendant, n'importe comment, pourvu que ce parti soit un parti ouvrier distinct... Que le premier programme de ce parti soit encore confus et extrêmement insuffisant, qu'il ait déployé l'étendard de Henry George, ce sont là des maux inévitables mais purement transitoires. Les masses doivent avoir le temps et l'occasion d'évoluer, et elles ne peuvent avoir cette occasion que lorsqu'elles possèdent un mouvement à elles... dans lequel elles pourront s'instruire par leurs propres erreurs...

ENGELS, *Lettre à Sorge*, 29 novembre 1886.

Il n'y a pas de meilleur chemin pour conduire à la clarté théorique que de s'instruire par ses propres erreurs *(durch Schaden klugwerden)*. Et c'est le seul chemin possible lorsqu'il s'agit de la classe ouvrière d'une nation aussi éminemment pratique et aussi dédaigneuse de théorie que les Américains.

Il est beaucoup plus important pour le mouvement de s'étendre, de progresser harmonieusement, de prendre racine et d'embraser autant que possible l'ensemble du prolétariat américain, que d'avancer à partir d'une plate-forme théoriquement parfaite. Ce qui est essentiel, c'est de faire mouvoir la classe ouvrière en tant que classe... Je pense que les *Chevaliers du Travail* (mouvement syndicaliste américain) constituent un facteur très important... et je considère que les (marxistes) allemands (germano-américains) ont commis une grave erreur lorsqu'ils ont tenté, face à un mouvement aussi puissant et prestigieux qui n'était pas de leur création, de faire de leurs théories importées et pas toujours bien comprises (= le « marxisme »!), une sorte d'unique dogme de salut *(alleinseligmachendes Dogma)*, et de se tenir à l'écart de tout mouvement qui n'accepterait pas ce dogme... Un ou deux millions de suffrages ouvriers pour un parti ouvrier *bona fide* valent infiniment plus que cent mille suffrages pour un programme doctrinairement parfait.

La première tentative sérieuse pour unir les masses mouvantes sur une base nationale les mettra tous face à face : partisans de Henry George, Chevaliers du Travail, trade-unionistes, etc. Mais je considérerai comme une grande faute tout ce qui pourrait retarder ou empêcher la consolidation nationale du parti des ouvriers — sur n'importe quelle plate-forme.

ENGELS, *Lettre à Florence Kelley*, 28 décembre 1886.

Le prolétariat allemand

Les ouvriers allemands ont deux avantages importants sur les ouvriers du reste de l'Europe. Le premier, c'est qu'ils appartiennent au peuple le plus théoricien de l'Europe et qu'ils ont conservé en eux-mêmes ce sens de la théorie, presque complètement perdu par les classes dites « instruites » d'Allemagne. Sans la philosophie allemande qui l'a précédé, en particulier sans celle de Hegel, le socialisme scientifique allemand, le seul socialisme scientifique qui ait jamais existé, ne se serait jamais constitué. Sans le sens théorique qui leur est inhérent, les ouvriers ne se seraient jamais assimilé à un tel point ce socialisme scientifique, comme c'est le cas à présent. Combien est immense cet avantage, c'est ce que montrent, d'une part, l'indifférence à toute théorie, qui est une des principales raisons pour lesquelles le mouvement ouvrier anglais progresse si lentement malgré la magnifique organisation de certains métiers, et, d'autre part, le trouble et les hésitations que le proudhonisme a provoqués, sous sa forme primitive, chez les Français et les Belges et, sous la forme caricaturale que lui a donnée Bakounine, chez les Espagnols et les Italiens.

... Si les ouvriers allemands continuent à progresser ainsi, je ne dis pas qu'ils marcheront à la tête du mouvement — il n'est pas dans l'intérêt du mouvement que les ouvriers d'une seule nation quelconque marchent à sa tête — mais qu'ils occuperont une place honorable parmi les combattants et se tiendront prêts à tout moment, si de rudes épreuves ou de grands événements les obligent soudain à plus de courage, à plus de décision et d'énergie.

ENGELS, Préface à *La Guerre des Paysans*, 1874. E.S.

Critique de la social-démocratie allemande

Quelle différence y a-t-il entre vous, le peuple, et Puttkammer [*ministre de la police en Allemagne, de 1881 à 1888*] si vous votez des lois anti-socialistes contre vos propres camarades? Personnellement, cela m'est égal. Aucun parti au monde ne peut me condamner au silence lorsque j'ai décidé de parler. Mais je crois que vous devriez réfléchir s'il ne serait pas plus sage d'être un peu moins excitable et un peu moins prussien dans votre comportement. Vous — et le parti — avez besoin de la science socialiste, mais cette science ne peut exister que s'il y a liberté dans le parti.

ENGELS, *Lettre à Bebel*, 1er mai 1891.

Contre l'obéissance passive

Il est grand temps que les gens cessent enfin de s'approcher des chefs du parti — leurs propres serviteurs — avec ces éternels gants blancs! Qu'ils cessent de s'adresser à eux avec une attitude soumise, comme s'ils avaient affaire à des bureaucrates infaillibles! Qu'ils les critiquent! Cela est nécessaire aussi!

ENGELS, *Lettre à Kautsky*, 11 février 1891.

Pour la liberté de critique

C'est seulement après avoir établi la preuve manifeste d'actes injurieux envers le parti, et non de simples activités oppositionnelles *(Oppositionsmacherei)* que l'on peut procéder à l'expulsion. Le plus grand parti du Reich ne pourra exister sans dommages s'il ne jouit pas d'une totale liberté interne d'expression et de représentation.

ENGELS, *Lettre à Sorge*, 9 août 1890.

Montrez que cette liberté de critique existe, et s'il doit y avoir des expulsions, qu'elles ne se fassent que dans les cas où il y a

actes pleinement prouvés et nettement caractérisés de bassesse
(Gemeinheit) et de trahison.

ENGELS, *Lettre à Liebknecht*, 10 août 1890.

Évolution pacifique et révolution violente

L'ouvrier doit saisir un jour la suprématie politique pour
asseoir la nouvelle organisation du travail; il doit renverser la
vieille politique soutenant les vieilles institutions, sous peine,
comme les anciens chrétiens qui l'avaient négligée et dédaignée,
de ne voir jamais leur royaume de ce monde.

Mais nous n'avons point prétendu que pour arriver à ce but
les moyens fussent identiques.

Nous savons la part qu'il faut faire aux institutions, aux
mœurs et aux traditions des différentes contrées; et nous ne
nions pas qu'il existe des pays comme l'Amérique, l'Angleterre,
et si je connaissais mieux vos institutions, j'ajouterais la
Hollande, où les travailleurs peuvent arriver à leur but par des
moyens pacifiques. Si cela est vrai, nous devons reconnaître
aussi que, dans la plupart des pays du continent, c'est la force
qui doit être le levier de nos révolutions; c'est à la force qu'il
faudra en appeler pour un temps afin d'établir le règne du travail.

MARX, *Le Congrès de La Haye*, 1872,
W XVIII, p. 160-1 (en français).

L'on peut concevoir que la vieille société pourra évoluer
pacifiquement vers la nouvelle, dans les pays où la représentation
populaire concentre en elle tout le pouvoir, où, selon la Constitution, on peut faire ce qu'on veut, du moment qu'on a derrière
soi la majorité de la nation; dans des Républiques démocratiques
comme la France et l'Amérique, dans des monarchies comme
l'Angleterre, où le rachat imminent de la dynastie est débattu
tous les jours dans la presse, et où cette dynastie est impuissante
contre la volonté du peuple. Mais en Allemagne, où le gouvernement est presque tout-puissant, où le Reichstag et les autres
corps représentatifs sont sans pouvoir effectif, proclamer de
telles choses en Allemagne, et encore sans nécessité, c'est enlever
sa feuille de vigne à l'absolutisme et en couvrir la nudité par
son propre corps.

ENGELS, *Critique du Programme d'Erfurt*, 1891. E.S.

Le « testament » d'Engels

Le temps des coups de main, des révolutions exécutées par de
petites minorités conscientes à la tête des masses inconscientes,
est passé. Là où il est question d'une transformation complète
de l'organisation de la société, il faut que les masses elles-mêmes

y coopèrent, qu'elles aient déjà compris d'elles-mêmes de quoi il s'agit, pour quoi elles interviennent (avec leur corps et avec leur vie). Telle est la leçon que nous a donnée l'histoire des cinquante dernières années. Mais pour que les masses comprennent ce qu'elles doivent faire, un travail long et persévérant s'impose; c'est ce travail que nous faisons et avec un succès qui désespère nos adversaires.

... L'ironie de l'histoire met tout sens dessus dessous. Nous, les « révolutionnaires », les « chambardeurs », nous prospérons beaucoup mieux par les moyens légaux que par les moyens illégaux et le chambardement. Les partis de l'ordre, comme ils se nomment, périssent de l'état légal qu'ils ont créé eux-mêmes. Avec Odilon Barrot, ils s'écrient désespérés : la légalité nous tue, alors que nous, dans cette légalité, nous nous faisons des muscles fermes et des joues roses et nous respirons la jeunesse éternelle. Et si *nous* ne sommes pas assez insensés pour nous laisser pousser au combat de rues pour leur faire plaisir, il ne leur restera finalement rien d'autre à faire qu'à briser eux-mêmes cette légalité qui leur est devenue si fatale.

ENGELS, *Introduction à « Les luttes de classes en France »*, 1895.

E.S.

2. — LE RÉVISIONNISME RÉFORMISTE ET L'ORTHODOXIE

Bernstein : lettre au Congrès de Stuttgart 1898

... Je me suis opposé à la propagation de l'idée que l'écroulement de la société bourgeoise fût proche, que la Social-démocratie doive régler sa tactique sur cette grande catastrophe sociale imminente et, éventuellement, l'y subordonner. Je m'y tiens entièrement.

Les partisans de cette théorie du cataclysme invoquent, à l'appui de leur façon de voir, le « Manifeste communiste ». A tort, sous tous les rapports.

L'hypothèse de l'évolution de la société moderne, exposée dans le « Manifeste communiste », était exacte, en ce qu'elle caractérisait les tendances générales de cette évolution. Mais elle était erronée en plusieurs conclusions spéciales, et notamment en ce qui concerne l'évaluation du temps que nécessiterait cette évolution. Cette dernière erreur a été reconnue sans réserve, par Engels, dans l'avant-propos de « Les luttes de classes en France ». Et il est de toute évidence que, puisque l'évolution économique a pris un temps beaucoup plus considérable qu'on ne le croyait tout d'abord, elle devait aussi revêtir des formes et conduire à des situations non-prévues et impossibles à prévoir à l'époque de la rédaction du « Manifeste ».

L'aggravation de la situation économique ne s'est pas effectuée comme l'avait prédit le *Manifeste*. Il est, non seulement inutile, mais très sot même de dissimuler ce fait. Le nombre des possédants n'a pas diminué mais grandi. L'énorme accroissement de la richesse sociale n'est pas accompagné par la diminution du nombre des magnats du capital, mais au contraire, par l'augmentation du nombre des capitalistes de tout degré. Les couches moyennes modifient leur caractère, mais elles ne disparaissent pas de l'échelle sociale.

La concentration de la production ne s'effectue pas partout, de nos jours, avec une force et une rapidité toujours égales. Dans nombre de branches de production, elle justifie, il est vrai, toutes les prévisions de la critique socialiste, mais dans beaucoup d'autres elle n'y répond pas encore actuellement. Plus lent encore est le processus de la concentration dans l'agriculture. La statistique de l'industrie révèle une articulation infinie des entreprises. Aucune catégorie n'en fait mine de vouloir disparaître. Les importantes modifications survenues dans la structure interne des entreprises et leurs rapports réciproques ne changent rien à ce fait.

Dans le domaine politique, nous voyons disparaître petit à petit les privilèges de la bourgeoisie capitaliste devant le progrès des institutions démocratiques. Sous l'influence de celles-ci et la pression toujours plus forte du mouvement ouvrier, une contre-action sociale a commencé contre les tendances exploitrices du capital, contre-action encore hésitante et tâtonnante aujourd'hui, mais qui, néanmoins, étend de plus en plus le champ de ses opérations. La législation, sur les fabriques, la démocratisation des administrations municipales et l'élargissement de leur champ d'action, l'émancipation des institutions syndicales et coopératives de toute entrave légale et la prise en considération des organisations ouvrières pour tous les travaux exécutés pour le compte de l'administration, caractérisent cette phase de l'évolution sociale. Qu'en Allemagne, on puisse encore songer à entraver l'action des syndicats, cela ne caractérise pas l'état avancé mais l'état arriéré de l'évolution politique de ce pays.

... Et comme je suis absolument convaincu qu'il est impossible de sauter des périodes importantes dans l'évolution des peuples, j'attache la plus grande signification aux devoirs présents de la Social-démocratie, à la lutte pour les droits politiques des ouvriers, à l'activité politique des ouvriers dans l'intérêt de leur classe, ainsi qu'à l'œuvre de leur organisation économique. C'est en ce sens que j'ai écrit à un moment donné que, pour moi, le mouvement était tout et que ce qu'on appelle habituellement le but final du socialisme n'était rien.

Peter von Struvé : réformisme et utopie

Pourquoi la croyance aux « catastrophes » sociales a-t-elle si complètement disparu dans une moitié du monde? La réponse doit être cherchée et trouvée dans l'histoire du développement économique de l'Europe pendant les cinquante dernières années. Dans les années 1840, lorsque les fondements de la célèbre théorie, désormais classique, du développement capitaliste furent posés, ce dernier se déroulait dans des convulsions. Les faits de la réalité économique de ce temps ont produit une théorie de la succession périodique de crises et de booms en tant que formes normales *(gesetzmässig)* et nécessaires de l'évolution capitaliste. Une série consécutive de crises conduirait finalement à une « catastrophe » sociale. Seuls les optimistes incorrigibles doutaient que cette catastrophe fut probable, voire inévitable... Telles furent les conditions sociales réelles sur la base desquelles fut faite la première tentative pour dresser la carte historique du développement de la société moderne — la théorie de l'évolution capitaliste, que l'on trouve dans le célèbre *Manifeste* de Marx. Cette théorie était pénétrée d'un esprit foncièrement évolutionnaire et réaliste, et si elle ne correspond plus entièrement à la réalité d'aujourd'hui, c'est précisément parce que *cette* réalité-ci ne ressemble pas aux conditions des années 1840. Le caractère convulsif de la croissance industrielle a profondément changé; ce changement n'est pas encore suffisamment déterminé mais il est capital. Il s'est révélé que la prolétarisation des masses n'est pas identique à leur paupérisation, qu'elle en est même complètement différente dans ses aspects sociaux et politiques et qu'à plus d'un point de vue elle en est même le contraire. La catastrophe sociale qui paraissait si proche dans les années 40, vu les conditions matérielles objectives de la productivité, ne s'est pas seulement éloignée, elle a même disparu de tout champ de vision réaliste, comme par exemple la vieille théorie des cataclysmes n'a plus de place dans la géologie. La phraséologie traditionnelle peut pendant quelque temps dissimuler, mais non point éliminer les importants changements qui se sont faits dans la conception scientifique du processus de développement des sociétés contemporaines : car ce renversement des perspectives reflète simplement le bouleversement des relations réelles et des faits.

Peter VON STRUVÉ, *Novoe Slovo*
(première revue marxiste russe) N° 12, 1897.

Le « libéralisme organisateur » de Bernstein

La démocratie est à la fois moyen et but. Elle est le moyen pour établir le socialisme en même temps que la forme de sa réalisation. Elle ne peut pas, évidemment, accomplir des miracles. Elle ne peut pas, dans un pays comme la Suisse — où le prolétariat industriel constitue la minorité de la population (pas encore un demi-million sur deux millions d'adultes) — mettre le pouvoir politique entre les mains de ce prolétariat. Elle ne peut pas davantage, dans un pays comme l'Angleterre — où le prolétariat représente la classe de beaucoup la plus nombreuse de la population — faire ce prolétariat maître de l'industrie lorsque, pour une partie, ce prolétariat n'en manifeste pas la moindre envie, et que, d'autre part, il n'est pas suffisamment capable de remplir les devoirs que comporterait cette situation.

La démocratie est, en principe, la suppression de la domination de classe, même si elle n'est pas la suppression effective des classes elles-mêmes. On parle du caractère conservateur de la démocratie, chose exacte sous certains rapports.

L'absolutisme ou le semi-absolutisme trompe ses partisans et ses adversaires au sujet de ses facultés. De là, dans les pays où il règne ou dans lesquels survivent encore ses traditions, les plans extravagants, le langage exagéré, la politique zigzaguante, la crainte des révolutions et la confiance dans l'expression. Dans la démocratie, les partis et les classes qu'ils représentent apprennent vite à connaître les limites de leur pouvoir, et ils s'habituent rapidement à n'entreprendre chaque fois que ce qu'ils peuvent espérer de réaliser; et lors même que leurs exigences dépassent un peu leur pensée intime, afin de pouvoir en rabattre à l'heure des inévitables compromis — la démocratie est la haute école des compromis — ces exagérations sont toujours modérées. C'est ainsi que dans la démocratie, l'extrême gauche même apparaît, le plus souvent, sous un jour conservateur, et ses progrès, parce que plus réguliers, plus lents qu'ils ne sont en réalité.

Ses tendances pourtant sont claires. Le droit de suffrage de la démocratie fait, de celui qui l'exerce, un participant nominal de la communauté, et cette participation nominale doit, à la longue, conduire à la participation réelle.

Pour une classe ouvrière numériquement et intellectuellement encore inférieure, le suffrage universel peut, pendant longtemps, représenter le droit de choisir son « boucher » soi-même. Mais avec le nombre et l'intelligence croissants, il devient l'instrument par lequel on change les représentants du peuple de maîtres qu'ils étaient en serviteurs du peuple...

... Le libéralisme avait pour mission historique de briser les liens dont l'économie et les institutions juridiques du moyen âge ont ligoté le progrès social. Qu'il se soit révélé, en premier lieu, sous l'aspect d'un libéralisme bourgeois, cela ne l'empêche pas, de fait, d'exprimer un principe social général beaucoup plus large, dont l'aboutissement sera le socialisme.

Le socialisme ne veut pas créer une contrainte nouvelle, quelle qu'elle soit. L'individu doit être libre — non pas dans le sens métaphysique comme le rêvent les anarchistes, c'est-à-dire libre de tout devoir envers la communauté, mais libre de toute contrainte économique dans ses mouvements et dans le choix de sa profession. Et une liberté semblable n'est possible pour tous qu'au moyen de l'organisation.

Dans ce sens, on pourrait aussi bien appeler le socialisme : « libéralisme organisateur »; car si on analyse un peu plus profondément les organisations voulues par le socialisme, on

découvrira que ce qui les sépare avant tout des institutions
féodales apparemment analogues, est précisément leur libéralisme, leur constitution démocratique, leur accessibilité...

BERNSTEIN, *Socialisme théorique
et social-démocratie pratique*, 1899, p. 214.

Le réformisme

Il faut que la Social-démocratie ait le courage de s'émanciper
de la phraséologie du passé et de vouloir paraître ce qu'actuellement elle est en réalité : un parti de réformes démocratiques
et socialistes. Il ne s'agit pas d'abjurer le soi-disant droit à la
révolution, ce droit purement spéculatif, qu'aucune constitution ne saurait mettre en paragraphe ni aucun code prohiber
et qui existera tant que la loi naturelle nous forcera à mourir
si nous renonçons au droit de respirer. Ce droit inécrit et impres-
criptible n'est pas plus atteint, si on se transporte sur le terrain
de la réforme, que le droit de défense légitime n'est supprimé
par le fait que nous nous sommes donné des lois réglant nos
différends personnels ou de propriétés.

Et est-ce que vraiment la Social-démocratie est aujourd'hui
autre chose qu'un parti visant à la transformation socialiste
de la société par le moyen de réformes démocratiques et économiques?...

Je le répète, plus la Social-démocratie se décidera à vouloir
paraître ce qu'elle est, plus aussi ses chances augmenteront de
réaliser des réformes politiques.

BERNSTEIN, *ibid.* p. 274.

Intérêt collectif et intérêt de classe

L'homme possède deux âmes, c'est-à-dire une comptabilité
morale en partie double. Comme individu ou comme membre
d'un groupe ou d'une classe de la société moderne, il se trouve
en opposition avec la collectivité, à laquelle personne ne peut
se dire étranger, pas même l'ouvrier tant il est vrai que son
bien ultime coïncide avec celui de la collectivité. Mais chaque
individu est en même temps un *citoyen* — car l'État moderne ne
reconnaît plus de classes fixes — et, comme tel, il fortifie les intérêts de la *nation*, même s'il s'arrange pour vivre aux dépens
d'une autre classe que la sienne. Les intérêts antagonistes des
classes disparaîtront en partie sur le champ de bataille de la
concurrence économique (qui comprend la lutte syndicale), en
partie — et ceci à un degré de plus en plus grand — dans la
législation. Du combat des intérêts de classe, l'intérêt collectif
se détachera lentement et plus il prédominera plus la société sera
démocratique. Avec les progrès de la démocratie, la lutte des
classes doit prendre peu à peu un aspect très différent de celui

qu'elle présente dans les États où domine une classe de privilégiés. Là encore il y aura des luttes, mais elles se manifesteront par des discours, par la presse, par les élections et tous les partis qui abordent le suffrage de la démocratie doivent payer tribut aux intérêts *collectifs*. Tout cela ne se passera pas évidemment sans quelque hypocrisie, mais dans ce cas l'hypocrisie est vraiment l'hommage que l'égoïsme de classe rend à l'intérêt collectif et qui suffit souvent à lui faire grincer les dents. Mais, bon gré, mal gré, le résultat dernier reste le même : *l'intérêt de classe cédera le passage et l'intérêt collectif étendra son pouvoir.* Le pouvoir législatif croîtra plus fortement dans son opposition au conflit des forces économiques, en même temps qu'il régira des matières autrefois entièrement abandonnées à l'aveugle décision des luttes d'intérêts privés.

BERNSTEIN, *Sozialistische Controversen*, 1904.

Peter von Struvé : socialisation progressive de la société capitaliste

En tant que fondement théorique du socialisme, le marxisme devait nécessairement avoir des traits utopiques aussi longtemps qu'il partait des données réelles des années 40, c'est-à-dire de la théorie de la paupérisation. *Mais depuis lors, le terrain réel du développement vers le socialisme est devenu visible ou plutôt a été créé :* j'entends par là *l'épanouissement réel de la force économique et politique de la classe ouvrière au sein de l'ordre social capitaliste.* Ce fait primordial confère à la lutte de classes du prolétariat une fonction tout aussi naturelle que décisive. Comme nous l'avons constaté à maintes reprises, ceux qui nient la socialisation progressive de la société capitaliste sont contraints de concevoir la lutte de classes économique et politique comme une espèce d'entraînement intellectuel et politique en vue du coup décisif de la révolution sociale. Pourtant, cette lutte ne se déroule pas ailleurs que dans la société capitaliste, dans les conditions et avec les moyens de celle-ci. La lutte de classes de tous les jours est ainsi conçue comme moyen de préparation sans autre contenu et privée du lien vivant avec la vie réelle; par bonheur, dans la théorie seulement. D'après la conception réaliste ou évolutionniste que nous représentons, la lutte des classes est une force aussi bien réelle qu'idéelle. Elle est l'instrument et l'expression de la puissance croissante du prolétariat. Sans doute, la thèse de la socialisation progressive de la société est incompatible avec la croyance que le développement du capitalisme vers le socialisme dépend de l'exaspération croissante de la lutte de classes et des antagonismes de classes, jusqu'au triomphe de la révolution sociale. Pour devenir une réalité, la socialisation doit entraîner un affaiblissement croissant, puis une disparition totale des antagonismes de classes. Bien entendu, ce résultat est également admis par le marxisme orthodoxe, mais alors que celui-ci escompte la disparition des oppositions de

classes de leur exaspération et leur « abolition » définitive par la
dictature du prolétariat, nous faisons la même déduction à
partir de la puissance croissante et de l'activité réformatrice
de la classe ouvrière.

Peter VON STRUVÉ, *La Théorie marxiste de l'évolution sociale.*
Archiv für soziale Gesetzgebung und Statistis, 1899,
trad. fr., *Études de marxologie*, Paris,
N° 6, 1962.

La réponse de l'orthodoxie : déclin du parlementarisme, limites de la démocratie

Le parlementarisme devient de moins en moins capable de
suivre une politique précise dans quelque direction que ce soit.
Il devient de plus en plus décrépit, de plus en plus impuissant.
Il ne retrouvera une nouvelle jeunesse, une nouvelle force que
quand le prolétariat, encore dans son adolescence, l'aura conquis,
comme tout pouvoir public; et l'aura fait servir à ses desseins.
Le parlementarisme, bien loin donc de rendre la révolution
impossible ou superflue, a besoin lui-même de la révolution
pour renaître à l'existence.

Mais que l'on ne s'y méprenne pas : que l'on ne croie pas que
je tienne la démocratie pour inutile et que les coopératives, les
syndicats, l'entrée de la démocratie socialiste dans les municipalités, l'obtention de quelques réformes soient choses sans
valeur. Rien ne serait plus erroné. Au contraire, tout progrès
a une importance inappréciable pour le prolétariat, et ne perd
de sa valeur que si l'on y voit le moyen d'empêcher la révolution,
c'est-à-dire la conquête du pouvoir politique par le prolétariat.

... Il ne faut pas déprécier les conquêtes pratiques qui peuvent
être faites grâce à la démocratie et par l'usage de ses libertés
et de ses droits. Elles sont beaucoup trop minimes pour restreindre le pouvoir du capitalisme et le faire évoluer insensible-
ment en socialisme. Mais la plus petite des réformes, la plus
faible organisation peuvent présenter une grande importance
pour la renaissance physique et intellectuelle du prolétariat qui,
sans elles, livré pieds et poings liés au capitalisme, serait déjà
démoralisé par la misère, dont celui-ci ne cesse de le menacer.
Mais ce n'est pas seulement pour sortir le prolétariat de la misère
que l'activité de représentants prolétariens dans les parlements
et dans les assemblées communales, que l'action d'organisations
prolétariennes sont indispensables. C'est un moyen de familiariser pratiquement le prolétariat avec les problèmes et les moyens
que présentent l'administration de l'État ou de la commune,
et les grandes entreprises économiques. C'est un chemin qui mène
à cette maturité intellectuelle dont le prolétariat a besoin, s'il
doit remplacer un jour la bourgeoisie comme classe dirigeante.

La démocratie est donc indispensable : elle rend le prolétariat mûr pour la révolution sociale. Mais elle n'est pas en état d'empêcher cette révolution.

KAUTSKY, *La Révolution sociale*, 1902,
traduction française, éd. Marcel Rivière, 1912.

Réformisme et opportunisme

La progression historique du prolétariat jusqu'à la victoire n'est effectivement pas une chose si simple. Toute l'originalité de ce mouvement réside en ce que, pour la première fois dans l'histoire, les masses populaires doivent réaliser leur volonté par elles-mêmes et *contre* toutes les classes dominantes, mais situer cette volonté dans l'au-delà de la société actuelle, par-delà cette société. Mais cette volonté, les masses ne peuvent se la façonner que dans la lutte continue avec l'ordre existant, que dans le cadre de cet ordre. Lier la grande masse populaire à un but qui dépasse tout l'ordre existant, lier la bataille de chaque jour à la grande réforme du monde, tel est le gros problème du mouvement social-démocrate, lequel, conséquemment, doit avancer entre ces deux écueils : l'abandon de son caractère massif et l'abandon du but final, la retombée à l'état de secte et la culbute dans le mouvement réformiste bourgeois, l'anarchie et l'opportunisme.

Rosa LUXEMBURG, *Réforme ou Révolution ?*, 1899.

Le débat sur la « nécessité objective » du socialisme : Bernstein et la « paupérisation absolue »

Cant — Le mot est anglais et date du XVIᵉ siècle, où il caractérisait le radotage piétiste des puritains. Dans son sens plus général il signifie la rhétorique fausse et insipidement rabâchée ou bien sciemment répétée en dépit de sa fausseté et utilisée dans un but quelconque — soit qu'il s'agisse de religion ou de politique, de théories ternes ou de réalités éblouissantes. Dans ce sens plus large, le *cant* est vieux comme le monde.

Chaque nation, chaque classe et chaque groupe uni par une doctrine ou par un intérêt ont leur *cant* respectif. Pour une bonne part, le *cant* est devenu à tel point une chose de convention et de forme, que personne ne se trompe plus sur son vide absolu et que la guerre qu'on lui fait est devenue un simple passe-temps. Il n'en est pas de même du *cant* qui s'affiche comme science et de la tirade politique devenue *cant*. C'est parce que je ne présente pas la situation des ouvriers comme désespérée, que je reconnais la possibilité de l'améliorer et beaucoup d'autres faits encore constatés par des économistes bourgeois, que M. Plékhanov me rejette dans les rangs des « adversaires du socialisme scientifique ».

« Socialisme scientifique » — en effet. Si jamais le mot « science »
est devenu du *cant* pur, c'est ici. La phrase de la désespérance
de la situation de l'ouvrier a été écrite il y a plus de cinquante
ans. On la rencontre dans toute la littérature radicale-socialiste
de 1830 à 1850, et beaucoup de constatations semblaient la
justifier. Ainsi, il est compréhensible que Marx, dans la « Misère
de la philosophie », affirme que la somme des frais d'entretien
minimum de l'ouvrier constitue son salaire naturel; que dans le
« Manifeste communiste » les auteurs déclarent catégoriquement
que l'« ouvrier moderne, par contre, au lieu de s'élever avec le
progrès de l'industrie, tombe toujours plus au-dessous des
conditions de sa classe; qu'on lise dans les « Luttes de classe »
que la moindre amélioration dans la situation de l'ouvrier
« sera toujours une utopie dans la république bourgeoise ».
Si la situation des ouvriers est encore désespérée aujourd'hui,
toutes ces assertions sont naturellement encore exactes. Le
reproche de M. Plékhanov implique cette exactitude. La désespérance de la situation de l'ouvrier serait donc un axiome
inébranlable du « socialisme scientifique ». Tandis que reconnaître les faits qui contredisent ces assertions, c'est, d'après
M. Plékhanov, marcher dans les traces des économistes bourgeois
qui ont constaté ces faits...

Une erreur ne devient pas sacrée par le fait qu'à un moment
donné Marx et Engels l'ont partagée, et une vérité ne perd rien
de sa valeur parce qu'un économiste anti-socialiste ou pas
tout à fait socialiste l'a constatée le premier. Dans le domaine
de la science la tendance ne crée pas de privilèges et ne notifie
pas d'arrêtés d'expulsion...

M. Plékhanov appelle cela « amalgame » éclectique du socialisme scientifique avec les doctrines des économistes bourgeois.
Comme si neuf dixièmes des éléments du socialisme scientifique
n'étaient pas empruntés aux écrits des « économistes bourgeois »,
et comme s'il pouvait jamais être question d'une science de
parti.

BERNSTEIN, *Socialisme théorique
et social-démocratie pratique*, 1899.

Rosa Luxemburg : marxisme orthodoxe

... Bernstein dit textuellement : « On pourrait objecter que,
quand on parle de l'écroulement de la société actuelle, on a
autre chose en vue qu'une crise commerciale générale et plus
forte que les autres, à savoir un écroulement complet du système
capitaliste par suite de ses propres contradictions. » Et, à cela,
il répond : « Un écroulement complet et à peu près général du
système de production actuel est, de par le développement
croissant de la société, non pas plus probable, mais plus impro-
bable, parce que celui-ci accroît, d'une part, la capacité d'adaptation, et de l'autre — c'est-à-dire par là même — la différen-

tiation de l'industrie. » (*Neue Zeit*, 1897-98, V, 18, p. 555).

Mais alors se pose la grande question : pourquoi et comment, dans ce cas, parviendrons-nous en général au but final de nos aspirations? Du point de vue du socialisme scientifique, la nécessité historique de la révolution socialiste se manifeste avant tout dans l'anarchie croissante du système capitaliste, anarchie qui le pousse dans une impasse. Mais si l'on admet avec Bernstein que le développement capitaliste ne va pas dans le sens de sa propre ruine, alors le socialisme cesse *d'être objectivement nécessaire*.

La théorie révisionniste est placée devant un dilemme : *ou bien* la transformation socialiste est la conséquence, comme c'était généralement admis jusqu'ici, des contradictions internes du régime capitaliste, et alors, en même temps que ce régime, se développent également les contradictions qu'il contient, d'où il résulte qu'un écroulement de ce régime est inévitable à un moment donné, ce qui signifie aussi que les « moyens d'adaptation » sont inefficaces et que la théorie de l'écroulement est juste. *Ou bien* les « moyens d'adaptation » sont réellement en état d'empêcher un écroulement du système capitaliste et de rendre, par conséquent, le capitalisme capable de se maintenir en vie, donc de supprimer ses contradictions, mais alors le *socialisme* cesse d'être une nécessité historique, et il est alors tout ce qu'on veut, sauf le résultat du développement matériel de la société.

R. Luxemburg, *Réforme ou Révolution?*, 1899.

Réponse de Bernstein

Mlle Luxemburg, dans ses articles — qui en ce qui concerne leur esprit méthodique comptent parmi les meilleurs écrits contre moi — m'a reproché qu'avec ma façon de comprendre les choses le socialisme cessait d'être une nécessité objective historique, et avait désormais une base idéaliste. Bien que sa démonstration contienne quelques tours de force de logique horripilante et aboutisse à une identification absolument arbitraire de l'idéalisme avec l'utopisme, elle touche pourtant le fond de la question en ce que, en effet, je ne subordonne pas la victoire du socialisme à son « immanente nécessité économique » et que je ne crois ni possible, ni nécessaire de lui donner une justification purement matérialiste.

Si la victoire du socialisme dépendait de la décroissance continuelle du nombre de capitalistes, alors la Social-démocratie, pour agir logiquement, devrait, sinon favoriser de toutes ses forces l'entassement des capitaux entre un nombre de mains toujours plus restreint, du moins s'abstenir de tout ce qui pourrait retarder cette décroissance. En réalité elle fait très souvent tout le contraire. Ainsi, quand il s'agit de ses votes dans les questions d'impôts. Au point de vue de la théorie du

cataclysme, une part considérable de son action pratique est
un véritable travail de Pénélope. Mais ce n'est pas elle qui a
tort sous ce rapport. La faute est dans la doctrine, en ce qu'elle
fait croire que le progrès dépend de l'état de plus en plus mauvais
des conditions sociales.

BERNSTEIN, op. cit.

Nécessité d'une révision du marxisme

Un homme qui exposerait avec une netteté convaincante
ce qui, de l'œuvre de nos grands précurseurs, mérite et est destiné
à être conservé, et ce qui en peut et doit être écarté, nous mettrait
aussi à même d'apprécier avec plus d'impartialité ces travaux
qui, bien que ne partant pas des mêmes points de vue qui nous
semblent actuellement indiscutables, visent pourtant au même
but en vue duquel lutte la Social-démocratie. Nul penseur
impartial ne niera que sous ce rapport la critique socialiste ait
souvent faibli. J'ai, pour ma part, fait comme les autres et je ne
jette donc la pierre à personne. Mais c'est justement parce que
je m'en suis moi-même rendu coupable que je crois avoir le
droit de proclamer l'urgence d'y remédier.

Ce qu'il faut au mouvement socialiste contemporain, c'est,
à côté des esprits combatifs, d'autres ordonnant et condensant,
assez élevés pour séparer l'ivraie de la bonne graine, et qui
pensent assez largement pour reconnaître aussi la petite plante
germée dans un autre champ que le leur propre.

Des hommes en un mot qui, s'ils ne sont pas des rois peut-
être, sont du moins des républicains ardents dans l'empire de la
pensée socialiste.

BERNSTEIN, op. cit.

Étatisme et socialisme : l'État-patron et les grèves

Quoi de moins libre que l'ouvrier de l'État? Contre l'État,
pas de lutte, je ne dis pas possible à faire triompher, mais possible
à engager. La grève n'est sans doute que la petite guerre. Ce
n'est pas elle qui peut conduire à l'affranchissement, parce que,
ne touchant pas au principe du salariat, elle ne peut — même
victorieuse — qu'améliorer la condition des salariés, disons le
mot : rendre les chaînes moins lourdes.

Mais la grève est un excellent champ de manœuvres : en même
temps que la solidarité ouvrière, elle crée l'organisation ouvrière.
Elle est une véritable école de guerre. Et de cette école de guerre
est exclue toute la partie du prolétariat que l'État immobilise
dans ses ateliers. L'État-patron, c'est l'ouvrier doublement
esclave parce que, tenu par le ventre, il est également tenu par le
collet. L'atelier fermé se double de la prison ouverte...

Jules GUESDE, Le Socialisme et les Services publics, 1896.

Les révisionnistes et le socialisme

Quelques mots sur la « dictature du prolétariat » : je pense que cette notion jacobine et blanquiste tend à ravaler le bouleversement social au niveau d'une mesure gouvernementale de l'autorité démocratique. La « dictature du prolétariat » — dans la mesure où elle est concevable — n'a aucune commune mesure avec le bouleversement social : elle est ou bien tout à fait superflue ou bien plus qu'insuffisante pour celui-ci. Plus la société — grâce à la force croissante du prolétariat — se rapprochera du socialisme, moins on pourra et devra penser à la dictature de cette classe; plus la distance qui sépare la société du socialisme est grande, moins le remède de la « dictature du prolétariat » suffit à pallier cette immaturité pour le socialisme.

Peter VON STRUVÉ, *op. cit.*

La gestion ouvrière

L'État peut-il supplanter le monde de l'industrie? Qu'est-ce que cela signifierait? L'État moderne peut-il prendre possession des industries dont les affaires consistent pour une grande part dans des spéculations, les industries qui, avec leurs produits et leurs possibilités, entrent sur le marché mondial comme concurrentes et qui, dans la lutte pour les commandes et les ventes, mettent en œuvre toutes les fines qualités de la compétition moderne? Si l'État ne peut ni ne veut faire cette besogne, ces grandes industries, qui jouent un si grand rôle dans la vie économique actuelle, qui emploient ensemble de si vastes armées de travailleurs, et de l'existence desquelles dépend le bien-être d'une si grande partie de la population, ces industries, impliquées dans une catastrophe sociale, pourront-elles échapper à la ruine simplement en raison de ce que l'État ne peut les prendre en mains? Ce sont de tous autres moyens et des méthodes toutes différentes qu'il faut employer pour les placer peu à peu sous le contrôle énergique de l'État, lequel ne peut que par degrés et lentement devenir le maître de la situation. Pendant leur mouvement vraiment révolutionnaire, les ouvriers des centres industriels russes n'ont que trop bien appris la vérité de cette affirmation... Si je ne me trompe, Kautsky, dans l'exposé qu'il fit en Hollande, des débuts de cette révolution, développa l'idée que l'abandon volontaire des usines aux ouvriers serait un des premiers résultats de la révolution de la classe ouvrière, et que les industriels diraient : « Très bien; prenez les usines, mais laissez-nous seuls. » Vraiment, c'est très possible, et j'avoue qu'une telle expropriation serait très peu coûteuse. La seule question est de savoir si les ouvriers voudraient ou pourraient se charger des usines et les gérer avec succès. Et après tout ce que nous avons vu jusqu'ici nous sommes forcés de conclure que les ouvriers ne peuvent ni ne veulent assumer la direction des usines. Dans une révolution, les usines aussi facilement expropriées ne seraient plus que des cosses vides.

BERNSTEIN, *Der Revisionismus in der Sozialdemocratie*, 1909.

Réponse de l'orthodoxie : bureaucratie et autogestion

La discipline du prolétariat n'est pas la discipline militaire; elle n'est pas l'obéissance passive à une institution établie d'en haut; c'est la discipline démocratique, la soumission volontaire à une direction élue et aux résolutions de la majorité des compagnons. Pour que cette discipline démocratique ait une action dans la fabrique, il faut que le travail y soit organisé démocratiquement, que la fabrique démocratique ait remplacé la fabrique autocratique d'aujourd'hui. Il va de soi qu'un régime socialiste n'aura rien de plus pressé que d'organiser démocratiquement la production. Mais si le prolétariat victorieux n'avait pas de prime abord cette intention, il y serait amené par la nécessité d'assurer la continuité de la production. On ne maintiendra dans le travail la discipline qui y est indispensable qu'en introduisant la discipline syndicale dans le processus de la production.

Tout cela ne pourra pas se faire partout de la même manière : chaque industrie a son caractère propre, qui est une indication pour l'organisation de ses ouvriers. Il y a, par exemple, des entreprises qui ne peuvent pas se passer d'une organisation bureaucratique, tels les chemins de fer. Voici quelle pourrait être dans ce cas l'organisation démocratique : les ouvriers éliraient des délégués qui formeraient une sorte de parlement ayant pour mission de régler le travail et de surveiller l'administration bureaucratique. D'autres entreprises peuvent être confiées aux syndicats; d'autres, enfin, peuvent être laissées aux mains des corporations. Il y a donc dans les industries une très grande variété dans l'organisation démocratique, et nous ne pouvons pas espérer voir adopter pour toutes un seul et même modèle.

Nous avons vu qu'il pouvait y avoir différentes sortes de propriétés : propriété de l'État, propriété de la commune, propriété des associations; mais bien des moyens de production pourront continuer à être des propriétés privées, ainsi que nous le montrerons. Nous venons de voir à l'instant que l'organisation des entreprises sera très variée.

KAUTSKY, *La Révolution sociale*, 1902,
traduction française, éd. Marcel Rivière, 1912.

L'homme socialiste

L'organisation est l'arme la plus importante du prolétariat, et presque tous ses grands chefs sont aussi de grands organisateurs. A l'argent du capital, aux armes du militarisme, le prolétariat n'a à opposer que ses organisations et le rôle indispensable qu'il joue dans l'économie. Son intelligence se développe en même temps que ces organisations et, grâce à elles, cela va de soi.

Il lui faudra une haute intelligence, une discipline sévère et une parfaite organisation de ses grandes masses, et ces qualités deviendront en même temps tout à fait indispensables dans la vie économique s'il veut devenir assez fort pour terrasser ses redoutables adversaires. Nous pouvons nous attendre à ne le voir réussir que lorsqu'il possédera ces qualités à un degré très élevé.

Par conséquent, la domination du prolétariat et la révolution sociale ne pourront pas se produire avant que les conditions préliminaires, tant économiques que psychologiques d'une société socialiste ne soient suffisamment réalisées. Comme cela n'exige pas que les hommes deviennent des anges, nous espérons que nous n'aurons pas trop longtemps à attendre cette maturité psychologique.

Si les prolétaires modernes n'ont pas tellement à changer pour devenir mûrs pour le socialisme, nous pouvons espérer que la société nouvelle modifiera considérablement le caractère de l'homme.

Ce que l'on pose comme condition préliminaire d'un régime socialiste, ce que la société capitaliste est incapable de fournir, ce qui serait donc une condition irréalisable, je veux dire la création d'un type humain plus élevé que ne l'est l'homme moderne, c'est précisément le résultat que nous attendons du socialisme. Il donnera à l'homme la sécurité, le repos et du loisir, il élèvera son esprit au-dessus des banalités de la vie quotidienne, parce qu'il n'aura plus à se préoccuper constamment du pain du lendemain. Il donnera à l'individu une entière indépendance vis-à-vis des autres individus et détruira par là l'esprit de servilité des uns et le mépris des hommes des autres. Il nivellera en même temps les différences entre la ville et la campagne, il mettra à la portée de l'homme tous les trésors d'une haute culture monopolisés aujourd'hui par les villes en même temps qu'il le ramènera à la nature où il puisera la force et la joie de vivre.

Il arrachera simultanément les racines physiologiques et sociales du pessimisme, la misère et la dégénérescence des uns qui font de nécessité vertu, les excès des autres qui, jouisseurs oisifs, ont vidé jusqu'à la lie la coupe des plaisirs. Le socialisme fait disparaître la misère, les richesses excessives, rend l'homme heureux de vivre, le rend sensible à la beauté; avec cela il donne à tous la liberté de travailler les sciences et les arts.

Ne sommes-nous pas autorisés à croire que dans ces conditions, il se formera un nouveau type de l'homme qui surpassera tous ceux que la civilisation a produits jusqu'à ce jour? Un surhomme, si l'on veut, mais qui sera la règle, non l'exception, un surhomme en comparaison de ses ancêtres, mais non en comparai-

B. — *LA SOCIAL-DÉMOCRATIE RUSSE*

Présentation

Paradoxalement, le marxisme russe fit son apparition sous des auspices populistes : ce sont des Narodniks *(populistes) qui, les premiers, traduisirent Marx en russe, répandirent ses idées et s'efforcèrent de les appliquer à l'étude de l'économie russe. Les* Narodniks *croyaient que la Russie agraire et féodale éviterait les maux de l'industrialisme moderne et parviendrait à un ordre socialiste original, basé sur le* Mir, *communauté primitive de la terre qui avait survécu dans les campagnes. D'après les économistes populistes, l'absence de débouchés extérieurs et l'étroitesse du marché intérieur rendaient impossible l'implantation du capitalisme en Russie; leurs théoriciens politiques (dont Piotr Tkatchov) fondaient tous leurs espoirs sur l'action révolutionnaire de la paysannerie dirigée par une minorité rigoureusement centralisée et disciplinée d'intellectuels.*

Quand le marxisme proprement dit prit corps en Russie au début des années 1890, son premier soin fut de libérer Marx de l'hypothèque populiste. Imbus de l'idée que le socialisme ne peut devenir une réalité que si au préalable le capitalisme se développe en engendrant ses propres fossoyeurs, les forces productives et les prolétaires industriels, les marxistes s'appliquèrent tout d'abord à démontrer la possibilité, voire la nécessité, d'une évolution capitaliste de la Russie. Certains d'entre eux — les «révisionnistes» ou « marxistes légaux » — allèrent même si loin qu'ils prouvèrent non seulement la possibilité et la nécessité mais aussi la durée indéfinie du capitalisme. Leurs adversaires observaient ironiquement que « si dans le monde entier les marxistes constituent un parti de la classe ouvrière, en Russie ils sont le parti du grand capital »...

En second lieu, il s'agissait pour les marxistes de dénoncer les illusions populistes au sujet de la toute-puissance des minorités dynamiques et la possibilité d'une révolution socialiste dans un pays précapitaliste. Toute révolution prématurée est vouée à une

*dégénérescence fatale : Plékhanov, le « père du marxisme russe »,
tiendra ce langage en 1883 contre les populistes, en 1905 contre
Trotsky et en 1918 contre les bolcheviks.*

Aidés par l'extraordinaire essor industriel de la Russie dans les
années 1890, les marxistes éclipsèrent leurs adversaires populistes
et réussirent à dissocier Marx du populisme. Cependant, tout en
présentant un front uni à leurs adversaires, ils furent bientôt
emportés dans les remous de la grande controverse entre « marxistes orthodoxes » et « révisionnistes » : en 1901, sur l'intervention de Plékhanov, gardien de l'orthodoxie, les « révisionnistes »
(Struvé, Boulgakov, Berdiaef, etc.) furent expulsés de la social-
démocratie et se joignirent aux libéraux.

Cette controverse était à peine terminée qu'une autre s'éleva.
Les premières grèves encouragèrent une nouvelle tendance,
l'« économisme », version russe du « syndicalisme pur » (apoli-
tique). Les « économistes » voulaient limiter leur activité au
soutien des revendications ouvrières pour le relèvement des
salaires et l'amélioration des conditions de travail : la politique,
disaient-ils, n'intéresse pas le prolétariat, la social-démocratie
devait mettre en sourdine ses revendications politiques et se limiter
à la seule action corporative. Les socialistes partisans de l'action
politique rétorquaient que les « économistes » rabaissaient la
classe ouvrière et sous-estimaient ses capacités historiques : le
rôle du parti n'était pas de s'aligner sur les positions des éléments
les plus arriérés de la masse, mais de grouper l'avant-garde consciente de la classe provisoirement apathique et inconsciente.

Une nouvelle controverse éclata aussitôt au sujet de l'organisation de cette avant-garde et de ses rapports avec la classe. Dans
Que faire ? (1901-2), et Un pas en avant, deux pas en arrière
(1904), ouvrages qui allaient devenir la Bible du bolchevisme,
Lénine, comme Bernstein et comme les « économistes », mais
dans une tout autre intention, part de la constatation que le
prolétariat est spontanément plus réformiste que révolutionnaire,
— mais c'est pour en déduire qu'il appartient à l'intelligentsia
marxiste, aux intellectuels devenus « révolutionnaires professionnels », de le stimuler à remplir la mission historique que « livré
à ses propres forces » il est incapable de réaliser. Un nouveau
type de parti devait être créé qui ne serait pas un parti de masse
fonctionnant démocratiquement comme les partis socialistes
d'Occident, mais un parti d'élite fondé sur une centralisation
rigoureuse et une unanimité monolithique. La « liberté de critique »,
la pluralité des opinions et des tendances devaient être rejetées;
le parti devait s'édifier sur le « principe bureaucratique » (nomination des responsables par le Centre) et la « discipline prolétarienne » — discipline qui, d'après Lénine, était inculquée au prolétariat par l'« école de la fabrique ».

Ces conceptions provoquèrent une tempête de protestations.
Martov tenait Lénine pour le « chef de l'aile réactionnaire du
parti ». Plékhanov aussi jugeait avec une extrême sévérité le
centralisme autoritaire de Lénine : « En définitive, disait-il, tout

tournera autour d'un seul homme qui, ex providentia, *réunira en lui tous les pouvoirs.* » De même le jeune Trotski (Nos tâches politiques, 1904) adressait à Lénine un avertissement tragiquement prophétique : « L'organisation du parti se substituera au parti, le Comité central se substituera à l'organisation et finalement le dictateur se substituera au Comité central. » Mais l'attaque la plus féroce vint de Rosa Luxemburg, le chef de l'aile révolutionnaire de la social-démocratie européenne. L' « ultracentralisme » de Lénine était à ses yeux aussi néfaste que le « bureaucratisme conservateur » qui régnait dans la social-démocratie allemande et paralysait sa volonté révolutionnaire : « rien, disait-elle, ne pourrait plus sûrement asservir un mouvement ouvrier, encore si jeune, à une élite intellectuelle assoiffée de pouvoir, que cette cuirasse bureaucratique où on l'immobilise pour en faire l'automate manœuvré par un comité... »

C'est sur ces questions d'organisation que la social-démocratie russe se divisa en bolcheviks (« majoritaires ») et en mencheviks (« minoritaires »). Les polémiques entre les deux fractions allaient leur train quand, à partir de l'automne 1904, apparurent les premiers éclairs annonciateurs de la Révolution. Le tsar subit sa première défaite dans la guerre contre le Japon commencée en février. La bourgeoisie libérale, encouragée par les événements, commença à réclamer ouvertement l'abolition de l'autocratie et l'établissement d'une monarchie constitutionnelle. Qu'allaient faire les social-démocrates? Pour les mencheviks comme pour les bolcheviks la révolution russe ne dépasserait guère les limites des révolutions bourgeoises que l'Europe occidentale avait connues à la fin du XVIIIᵉ et au cours du XIXᵉ siècle. Les mencheviks en déduisaient qu'il fallait soutenir le libéralisme bourgeois et tâcher de ne pas l'effrayer par des revendications « prématurées ». « Il est absurde et nuisible de rêver au monopole du rôle actif dans le soulèvement qui approche », écrivait Martov. De même Plékhanov mettait en garde le parti contre « ces extravagances déplacées que d'aucuns considèrent comme des manifestations d'extrémisme socialiste, mais qui, en réalité, portent plus que tout préjudice à ce dernier ». Par contre Lénine et les bolcheviks observaient les hésitations de la grande bourgeoisie, prise entre la nécessité de combattre l'absolutisme et la peur de perdre dans cette lutte plus qu'elle ne pourrait y gagner. Les libéraux, disait Lénine, craignent la révolution autant que les tsars eux-mêmes. Seul le prolétariat allié à la paysannerie pouvait mener à terme cette révolution bourgeoise que la bourgeoisie allait immanquablement trahir : l'instrument de cette révolution bourgeoise-démocratique (antiféodale mais non anticapitaliste) devait être un Gouvernement Provisoire exerçant la « dictature démocratique des ouvriers et des paysans ».

Les seuls socialistes qui, en 1905, croyaient que la révolution pouvait conduire à la dictature du prolétariat et au socialisme, c'étaient Trotski et Parvus. Opposant l'essor de la ville en Europe occidentale à l'immaturité de la civilisation citadine en Russie et en

Chine, Parvus montrait que le fer de lance des révolutions bourgeoises du passé, la masse des artisans et petits bourgeois radicaux, n'existait pas dans les pays sous-développés. Leur place
dans la lutte historiquement inévitable pour la démocratie serait
prise par le jeune prolétariat et non par la bourgeoisie libérale.
Politiquement et économiquement chétive, sans appui dans les
campagnes soumises à la loi des grands propriétaires, isolée dans
les villes où l'absence de classes moyennes la mettait directement
aux prises avec une classe ouvrière concentrée, organisée et exas-
pérée par la sauvagerie de l'accumulation primitive du capital, la
bourgeoisie était incapable de mener à terme sa propre révolution.
Trop faible pour s'attaquer efficacement à l'autocratie et neutraliser en même temps les attaques du prolétariat, elle était condamnée à trahir sa propre révolution en cours de route. En outre, il
manquait à la Russie (comme à la plupart des pays sous-développés)
cette classe de petits propriétaires ruraux qui constituent, dans les
pays développés, le soutien rural de l'ordre bourgeois. Lénine avait
montré que seule l'alliance des ouvriers et des paysans pouvait
achever la révolution commencée par la bourgeoisie réformiste,
mais il pensait que pour souder cette alliance il fallait mettre
en sourdine les revendications socialistes du prolétariat. Fidèle à
l'axiome marxiste de l'impuissance historique des paysans,
Trotski montrait, au contraire, que les paysans étaient incapables
de pousser leur propre révolution jusqu'à la conquête du pouvoir.
L'insurrection paysanne ne pouvait se trouver victorieuse que
« dans la mesure seulement où elle réussirait à affermir la position
de la partie révolutionnaire de la population citadine ». Le prolétariat devait profiter de sa suprématie dans les villes pour attaquer
la bourgeoisie isolée, déborder la révolution démocratique et la
transformer en « révolution permanente » : « révolution ininterrompue qui unirait la suppression de l'absolutisme et du servage à la
révolution socialiste, au moyen d'une série de conflits sociaux
croissants, du soulèvement de nouvelles couches populaires et
d'attaques incessantes du prolétariat contre les privilèges politiques et économiques des classes dominantes » (Trotski : Notre
Révolution, 1906). La faiblesse numérique du prolétariat ne
l'empêcherait donc pas de prendre le pouvoir et d'exercer sa
dictature de classe : en attendant la révolution dans les pays
développés, seuls capables de réaliser le socialisme, le prolétariat
neutraliserait la réaction en prenant en tutelle les intérêts de
l'immense majorité paysanne.

Mencheviks et bolcheviks traitaient les conceptions de Trotski
de divagations « extravagantes », de thèses « absurdes et réactionnaires » (Lénine). La défaite de la Révolution de 1905 mit
temporairement fin au débat. Il réapparaîtra douze ans plus tard
et cette fois-ci la « révolution ininterrompue » sera mise en
pratique.

1. — MARXISME ET POPULISME

... Si la Russie tend à devenir une nation capitaliste à l'instar des nations de l'Europe occidentale, *et pendant les dernières années elle s'est donnée beaucoup de mal en ce sens*, elle n'y réussira pas sans avoir préalablement transformé une bonne partie de ses paysans en prolétaires; et après cela, amenée une fois au giron du régime capitaliste, elle en subira les lois impitoyables, comme d'autres nations profanes.

MARX, *Réponse à Mikhaïlovski*, 1877.
(Texte original en français.)

L'analyse donnée dans le « Capital » n'offre... de raison ni pour ni contre la vitalité de la commune rurale, mais l'étude spéciale que j'en ai faite, et dont j'ai cherché les matériaux dans les sources originales, m'a convaincu que cette commune est le point d'appui de la régénération sociale en Russie; mais afin qu'elle puisse fonctionner comme telle, il faudrait d'abord éliminer les influences délétères qui l'assaillent de tous les côtés et ensuite lui assurer les conditions normales d'un développement spontané.

MARX, *Lettre à Véra Zassoulitch*, 8-3-1881.

... Pour sauver la commune russe, il faut une Révolution russe... Si la révolution se fait en temps opportun, si elle concentre toutes ses forces pour assurer l'essor libre de la commune rurale, celle-ci se développera bientôt comme élément régénérateur de la société russe et comme élément de supériorité sur les pays asservis par le régime capitaliste.

Brouillon de la lettre précédente.

... Si la révolution russe devient le signal d'une révolution ouvrière à l'Occident, de façon que les deux révolutions se complètent, l'actuelle propriété commune russe peut devenir le point de départ d'une évolution communiste.

MARX, *Préface à la 2e édit. russe du Man. Com.*, janvier 1882.

Le fait que la Russie soit le dernier pays touché par la grande industrie capitaliste, et qu'elle soit en même temps le pays ayant la plus large population paysanne, rendra le bouleversement provoqué par cette transformation plus aigu ici que partout ailleurs. Le processus de remplacement de quelque 500 000 *pomiechtchiki* (propriétaires) et de quelque 80 millions de paysans par une nouvelle classe de propriétaires terriens bourgeois ne saurait s'effectuer qu'au milieu de souffrances et de convulsions terribles. Mais l'histoire est la plus terrible des divinités qui mène son char triomphant par-dessus des amas de cadavres, non seulement dans les guerres, mais aussi au cours d'un développement prétendument pacifique...

ENGELS, *Lettre à Danielson*, 24-2-1895.

Pierre Tkatchov : lettre à Engels 1874

Sachez qu'en Russie nous ne disposons d'aucun des moyens de lutte révolutionnaire qui se trouvent à votre service en Occident en général, et en Allemagne en particulier. Nous n'avons ni prolétariat urbain, ni liberté de la presse, ni assemblée représentative, ni rien qui nous donne espoir (dans la situation économique actuelle) de réunir en une association ouvrière organisée et disciplinée... une population travailleuse hébétée et ignorante... Une littérature ouvrière est inconcevable chez nous; même s'il était possible d'en créer une, elle se révélerait stérile, car la majorité de notre peuple ne sait pas lire.

Nous n'avons pas de prolétariat urbain, c'est vrai. En revanche nous n'avons absolument aucune bourgeoisie. Entre le peuple qui souffre et le despotisme d'un État qui l'opprime, il n'existe aucune couche intermédiaire; nos ouvriers n'auront à combattre que la *force politique;* celle du *capital* demeure chez nous embryonnaire...

Notre peuple est ignorant, c'est également un fait. En revanche, dans l'énorme majorité des cas, il est pénétré des principes de la propriété communautaire; si j'ose m'exprimer ainsi, il est communiste d'instinct, par tradition...

Il en résulte clairement que notre peuple, malgré son ignorance, est beaucoup plus près du socialisme que les peuples de l'Ouest, pourtant plus instruits que lui...

Notre peuple est accoutumé à la soumission et à l'esclavage, on ne saurait non plus le contester. Mais vous n'en devez pas conclure qu'il est satisfait de sa situation. Il proteste, il proteste sans arrêt. Sous quelque forme que se manifestent ces protestations, que ce soit sous la forme de sectes religieuses, ce que nous appelons le *Raskol*, sous la forme du refus de payer l'impôt, ou sous celle de mutineries et de résistance ouverte à l'autorité, notre peuple proteste et, parfois, fort énergiquement...

Ces protestations, il est vrai, manquent d'ampleur et de cohésion. Elles prouvent pourtant assez que le peuple juge son état intolérable, qu'il profite de chaque occasion pour donner libre cours à la colère et à la haine accumulées dans son cœur. Aussi, peut-on dire du peuple russe qu'il est révolutionnaire d'instinct, malgré son hébétude apparente, et bien qu'il n'ait pas une claire conscience de ses droits...

Nos intellectuels forment un parti révolutionnaire peu nombreux, c'est également vrai. Mais ce parti n'a d'autre idéal que l'idéal socialiste; ses ennemis sont presque plus impuissants encore que lui; et cette impuissance le favorise. Nos classes supérieures ne représentent aucune force ni *économique* (elles sont trop pauvres), ni *politique* (elles sont trop obtuses et trop habituées à s'en remettre à la sagesse de la police). Notre clergé n'est d'aucun poids... Notre État ne paraît fort que vu de loin. En réalité, sa force n'est qu'apparence et illusion; elle n'a pas de racines dans la vie économique du peuple. L'État n'incarne, chez nous, l'intérêt d'aucune classe. Il les accable toutes également, en butte à la même haine de la part de chacune. Elles le supportent, elles tolèrent son despotisme barbare avec une totale indifférence. Mais cette tolérance, cette indifférence... sont l'effet d'une erreur : la société s'est fabriqué l'illusion d'un État fort, et elle s'autosuggestionne de cette illusion... Deux ou trois défaites militaires, une révolte simultanée des paysans dans une série de provinces, une révolution de palais en temps de paix, et l'illusion se dissipera instantanément : le gouvernement découvrira sa solitude, et que tous l'ont abandonné...

À cet égard nous avons donc plus de chances que vous autres (c'est-à-dire l'Occident en général et l'Allemagne en particulier). L'État, chez vous, n'a rien d'une force imaginaire. Il s'appuie fermement sur le capital; il est l'incarnation d'intérêts économiques bien déterminés; ce n'est pas seulement la soldatesque et la police (comme chez nous) qui le soutiennent, mais tout le système de la société bourgeoise... Chez nous... au contraire, la forme sociale doit son existence à l'État, un État qui ne tient qu'à un cheveu, un État qui n'a rien de commun avec le régime social existant, un État dont les racines plongent dans le passé et non dans le présent...

Pierre TKATCHOV.

Réponse d'Engels

... On ne saurait imaginer révolution plus facile et plus agréable. Il suffit de déclencher l'insurrection en trois ou quatre endroits simultanément et les « révolutionnaires d'instinct », la « nécessité pratique », l' « instinct de conservation » feront tout le reste « de soi-même ». Il est vraiment impossible de comprendre alors, puisque tout est si incroyablement aisé, pourquoi la révolution n'est pas accomplie depuis longtemps, pourquoi le peuple n'est pas libéré et pourquoi la Russie n'a pas été transformée en pays socialiste modèle...

Soziales aus Russland, 1875.

Plékhanov : dégénérescence de toute révolution prématurée

Supposons qu'à cause de ce danger le « gouvernement provisoire » ne transmette pas le pouvoir aux représentants de la Nation et se transforme en gouvernement permanent. Voici alors l'alternative qui va se présenter à lui : ou bien il devra demeurer spectateur impassible de la lente décomposition de « l'égalité économique » instituée par ses soins; ou bien il devra *organiser* la production nationale. Ce problème difficile, il devra le résoudre dans l'esprit du socialisme d'aujourd'hui, ce qu'il ne saurait faire, tant à cause de son propre manque d'esprit pratique, que de l'état actuel du développement du travail chez nous et des habitudes des travailleurs eux-mêmes; ou bien il lui faudra chercher le salut du côté du « communisme patriarcal autoritaire », en y introduisant cet unique changement qu'au lieu des « Fils du Soleil » incas et de leurs bureaucrates, ce sera la caste socialiste qui administrera la production nationale. Mais le peuple russe est trop développé désormais pour qu'on puisse caresser l'espoir de se livrer sur lui à des expériences de cet ordre. Il est de plus incontestable que sous une pareille tutelle, loin de s'éduquer pour le socialisme, ce peuple perdra définitivement toute capacité de progrès, à moins qu'il ne la conserve grâce seulement à l'apparition de cette *inégalité* économique dont l'abolition aurait été le but premier du gouvernement révolutionnaire. Nous ne disons rien, bien entendu, de l'influence de la situation internationale et de l'impossibilité d'un communisme inca au XIXe ou au XXe siècle, même en Europe orientale.

Toutefois, le plus grand danger qui menace cette conspiration *socialiste* ne viendra pas du gouvernement au pouvoir : il viendra des conspirateurs eux-mêmes. Les gens influents et haut placés qui en feront partie ne peuvent être sincèrement socialistes que par « un heureux hasard ». Pour ce qui est de la majorité d'entre eux, rien ne garantit qu'ils ne voudront pas utiliser le pouvoir ainsi pris à des fins qui n'ont rien de commun avec l'intérêt de la classe ouvrière. Et une fois que les conspirateurs auront tourné le dos aux fins socialistes de la conspiration, on peut tenir celle-ci pour inutile, et même pour nocive au progrès social du pays.

PLÉKHANOV, *Socialisme et lutte politique*, 1883.

2. — LA FONDATION DU BOLCHEVISME

Prolétariat et parti

L'histoire de tous les pays atteste que livrée à ses seules forces, la classe ouvrière ne peut arriver qu'à la conscience trade-unioniste, c'est-à-dire à la conviction qu'il faut s'unir en syndicats, mener la lutte contre le patronat, réclamer du gouvernement telles ou telles lois nécessaires aux ouvriers, etc. Quant à la doctrine socialiste, elle est née des théories philosophiques, historiques, économiques élaborées par les représentants instruits des classes possédantes, par les intellectuels. Les fondateurs du socialisme scientifique contemporain, Marx et Engels, étaient eux-mêmes par leur situation sociale, des intellectuels bourgeois. De même en Russie, la doctrine théorique de la social-démocratie surgit d'une façon tout à fait indépendante de la croissance spontanée du mouvement ouvrier : elle y fut le résultat naturel, inéluctable du développement de la pensée chez les intellectuels révolutionnaires socialistes.

... Tout culte de la spontanéité du mouvement ouvrier, toute diminution du rôle de « l'élément conscient », du rôle de la social-démocratie *signifie* par là même — *qu'on le veuille ou non, cela n'y fait absolument rien — un renforcement de l'influence de l'idéologie bourgeoise sur les ouvriers.*

... Le développement *spontané* du mouvement ouvrier aboutit justement à le subordonner à l'idéologie bourgeoise, car le mouvement ouvrier spontané, c'est le trade-unionisme, la *Nur-Gewerkschaftlerei;* or le trade-unionisme, c'est justement l'asservissement idéologique des ouvriers par la bourgeoisie. C'est pourquoi notre tâche, celle de la social-démocratie, est de *combattre la spontanéité*, de *détourner* le mouvement ouvrier de cette tendance spontanée qu'a le trade-unionisme à se réfugier sous l'aile de la bourgeoisie, et de l'attirer sous l'aile de la social-démocratie révolutionnaire.

La conscience politique de classe ne peut être apportée à l'ouvrier *que de l'extérieur*, c'est-à-dire de l'extérieur de la lutte économique, de l'extérieur de la sphère des rapports entre ouvriers et patrons. Le seul domaine où l'on pourrait puiser cette connaissance est celui des rapports de *toutes* les classes et couches de la population avec l'État et le gouvernement, le domaine des rapports de *toutes* les classes entre elles. C'est pourquoi, à la question : que faire pour apporter aux ouvriers les connaissances politiques? — on ne saurait donner simplement la réponse dont se contentent, la plupart du temps, les praticiens, sans parler de ceux qui penchent vers l'économisme, à savoir : « aller aux ouvriers ». Pour apporter aux *ouvriers* la connaissance politique, les social-démocrates doivent aller *dans toutes les classes de la population*, ils doivent envoyer *dans toutes les directions* des détachements de leur armée.

LÉNINE, *Que faire?*, 1902. E.S.

Les révolutionnaires professionnels

L'organisation des ouvriers doit être, en premier lieu, professionnelle; en second lieu, la plus large possible; en troisième lieu, la moins clandestine possible (ici et plus loin, je ne parle, bien entendu, que de la Russie autocratique). Au contraire, l'organisation des révolutionnaires doit englober avant tout et principalement des hommes dont la profession est l'action révolutionnaire. Devant cette caractéristique commune au~

membres d'une telle organisation, *doit absolument s'effacer toute distinction entre ouvriers et intellectuels*, et à plus forte raison entre les diverses professions des uns et des autres. Nécessairement cette organisation ne doit pas être très étendue, et il faut qu'elle soit la plus clandestine possible.

Ibid.

Monolithisme

... « La liberté de critique » est la liberté de l'opportunisme dans la social-démocratie, la liberté de transformer cette dernière en un parti démocratique de réformes, la liberté de faire pénétrer dans le socialisme les idées bourgeoises et les éléments bourgeois.

La liberté est un grand mot, mais c'est sous le drapeau de la liberté de l'industrie qu'ont été menées les guerres les plus spoliatrices; c'est sous le drapeau de la liberté du travail qu'on a dépouillé les travailleurs. L'expression « liberté de critique », telle qu'on l'emploie aujourd'hui, renferme le même mensonge. Des gens vraiment convaincus d'avoir poussé en avant la science ne réclameraient pas pour des conceptions nouvelles la liberté d'exister à côté des anciennes, mais le remplacement de celles-ci par celles-là... La fameuse liberté de critique ne signifie pas le remplacement d'une théorie par une autre, mais la liberté à l'égard de tout système cohérent et réfléchi; elle signifie éclectisme et absence de principes.

Ibid.

La « discipline prolétarienne »

Le prolétariat ne craint pas l'organisation, ni la discipline, messieurs qui n'oubliez pas les petites gens. Le prolétariat n'aura cure que MM. les professeurs et lycéens, qui ne désirent pas adhérer à une organisation, soient reconnus membres du Parti parce qu'ils travaillent sous le contrôle d'une organisation. Le prolétariat est préparé à l'organisation par toute son existence de façon beaucoup plus radicale que bien des intellectuels. Le prolétariat qui a tant soit peu compris notre programme et notre tactique ne justifiera pas le manque d'organisation par la raison que la forme est moins importante que le contenu. Ce n'est pas le prolétariat, mais *certains intellectuels* de notre Parti qui manquent de *self-education* quant à l'organisation et à la discipline, quant à la haine et au mépris de la phrase anarchiste.

On m'accuse de concevoir le Parti comme une « immense fabrique » avec à sa tête un directeur, le Comité central.

Ce mot terrible trahit du coup la psychologie de l'intellectuel bourgeois, qui ne connaît ni la pratique ni la théorie de l'organisation prolétarienne. Cette fabrique qui, à d'aucuns, semble être un épouvantail, pas autre chose, est la forme supérieure de la coopération capitaliste, qui a groupé, discipliné le prolétariat, lui a enseigné l'organisation, l'a mis à la tête de toutes les autres catégories de la population laborieuse et exploitée. C'est le marxisme, idéologie du prolétariat éduqué par le capitalisme, qui a enseigné et enseigne aux intellectuels inconstants la différence entre le côté exploiteur de la fabrique (discipline basée sur la crainte de mourir de faim) et son côté organisateur (discipline basée sur le travail en commun résultant d'une technique hautement développée). La discipline et l'organisation, que l'intellectuel bourgeois a tant de peine à acquérir, sont assimilées très aisément par le prolétariat, grâce justement à cette « école » de la fabrique. La crainte mortelle de cette école, l'incompréhension absolue de son importance comme élément d'organisation, caractérisent bien les méthodes de pensée qui reflètent les conditions d'existence petites-bourgeoises, engendrent cet aspect de l'anarchisme que les social-démocrates allemands appellent *Edelanarchismus*, c'est-à-dire l'anarchisme du monsieur « distingué », l'anarchisme de grand seigneur, dirais-je. Cet anarchisme de grand seigneur est particulièrement propre au nihiliste russe. L'organisation du Parti lui semble une monstrueuse « fabrique »; la soumission de la partie au tout et de la minorité à la majorité lui apparaît comme un « asservissement »; la division du travail sous la direction d'un centre lui fait pousser des clameurs tragi-comiques contre la transformation des hommes en « rouages et ressorts ».

LÉNINE, *Un pas en avant, deux pas en arrière*, 1904. E.S.

Rosa Luxemburg contre Lénine

Le livre du camarade Lénine : *Un pas en avant, deux pas en arrière*, est l'exposé systématique des vues de la tendance *ultra-centraliste* du Parti russe. Ce point de vue, qui y est exprimé avec une vigueur et un esprit de conséquence sans pareils, est celui d'un impitoyable centralisme posant comme principe : d'une part, la sélection et la constitution en corps séparé des révolutionnaires actifs les plus éminents, en face de la masse non organisée, quoique révolutionnaire, qui les entoure; d'autre part, une discipline sévère, au nom de laquelle les centres dirigeants du Parti interviennent directement et résolument dans toutes les affaires des organisations locales du Parti. Qu'il suffise d'indiquer que, selon la thèse de Lénine, le Comité central a par exemple le droit d'organiser tous les comités locaux du Parti, et, par conséquent, de nommer les membres effectifs de toutes les organisations locales, de Genève à Liège et de Tomsk à Irkoutsk, d'imposer à chacune d'elles des statuts tout faits, de décider sans appel de leur dissolution et de leur reconstitution, de sorte qu'en fin de compte, le Comité central pourrait déterminer à sa guise la composition de la suprême instance du Parti

du congrès. Ainsi, le Comité central est l'unique noyau actif
du Parti, et tous les autres groupements ne sont que ses organes
exécutifs...

... Le mouvement socialiste est, dans l'histoire des sociétés
fondées sur l'antagonisme des classes, le premier qui s'appuie,
dans toutes ses phases et dans toute sa marche, sur l'organisation
et sur l'action directe et autonome de la masse.

Sous ce rapport la démocratie socialiste crée un type d'organisation totalement différent de celui des mouvements socialistes
antérieurs, par exemple, les mouvements du type jacobin-
blanquiste...

... Il en résulte déjà que le centralisme social-démocratique
ne saurait se fonder ni sur l'obéissance aveugle, ni sur une
subordination mécanique des militants vis-à-vis du centre du
Parti. D'autre part, il ne peut y avoir de cloisons étanches entre
le noyau prolétarien conscient, solidement encadré dans le Parti,
et les couches ambiantes du prolétariat, déjà entraînées dans
la lutte de classe et chez lesquelles la conscience de classe s'accroît chaque jour davantage. L'établissement du centralisme sur
ces deux principes : la subordination aveugle de toutes les organisations jusque dans le moindre détail, vis-à-vis du centre, qui
seul pense, travaille et décide pour tous, et la séparation rigoureuse du noyau organisé par rapport à l'ambiance révolutionnaire —
comme l'entend Lénine — nous paraît donc une transposition mécanique des principes d'organisation blanquistes de cercles de
conjurés dans le mouvement socialiste des masses ouvrières.

... La discipline que Lénine a en vue est inculquée au prolétariat non seulement par l'usine, mais encore par la caserne
et par le bureaucratisme actuel, bref par tout le mécanisme
de l'État bourgeois centralisé.

C'est abuser des mots et s'abuser que de désigner par le
même terme de « discipline » deux notions aussi différentes
que, d'une part, l'absence de pensée et de volonté dans un corps
aux mille mains et aux mille jambes, exécutant des mouvements
automatiques, et, d'autre part, la coordination spontanée des
actes conscients, politiques d'une collectivité. Que peut avoir
de commun la docilité bien réglée d'une classe opprimée et le
soulèvement organisé d'une classe luttant pour son émancipation
intégrale ?

Ce n'est pas en partant de la discipline imposée par l'État
capitaliste au prolétariat (après avoir simplement substitué à
l'autorité de la bourgeoisie celle d'un Comité central socialiste),
ce n'est qu'en extirpant jusqu'à la dernière racine ces habitudes
d'obéissance et de servilité que la classe ouvrière pourra acquérir
le sens d'une discipline nouvelle, de l'auto-discipline librement
consentie de la social-démocratie.

... Nous ne saurions concevoir de plus grand danger pour
le Parti socialiste russe que les plans d'organisation proposés
par Lénine. Rien ne pourrait plus sûrement asservir un mouvement ouvrier, encore si jeune, à une élite intellectuelle, assoiffée

de pouvoir, que cette cuirasse bureaucratique où on l'immobilise pour en faire l'automate manœuvré par un « Comité ».

... Enfin, disons-le sans détours : les erreurs commises par le mouvement ouvrier vraiment révolutionnaire sont historiquement infiniment plus fécondes et plus précieuses que l'infaillibilité du meilleur « Comité central ».

> ROSA LUXEMBURG, *Centralisme et démocratie*, 1904, dans « Marxisme contre dictature », éd. Spartacus.

3. — LA RÉVOLUTION DE 1905

Lénine : caractère bourgeois-démocratique de la révolution

La résolution (du IIIe congrès du parti social-démocrate), assignant au gouvernement révolutionnaire provisoire la tâche d'appliquer le programme minimum, écarte par là même l'idée absurde, semi-anarchiste, de l'application immédiate du programme maximum et de la conquête du pouvoir pour la révolution socialiste. Le degré de développement économique de la Russie (condition objective) et le degré de conscience et d'organisation des grandes masses du prolétariat (condition subjective indissolublement liée à la condition objective) rendent impossible l'émancipation immédiate et totale de la classe ouvrière...

... Et pour répondre aux objections anarchistes prétendant que nous ajournons la révolution socialiste, nous dirons : nous ne l'ajournons pas, nous faisons le premier pas vers elle par le seul moyen possible et par le seul chemin sûr, à savoir : par le chemin de la République démocratique! Qui veut marcher au socialisme par une autre voie, en dehors de la démocratie politique, en arrive infailliblement à des conclusions absurdes et réactionnaires tant dans le sens économique que dans le sens politique.

... Les marxistes sont absolument convaincus du caractère bourgeois de la révolution russe.

... L'idée de chercher le salut de la classe ouvrière ailleurs que dans le développement du capitalisme est *réactionnaire*. Dans des pays tels que la Russie la classe ouvrière souffre moins du capitalisme que de l'insuffisance de développement du capitalisme. La classe ouvrière est donc *absolument intéressée* au développement le plus large, le plus libre et le plus rapide du capitalisme. Il lui est absolument *avantageux* d'éliminer tous les vestiges du passé qui s'opposent au développement large, libre et rapide du capitalisme. La révolution bourgeoise est précisément une révolution qui balaye de la façon la plus décidée les vestiges du servage (qui comprennent non seulement l'autocratie, mais encore la monarchie), et assure au mieux le développement le plus large, le plus libre et le plus rapide du capitalisme.

Aussi la révolution *bourgeoise* présente-t-elle *pour le prolétariat les plus grands avantages.* La révolution bourgeoise est *absolument* indispensable dans l'intérêt du prolétariat. Plus elle sera complète et décisive, plus elle sera conséquente, et plus assuré sera le succès du prolétariat dans sa lutte pour le socialisme, contre la bourgeoisie. Cette conclusion ne peut paraître nouvelle, étrange ou paradoxale qu'à ceux qui ignorent l'a b c du socialisme scientifique.

> LÉNINE, *Deux tactiques de la social-démocratie dans la révolution démocratique,* juillet 1905. E.S.

Faiblesse de la bourgeoisie libérale

La bourgeoisie est maintenant, dans son ensemble, pour la révolution : elle prodigue des discours sur la liberté, parle de plus en plus souvent au nom du peuple et même au nom de la révolution. Mais nous, marxistes, nous savons tous que la bourgeoisie s'affirme pour la révolution d'une façon inconséquente, cupide et poltronne. La masse de la bourgeoisie se rangera inévitablement aux côtés de la réaction, de l'autocratie, contre la révolution, contre le peuple, dès que seront satisfaits ses intérêts mesquins et égoïstes, elle « se sera détournée » du démocratisme conséquent *(et elle s'en détourne dès aujourd'hui!)* Reste le « peuple », c'est-à-dire le prolétariat et la paysannerie : seul le prolétariat est capable d'aller avec fermeté jusqu'au bout, car il va bien au delà de la révolution démocratique. C'est pourquoi le prolétariat est au premier rang dans la lutte pour la République.

> *Ibid.*

Parvus : immaturité de la bourgeoisie russe

Le radicalisme politique en Europe occidentale, s'appuyait avant tout, comme on sait, sur la petite bourgeoisie. C'étaient les artisans, et en général toute cette partie de la bourgeoisie qui était happée par le développement industriel, mais en même temps repoussée par la classe des capitalistes... En Russie, dans la période précapitaliste, la ville se développa plutôt à la manière chinoise qu'européenne. Les villes étaient des centres administratifs, de caractère purement bureaucratique, sans la moindre importance politique, et, sur le plan économique, des bazars pour le milieu artisanal et paysan qui les entourait. Leur développement était encore fort insignifiant quand il fut arrêté par le procès capitaliste qui se mit à créer des grandes villes à sa manière, c'est-à-dire des villes d'usines et des centres du marché mondial... Ce qui empêcha le développement de la démocratie petite-bourgeoise favorisa l'apparition de la consscience de classe du prolétariat en Russie. Le prolétariat se trouva tout à coup concentré dans les usines.

Les paysans seront entraînés dans le mouvement par masses de plus en plus grandes. Mais ils ne sont en état que d'augmenter l'anarchie politique du pays et d'affaiblir ainsi le gouvernement; ils ne peuvent former une armée révolutionnaire serrée. C'est pourquoi, avec le développement de la révolution, une part de plus en plus grande de l'activité politique écherra au prolétariat. En même temps, sa conscience politique s'élargira, son énergie politique s'accroîtra...

Devant la social-démocratie se posera le dilemme suivant : ou prendre sur soi la responsabilité du gouvernement provisoire, ou se mettre à l'écart du mouvement ouvrier. Les ouvriers considéreront ce gouvernement comme le leur, quelle que soit l'attitude de la social-démocratie... Seuls les ouvriers peuvent accomplir un soulèvement révolutionnaire en Russie. Le gouvernement révolutionnaire provisoire en Russie sera un gouvernement de *démocratie ouvrière*. Si la social-démocratie est à la tête du mouvement révolutionnaire du prolétariat russe, ce gouvernement sera social-démocrate...

PARVUS, Préface à la brochure de Trotski :
Avant le 9 janvier, 1905.

Trotski : « révolution permanente »

Notre révolution est bourgeoise quant aux tâches immédiates qui lui ont donné naissance; cependant, grâce à l'extrême différenciation de classe de la population industrielle, nous n'avons pas une classe bourgeoise capable de se mettre à la tête des masses populaires et d'unir sa puissance sociale et son expérience politique à leur énergie révolutionnaire. Les masses ouvrières et paysannes, opprimées et abandonnées à elles-mêmes, sont obligées de se forger, à la dure école des conflits impitoyables et des défaites cruelles, les éléments préalables, politiques et organisationnels, nécessaires à leur victoire.

Dans un pays économiquement plus arriéré, le prolétariat peut se trouver au pouvoir plus tôt que dans un pays capitaliste avancé. L'idée que la dictature du prolétariat dépend en quelque sorte automatiquement des forces et des moyens techniques du pays représente le préjugé d'un matérialisme « économique » simplifié à l'extrême. Une telle conception n'a rien de commun avec le marxisme... Bien que les forces productives de l'industrie des États-Unis soient dix fois plus grandes que chez nous, le rôle politique du prolétariat russe, son action sur la politique de son pays, la possibilité qu'il influence bientôt la politique mondiale sont incomparablement plus grands que le rôle et l'importance du prolétariat américain...

Selon notre conception, la révolution russe crée précisément les conditions dans lesquelles le pouvoir peut (en cas de victoire, *doit*) passer dans les mains du prolétariat, avant que les politiciens du libéralisme bourgeois aient eu la possibilité de déployer complètement leur génie étatique... La bourgeoisie russe cédera toutes les positions révolutionnaires au prolétariat. Il lui faudra aussi céder l'hégémonie révolutionnaire sur la paysannerie.

Le sort des intérêts révolutionnaires les plus élémentaires de la paysannerie (on pourrait même dire le sort de *toute* la paysannerie) comme classe est lié au sort de toute la révolution, c'est-à-dire à celui du prolétariat.

Le prolétariat au pouvoir apparaîtra aux paysans comme une classe libératrice. La domination du prolétariat n'apportera pas seulement l'égalité démocratique, la libre autonomie, le transport du fardeau fiscal sur les classes aisées, la fusion de l'armée régulière avec le peuple armé, la suppression des dîmes obligatoires de l'Église; elle apportera aussi la légalisation de toutes les transformations révolutionnaires agraires (confiscation des terres par les paysans). Le prolétariat fera de ces transformations le point de départ des mesures d'État ultérieures dans l'économie rurale. Dans ces conditions, ce sera l'intérêt des paysans russes de prêter leur appui au régime prolétarien, surtout dans ses débuts difficiles, comme le fit la paysannerie française pour le régime militaire de Napoléon Bonaparte, dont les baïonnettes assuraient aux nouveaux propriétaires l'inviolabilité de leurs terres.

Mais n'est-il pas possible que la paysannerie écarte le prolétariat pour prendre sa place?

C'est impossible. Toute l'expérience historique est là pour démentir cette supposition, car elle prouve l'incapacité absolue de la paysannerie à jouer un rôle politique *indépendant*.

Si le parti du prolétariat conquiert le pouvoir, il combattra pour ce pouvoir jusqu'au bout. La propagande et l'organisation, à la campagne en particulier, seront une arme pour le maintien et l'affermissement du pouvoir, tandis que le programme collectiviste en constituera une autre. Le collectivisme ne sera pas simplement le corollaire inévitable de la situation du parti au pouvoir : il deviendra le moyen de la maintenir avec l'appui du prolétariat.

... Si le prolétariat était renversé par la coalition des classes bourgeoises, y compris la paysannerie qu'il aurait lui-même libérée, la révolution se maintiendrait dans les cadres limités d'une révolution bourgeoise. Mais si le prolétariat sait et peut mettre en action tous les moyens de domination politique pour rompre les cadres nationaux de la révolution russe, celle-ci pourrait devenir le prologue de la révolution socialiste mondiale. Le tout est de savoir jusqu'à quelle étape pourrait aller la révolution russe, mais cette question n'admet bien entendu qu'une solution conditionnelle...

Il est une chose que l'on peut dire avec certitude : sans le soutien étatique direct du prolétariat européen, la classe ouvrière de Russie ne peut se maintenir au pouvoir et faire de sa domination temporaire une longue dictature socialiste...

Les partis socialistes européens — et en premier lieu le plus puissant d'entre eux, l'allemand — ont développé leur conservatisme qui devient plus fort en fonction de l'importance des masses affectées, de l'efficacité de l'organisation et de la discipline du parti. Il est donc possible que la social-démocratie devienne un obstacle sur la voie de tout conflit ouvert entre les ouvriers et la bourgeoisie.

L'immense influence de la révolution russe est démontrée par le fait qu'elle tue la routine du parti, détruit son conservatisme et met à l'ordre du jour la lutte ouverte entre le prolétariat et le capitalisme. La lutte pour le suffrage universel en Autriche et en Allemagne s'est intensifiée sous le coup de la grève russe d'octobre. La révolution à l'Est communique au prolétariat occidental l'idéalisme révolutionnaire et éveille le désir de « parler russe » à l'ennemi de classe.

TROTSKI, Bilans et perspectives, 1906.

Rapport de Karl Liebknecht : les horreurs des prisons russes (1)

Une statistique encore incomplète, établie d'après des sources officielles, démontre ceci :

Furent condamnées à mort pour « crimes » politiques entre 1906 et 1910 : 5 735 personnes, c'est-à-dire presque un sixième de tous ceux qui furent jugés au cours d'un procès politique; furent exécutés : 3 741 personnes.

L'atrocité de ces chiffres ressort surtout du fait que, pendant la période de 1825 à 1905, c'est-à-dire pendant les 80 années qui précédèrent la révolution, ne furent condamnés à mort en Russie qu'un total de 625 « politiques » et exécutés 191 seulement. Pendant les cinq premières années de l'ère constitutionnelle, le nombre des condamnations à mort est monté à 180 fois ce chiffre! Au cours de ces derniers temps, le nombre des exécutions en Allemagne faisait une moyenne d'environ 15 par an.

Entre 1906 et 1910, les instances juridiques condamnèrent pour délits politiques au total 37 735 personnes, dont 8 640 à la Katorga (bagne) — abstraction faite des 5 735 condamnations à mort —, 4 144 aux compagnies de détenus, 1 292 aux bataillons disciplinaires et 1 858 aux colonies forcées; chaque condamné fut privé en même temps de tous ses droits civiques.

La « colonie forcée » consiste à déporter des personnes, privées de tout secours, dans des déserts inhospitaliers; cette méthode se distingue peu de celle employée par le régiment des Jeunes-Turcs pour rendre inoffensifs les chiens du vieux Constantinople. Les régions de « colonisation » sont parmi les moins fertiles et les plus glaciales de la terre : un froid de — 30 à — 50 degrés y règne pendant plusieurs mois en beaucoup

---

(1) Extrait de G. Haupt, *Le congrès manqué*, Paris, 1965, p. 239-249.

d'endroits. C'est là que les « colons », réduits par force à l'état de la sauvagerie, doivent essayer de lutter pour leur misérable subsistance par les moyens les plus primitifs et sans un kopeck d'aide. Parmi ceux-là se trouvent aussi des femmes et des enfants. Et fréquemment on n'inflige cette peine que pour la seule adhésion au parti social-démocrate. Aujourd'hui, on peut compter 5 000 à 6 000 de ces colons forcés.

Aux condamnations par les instances juridiques s'ajoute un nombre énorme de condamnations à la prison et à l'exil prononcées par les autorités administratives...

. . . .

En 1913, il s'y trouvait en effet une moyenne d'environ 220 000 personnes, s'élevant parfois jusqu'à 250 000; et entre-temps ce nombre a encore augmenté...

Mais la barbarie ne s'arrête pas là. On avilit méthodiquement les prisonniers, et plus particulièrement les prisonniers politiques, en les mettant dans la même cellule que les détenus de droit commun et en les livrant fréquemment à la violence dictatoriale des plus vils parmi ces derniers, aux « ivans » qui sont évidemment les favoris d'une pareille administration de prison. Les insultes grossières et les humiliations sont leur pain quotidien; les mauvais traitements les accompagnent du matin au soir dès le début de leur emprisonnement. Au-dessus de leurs têtes plane sans cesse la menace d'un système disciplinaire barbare où la cellule obscure et la correction à coups de bâton, que les ministres de la justice et de la police jugent précisément maintenant à nouveau indispensables, tiennent le rôle principal. Des tortures de style moyenâgeux figurent à l'ordre du jour de beaucoup de maisons de correction. C'est ainsi qu'on étouffe tout ce qui reste de sensibilité et de dignité humaine aux prisonniers qui ne succombent pas aux épidémies ou aux balles des gardiens, postés devant les fenêtres des cellules, toujours prêts à tirer. Il ne reste que la fuite dans la mort aux malheureux qui veulent se délivrer de cette existence infernale. Ainsi, de véritables épidémies de suicides sont venues s'ajouter aux épidémies de maladies (1)...

(1) Que dirait Liebknecht aujourd'hui? Cf. plus bas p. 437-438 les estimations de Sakharov et de Varga sur le nombre des victimes de la terreur stalinienne.

C. — *L'IMPÉRIALISME, LA GUERRE ET LA FIN DE LA SOCIAL-DÉMOCRATIE RÉVOLUTIONNAIRE*

Présentation

La Première Guerre mondiale marqua la fin de la social-démocratie en tant que mouvement révolutionnaire. Seuls les socialistes russes (mencheviks et bolcheviks) refusèrent de voter les crédits de guerre. En Allemagne, les social-démocrates découvrirent le patriotisme et évoquèrent la « guerre sainte » que Marx avait prêchée contre le tsarisme... En France et en Belgique, les chefs des partis socialistes (Vandervelde, Guesde et Sembat) entrèrent aux gouvernements d'Union sacrée. Lénine attribuera cette « trahison » à l'influence corruptrice de l'impérialisme et à la prédominance d'une couche d'ouvriers bien payés (« l'aristocratie ouvrière ») au sein du mouvement ouvrier.

D'après Lénine, l'impérialisme représente un « stade » nouveau, voire le « stade suprême » de l'évolution du capitalisme. « Stade nouveau » puisqu'il n'en est pas question dans l'œuvre de Marx et d'Engels (1), le « stade impérialiste » serait en même temps le « stade suprême » de l'évolution du capitalisme puisqu'il coïncide avec la phase ultime, « monopolistique » de la concentration du capital. Le passage de l'époque « pacifique » (ou prétendue telle) à l'époque impérialiste du capitalisme serait donc dû à l'action conjuguée des « tendances » suivantes :

1. Pendant le dernier tiers du XIXe siècle, le capitalisme aurait passé du « stade » concurrentiel au stade « monopolistique ». Selon la formule de Lénine : « la libre concurrence a cédé la place aux unions des capitalistes monopoleurs ».

2. Or les trusts sont par nature malthusiens. Comme le dit M. Ernest Mandel dans sa version « modernisée » des thèses léninistes, « les trusts impliquent une limitation certaine des

---

(1) De peur de passer pour « révisionniste », Lénine s'est empressé de faire débuter le « stade impérialiste » immédiatement après la mort d'Engels. « Ni Marx ni Engels, affirme-t-il dans *L'Impérialisme et la scission du socialisme* (1916), n'ont vécu jusqu'à l'époque impérialiste du capitalisme mondial, dont le début ne remonte pas au-delà de 1898 » (*Œuvres*, XXIII, E.S. p. 123).

investissements », *et ainsi,* « *au fur et à mesure que les ententes capitalistes se substituent à la libre concurrence, un surplus de capitaux apparaît* » *(1). C'est sous la pression de ce surplus plus ou moins chronique de capitaux que les monopoles lanceront les États bourgeois à la conquête des colonies.*

3. « *Ce qui caractérisait l'ancien capitalisme, où régnait la libre concurrence, c'était l'exportation des marchandises. Ce qui caractérise le capitalisme actuel, où règnent les monopoles, c'est l'exportation des capitaux* » *(2). L'* « *ère impérialiste* » *est celle du partage des principaux champs d'investissements entre les pays exportateurs de capitaux. Or ces champs se situent principalement dans les pays sous-développés, de préférence dans les pays coloniaux, où la composition organique moyenne du capital est plus basse et surtout le taux de plus-value plus élevé. L'exportation des capitaux engendre inévitablement l'impérialisme parce que,* « *dans les colonies et les États dépendants, tels que la Turquie (Lénine veut dire l'*Empire turc*) le financier prélève un bénéfice triple par rapport à l'exportation du capital dans un pays libre, indépendant et civilisé comme les États-Unis d'Amérique* » *(3). Fermant les yeux devant l'évidence des faits, Lénine croyait dur comme fer que les pays coloniaux allaient devenir (ou étaient déjà devenus) les principaux destinataires des surplus de capitaux engendrés par la stagnation monopolistique. C'est ce qui l'a incité à combiner son apocalypse de la* « *putréfaction* » *avec les sombres prophéties de Hobson et de Schulze-Gaevernitz sur la prochaine transformation de l'Europe impérialiste en un continent de* « *rentiers* » *et de* « *parasites* » *(4). L'Europe, écrivait Schulze-Gaevernitz,* « *se déchargera du travail manuel sur les hommes de couleur et s'en tiendra au rôle de rentier* ». *On lira plus loin les prophéties de Hobson sur la désindustrialisation de l'Europe... Lénine y verra l'explication de la diminution des surfaces cultivées en Angleterre, la diminution relative des effectifs ouvriers dans l'industrie et* last but not least *la* « *corruption* » *de la classe ouvrière par l'* « *opportunisme* » *(le réformisme de la II*e *Internationale)... Et c'est à l'épuisement de ces champs d'investissements coloniaux qu'il attribuera l'inévitabilité des guerres pour la redistribution des zones de partage.* « *Moins, dit-il, il reste de pays où l'on peut exporter le capital aussi avantageusement que dans les colonies et les États dépendants, tels que la Turquie, — et plus acharnée est la lutte pour l'asservissement et le partage de la Turquie, de la Chine, etc. C'est ce que dit la* théorie économique (sic) *au sujet de l'époque du capital financier et de l'impérialisme* » *(5).*

Jusqu'en 1925 personne ne soupçonnait que l'opuscule sur l'impérialisme ferait partie du « *classiques du marxisme* ». *Mais*

---

(1) Ernest Mandel : *Traité d'économie marxiste,* 1962, t. II, p. 77 et suiv.
(2) Lénine : *L'impérialisme...,* XXII, p. 260.
(3) Lénine : *La Faillite de la II*e *Internationale,* 1915, XXI, p. 234.
(4) Cf. Lénine : *L'impérialisme, stade suprême...,* XXII, p. 302-307.
(5) Lénine : *La Faillite de la II*e *Internationale,* XXI, 234-5.

en 1925 le « léninisme » fut proclamé « le marxisme de l'époque impérialiste » et Lénine fut sacré post mortem « théoricien de l'impérialisme »...

1. — L'IMPÉRIALISME

Hilferding : le capital financier

Une portion toujours croissante du capital industriel n'appartient pas aux industriels qui l'utilisent. Ces derniers n'en obtiennent la disposition que par la banque, qui représente à leur égard le propriétaire du capital. D'autre part, force est à la banque de fixer une partie de plus en plus grande de ses capitaux dans l'industrie. Elle devient ainsi dans des proportions de plus en plus grandes un capitaliste industriel. Ce capital bancaire, — c'est-à-dire ce capital-argent, — qui, en réalité, se transforme de la sorte en capital industriel, je l'appelle « capital financier ». Le capital financier est donc le capital dont disposent les banques et que les industriels utilisent.

HILFERDING, *Das Finanzkapital*, 1910, 2ᵉ édition, p. 301.

Lénine : le capital financier et les monopoles

Le monopole est la transition du capitalisme à un ordre supérieur.

S'il était nécessaire de définir, aussi brièvement que possible, l'impérialisme, il faudrait dire que l'impérialisme est le stade monopoleur du capitalisme. Cette définition embrasserait l'essentiel, car d'une part, le capital financier est le résultat de la fusion du capital de quelques grandes banques monopoleuses avec le capital de groupements industriels monopoleurs; et de l'autre, le partage du monde est la transition de la politique coloniale, s'étendant sans obstacle aux régions que ne s'est encore appropriée aucune puissance capitaliste, à la politique coloniale de la possession monopolisée des territoires du globe, entièrement partagé.

Mais les trop courtes définitions, bien que commodes, parce qu'elles résument l'essentiel, sont cependant insuffisantes, puisqu'il faut en dégager des traits fort importants du phénomène à définir. Aussi, sans oublier ce qu'il y a de conventionnel et de relatif dans toutes les définitions en général, qui ne peuvent jamais embrasser les liens multiples d'un phénomène en plein développement, devons-nous donner de l'impérialisme une définition qui en embrasse les cinq caractères fondamentaux :

1. concentration de la production et du capital parvenue

à un degré de développement si élevé, qu'elle a créé les monopoles dont le rôle est décisif dans la vie économique;

2. fusion du capital bancaire et du capital industriel, et création, sur la base de ce « capital financier », d'une oligarchie financière;

3. l'exportation des capitaux, à la différence de l'exportation des marchandises, acquiert une importance particulière;

4. formation d'unions internationales capitalistes monopoleuses se partageant le monde, et

5. achèvement du partage territorial du globe par les plus grandes puissances capitalistes.

L'impérialisme est le capitalisme arrivé à un stade de développement où s'est affirmée la domination des monopoles et du capital financier; où l'exportation des capitaux a acquis une importance de premier plan; où le partage du monde a commencé entre les trusts internationaux et où s'est achevé le partage de tout le territoire du globe entre les plus grands pays capitalistes.

LÉNINE, L'Impérialisme..., 1916. E.S.

Kautsky : l'impérialisme et les pays agraires

L'impérialisme est un produit du capitalisme industriel hautement développé. Il consiste dans la tendance de chaque nation capitaliste industrielle à s'annexer ou à s'assujettir des régions *agraires* toujours plus grandes, quelles que soient les nations qui les habitent.

KAUTSKY, Die neue Zeit, 11 septembre 1914.

Réponse de Lénine

Les inexactitudes dans la définition de Kautsky sautent aux yeux. Ce qui est caractéristique pour l'impérialisme ce *n'est point* le capital industriel, *mais* justement le capital financier. Ce n'est pas par hasard, qu'en France, le développement particulièrement rapide du capital *financier*, coïncidant avec l'affaiblissement du capital industriel, a provoqué dès les années 1880-1890 une aggravation extrême de la politique annexionniste (coloniale). L'impérialisme se distingue justement par sa tendance à annexer *non seulement* les régions agraires, mais même les régions les plus industrielles : la Belgique est convoitée par l'Allemagne, la Lorraine par la France...

LÉNINE, L'Impérialisme..., 1916. E.S.

Malthusianisme des monopoles

Tout monopole engendre inéluctablement une tendance à la stagnation et à la putréfaction. Dans la mesure où l'on établit, fût-ce momentanément, des prix de monopole, cela fait disparaître jusqu'à un certain point les stimulants du progrès technique et, par suite, de tout autre progrès; et il devient alors possible, sur le plan économique, de freiner artificiellement le progrès technique.

LÉNINE, L'Impérialisme..., E.S.

Putréfaction du capitalisme

... Il se produit un énorme « excédent de capitaux » dans les pays avancés.

Certes, si le capitalisme pouvait développer l'agriculture qui, aujourd'hui, retarde partout considérablement sur l'industrie, s'il pouvait élever le niveau de vie des masses de la population qui, partout, malgré un progrès technique vertigineux, est condamnée à ne pas manger à sa faim et à végéter dans l'indigence, il ne pourrait même être question d'excédent de capitaux. Les critiques petits-bourgeois du capitalisme servent à tout propos cet « argument ». Mais alors le capitalisme ne serait pas le capitalisme, car l'inégalité de son développement et la situation des masses à moitié affamées sont les conditions et prémisses essentielles, inévitables, de ce mode de production. Tant que le capitalisme reste le capitalisme, l'excédent de capitaux est consacré non pas à élever le niveau de vie des masses dans un pays donné, — car il en résulterait une diminution des profits pour les capitalistes, mais à augmenter ces profits par l'exportation de capitaux à l'étranger, dans les pays arriérés. Là, les profits sont habituellement élevés, car les capitaux y sont peu nombreux, le prix de la terre relativement minime, les salaires bas, les matières premières à bon marché.

LÉNINE, ibid.

Hilferding : l'exportation des capitaux

Pour ce qui est des pays nouvellement découverts, le capital importé intensifie les antagonismes et suscite contre les intrus la résistance croissante des peuples éveillés à la conscience nationale; cette résistance peut facilement évoluer vers des mesures dangereuses dirigées contre le capital étranger. Les anciens rapports sociaux sont foncièrement révolutionnés; l'isolement agraire millénaire des « nations sans histoire » est rompu; elles aussi sont entraînées dans le tourbillon capitaliste. Le capitalisme lui-même procure peu à peu aux asservis les voies et moyens de s'émanciper. Et ce but, autrefois le but suprême des nations européennes, la création de l'État national unifié, en tant qu'instrument de la liberté économique et culturelle, devient aussi le leur. Ce mouvement d'indépendance menace le capital européen justement dans ses domaines d'exploitation les plus précieux, ceux qui lui promettent les plus riches perspectives; et il ne peut y maintenir sa domination qu'en multipliant sans cesse ses moyens de coercition.

HILFERDING, *Das Finanzkapital*, p. 433 et 434.

Hobson et Lénine : le parasitisme occidental

[*La perspective du partage de la Chine signifie que :*]
Une grande partie de l'Europe occidentale pourrait alors prendre l'aspect et le caractère qu'ont maintenant telles parties de ces pays : le sud de l'Angleterre, la Riviera, les régions de l'Italie et de la Suisse les plus fréquentées des touristes et peuplées de gens riches, à savoir d'une petite poignée de riches aristocrates recevant des dividendes et des pensions du lointain Orient, avec un groupe un peu plus nombreux d'employés professionnels et de commerçants, et avec un nombre plus important de domestiques et d'ouvriers occupés aux transports et dans l'industrie travaillant à la finition des articles manufacturés. Quant aux principales branches d'industrie, elles disparaîtraient et la grande masse des produits alimentaires, des articles semi-ouvrés, afflueraient d'Asie et d'Afrique comme un tribut...

Telles sont les possibilités que nous offre une plus large alliance des États d'Occident, une fédération européenne des grandes puissances : celle-ci loin de faire avancer la civilisation universelle, pourrait constituer un immense danger de parasitisme occidental; détacher un groupe de nations industrielles avancées, dont les classes supérieures recevraient un énorme tribut de l'Asie et de l'Afrique et entretenir, à l'aide de ce tribut, de grandes masses apprivoisées d'employés et de serviteurs, non plus occupés à produire en masse des produits agricoles et industriels, mais rendant des services privés ou accomplissant, sous le contrôle de la nouvelle aristocratie financière, des travaux industriels de second ordre.

HOBSON, *L'impérialisme*, 1902, p. 103 et 205.

Commentaire de Lénine

L'auteur [Hobson] a parfaitement raison : *si* les forces de l'impérialisme ne rencontraient pas de résistance, elles aboutiraient précisément à ce résultat...

LÉNINE, *L'Impérialisme...*, 1916. E.S.

2. — LA FAILLITE DE LA SOCIAL-DÉMOCRATIE

Il est évident que ceux qui ont voté les crédits de guerre, qui sont entrés dans les ministères et ont défendu l'idée de la défense de la patrie en 1914-1915, ont trahi le socialisme. Seuls des hypocrites peuvent nier ce fait. Il est nécessaire de l'expliquer.

Il serait absurde d'envisager toute cette question comme une question de personnes. Quel rapport cela peut avoir avec l'opportunisme, si des hommes comme *Plékhanov* et *Guesde*, etc.? — interrogeait *Kautsky* (*Neue Zeit* du 18 mai 1915). Quel rapport cela peut-il avoir avec l'opportunisme, si *Kautsky*, etc.? répondrait Axelrod au nom des opportunistes de l'Entente (*Die Krise der Sozialdemokratie*, Zurich, 1915, p. 121). Tout cela n'est que comédie. *Pour expliquer la crise du mouvement tout entier, il faut analyser, premièrement, la portée économique d'une politique donnée, deuxièmement, les idées qui sont à sa base et, troisièmement, sa liaison avec l'histoire des tendances au sein du socialisme.*

Quelle est la nature économique du défensisme pendant la guerre de 1914-1915? La bourgeoisie de *toutes* les grandes puissances fait la guerre afin de partager et d'exploiter le monde, afin d'opprimer les peuples. Quelques miettes des gros profits réalisés par la bourgeoisie peuvent échoir à une petite minorité : bureaucratie ouvrière, aristocratie ouvrière et compagnons de route petits-bourgeois. Les dessous de classe du social-chauvinisme et de l'opportunisme sont identiques : c'est l'alliance d'une faible couche d'ouvriers privilégiés avec « sa » bourgeoisie nationale *contre* la masse de la classe ouvrière; alliance des valets de la bourgeoisie avec cette dernière *contre* la classe qu'elle exploite.

Le contenu politique de l'opportunisme et celui du social-chauvinisme sont identiques : collaboration des classes, renonciation à la dictature du prolétariat, à l'action révolutionnaire, reconnaissance sans réserve de la légalité bourgeoise, manque de confiance en le prolétariat, confiance en la bourgeoisie. *Le social-chauvinisme est le prolongement direct et le couronnement de la politique ouvrière libérale anglaise, du millerandisme et du bernsteinisme.*

LÉNINE, *L'Opportunisme*
et la faillite de la IIᵉ internationale, 1916. E.S.

L'impérialisme et l'aristocratie ouvrière

Le capitalisme aujourd'hui a mis en avant une *poignée* (moins d'un dixième de la population du globe, et en comptant de la façon la plus « large » et la plus exagérée, moins d'un cinquième) d'États particulièrement riches et puissants, qui pillent le monde entier, par une simple « tonte des coupons ». L'exportation des capitaux donne un revenu annuel de 8 à 10 milliards de francs d'après les prix et les statistiques bourgeoises d'avant-guerre. Aujourd'hui bien plus, évidemment.

On conçoit que, grâce à ce gigantesque *surprofit* (car il est obtenu en plus du profit que les capitalistes font suer aux ouvriers de « leur » pays), on *peut corrompre* les chefs ouvriers et cette couche supérieure que constitue l'aristocratie ouvrière. Aussi les capitalistes des pays « avancés » la corrompent-ils par mille moyens directs ou indirects, ouverts ou masqués.

Cette couche d'ouvriers embourgeoisés ou d'« aristocratie ouvrière », entièrement petits-bourgeois par leur genre de vie, par leurs salaires, par toute leur conception du monde, est le principal soutien de la IIᵉ Internationale, et de nos jours le principal *soutien social* (non militaire) de *la bourgeoisie*. Car ce sont de véritables *agents de la bourgeoisie* dans le mouvement *ouvrier*, des commis ouvriers de la classe des capitalistes *(labour lieutenants of the capitalist class)*, de véritables propagateurs du réformisme et du chauvinisme. Dans la guerre civile entre le prolétariat et la bourgeoisie, ils se rangent inévitablement, en nombre appréciable, du côté de la bourgeoisie, du côté des « versaillais », contre les « communards ».

LÉNINE, L'Impérialisme..., 1916. E.S.

Trotski : la guerre éducatrice

L'impérialisme a arraché de vive force la société à son équilibre instable. Il a rompu les écluses par lesquelles la social-démocratie contenait le torrent d'énergie révolutionnaire du prolétariat et l'a canalisé dans son lit. Cette formidable expérience historique, qui d'un coup a brisé les reins à l'Internationale socialiste, porte en elle, en même temps, un danger mortel pour la société bourgeoise. On a retiré le marteau des mains de l'ouvrier pour le remplacer par l'épée. L'ouvrier, lié tout entier à l'engrenage de l'économie capitaliste, s'est arraché soudainement à son milieu et apprend à situer les buts de la collectivité au-dessus du bien-être domestique et de la vie.

Tenant en mains les armes qu'il a forgées lui-même, l'ouvrier se place dans une situation telle que le sort politique de l'État dépend immédiatement de lui. Ceux qui, d'ordinaire, l'opprimaient et le méprisaient, le flattent désormais et recherchent ses bonnes grâces. Il apprend en même temps à connaître intimement ces canons qui, de l'avis de Lassalle, constituent une des parties intégrantes et les plus importantes de la Constitution. Il franchit les limites de l'État, participe aux réquisitions violentes, voit passer les villes de mains en mains sous ses coups. Des changements se produisent que sa génération n'avait jamais vus.

Si les ouvriers avancés savaient théoriquement que la force est la mère du droit, leur façon politique de penser les laissait tout de même pénétrés d'un esprit de possibilisme et d'adaptation à la légalité bourgeoise. Maintenant la classe ouvrière apprend à mépriser en fait et à détruire par la violence cette légalité. Les phases statiques de sa psychologie cèdent la place aux phases dynamiques. Les canons lourds inculquent à la classe ouvrière l'idée que, lorsqu'on ne peut contourner l'obstacle, la ressource reste encore de le briser. Presque tous les hommes adultes passent par cette affreuse école de réalisme social qu'est la guerre, créatrice d'un nouveau type humain.

Sur toutes les normes de la société bourgeoise — avec son droit, sa morale et sa religion — est suspendu aujourd'hui le poing de fer de la nécessité : « Nécessité n'a pas de loi », déclarait le chancelier allemand (le 4 août 1914). Les monarques viennent sur la place publique tenir un langage de rouliers, s'accuser les uns les autres de perfidie. Les gouvernements foulent aux pieds les obligations qu'ils ont solennellement contractées; l'Église nationale enchaîne, comme un forçat, son seigneur-dieu au canon national.

N'est-il pas évident que ces circonstances doivent provoquer les changements les plus profonds dans la vie psychique de la classe ouvrière après l'avoir radicalement guérie de l'hypnotisme de la légalité, qui est le résultat d'une époque de politique stagnante? Les classes possédantes devront bientôt s'en convaincre à leur grand effroi. Le prolétariat qui a passé par l'école de la guerre ressentira, au premier obstacle sérieux qui surgira de son propre pays, le besoin impérieux de tenir le langage de la force. « Nécessité n'a pas de loi! » jettera-t-il à la face de ceux qui tenteront de l'arrêter par les lois de la légalité bourgeoise. Et l'épouvantable besoin qui a régné au cours de cette guerre, et surtout à la fin, poussera les masses à fouler aux pieds beaucoup, beaucoup de lois...

TROTSKI, *La Guerre et l'Internationale*, 1915.

[*C'est ce qui est arrivé en Italie et en Allemagne — mais pas au sens où l'entendait Trotski.*]

Dégénérescence et trahison

Le 4 août 1914 la social-démocratie allemande officielle, et avec elle l'Internationale, ont fait lamentablement faillite. Tout ce que nous avions prêché depuis cinquante ans, ce que nous avions proclamé comme nos principes les plus sacrés, ce que nous avions exposé dans d'innombrables discours, pamphlets, journaux et tracts, est devenu soudain vide de sens. Le parti de la lutte de classe du prolétariat international s'est tout à coup transformé, comme par un maléfice, en un parti national libéral; les solides organisations qui faisaient notre fierté se sont révélées totalement impuissantes; et au lieu d'être les ennemis mortels, craints mais respectés, de la société bourgeoise, nous sommes devenus les instruments franchement méprisés de notre ennemie mortelle, la bourgeoisie impérialiste, et nous avons abdiqué toute volonté. Les autres pays ont connu plus ou moins la même faillite du socialisme et la fière devise d'autrefois : « Travailleurs de tous les pays, unissez-vous » s'est transformée sur les champs de bataille en : « Travailleurs de tous les pays, égorgez-vous les uns les autres » Jamais dans l'histoire du monde un parti

politique n'a failli aussi misérablement, jamais un fier idéal n'a
été trahi aussi honteusement.

> ROSA LUXEMBURG, *Tract clandestin du « Spartakusbund »*,
> avril 1916.

Ce sont précisément la puissante organisation et la discipline
tant vantées de la social-démocratie allemande qui firent qu'un
organisme entier de quatre millions d'hommes se permit de
tourner casaque du soir au matin à l'instigation d'une poignée
de parlementaires et se laissa intégrer à une structure dont le
renversement avait été son but de tout temps... Marx et Engels,
Lassalle et Liebknecht, Bebel et Singer ont fait l'éducation de
la classe ouvrière allemande pour que Hindenburg puisse la
mener à sa guise. La supériorité de l'éducation, de l'organisation,
de la discipline et de la structure des syndicats et de la presse
du Parti en Allemagne n'ont fait que faciliter l'effort de guerre
de la social-démocratie allemande par rapport à celui des socialistes français.

> ROSA LUXEMBURG, *Die Internationale* N° 1, 1915.

Trahison des chefs ou patriotisme populaire ?

Les dirigeants républicains avaient su faire de cette guerre
une guerre populaire. L'aspect des quartiers ouvriers et l'état
d'esprit qu'on y observait ne se différenciaient pas de ce qu'on
voyait dans les quartiers bourgeois et aristocratiques... Ne nous
faisons pas d'illusions. La conscience de classe n'est pas tellement répandue. Elle reste une vertu rare.

> Alfred ROSMER (internationaliste zimmerwaldien),
> *Le Mouvement ouvrier pendant la guerre*, 1936, p. 210 et 475.

Si la C.G.T. eût voulu se mettre en travers de la guerre et
refuser son concours à la défense nationale, la classe ouvrière
de Paris, emportée par une crise formidable de patriotisme, n'eût
pas attendu les gendarmes : elle nous aurait tous fusillés sur
place...

La masse, qu'a-t-elle fait ? La masse, elle s'écartait. Je n'ai
pas pu la réveiller, cette masse, avec les résolutions de Zimmerwald... Même si j'avais été arrêté à mon retour de Zimmerwald
et fusillé, la masse ne se serait pas levée ; elle était trop écrasée
sous le poids des mensonges de toute la presse et des préoccupa-
tions générales de la guerre.

> Alphonse MERRHEIM, XIVe congrès de la C.G.T.,
> septembre 1919, p. 169 et 173.

II

LA RÉVOLUTION RUSSE

1. — INTRODUCTION GÉNÉRALE

Présentation

Selon le concept même du « socialisme scientifique », la révolution prolétarienne devait être consécutive au sur-développement industriel. Le socialisme était la tâche et le destin des « peuples dominants » (IA). Marx pensait surtout à l'Angleterre : « métropole du capital », nation sans paysans où les salariés formaient l'immense majorité, l'Angleterre était le seul pays où il pouvait être question d'une sérieuse « révolution économique ». Les pays neufs, économiquement et culturellement sous-développés, n'entraient nullement dans son horizon historique : n'avait-il pas loué la bourgeoisie d'avoir soumis « les pays agraires, barbares ou semi-civilisés de l'Orient » aux « nations industrielles et civilisées de l'Occident »?

C'est bien ce primat de l'Occident industrialisé qu'avait contesté la doctrine de la « révolution permanente », première formulation théorique de la problématique sociologique des pays sous-développés. A l'opposé des marxistes « orthodoxes » qui, hantés par le schéma occidental, séparaient la révolution bourgeoise de la révolution socialiste qu'ils rejetaient dans un avenir indéterminé, Trotski niait que l'évolution de la Russie arriérée allait être une simple répétition de l'évolution des pays avancés. La théorie de la révolution permanente (à laquelle Lénine adhéra implicitement dans ses célèbres Thèses d'avril 1917) signifiait que « la révolution russe, qui devait d'abord envisager, dans son avenir le plus immédiat, certaines fins bourgeoises, ne pourrait toutefois s'arrêter là. La révolution ne résoudrait les problèmes bourgeois que si se présentaient à elle en première ligne qu'en portant le prolétariat au pouvoir. Et lorsque celui-ci se serait emparé du pouvoir, il ne pourrait se limiter au cadre bourgeois de la révolution. Tout au contraire, et, précisément pour assurer sa victoire définitive, l'avant-garde prolétarienne devrait, dès les premiers jours de sa domination, pénétrer profondément dans les domaines interdits de la propriété aussi bien féodale que bourgeoise » (Trotski : Préface à L'Année 1905).

Le cours de la *Révolution de 1917* confirma pleinement le diagnostic de Trotski. *La Révolution a commencé comme réforme démocratique dans les villes et comme une vaste jacquerie dans les campagnes. Mais, dans la mesure où l'insurrection paysanne se généralisait et détruisait les bases de l'ordre établi dans les campagnes, l'irruption massive du prolétariat précipitait la dégénérescence réactionnaire du libéralisme et coupait l'herbe sous les pieds du réformisme. Dès la révolution de février, la dualité du pouvoir se créa spontanément : à côté du gouvernement légal apparurent les soviets des ouvriers, des paysans et des soldats. Les différents partis depuis les démocrates constitutionnels jusqu'aux mencheviks et socialistes-révolutionnaires, défilèrent sur le banc du gouvernement à peine le temps nécessaire pour s'écrouler dans l'impuissance. Le problème fondamental du bolchevisme en 1917 : l'adhésion des soldats et des paysans à la révolution permanente, a été résolu quand les partis libéraux et réformistes ont révélé leur intention de continuer la guerre et leur incapacité d'appuyer et de légaliser le partage des terres. Huit mois après la chute de l'autocratie, les bolcheviks prenaient le pouvoir en s'appuyant sur la révolution paysanne et en la défendant, sans pour autant renoncer au programme socialiste. La preuve était faite que, même dans un pays sous-développé, et en dépit de sa faiblesse numérique, le prolétariat était capable de prendre la direction de la société et de l'assumer pour son propre compte.*

Chez Lénine la perspective de la révolution permanente s'élargit à l'échelle planétaire. *Pour Trotski le prolétariat pouvait et devait transformer la révolution bourgeoise en révolution socialiste parce qu'aucune des autres classes de la société — les bourgeois et les paysans — ne pouvait conquérir et conserver le pouvoir. Pour Lénine, la Russie était « mûre » pour le socialisme parce que le capitalisme en tant que système mondial était entré dans le « dernier stade » de son évolution : le stade de la « putréfaction » impérialiste : la révolution russe n'était pas un phénomène national limité, mais une première explosion de la révolution mondiale en gestation. Le mouvement ouvrier russe devait donc être considéré comme « l'avant-garde du prolétariat mondial ». Dans la période révolutionnaire ouverte devant l'humanité tout entière, la Russie représentait « le maillon le plus faible de la chaîne des États impérialistes » : ce dont il s'agissait en Russie c'était d'attaquer la partie la plus faible d'un ordre mondial devenu caduc dans sa totalité, de commencer la révolution mondiale que la guerre mondiale avait mis à l'ordre du jour dans tous les pays, les pays avancés aussi bien que les pays sous-développés. Le thème de la révolution permanente ne s'orchestrait plus seulement dans le temps mais aussi dans l'espace : la nouvelle époque qui s'annonçait était une époque de crises mondiales et de guerres mondiales et devait trouver sa conclusion dans la révolution mondiale.*

Gramsci : une révolution contre « Das Kapital »

[*Dès 1916, Gramsci avait condamné l'interprétation traditionnelle, « déterministe » du marxisme. La révolution d'octobre
lui est apparue comme un fait « qui bouleversait le marxisme
traditionnel en y introduisant, ou du moins en y valorisant, un
élément volontaire et libertaire, promis aux plus extraordinaires
développements ». La révolution bolcheviste, écrivait-il dès
novembre 1917, « est la révolution contre le* Capital *de Karl
Marx » :*]

En Russie, le *Capital* de Marx était plutôt le livre de bourgeois que celui de prolétaires. Il était la démonstration critique
de la nécessité fatale que se constituât en Russie une classe
bourgeoise, que s'ouvrît une ère capitaliste, que s'y instaurât
une civilisation de type occidental avant que le prolétariat pût
même songer à sa revanche, à ses revendications de classe,
à sa révolution (...). La réalité a fait éclater les schémas critiques
dans lesquels l'histoire de la Russie aurait dû se dérouler d'après
les postulats du matérialisme historique. Les bolcheviks
renient Karl Marx, affirment, par le témoignage de leur action (...)
que les postulats du matérialisme historique ne sont pas aussi
inébranlables qu'on pouvait le penser. Ils ne sont pas « marxistes »,
voilà tout ; ils n'ont pas bâti sur l'œuvre du maître une doctrine
superficielle, faite d'affirmations dogmatiques et indiscutables.
Ils vivent la pensée marxiste, celle qui ne s'éteindra jamais,
qui est filiation de l'idéalisme italien et allemand, lequel, chez
Marx, avait été contaminé par des éléments positivistes et natu-
ralistes. Et cette pensée reconnaît toujours, en tant que suprême
facteur de l'histoire, non les faits économiques bruts, mais
l'homme, les sociétés des hommes, des hommes qui se rapprochent les uns des autres, s'accordent entre eux, développent
au moyen de ces contacts (civilisation) une volonté sociale,
collective, comprennent les faits économiques et les jugent,
les plient à leur volonté jusqu'à ce que celle-ci devienne le
moteur de l'économie, modèle la réalité objective.

Antonio GRAMSCI dans *Avanti*, Milan, 24 novembre 1917.

Lénine : « révolution permanente »

Tout s'est passé exactement comme nous l'avions dit. Le
cours de la révolution a confirmé la justesse de notre raison-
nement. D'abord avec « toute » la paysannerie contre la monarchie, contre les grands propriétaires fonciers, contre la féodalité
(et la révolution reste pour autant bourgeoise, démocratique
bourgeoise). Ensuite, avec la paysannerie pauvre, avec le semi-
prolétariat, avec tous les exploités, contre le capitalisme, y
compris les riches campagnards, les koulaks, les spéculateurs ;
et la révolution devient pour autant socialiste. Vouloir dresser
artificiellement une muraille de Chine entre l'une et l'autre,

les séparer autrement que par le degré de préparation du prolétariat et le degré de son union avec les paysans pauvres, c'est
on ne peut plus dénaturer le marxisme, l'avilir, lui substituer
le libéralisme. Cela reviendrait à vouloir, par des références
pseudo-scientifiques au caractère progressif de la bourgeoisie
par rapport à la féodalité, assumer sournoisement la défense
réactionnaire de la bourgeoisie contre le prolétariat socialiste...

> LÉNINE, *La Révolution prolétarienne
> et le renégat Kautsky*, 1918. E.S.

Domination de la ville sur la campagne

La ville ne peut être l'égale de la campagne. La campagne
ne peut être l'égale de la ville dans les conditions historiques
de cette époque. La ville *entraîne* nécessairement la campagne.
La campagne nécessairement *suit la ville*. La question est simplement de savoir *quelle classe* parmi les classes « de la ville »
saura entraîner la campagne, mener à bien cette tâche et sous
quelles formes la *ville* exercera cette *direction*.

> Lénine, *Les Élections à l'Assemblée constituante
> et la dictature du prolétariat*, 1918. E.S.

Sous-développement et Révolution

J'ai eu l'occasion de le répéter souvent : en comparaison des
pays avancés, il était plus facile aux Russes de commencer la
grande Révolution prolétarienne, mais il leur sera plus difficile
de la continuer et de la mener jusqu'à la victoire définitive,
dans le sens de l'organisation intégrale de la société socialiste.

Il nous a été plus facile de commencer, d'abord parce que
le retard politique peu ordinaire — pour l'Europe du XXe siècle
— de la monarchie tsariste provoqua un assaut révolutionnaire
des masses, d'une vigueur inaccoutumée. En second lieu, le
retard de la Russie unissait d'une façon originale la Révolution
prolétarienne contre la bourgeoisie, à la révolution paysanne
contre les grands propriétaires fonciers. C'est par là que nous
avons commencé en octobre 1917, et nous n'aurions pas triomphé si facilement si nous avions agi différemment. En troisième
lieu, la Révolution de 1905 a fait énormément pour l'éducation
politique de la masse des ouvriers et des paysans; tant pour
initier leur avant-garde au « dernier mot » du socialisme d'Occident, que dans le sens de l'action révolutionnaire des masses.

Sans cette « répétition générale » de 1905, les révolutions
de 1917, bourgeoise en février, prolétarienne en octobre, n'eussent
pas été possibles. En quatrième lieu, la situation géographique
de la Russie lui a permis plus longtemps qu'aux autres pays
de tenir, en dépit de la supériorité extérieure des pays capitalistes avancés. En cinquième lieu, l'attitude particulière du

prolétariat à l'égard de la paysannerie a facilité le passage de la révolution bourgeoise à la révolution socialiste, facilité l'influence des prolétaires de la ville sur les semi-prolétaires, sur les couches de travailleurs pauvres des campagnes. En sixième lieu, la longue école des grèves et l'expérience du mouvement ouvrier de masse en Europe ont facilité dans une situation révolutionnaire tendue et vite aggravée, l'apparition d'une forme d'organisation révolutionnaire prolétarienne aussi originale que les Soviets.

LÉNINE, *La III*e *Internationale*
et sa place dans l'histoire, 15-4-1919. E.S.

Il faut savoir tenir compte de ce que la révolution socialiste mondiale dans les pays avancés ne peut commencer avec la même facilité qu'en Russie, pays de Nicolas II et de Raspoutine, où une partie énorme de la population se désintéressait complètement de ce qui se passait à la périphérie et de ce qu'étaient les peuples qui l'habitaient. Il était facile, en ce pays-là, de commencer la révolution; c'était soulever une plume...

LÉNINE, *Rapport sur la Guerre et la Paix au*
*VII*e *Congrès du Parti*, mars 1918. E.S.

Pas de « modèle russe »

On aurait tort d'exagérer cette vérité (la portée internationale de la révolution russe). Mais on aurait également tort de perdre de vue qu'après la victoire de la révolution prolétarienne, si même elle n'a lieu que dans un seul des pays avancés, il se produira un brusque changement : la Russie redeviendra, bientôt après, un pays, non plus exemplaire, mais retardataire (au point de vue « soviétique » et socialiste).

LÉNINE, *La Maladie infantile du communisme*
(le « gauchisme »), mai 1920. E.S.

Il serait ridicule de présenter notre révolution comme une sorte d'idéal pour tous les pays, d'imaginer qu'elle a fait toute une série de découvertes géniales et introduit un tas d'innovations socialistes. Jamais je n'ai entendu dire une chose pareille et je soutiens que nous ne l'entendrons pas. Nous avons l'expérience des premiers pas de la destruction du capitalisme dans un pays où le rapport entre le prolétariat et la paysannerie est particulier. Il n'y a rien de plus. Si nous jouons les grenouilles en nous enflant d'importance, nous serons la risée du monde entier, nous ne serons que des fanfarons.

LÉNINE, *Conclusions sur le programme du parti*,
*VIII*e *congrès du parti*, 19 mars 1919. E.S.

La loi fondamentale de la révolution

La loi fondamentale de la révolution, confirmée par toutes les révolutions et notamment par les trois révolutions russes du XXe siècle, la voici : pour que la révolution ait lieu, il ne suffit pas que les masses exploitées et opprimées prennent conscience de l'impossibilité de vivre comme autrefois et réclament des changements. Pour que la révolution ait lieu, il faut que les exploiteurs ne puissent pas vivre et gouverner comme autrefois. C'est seulement lorsque « ceux d'en bas » ne veulent plus et que « ceux d'en haut » ne peuvent plus continuer de vivre à l'ancienne manière, c'est alors seulement que la révolution peut triompher. Cette vérité s'exprime autrement en ces termes : la révolution est impossible sans une crise nationale (affectant exploités et exploiteurs). Ainsi donc, pour qu'une révolution ait lieu, il faut : premièrement, obtenir que la majorité des ouvriers (ou, en tous cas, la majorité des ouvriers conscients, réfléchis, politiquement actifs) ait compris parfaitement la nécessité de la révolution et soit prête à mourir pour elle; il faut ensuite que les classes dirigeantes traversent une crise gouvernementale qui entraîne dans la vie politique jusqu'aux masses les plus retardataires (l'indice de toute vraie révolution est une rapide élévation au décuple, ou même au centuple, du nombre des hommes aptes à la lutte politique, parmi la masse laborieuse et opprimée, jusque-là apathique), qui affaiblit le gouvernement et rend possible pour les révolutionnaires son prompt renversement...

Il ne suffit pas de se demander si l'on a convaincu l'avant-garde de la classe révolutionnaire; il faut encore savoir si les forces historiquement agissantes de toutes les classes, absolument de toutes les classes sans exception, d'une société donnée, sont disposées de façon que la bataille décisive soit parfaitement à point, — de façon 1o que toutes les forces de classe qui nous sont hostiles soient suffisamment en difficulté, se soient suffisamment entre-déchirées, soient suffisamment affaiblies par une lutte qui est au-dessus de leurs moyens; 2o que tous les éléments intermédiaires, hésitants, chancelants, inconstants — la petite bourgeoisie, la démocratie petite-bourgeoise par opposition à la bourgeoisie — se voient suffisamment démasqués devant le peuple, suffisamment déshonorés par leur faillite pratique; 3o qu'au sein du prolétariat un puissant mouvement d'opinion se fasse jour en faveur de l'action la plus décisive, la plus résolument hardie et révolutionnaire contre la bourgeoisie. C'est alors que la révolution est mûre...

LÉNINE, *La Maladie infantile du communisme*, 1920. E.S.

2. — LE PROGRAMME
DE LA RÉVOLUTION PROLÉTARIENNE

Présentation

Dans la Russie de 1917 où tout ce qui était ordre et organisation avait volé en éclats, les seuls organes de pouvoir réel étaient les soviets. Créés spontanément par les masses, élus sur le lieu du travail ou de l'activité (usines, villages, unités militaires, quartiers) les soviets étaient les organismes les plus représentatifs que la Russie possédât en 1917. En raison de leur mode d'élection, les riches en étaient pratiquement exclus, et comme les députés pouvaient y être remplacés à tout moment, les soviets constamment renouvelés par des élections partielles fréquentes, devinrent le lieu de rassemblement et d'expression principale des masses de plus en plus larges que la révolution avait éveillées à la vie politique.

Les quelque 20 millions de personnes qu'englobaient les soviets ne formaient qu'une moitié du corps civique, mais il s'agissait de la plus active et de la plus concentrée, dans ce pays en dissolution où l'effondrement de l'armée et l'anarchie paysanne rendaient les citadins, les soldats et les marins arbitres de la situation.

Tout compte fait, les soviets de 1917 (tout comme les conseils polonais ou hongrois de 1956) étaient des instruments de dissolution de l'État plutôt que de véritables organes de gouvernement : expression chaotique de toutes les forces centrifuges que recelait l'Empire des tsars, poussée paroxystique de l'anarchisme russe, ils avaient quelques chances de subsister comme forces d'auto-administration locale, mais devaient fatalement s'effacer dès que le besoin inéluctable de reconstituer un État moderne se ferait sentir. C'est pourtant cet état, pour ainsi dire colloïdal, de la matière politique et sociale que les bolcheviks érigèrent en modèle et en critère exclusif du « démocratisme » pendant les mois qui précédèrent et suivirent l'insurrection d'octobre. Les soviets leur apparaissaient comme la forme enfin trouvée de la dictature du prolétariat, qui permettrait de réaliser un État du type de la Commune de Paris, c'est-à-dire un État sans armée permanente, sans police, sans bureaucratie, où la fonction gouvernementale cesserait d'être le privilège d'un groupe spécialisé incontrôlable et deviendrait l'affaire quotidienne de tous les citoyens.

Le moment était venu de mettre en pratique les « enseignements » que Marx tira de la Commune de Paris et que ses disciples, aveuglés par « le culte superstitieux de la bureaucratie » (Lénine), devenus réformistes et opportunistes, avaient oubliés, falsifiés, bafoués. C'est pour défendre la vraie doctrine de Marx contre la « diffusion inouïe des déformations du marxisme » que Lénine écrivit en août-septembre 1917 L'État et la Révolution, ouvrage à plus d'un titre étonnant que Trotski qualifiait encore en 1932 d' « introduction scientifique à la plus grande révolution de tous les temps ».

Comme la Commune de Paris, l'État nouveau devait être un État, qui selon l'expression d'Engels, « n'est plus un État au sens propre du terme ». La suppression de l'armée et de la police, l'éligibilité et la révocabilité complètes de tous les fonctionnaires « sans exception » étaient les mesures « simples et allant de soi » qui permettraient au prolétariat de substituer à la démocratie « tronquée, châtrée » du parlementarisme des « institutions où la liberté d'opinion et de discussion ne dégénère pas en duperie ». Il s'agissait de dépasser le parlementarisme non en supprimant les institutions représentatives (« nous ne pouvons imaginer une démocratie sans institutions représentatives ») mais en donnant à celles-ci le maximum d'efficience et de pouvoir, en transformant toutes les affaires communes de la société en objets du suffrage universel.

Mais les « falsificateurs du marxisme » n'avaient pas seulement « oublié » le principe de l'éligibilité et de la révocabilité complètes des fonctionnaires; la « diffusion monstrueuse des déformations du marxisme » avait aussi obscurci un autre point capital du programme, celui qui concerne le « deuxième moyen infaillible » employé par la Commune pour domestiquer l'État et le transformer « de maître en serviteur de la société » : l'égalisation des traitements administratifs et des salaires ouvriers. Or « c'est là justement, remarque Lénine, qu'apparaît avec le plus de relief le passage de la démocratie bourgeoise à la démocratie ouvrière » : c'est en supprimant tous les privilèges pécuniaires attachés aux fonctions de direction et d'administration qu'on extirpera définitivement les racines du bureaucratisme.

Cette mesure « particulièrement évidente », « peut-être la plus importante » en ce qui concerne l'organisation politique de la société nouvelle, devait naturellement se compléter par une série de mesures tendant à démocratiser le processus même de la production, la « base économique » de la société. Sur ce point aussi les « opportunistes » avaient complètement falsifié l'idée marxienne de l' « auto-gouvernement des producteurs ». D'après ces « traîtres au prolétariat », la complexité des techniques modernes nécessite le maintien d'un appareil bureaucratique spécialisé; pour Kautsky par exemple les ouvriers devraient renoncer aux fonctions de direction et se limiter à un simple contrôle de la gestion bureaucratique. Ce programme minimal de « contrôle ouvrier » provoque de nouveau les foudres de Lénine. Il fallait débureaucratiser complètement l'appareil de direction et adopter « immédiatement » des mesures « afin que tous *remplissent les fonctions administratives, que* tous *deviennent pour un temps « bureaucrates » et que, de ce fait,* personne *ne puisse être bureaucrate ». Et c'est l'évolution même de l'économie moderne qui rendait possible ce retour « dialectique » à la démocratie primitive » : d'après Lénine, le capitalisme moderne avait « réduit » les fonctions de direction et d'administration « à de si simples opérations d'enregistrement, d'inscription, de contrôle, qu'elles sont parfaitement à la portée de tous les hommes pourvus d'un minimum d'instruction ».*

Dans ces conditions le dépérissement de l'État cessait d'être un idéal lointain, un objectif relégué dans un avenir brumeux: c'était « la tâche directe, immédiate du prolétariat révolutionnaire ». Socialisme et État se développeraient parallèlement mais au sens contraire; la montée de l'un coïnciderait avec le déclin de l'autre, et la mort de l'État marquerait l'avènement du socialisme. Les yeux rivés sur la « démocratie primitive » parfaite et supraterrestre, habitués à mépriser les compromis humains, trop humains, de la démocratie terrestre, les bolcheviks de 1917 oubliaient qu'ils avaient pris le pouvoir dans un pays où une écrasante majorité de paysans illettrés employaient encore la charrue de bois. Les premiers contacts avec les réalités et les nécessités du pouvoir suffirent pour dissiper les rêves plus ou moins sincères, plus ou moins démagogiques de 1917. L'État et la Révolution *venait juste de sortir en librairie lorsqu'au VII*e *Congrès du Parti (mars 1918), Boukharine proposa d'ajouter au programme une clause concernant le dépérissement de l'État. Lénine l'écarta froidement : « En ce moment nous sommes absolument pour l'État... Proclamer à l'avance l'extinction de l'État, ce serait forcer la perspective historique. » A partir de cette date les références au dépérissement de l'État se font de plus en plus rares et imprécises. Dans l'*ABC du Communisme *de Boukharine et de Préobrazenski (1920) on trouve encore une réminiscence des « mesures simples et évidentes » préconisées par* l'État et la Révolution, *— mais on y sent déjà la « canonisation » du Léninisme et sa transformation en une « icône inoffensive » : c'est plutôt dans les rêveries de Trotski sur l'« homme de l'avenir » que nous trouverons le dernier reflet de la noble utopie de 1917.*

Lénine : la dictature du prolétariat

Les soviets des députés ouvriers, soldats, paysans et autres sont incompris non seulement en ce sens que la plupart des gens ne se font pas une idée nette de la portée sociale, du rôle des soviets *dans* la révolution *russe.* Ils ne sont pas compris non plus en tant que forme nouvelle, ou plus exactement en tant que nouveau *type d'État*.

Le type le plus parfait, le plus évolué d'État bourgeois, c'est la *république démocratique parlementaire* : le pouvoir y appartient au Parlement; la machine de l'État, l'appareil administratif sont ceux de toujours : armée permanente, police, bureaucratie pratiquement non révocable, privilégiée, placée *au-dessus* du peuple.

Mais dès la fin du XIXᵉ siècle, les époques révolutionnaires offrent un type *supérieur* d'État démocratique, un État qui, selon l'expression d'Engels, cesse déjà, sous certains rapports, d'être un État, « n'est plus un État au sens propre du terme ». C'est l'État du type de la Commune de Paris : il *substitue* à la police et à l'armée séparées de la nation, l'armement direct et immédiat du peuple. *Là* est l'essence de la Commune, vilipendée et calomniée par les écrivains bourgeois, et à laquelle, entre autres choses, on a attribué à tort l'intention d' « introduire » immédiatement le socialisme.

C'est précisément un État de ce type que la révolution russe *a commencé* de créer en 1905 et 1917. La République des soviets des députés ouvriers, soldats, paysans et autres, unis au sein d'une Assemblée constituante des représentants du peuple de Russie, ou dans un Conseil des soviets, etc., voilà ce qui *naît aujourd'hui*, à l'heure actuelle, sur l'initiative des masses innombrables du peuple qui crée spontanément la démocratie, *à sa manière*, sans attendre que MM. les professeurs cadets aient rédigé leurs projets de loi pour une république parlementaire bourgeoise, ni que les pédants et les routiniers de la « social-démocratie » petite-bourgeoise, tels que MM. Plékhanov ou Kautsky, aient renoncé à falsifier la doctrine marxiste de l'État.

LÉNINE, Thèses d'avril, 1917. E.S.

Suppression de l'armée et de la police

Par quoi remplacer la machine d'État démolie?

A cette question Marx ne donnait encore, en 1847, dans le *Manifeste communiste*, qu'une réponse abstraite ou indiquant plutôt les problèmes et non les moyens de les résoudre. Le remplacement se ferait par l' « organisation du prolétariat en classe dominante », par la « conquête de la démocratie », telle était la réponse du *Manifeste communiste*.

Sans verser dans l'utopie, Marx attendait de l'expérience d'un mouvement de masse, la réponse à la question de savoir quelles formes concrètes épouserait cette organisation du prolétariat en tant que classe dominante, de quelle manière précisément cette organisation concorderait avec la plus entière et la plus conséquente « conquête de la démocratie ».

L'expérience de la Commune, aussi brève qu'elle ait été, Marx la soumet à l'analyse la plus attentive dans sa *Guerre*

civile en France. Citons un des principaux passages de cet écrit :
« Le premier décret de la Commune supprima... l'armée permanente et la remplaça par le peuple armé. »

Cette revendication figure maintenant au programme de tous les partis désireux de s'intituler socialistes. Mais ce que valent leurs programmes, c'est ce qu'illustre au mieux la conduite de nos socialistes révolutionnaires et de nos mencheviks qui, justement après la révolution du 27 février, ont en fait refusé de donner suite à cette revendication!

LÉNINE, *L'État et la Révolution*, août-septembre 1917. E.S.

Le remplacement de la police par une milice populaire est une réforme qui, dictée par toute la marche de la révolution, est en voie de réalisation dans la plupart des régions de la Russie. Nous devons expliquer aux masses que dans la plupart des révolutions bourgeoises du type ordinaire, cette réforme a été très éphémère, et que la bourgeoisie, même la plus démocratique et républicaine, a toujours rétabli la police du vieux type tsariste, séparée du peuple, commandée par des bourgeois et capable d'opprimer le peuple de toutes les manières.

Pour *empêcher* le rétablissement de la police, il n'est qu'un seul moyen : c'est de créer une milice populaire, fondue avec l'armée (armement général du peuple, à la place de l'armée permanente). Feront partie de cette milice tous les citoyens et citoyennes sans exception de 15 à 65 ans (s'il est permis, par ces limites d'âge approximatives, d'indiquer la participation des adolescents et des vieillards). Les capitalistes payeront aux ouvriers salariés, aux domestiques, etc., les journées consacrées au service civique dans la milice. Tant que les femmes ne seront pas appelées à participer librement à la vie politique en général, mais aussi à s'acquitter d'un service civique permanent et universel, il ne peut être question de socialisme, ni même d'une démocratie intégrale et durable. Les fonctions de « police », telles que l'assistance aux malades et aux enfants abandonnés, le contrôle de l'alimentation, etc., ne peuvent en général être assurées de façon satisfaisante tant que les femmes n'auront pas obtenu l'égalité non point nominale, mais effective.

Empêcher le rétablissement de la police, appliquer les capacités organisatrices du peuple entier à la création d'une milice dont le service est exercé par toute la population, voilà les tâches que le prolétariat doit porter dans les masses pour la sauvegarde, l'affermissement et le développement de la révolution.

LÉNINE, *Les Tâches du prolétariat*, 10-4-1917. E.S.

Éligibilité et révocabilité des fonctionnaires

Éligibilité et révocabilité complètes, à tout moment, de tous les fonctionnaires sans exception, réduction de leurs traitements

au niveau du normal « salaire d'un ouvrier », ces mesures démo
cratiques simples et « allant de soi », qui rendent parfaitement
solidaires les intérêts des ouvriers et de la majorité des paysans,
servent en même temps de passerelle conduisant du capitalisme
au socialisme. Ces mesures concernent la réorganisation de
l'État, la réorganisation purement politique de la société, mais
elles ne prennent naturellement tout leur sens et toute leur
valeur qu'en réalisant ou préparant l' « expropriation des
expropriateurs », c'est-à-dire au cas où la propriété privée
capitaliste des moyens de production deviendrait propriété
sociale.

LÉNINE, *L'État et la Révolution*, 1917. E.S.

Égalisation des salaires et des traitements

« La Commune, dit Engels, usa de deux moyens infaillibles.
D'abord, elle soumit tous les postes de l'administration à
l'élection au suffrage universel... En second lieu, elle attribua
aux fonctionnaires supérieurs ou inférieurs un salaire égal à celui
que recevaient les autres ouvriers. Le plus haut traitement qu'elle
attribuait était de 6 000 francs (1). »

Engels aborde ici cette intéressante limite où la démocratie
conséquente, d'une part, se transforme en socialisme, et où,
d'autre part, elle réclame le socialisme. En effet, pour supprimer
l'État, il est nécessaire que les fonctions de l'État se transforment
en des opérations de contrôle et d'enregistrement si simples,
qu'elles soient à la portée de l'immense majorité, et puis de la
totalité de la population. Et pour supprimer complètement
l'arrivisme, il faut que les fonctions « honorifiques » au service
de l'État, si même elles ne rapportent rien, ne puissent servir
de tremplin pour atteindre des postes hautement lucratifs dans
les banques et les sociétés par actions, comme il arrive constamment dans tous les pays capitalistes même les plus libres...

Particulièrement remarquable, à cet égard, est une des mesures
prises par la Commune, et que Marx fait ressortir : suppression
de tous frais de représentation, de tous privilèges pécuniaires
attachés aux fonctionnaires, réduction des traitements de tous
les fonctionnaires au niveau du « salaire d'ouvrier ». C'est là
justement qu'apparaît avec le plus de relief le tournant qui
s'opère de la démocratie bourgeoise à la démocratie prolétarienne, de la démocratie des oppresseurs à la démocratie des
classes opprimées, de l'État comme « force spéciale » destinée
à réprimer une classe déterminée, à la répression des oppresseurs
par la force générale de la majorité du peuple, des ouvriers et

_____

(1) Cela fait environ 2 400 roubles au cours nominal et 6 000 roubles au
cours actuel. Ceux des bolcheviks qui proposent, par exemple, dans les municipalités des traitements de 9 000 roubles au lieu de proposer pour *l'ensemble
de l'État* un maximum de 6 000 roubles — somme suffisante — commettent
une erreur impardonnable...

des paysans. Et c'est sur ce point, particulièrement évident, —
sur la question de l'État peut-être la plus importante entre
toutes, — que les enseignements de Marx sont le plus oubliés!
Les commentaires de vulgarisation — ils sont innombrables —
n'en disent mot. Il est admis de taire cela comme une « chose
puérile » qui a fait son temps, exactement comme les chrétiens
qui, une fois leur culte devenu religion d'État, « ont oublié »
les « puérilités » du christianisme primitif avec son esprit démocratique révolutionnaire.

Ibid.

L'économie

Un spirituel social-démocrate allemand des années 70 a dit
de la *poste* qu'elle était un modèle d'entreprise socialiste. Rien
n'est plus juste. La poste est actuellement une entreprise organisée
sur le modèle du monopole *capitaliste* d'État. L'impérialisme
transforme progressivement tous les trusts en organisations
de ce type. Les « simples » travailleurs accablés de besogne et
affamés, restent toujours soumis à la même bureaucratie bourgeoise. Mais le mécanisme de gestion sociale y est déjà tout prêt.
Une fois les capitalistes renversés, la résistance de ces exploiteurs brisée par la main de fer des ouvriers en armes, la machine
bureaucratique de l'État actuel démolie, — nous avons devant
nous un mécanisme débarrassé du « parasite », mécanisme
admirablement outillé au point de vue technique, et que les
ouvriers associés peuvent fort bien mettre en marche eux-mêmes
en embauchant des techniciens, des surveillants, des comptables,
en rétribuant leur travail à *tous*, de même que celui de *tous* les
fonctionnaires « publics », par un salaire d'ouvrier. Telle est la
tâche concrète, pratique, immédiatement réalisable à l'égard
de tous les trusts, et qui affranchit les travailleurs de l'exploitation, tient compte de l'expérience pratiquement déjà commencée
(surtout dans le domaine de l'organisation de l'État) par la
Commune.

Toute l'économie nationale organisée comme la poste, de
façon que les techniciens, les surveillants, les comptables, comme
tous les fonctionnaires, reçoivent un traitement qui n'excède
pas le « salaire d'un ouvrier », sous le contrôle et la direction
du prolétariat armé : tel est notre but immédiat. Voilà la base
économique de l'État qu'il nous faut.

Ibid.

Gestion ouvrière des entreprises

En ce qui concerne l'organisation nécessaire soi-disant
« bureaucratique » (1), les chemins de fer ne se distinguent

---

(1) Critique des thèses de Kautsky sur la nécessité de la gestion bureaucratique des grandes entreprises. (Cf. plus haut page 254.)

absolument en rien de toutes les entreprises de la grande industrie mécanique en général, de n'importe quelle usine, d'un grand magasin, d'une grande entreprise agricole capitaliste. Dans toutes ces entreprises la technique prescrit une discipline absolument rigoureuse, la plus grande précision dans l'accomplissement de la part de travail assignée à chacun, sous peine d'arrêt de toute l'entreprise ou de détérioration des mécanismes, de l'objet fabriqué. Dans toutes ces entreprises, évidemment, les ouvriers « éliront des délégués qui formeront une sorte de Parlement ».

Mais le grand point ici, c'est que cette « sorte de Parlement » ne sera pas un parlement dans le sens des institutions parlementaires bourgeoises. Le grand point ici, c'est que cette « sorte de Parlement » ne se contentera pas d' « établir le régime du travail et de surveiller le fonctionnement de l'appareil bureaucratique », comme se l'imagine Kautsky dont la pensée ne dépasse pas le cadre du parlementarisme bourgeois. Il est certain qu'en société socialiste une « sorte de Parlement » composé de députés ouvriers « déterminera le régime du travail et surveillera le fonctionnement » de l' « appareil », mais cet appareil-là ne sera pas « bureaucratique ». Les ouvriers, après avoir conquis le pouvoir politique, briseront le vieil appareil bureaucratique, le démoliront jusqu'en ses fondements, n'en laisseront pas pierre sur pierre et le remplaceront par un nouvel appareil comprenant ces mêmes ouvriers et employés. Pour empêcher ceux-ci de devenir des bureaucrates, on prendra aussitôt des mesures minutieusement étudiées par Marx et Engels : 1º pas seulement éligibilité, mais révocabilité à tout moment; 2º salaire qui ne serait pas supérieur à celui de l'ouvrier; 3º adoption immédiate de mesures afin que tous remplissent les fonctions de contrôle et de surveillance, que tous deviennent pour un temps « bureaucrates », et que de ce fait personne ne puisse devenir « bureaucrate ».

Kautsky n'a absolument pas compris la différence entre le parlementarisme bourgeois — qui unit la démocratie (pas pour le peuple) à la bureaucratie (contre le peuple) — et le démocratisme prolétarien qui prendra immédiatement des mesures afin de couper à la racine le bureaucratisme, et qui sera à même de les faire aboutir à la destruction complète du bureaucratisme, à l'établissement complet d'une démocratie pour le peuple.

Ibid.

Conditions objectives de la démocratie intégrale

Il n'y a pas un grain d'utopisme chez Marx : il n'invente pas, il n'imagine pas de toutes pièces une société « nouvelle ». Non, il étudie, comme un processus d'histoire naturelle, la naissance de la nouvelle société issue de l'ancienne, les formes de transition de celle-ci à celle-là. Il prend les faits, l'expérience du mouvement prolétarien de masse, et il s'efforce d'en tirer des leçons pratiques. Il « se met à l'école » de la Commune, comme tous les grands penseurs révolutionnaires qui n'hésitèrent pas à se mettre à l'école des grands mouvements de la classe opprimée, sans leur faire pédantesquement la « morale » (comme Plékhanov disant : « il ne fallait pas prendre les armes », ou Tsérétéli : « Une classe doit savoir se limiter elle-même »).

Il ne saurait être question de supprimer d'emblée, partout et complètement, la bureaucratie. C'est une utopie. Mais briser d'emblée la vieille machine administrative pour commencer sans délai à en construire une nouvelle qui permettrait de supprimer graduellement toute bureaucratie, cela n'est pas une utopie, c'est l'expérience de la Commune, c'est la tâche directe, immédiate du prolétariat révolutionnaire.

Le capitalisme simplifie les fonctions administratives de l' « État »; il permet de rejeter le « hiérarchisme » et de tout ramener à une organisation de prolétaires « en tant que classe dominante qui, au nom de toute la société, embauche des ouvriers, des surveillants et des comptables ».

Nous ne sommes pas des utopistes. Nous ne « rêvons » pas de nous passer d'emblée de toute administration, de toute subordination; ces rêves anarchistes, fondés sur l'incompréhension du rôle de la dictature du prolétariat, sont foncièrement étrangers au marxisme et ne servent en réalité qu'à différer la révolution socialiste jusqu'au jour où les hommes seront tout autres. Non, nous voulons la révolution socialiste avec les hommes tels qu'ils sont aujourd'hui, et qui ne se passeront pas de subordination, de contrôle, de « surveillants et de comptables ».

La réduction du traitement des hauts fonctionnaires de l'État apparaît « simplement » comme la revendication d'un démocratisme naïf, primitif. Un des « fondateurs » de l'opportunisme moderne, l'ex-social-démocrate Ed. Bernstein, s'est maintes fois exercé à répéter les plates railleries bourgeoises contre le démocratisme « primitif ». Comme tous les opportunistes, comme les kautskistes de nos jours, il n'a pas du tout compris, premièrement, qu'il est impossible de passer du capitalisme au socialisme sans un certain « retour » au démocratisme « primitif » (car enfin, comment faire remplir les fonctions de l'État par la majorité, et plus, par la totalité de la population?); en second lieu, que le « démocratisme primitif » sur la base du capitalisme et de la culture capitaliste, n'est pas le démocratisme primitif des époques anciennes ou précapitalistes. La culture capitaliste a créé la grande production, les fabriques, les chemins de fer, la poste, le téléphone, etc. Et sur cette base l'immense majorité des fonctions du vieux « pouvoir de l'État » se sont tellement simplifiées, et peuvent être réduites à de si simples opérations d'enregistrement, d'inscription, de contrôle, qu'elles seront parfaitement à la portée de tous les hommes pourvus d'un minimum d'instruction, qu'elles pourront être parfaitement exercées moyennant le normal « salaire d'un ouvrier »; de sorte que l'on peut (et l'on doit) enlever à ces fonctions jusqu'à l'ombre de tout caractère priviligié, « hiérarchique ». Le développement du capitalisme crée à son tour les conditions nécessaires pour que « tous » puissent réellement participer à la gestion de l'État. Ces conditions sont, entre autres, l'instruction générale déjà réalisée par plusieurs pays capitalistes avancés, puis « l'éducation et la formation à la discipline » de millions d'ouvriers par l'appareil socialisé, immense et complexe, que sont la poste, les chemins de fer, les grandes usines, le gros commerce, les banques, etc., etc.

Avec de telles conditions économiques, on peut fort bien, après avoir renversé les capitalistes et les fonctionnaires, les remplacer aussitôt, du jour au lendemain, en ce qui concerne le contrôle de la production et de la répartition, en ce qui concerne le recensement du travail et des produits par les ouvriers armés, par le peuple armé tout entier. (Il ne faut pas confondre la question du contrôle et du recensement avec celle du personnel scientifiquement instruit d'ingénieurs, d'agronomes, etc.; ces messieurs qui travaillent aujourd'hui sous les ordres des capitalistes, travailleront mieux encore demain, sous les ordres des ouvriers armés.)

Recensement et contrôle, voilà l'essentiel et pour l'organisation et pour le fonctionnement régulier de la société communiste dans sa première phase. Ici tous les citoyens se transforment en employés salariés de l'État constitué par les ouvriers armés. Tous les citoyens deviennent les employés et les ouvriers d'un seul « cartel » du peuple entier, de l'État. Le tout est d'obtenir qu'ils travaillent dans une proportion égale, observant exactement la mesure de travail et reçoivent en proportion. Le recensement et le contrôle dans tous ces domaines ont été simplifiés à l'extrême par le capitalisme qui les a réduits aux opérations les plus simples de surveillance et d'enregistrement, à la délivrance de reçus correspondants, — toutes choses à la portée de quiconque sait lire et écrire et connaît les quatre règles d'arithmétique...

Ibid.

Mort de l'État

Mais comment, demandera-t-on, pourra fonctionner, sans direction aucune, une organisation si formidable? Qui élaborera le plan de la production sociale? Qui répartira les forces ouvrières? Qui calculera les recettes et les dépenses communes? Bref, qui veillera à la conservation de l'ordre?

La réponse n'est pas difficile. La direction principale incombera à divers bureaux de comptabilité et offices de statistiques. C'est là que, jour par jour, seront tenus les comptes de toute la production et de tous ses besoins; c'est là qu'on indiquera où il y a lieu d'augmenter ou de diminuer le nombre d'ouvriers et combien il faudra travailler. Et comme chacun, dès son enfance, étant habitué au travail en commun, comprendra que ce travail est nécessaire et que la vie est bien plus facile lorsque tout marche d'après un plan établi, on travaillera tous d'après les instructions de ces bureaux et offices. Plus besoin de ministres spéciaux, ni de police, ni de prisons, ni de lois, ni de décrets, ni de rien. De même que les musiciens dans un orchestre suivent le bâton du chef et s'y règlent, de même les hommes suivront les tableaux de statistiques et y conformeront leur travail.

Il n'y aura donc plus d'État. Plus de groupe ou de classe qui soit au-dessus des autres classes. De plus, dans ces bureaux calculateurs, aujourd'hui travailleront ceux-ci, demain ceux-là. La bureaucratie, le fonctionnarisme permanent disparaîtront. L'État sera mort.

... Notre parti recommande les mesures suivantes :

1. *L'accomplissement par tous les membres d'un soviet quelconque d'un travail concernant la direction du pays.* Tout membre d'un soviet doit non seulement prendre part aux délibérations, mais encore occuper un poste quelconque dans l'administration.

2. *Les changements successifs de postes.* C'est-à-dire l'obligation pour tout camarade, après avoir occupé un poste pendant un certain temps, de l'échanger contre un autre afin de se former graduellement aux fonctions dans les principales branches de l'administration. Il ne faut pas qu'en occupant longtemps le même poste il devienne bureaucrate.

3. Le Parti recommande encore d'entraîner progressivement toute la *population ouvrière sans exception* à l'œuvre de l'administration de l'État. C'est là la base fondamentale de notre politique.

... Nous devons simplifier l'appareil administratif, y attirer les masses et écarter tout bureaucratisme. Plus la participation du prolétariat à l'administration sera étendue, plus vite les derniers vestiges de l'ancienne bureaucratie auront complètement disparu, plus courte sera la dictature du prolétariat. Et la disparition de la résistance de la bourgeoisie sera le signe de la disparition de l'État lui-même. Les individus n'auront plus à en diriger d'autres, ils n'auront plus qu'à conduire les outils, les machines, les locomotives et les autres appareils. Ce sera le régime communiste intégral.

N. BOUKHARINE et A. PRÉOBRAZENSKI,
L'ABC du communisme, 1920.

Trotski : l'homme de l'avenir

... L'entassement imperceptible, à la manière des fourmis, de quartiers et de rues, brique par brique, de génération en génération, fera place à une titanesque construction de villes, cartes et compas en main. C'est autour de ce compas que se constitueront les éléments de l'avenir... L'architecture reflétera à nouveau les sentiments et l'état d'esprit des masses... L'humanité fera son éducation plastique, s'accoutumera à regarder le monde comme une argile soumise permettant de sculpter les formes de vie les plus parfaites... L'homme s'emploiera à redistribuer les montagnes et les rivières... à rebâtir le monde, sinon à son image, du moins à son goût... La race humaine n'aura pas cessé de ramper à quatre pattes devant Dieu, les rois et le capital pour se soumettre ensuite humblement aux lois obscures de l'hérédité et d'une sélection sexuelle aveugle... L'homme commencera enfin sérieusement à faire régner l'harmonie en lui-même. Il prendra comme tâche d'accomplir la beauté en conférant à ses gestes la plus haute précision, en introduisant la méthode et l'économie dans son travail, sa marche, ses jeux. Il s'efforcera de maîtriser d'abord les processus semi-conscients, puis les processus inconscients de son organisme. La construction sociale et l'éducation psychophysique de soi deviendront deux aspects d'un seul et même processus. Tous les arts — la littérature, le théâtre, la peinture, la musique et l'architecture — prêteront à ce processus la beauté formelle... L'homme deviendra incommensurablement plus fort, plus sage et plus subtil; son corps deviendra plus harmonieux, ses mouvements plus rythmés, sa voix plus musicale. Les formes de la vie deviendront dynamiquement belles. L'homme moyen s'élèvera à la hauteur d'un Aristote, d'un Gœthe, d'un Marx. Et sur cette crête, de nouveaux pics s'élèveront...

Trotski, Littérature et Révolution, 1924.

3. — DÉMOCRATIE OU DICTATURE

Présentation

« *On nous confondra avec les anarchistes* », *disait Lénine en avril 1917. Son programme de démocratisation intégrale était en effet beaucoup plus proche de l'anti-étatisme bakouniniste que de la prudence des dernières pensées d'Engels sur la république socialiste. Mais ce que Lénine redoutait, c'était d'être confondu avec les* « *traîtres au prolétariat qui ont entièrement laissé aux anarchistes le soin de critiquer le parlementarisme* » *et qui passaient sous silence* « *la similitude du marxisme avec l'anarchisme, avec Proudhon comme avec Bakounine* » (L'État et la Révolution).

C'est surtout l'accusation de blanquisme qui provoquait l'indignation de Lénine. En Suisse, aussitôt après le renversement de la monarchie, il écrivait : « *Nous ne sommes pas des blanquistes, ni des partisans de la prise du pouvoir par une minorité.* » *Dans ses* Thèses d'avril, *il développera la même idée :* Il faut reconnaître que notre parti est en minorité et ne constitue pour le moment qu'une faible minorité dans la plupart des soviets (XXIV, 12-3). *Tout devrait être ramené à la lutte pour la conquête de la majorité dans les soviets. Dans ses* Lettres sur la tactique *il dit :* « ... J'ai tout ramené d'une façon parfaitement explicite à la lutte pour la prépondérance au sein des soviets... Seuls des ignorants ou des renégats du marxisme peuvent crier au blanquisme. Le blanquisme est la prise du pouvoir par une minorité, tandis que les soviets sont notoirement l'organisation directe et immédiate de la majorité du peuple. Une action ramenée à la lutte pour l'influence au sein des soviets ne peut pas, ne peut littéralement pas verser dans le marais du blanquisme* » (XXIV, 39).

Si les soviets apparaissaient aux yeux de Lénine comme un « *type supérieur de démocratie* », *c'était, entre autres raisons, parce qu'ils étaient seuls capables d'* « *assurer le développement pacifique de la révolution, la concurrence pacifique des partis au sein des soviets, l'expérimentation du programme des différents*

*partis, le passage du pouvoir d'un parti à l'autre » (XXVI, 62).
Cela fut écrit quelques semaines avant la révolution. Mais, même
après octobre, Lénine ne changea pas d'un iota sa conception
initiale de la « concurrence pacifique des partis » au sein des
soviets : « Même si les paysans élisent à l'Assemblée constituante
une majorité social-révolutionnaire, nous dirons encore: soit!...
Nous devons laisser pleine liberté au génie créateur des masses
populaires » (XXVI, 269).*

*Personne ne pensait alors que le Parti était appelé à monopoliser
la totalité du pouvoir. Il n'est pas question du « rôle dirigeant du
Parti » dans l'État et la Révolution; de même, la première
Constitution soviétique (10 juillet 1918) passait encore sous
silence l'hégémonie réelle — considérée comme provisoire —
qu'exerçait le Parti. Personne ne pensait que la dictature du
prolétariat pouvait passer par le règne du parti unique. Bien au
contraire, l'entière liberté de la presse était garantie par la loi.
Lénine avait déposé un projet de résolution (17 novembre 1917)
stipulant la nationalisation du papier et de toutes les imprimeries
et « l'attribution à chaque groupe de citoyens comportant plus de
10 000 membres, d'un droit égal à l'usage d'une part correspondante des stocks de papier et des moyens d'impression »
(XXVI, 294). Tout devait être mis en œuvre pour permettre à la
représentation nationale de refléter le plus fidèlement possible
les fluctuations de l'opinion populaire. Il fallait, par exemple,
accorder aux électeurs le droit de rappeler leurs députés à l'Assemblée Constituante et d'en élire d'autres, car, disait Lénine, « les
partis sont nombreux en Russie, et aux yeux du peuple chacun
d'eux a une physionomie politique déterminée... Le droit de
rappel doit être accordé... Ainsi le passage du pouvoir d'un parti
à l'autre s'effectuera pacifiquement, simplement par de nouvelles
élections » (XXVI, 355-6).*

*En effet, les élections eurent lieu dans une relative liberté. Les
bolcheviks recueillirent moins d'un quart des 41 millions de
suffrages exprimés, 62 % allèrent aux socialistes modérés de
diverses nuances, les social-révolutionnaires ayant réuni le plus
grand nombre de voix : plus de 15 millions. On connaît la suite :
l'Assemblée constituante, rêve de plusieurs générations de révolutionnaires, se dispersa le premier jour (janvier 1918), sur
sommation d'un marin, et les partis furent éliminés l'un après
l'autre. Encore une fois : Lénine et les bolcheviks ne tendaient
point par prédilection au monopole du pouvoir, mais au moment
même où ils pensaient exterminer « le monstre le plus froid » et
mettre fin pour toujours à l'oppression du citoyen par l'État, la
force des choses concentrait de fait la puissance publique entre les
mains du Parti et vidait de son contenu le programme de 1917.*

*C'est dans ce contexte que Rosa Luxemburg écrivit dans sa
prison son admirable essai sur la Révolution russe. La critique
amie resta sans réponse. Trois ans plus tard les insurgés de Cronstad
demandaient, dans l'esprit de la Constitution soviétique et du
programme d'octobre, des élections libres aux soviets, la liberté*

*de parole et de presse pour les ouvriers et les paysans, l'abolition
des privilèges du parti communiste et le retour à un gouvernement
normal des soviets. Trotski ordonnera de bombarder ceux qu'il
appelait naguère « l'orgueil de la révolution ».*

*G. I. Miasnikov a été le seul bolchevik qui ait insisté après 1917
pour que l'on accorde la liberté de parole à tous les partis sans
exception, car il pensait que c'était le seul moyen de sauver le
parti menacé par la corruption du pouvoir. Le régime
soviétique, disait-il, « doit entretenir à ses frais un groupe de
détracteurs comme le faisaient autrefois les empereurs romains ».
On verra plus loin la réponse de Lénine. Dans sa contre-réponse
Miasnikov lui rappela que la seule raison pour laquelle lui-même
pouvait encore s'exprimer librement reposait sur le fait qu'il était
un vieux bolchevik et que des milliers d'ouvriers ordinaires crou-
pissaient en prison pour avoir dit exactement les mêmes choses
que lui. Exclu du parti en 1922 il forma un groupe oppositionnel
dit « Groupe ouvrier » qui a été liquidé en septembre 1923. Depuis
lors le problème de la liberté de la presse et de la « concurrence
pacifique des partis » a complètement disparu de l'horizon marxiste-
léniniste.*

Rosa Luxemburg : défense de la démocratie

Ce serait une erreur de craindre qu'un examen critique des
voies suivies jusqu'ici par la révolution russe soit de nature à
ébranler le prestige du prolétariat russe, dont le fascinant
exemple pourrait seul triompher de l'inertie des masses ouvrières
allemandes. Rien de plus faux.

Se livrer à une étude critique de la révolution, sous tous ses
aspects, c'est le meilleur moyen d'éduquer la classe ouvrière,
tant allemande qu'internationale, en vue des tâches que lui
impose la situation présente.

Lénine dit : l'État bourgeois est un instrument d'oppression
de la classe ouvrière, l'État socialiste un instrument d'oppression
de la bourgeoisie. C'est en quelque sorte l'État capitaliste renversé sur la tête. Cette conception simpliste oublie l'essentiel :
c'est que la domination de classe de la bourgeoisie n'avait pas
besoin d'une éducation politique des masses populaires, tout au
moins au-delà de certaines limites assez étroites. Pour la dictature
prolétarienne, au contraire, elle est l'élément vital, l'air sans
lequel elle ne peut vivre.

... Assurément toute institution démocratique, comme toutes
les institutions humaines d'ailleurs, a ses limites et ses défauts.
Mais le remède inventé par Lénine et Trotski, qui consiste à
supprimer la démocratie en général, est pire que le mal qu'il est
censé guérir : il obstrue en effet la seule source vivante d'où
peuvent sortir les moyens de corriger les insuffisances congéni-
tales des institutions sociales, à savoir la vie politique active,
libre, énergique, des larges masses populaires...

.. Mais avec cela la question est loin d'être épuisée : nous n'avons pas fait entrer en ligne de compte la suppression des principales garanties démocratiques d'une vie publique saine et de l'activité politique des masses ouvrières : libertés de la presse, d'association et de réunion, qui ont été entièrement supprimées pour tous les adversaires du gouvernement des soviets. Pour justifier la suppression de ces droits, l'argumentation de Trotski sur la lourdeur des corps élus démocratiques est tout à fait insuffisante. Par contre, c'est un fait absolument incontestable que sans une liberté illimitée de la presse, sans une liberté absolue de réunion et d'association, la domination des larges masses populaires est inconcevable.

Les tâches gigantesques, auxquelles les bolcheviks se sont attelés avec courage et résolution nécessitaient l'éducation politique des masses la plus intense et une accumulation d'expérience qui n'est pas possible sans liberté politique.

La liberté réservée aux seuls partisans du gouvernement, aux seuls membres d'un parti, aussi nombreux soient-ils, ce n'est pas la liberté. La liberté, c'est toujours la liberté de celui qui pense autrement. Non pas par fanatisme de la « justice », mais parce que tout ce qu'il y a d'instructif, de salutaire et de purifiant dans la liberté politique tient à cela et perd de son efficacité quand la « liberté » devient un privilège.

Oui, oui, dictature! Mais cette dictature consiste *dans la manière d'appliquer la démocratie*, non dans son abolition, dans des interventions énergiques et résolues, dans les droits acquis et les conditions économiques de la société bourgeoise, sans lesquelles la transformation socialiste ne peut être réalisée. Mais cette dictature doit être l'œuvre de la classe et non d'une petite minorité dirigeant au nom de la classe; autrement dit, elle doit naître progressivement de la participation active des masses, rester sous leur influence directe, être soumise au contrôle de l'opinion publique, être un produit de l'éducation politique croissante des masses populaires...

... Ce serait exiger de Lénine et de ses amis une chose surhumaine que de leur demander encore, dans des conditions pareilles, de créer, par une sorte de magie, la plus belle des démocraties, la dictature du prolétariat la plus exemplaire et une économie socialiste florissante. Par leur attitude résolument révolutionnaire, leur énergie sans exemple et leur fidélité inébranlable au socialisme international, ils ont vraiment fait tout ce qu'il était possible de faire dans des conditions si effroyablement difficiles. Le danger commence là où, faisant de nécessité vertu, ils créent une théorie de la tactique que leur ont imposée ces conditions fatales, et veulent la recommander au prolétariat international comme le modèle de la tactique socialiste...

. . . .

Lénine et Trotski et leurs amis ont été les premiers qui aient montré l'exemple au prolétariat mondial; ils sont jusqu'ici encore les seuls qui puissent s'écrier avec Hutten : J'ai osé!

C'est là ce qui est essentiel, ce qui est durable dans la politique des bolcheviks. En ce sens, il leur reste le mérite impérissable d'avoir, en conquérant le pouvoir et en posant pratiquement le problème de la réalisation du socialisme, montré l'exemple au prolétariat international, et fait faire un pas énorme dans la voie du règlement de comptes final entre le capital et le travail dans le monde entier. En Russie, le problème ne pouvait être que posé. Et c'est dans ce sens que l'avenir appartient partout au « bolchevisme ».

Rosa Luxemburg, La Révolution russe, 1918,
traduction française, éd. Spartacus.

Trotski : la dictature du parti unique

On nous a accusés plus d'une fois d'avoir substitué à la dictature des Soviets celle du Parti. Et cependant, on peut affirmer, sans risquer de se tromper, que la dictature des Soviets n'a été possible que grâce à la dictature du Parti : grâce à la clarté de ses idées théoriques, grâce à sa forte organisation révolutionnaire, le Parti a assuré aux Soviets la possibilité de se transformer, d'informes parlements ouvriers qu'ils étaient, en un appareil de domination du travail. Dans cette substitution du pouvoir du Parti au pouvoir de la classe ouvrière, il n'y a rien de fortuit, et même, au fond, il n'y a là aucune substitution. Les communistes expriment les intérêts fondamentaux de la classe ouvrière. Il est tout à fait naturel qu'à une époque où l'Histoire met à l'ordre du jour la discussion de ces intérêts dans toute leur étendue, les communistes deviennent les représentants avoués de la classe ouvrière en sa totalité.

Mais qui donc vous garantit, nous demandent quelques malins, que c'est précisément votre Parti qui donne l'expression des intérêts du développement historique ? En supprimant ou en rejetant dans l'ombre les autres partis, vous vous êtes débarrassés de leur rivalité politique, source d'émulation, et, par là, vous vous êtes privés de la possibilité de vérifier votre ligne de conduite.

Cette considération est dictée par une idée purement libérale de la marche de la révolution. A une époque où tous les antagonismes se déclarent ouvertement et où la lutte politique se transforme rapidement en guerre civile, le Parti dirigeant a, pour vérifier sa ligne de conduite, assez de matériaux en main et de critériums, indépendamment du tirage possible des journaux mencheviques. Noske foudroie les communistes et cependant leur nombre ne cesse de s'accroître. Nous avons écrasé les mencheviks et les socialistes-révolutionnaires et il n'en reste rien. Ce critérium nous suffit. Dans tous les cas, notre tâche consiste, non pas à évaluer à toute minute, par une statistique, l'importance des groupes que représente chaque tendance, mais

bien à assurer la victoire de notre tendance à nous, qui est la
tendance de la dictature prolétarienne, et à trouver dans la
marche de cette dictature, dans les divers frottements qui
s'opposent au bon fonctionnement de son mécanisme intérieur,
un critérium suffisant pour vérifier la valeur de nos actes.

TROTSKI, *Terrorisme et Communisme*, 1920.

Lénine : une véritable « oligarchie »

... Un Comité central de 19 membres, élu au congrès, dirige
le Parti qui réunit des congrès annuels (au dernier congrès,
la représentation était de 1 délégué par 1 000 membres); le
travail courant est confié à Moscou, à des collèges encore plus
restreints appelés « Orgbureau » (bureau d'organisation) et
« Politbureau » (bureau politique), qui sont élus en assemblée
plénière du Comité central, à raison de 5 membres pris dans
son sein pour chaque bureau. Il en résulte donc la plus authentique « oligarchie ». Et dans notre République il n'est pas une
question importante, politique ou d'organisation, qui soit
tranchée par une institution de l'État sans que le Comité central du parti ait donné ses directives.

Dans son travail le Parti s'appuie directement sur les syndicats
qui comptent aujourd'hui, d'après les données du dernier congrès
(avril 1920), plus de quatre millions de membres et, formellement, sont sans-parti. En fait, toutes les institutions dirigeantes
de l'immense majorité des syndicats et, au premier chef, naturellement, le Centre ou le Bureau des Syndicats de Russie (Conseil
central des Syndicats de Russie) sont composées de communistes
et appliquent toutes les directives du Parti. On obtient en somme
un appareil prolétarien qui, formellement, n'est pas communiste,
qui est souple et relativement vaste, très puissant, un appareil
au moyen duquel le Parti est étroitement lié à la classe et à la
masse, et au moyen duquel la dictature de la classe se réalise
sous la direction du Parti.

LÉNINE, *La Maladie infantile du communisme*, avril 1920. E.S.

Lénine et la liberté de la presse

...Au commencement de l'article intitulé « Questions névral-
giques », vous appliquez correctement la dialectique. Oui,
ceux qui ne comprennent pas que le mot d'ordre de « guerre
civile » doit céder la place à celui de « paix civique », sont ridi-
cules, sinon davantage. Oui vous avez raison ici. Et c'est précisément parce que vous avez raison ici que je suis étonné que
vous ayez oublié la dialectique dans vos conclusions.

... « Liberté de la presse depuis les monarchistes jusqu'aux
anarchistes »... Fort bien! Mais veuillez me pardonner, tous les

marxistes et tous les ouvriers diront : examinons de *quelle* liberté de presse il s'agit? Pour *quoi*? Pour *quelle classe*?

Nous ne croyons pas aux « absolus ». Nous nous rions de la « démocratie pure ».

Le mot d'ordre de « liberté de la presse » a pris une portée universelle à la fin du Moyen Age jusqu'au XIXe siècle. Pourquoi? Parce qu'il émanait de la bourgeoisie progressiste, en lutte contre les prêtres, les rois, les féodaux et les seigneurs terriens.

Il n'est pas un pays au monde qui ait fait et fasse autant que la Russie soviétique pour affranchir les masses de l'influence des prêtres et des propriétaires fonciers. Mieux que *tous* les autres pays du monde, nous avons réalisé et réalisons cette tâche de la « liberté de la presse »...

...Pour le moment, la bourgeoisie (du monde entier) est plus forte que nous, et de plusieurs fois. Lui donner au surplus une arme comme la liberté d'organisation politique (= la liberté de la presse, car la presse est le centre et la base de l'organisation politique), c'est faciliter la tâche de l'ennemi, aider l'ennemi de classe.

Nous ne voulons pas nous suicider; aussi, ne le ferons-nous pas.

...Et voilà que brusquement vous tombez dans le gouffre du sentimentalisme. [Vous dites :] « Il se produit chez nous un tas de scandales et d'abus : la liberté de la presse les dénoncera »... Vous vous êtes laissé *accabler* par un certain nombre de faits fâcheux et navrants, et vous avez perdu la faculté de considérer les forces avec *clairvoyance*.

La liberté de la presse ne servira pas à *épurer* le Parti de ses faiblesses, erreurs, calamités, maladies; elle deviendra une arme entre les mains de la bourgeoisie mondiale.

Nombreuses sont nos maladies. La misère et les calamités sont immenses. La famine de 1921 les a accentuées. Nous aurons un mal du diable pour en sortir, mais nous en sortirons! Nous nous en sortirons car nous ne maquillons pas notre situation. Nous connaissons toutes les difficultés. Nous voyons *toutes* les maladies. Nous les soignons systématiquement, avec persévérance, sans nous laisser aller à la panique.

...Nous et nos sympathisants, les ouvriers et les paysans, nous possédons encore des forces infinies. Nous avons encore beaucoup de santé.

Nous ne soignons pas bien nos maladies. Nous appliquons mal le mot d'ordre : promouvez les sans-parti, faites contrôler le travail des membres du parti par des sans-parti!

...Dans ce domaine, il y a une foule de choses à faire. C'est par ce travail que l'on peut (et que l'on doit) *soigner* la maladie lentement, mais efficacement, au lieu de s'obscurcir le cerveau avec la « liberté de la presse », ce brillant feu follet.

LÉNINE, Lettre à Miasnikov,
5-8-1921. E.S.

Lénine et la terreur

La place des mencheviks et des socialistes révolutionnaires, tant avérés que déguisés en sans-parti, est en prison... Nous garderons en prison les mencheviks et les socialistes-révolutionnaires, avérés ou déguisés en « sans-parti ».

> LÉNINE, *L'impôt en nature*, mars 1921.
> E.S.

Nos tribunaux révolutionnaires doivent fusiller ceux qui auront publiquement fait acte de menchevisme. Autrement, ce ne serait pas nos tribunaux à nous, mais Dieu sait quoi...

Ils disent : « La révolution est allée trop loin. Nous avons toujours dit ce que vous dites aujourd'hui [après l'adoption de la *nep*] ».

Nous répondons (aux mencheviks et aux socialistes-révolutionnaires) : « Permettez-nous, pour cela, de vous coller au mur. Ou bien vous aurez la bonté de vous abstenir d'exprimer vos idées, ou bien, si vous voulez exprimer vos idées politiques dans la situation actuelle, alors que nous sommes dans des conditions beaucoup plus difficiles que pendant l'invasion directe des gardes blancs, vous nous excuserez, mais nous vous traiterons comme les pires et les plus nuisibles éléments de la clique des gardes blancs.

> LÉNINE, *Discours au XIᵉ congrès du Parti*,
> 27 mars 1922. E.S.

C'est une très grande erreur de penser que la N.E.P. a mis fin à la terreur. Nous allons encore recourir à la terreur et à la terreur économique.

> LÉNINE, *Lettre à Kamenev*, 3 mars 1922,
> *Œuvres*, 5ᵉ éd., XLIV, p. 428.

En complément à notre entretien, je vous envoie le brouillon d'un paragraphe supplémentaire pour le Code pénal... L'idée fondamentale, je l'espère, en est claire, en dépit de tous ses défauts : exposer ouvertement la vraie position politique et de principe (et pas la position étroite-juridique) qui motive l'essence et la justification de la terreur, de sa nécessité absolue, de ses limites. Le tribunal est tenu de ne pas écarter la terreur; promettre cela, ce serait mentir aux autres ou se mentir à soi-même, mais la justifier et en légaliser les principes, clairement, sans hypocrisie et sans fard.

> LÉNINE, *Lettre à Kourski, commissaire à la Justice*
> 17 mai 1922, *Œuvres*, 5ᵉ édition, XLV, p. 190. E.S.

Radek et le parti unique 1921

Si les mencheviks étaient laissés en liberté, maintenant que les bolcheviks ont adopté leur politique (la *nep*), ils réclameraient le pouvoir; laisser d'autre part en liberté les socialistes-révolutionnaires, alors que la masse énorme des paysans est opposée aux communistes, équivaudrait à un suicide.

RADEK, *Xe Conférence du Parti*, mai 1921, p. 66-67.

4. — LA GESTION OUVRIÈRE

Présentation

« *La dictature du prolétariat, disait Lénine en 1919, n'est pas uniquement la violence exercée sur les exploiteurs; et même son essence n'est pas la violence. Le fondement économique de la violence révolutionnaire, le gage de sa vitalité et de son succès, c'est que le prolétariat offre et réalise, comparativement au capitalisme, un type supérieur d'organisation sociale du travail* » *(XXIX, 423). Si la démocratie politique est formelle, c'est qu'elle laisse intacte la structure despotique du commandement économique : l'essentiel de la* « *dictature du prolétariat* » *apparaît dans l'abolition du* « *pouvoir autocratique* » *qui régit les usines et le remplacement du* « *despotisme du capital* » *par l'* « *auto-gouvernement des producteurs* », *l'activité consciente des travailleurs* « *librement associés* ».*

Nous avons vu avec quelle violence Lénine attaque dans L'État et la Révolution *le programme limité de* « *contrôle ouvrier* » *que préconisait Kautsky : il fallait passer directement à la réglementation ouvrière de la production et* « *extirper pour toujours l'ivraie bureaucratique* ».* « *L'organisation de la production incombe entièrement à la classe ouvrière* », *disait Lénine en janvier 1918.* « *Rompons une fois pour toutes avec le préjugé qui veut que les affaires de l'État, la gestion des banques, des usines, etc., soit une tâche inaccessible aux ouvriers* » *(XXVI, 491). Ainsi le paragraphe 5 de la partie économique du programme du parti (1919) proclamait que* « *les syndicats doivent aboutir à concentrer pratiquement entre leurs mains toute la direction de l'ensemble de l'économie nationale en faisant participer les masses à la gestion de l'économie* ». *On trouvera dans l'*ABC du Communisme *de Boukharine et Préobrazenski la dernière version officielle de cette thèse capitale du marxisme.*

Or, dès les premiers mois de la Révolution, il devint manifeste que la gestion ouvrière était irréalisable dans un pays arriéré, ravagé par la guerre civile et la famine. Des « *spécialistes* » *(souvent les anciens propriétaires des usines) et des « cadres techniques administratifs » nommés par l'État remplacèrent peu à peu les collèges ouvriers élus à la direction des usines. Une cinquantaine d' « administrations centrales » (glavki) correspondant aux différentes branches de la production et dirigées par des comités désignés par les organismes économiques centraux de l'État concentrèrent en leurs mains la gestion de l'économie; des traitements 4 à 6 fois supérieurs aux salaires ouvriers furent octroyés aux dirigeants de l'économie nationalisée : c'était, expliquait Lénine, la « taxe d'apprentissage » que la classe ouvrière devait payer pour sortir de son inculture et apprendre à gérer la production. Lénine savait parfaitement que le nouveau système représentait un « pas en arrière » tant sur le plan des « rapports de répartition » (puisqu'il consacrait l'inégalité des rémunérations) que sur le plan des « rapports de production » puisqu'il enlevait provisoirement au prolétariat toute possibilité d'accéder à la direction des usines. Mais la gestion ouvrière s'était avérée un « rêve utopique » et même le contrôle ouvrier, auquel se limitait le parlementarisme « borné » de Kautsky, était, lui aussi, extrêmement difficile à réaliser. Il implique, dit Lénine, une telle « rupture avec les habitudes du passé » que « c'est à peine s'il commence à pénétrer dans la vie et dans la conscience des grandes masses du prolétariat » (XXVII, 263). Or « aussi longtemps que le contrôle ouvrier ne sera pas devenu un fait acquis, il ne sera pas possible d'effectuer le second pas dans la voie du socialisme, c'est-à-dire de passer à la réglementation de la production par les ouvriers ».*

Le socialisme serait d'abord le contrôle et ensuite la gestion ouvrière de l'économie. En attendant, l'économie devait être organisée de manière à pouvoir offrir à la jeune République des soviets les moyens d'affronter la famine et la guerre civile. Et dans ce domaine ce n'était plus la Commune de Paris qui pouvait servir d'exemple : le seul moyen de sortir du chaos était d'introduire en Russie le système de réglementation autoritaire de la production et de la distribution qui avait permis à l'Allemagne de Ludendorff et de Rathenau de donner à l'effort de guerre le maximum d'efficacité.

Ce système de centralisation bureaucratique de l'économie n'était pas le socialisme, mais le « capitalisme d'État ». Dans l'Allemagne dominée par les hobereaux prussiens, il représentait une « forme monstrueuse de l'oppression des travailleurs », mais dans la Russie des soviets où le pouvoir politique était détenu par les travailleurs, il constituait l' « antichambre du socialisme » : forme ultime de la concentration du capital, dernier mot de l'organisation et de la rationalisation économique, ce « capitalisme d'État » réalisait la « condition objective » du passage au socialisme, c'est-à-dire au contrôle et puis à la réglementation de l'économie par les ouvriers.

Jamais Lénine n'a voulu dissimuler le caractère non-socialiste de l'économie post-révolutionnaire. « Nous ne pouvons instituer

*immédiatement l'ordre socialiste, disait-il en décembre 1919.
Dieu veuille que nos enfants, et peut-être même nos petits-enfants,
le voient s'établir chez nous » (XXX, 205). En attendant, il fallait*
renoncer à l'État-Commune, se soumettre à la dure discipline
qu'exigeait la situation et essayer de « *tenir et ne pas mourir de
faim* ».

*Trotski alla encore plus loin. En réclamant en 1920-21 l'éta-
tisation des syndicats et la militarisation de la main-d'œuvre,
en menaçant même de « démissionner » les dirigeants élus des
syndicats et de les remplacer par des fonctionnaires dociles,
Trotski mérita pleinement le titre de « patriarche des bureaucrates » que, par une étrange ironie du sort, Staline lui décerna
par la suite. Lénine, qui dans son « Testament », lui reprochera
un « engouement exagéré pour le côté administratif des choses »,
se désolidarisa de lui et appela le parti à lutter contre les « formes
militarisées et bureaucratisées de travail ». L'État qu'exalte
Trotski est une « abstraction », déclara-t-il : « Notre État n'est
pas ouvrier, mais ouvrier et paysan », et de plus, « présentant
une déformation bureaucratique » (XXXII, 16-7). Le régime
économique étant un « capitalisme d'État » dépourvu de tout
« fondement socialiste », les syndicats devraient rester autonomes pour « défendre les ouvriers contre leur État » : telle fut
la dernière pensée de Lénine sur le rôle des organisations ouvrières
dans l'édification de l'ordre économique nouveau.*

*Cette nouvelle orientation du pouvoir se heurta dès le début
à une vive résistance dans le parti. Les « communistes de gauche »
(Boukharine, Ossinski, Préobrazenski) furent les premiers dissidents bolcheviques qui critiquèrent en 1918 le capitalisme d'État :
ce sont les « hystériques de gauche » que fustige Lénine dans sa
brochure sur l' « infantilisme de gauche » (avril 1918). Mais la
critique la plus grave pour la direction vint de l'*Opposition ouvrière,
*fraction que Trotski jugeait « la plus dangereuse » et que Lénine
tenait pour un « danger politique direct pour l'existence même de
la dictature du prolétariat ». Conduite par A. Shliapnikov, ancien
ouvrier métallurgiste et premier Commissaire du Peuple au
Travail, et Alexandra Kollontaï, l'Opposition ouvrière demandait
l'administration de l'industrie par les syndicats, l'assainissement
du parti « déprolétarisé » et bureaucratisé et le rétablissement
des mœurs démocratiques d'autrefois. Pour Alexandra Kollontaï
le rejet de la gestion ouvrière avait vidé le régime de l' « essentiel
du communisme », restauré l' « autocratie du capital » et ramené
les travailleurs à leur ancienne passivité : pour combattre la
« peste bureaucratique », le parti devait retrouver son ancienne
« confiance dans la classe ouvrière » et réaliser dans la pratique
l' « auto-gouvernement des producteurs », la démocratie industrielle inscrite dans son programme.*

*Le X*e *congrès du Parti (mars 1921) condamna les thèses
de l'Opposition ouvrière comme étant une « déviation anarcho-
syndicaliste », demanda une lutte implacable et systématique
contre ses idées et déclara que la propagande en faveur de ces*

idées était « incompatible avec l'appartenance au Parti ». Depuis lors la question de la gestion ouvrière et de l'auto-gouvernement des producteurs » a complètement disparu dans la littérature marxiste-léniniste.

Confiance en la classe ouvrière

Jetez donc un coup d'œil dans les profondeurs du peuple travailleur, au cœur des masses. Vous verrez quel travail d'organisation s'y accomplit, quel élan créateur : vous y verrez jaillir la source d'une vie rénovée et sanctifiée par la révolution.

L'essentiel, aujourd'hui, c'est de rompre avec le préjugé des intellectuels bourgeois d'après lequel seuls des fonctionnaires spéciaux peuvent diriger l'État. (...) L'essentiel, c'est d'inspirer aux opprimés et aux travailleurs la confiance dans leur propre force.

Il faut détruire à tout prix ce vieux préjugé absurde, barbare, infâme et odieux, selon lequel seules les prétendues « classes supérieures », seuls les riches ou ceux qui sont passés par l'école des classes riches, peuvent administrer l'État, organiser l'édification de la société socialiste.

C'est là un préjugé. Il est entretenu par une routine pourrie, par l'encroûtement, par l'habitude de l'esclave, et plus encore par la cupidité sordide des capitalistes, qui ont intérêt à administrer en pillant et à piller en administrant.

Il est vrai, que les ouvriers et les paysans sont encore « timides ». (...) Ils ne sont pas encore assez résolus. Mais le processus ne fait que commencer. Les ouvriers et les paysans n'ont pas encore suffisamment confiance en leurs propres forces; une tradition séculaire les a trop habitués à attendre les ordres d'en haut. Ils ne se sont pas encore complètement faits à l'idée que le prolétariat est la classe dominante, et l'on compte encore parmi eux des éléments terrorisés, comprimés, qui s'imaginent devoir passer par l'ignoble école de la bourgeoisie. Ce préjugé, le plus ignoble de tous les préjugés bourgeois, s'est maintenu plus longtemps que les autres, mais il est en train de disparaître et disparaîtra définitivement.

L'organisation de la production incombe entièrement à la classe ouvrière. Rompons une fois pour toutes avec le préjugé qui veut que les affaires de l'État, la gestion des banques, des usines, etc., soit une tâche inaccessible aux ouvriers (...). Il est facile de promulguer un décret sur l'abolition de la propriété privée, mais seuls les ouvriers eux-mêmes doivent et peuvent l'appliquer. Qu'il se produise des erreurs, soit! ce sont les erreurs d'une nouvelle classe qui crée une vie nouvelle. Les travailleurs n'ont évidemment pas d'expérience en matière d'administration, mais cela ne nous effraie pas.

LÉNINE, *XXVI* p. *498, 110, 426, 491, 382, 503,* novembre 1917-janvier 1918. E.S.

L'autogestion et les spécialistes

L'organisation de la production, voilà la tâche des syndicats à l'époque de la dictature du prolétariat.

... Cette mainmise sur la production par les syndicats est toutefois loin d'être terminée. Il existe encore bien des branches de la production nationale où les ouvriers ne savent pas encore tenir le gouvernail comme il le faudrait : cela concerne surtout les directions principales ou centrales où l'on rencontre des spécialistes bourgeois agissant sans contrôle et qui voudraient bien organiser la production à leur manière, dans l'espoir secret d'un retour au « bon vieux temps » où ils pourraient vite transformer en trusts capitalistes les directions existantes. Pour s'opposer à cela, il faut que la participation des syndicats à la direction de l'industrie soit de plus en plus grande *jusqu'à ce que la production nationale depuis le haut jusqu'en bas soit effectivement aux mains des Unions et des Syndicats de production.*

BOUKHARINE et PRÉOBRAZENSKI, *L'ABC du communisme,*
1920.

Avril 1918 : du rêve égalitaire à la réalité

... Il nous faudrait recourir maintenant à l'ancien procédé bourgeois et consentir à payer un prix très élevé les « services » des plus grands spécialistes bourgeois. Tous ceux qui connaissent la question le voient, mais tous n'approfondissent pas la portée d'une semblable mesure prise par l'État prolétarien. Il est évident que cette mesure est un compromis, un certain écart vis-à-vis des principes de la Commune de Paris et de tout pouvoir prolétarien, ces principes exigeant que les traitements soient ramenés au niveau du salaire de l'ouvrier moyen, et que l'arrivisme soit combattu par des actes et non par des mots.

Bien plus. Il est évident que cette mesure n'est pas simplement un arrêt — dans un certain domaine et dans une certaine mesure — de l'offensive contre le capital (car le capital, ce n'est pas une somme d'argent, ce sont des rapports sociaux déterminés); c'est encore *un pas en arrière* fait par notre pouvoir socialiste, soviétique, qui a, dès le début, proclamé et appliqué une politique tendant à ramener les traitements élevés au salaire de l'ouvrier moyen.

Naturellement, ce pas en arrière que nous avouons, va faire ricaner les laquais de la bourgeoisie... Mais nous n'avons pas à nous occuper des ricanements. Il nous faut étudier les particularités de la voie nouvelle infiniment ardue, qui mène au socialisme, sans dissimuler nos erreurs et nos faiblesses, mais en faisant tous nos efforts pour achever à temps ce qui est encore inachevé. Cacher aux masses le fait qu'attirer les spécialistes bourgeois en leur offrant des traitements fort élevés, c'est s'écarter des principes de la Commune de Paris, signifierait tomber au niveau des politiciens bourgeois et tromper les masses. Expliquer franchement comment et pourquoi nous avons fait ce pas en arrière, examiner ensuite publiquement par quels moyens l'on peut se rattraper — c'est éduquer les masses et apprendre avec elles, par l'expérience, à construire le socialisme.

LÉNINE, *Les Tâches immédiates du pouvoir des soviets,*
28-4-1918. E.S.

Mai 1918 : de l'autogestion au « capitalisme d'État »

Puisqu'en Allemagne la révolution tarde encore à éclater, nous avons pour tâche de nous *mettre à l'école* du capitalisme d'État allemand, de tendre *tous nos efforts* pour nous l'assimiler, de prodiguer les méthodes dictatoriales pour accélérer cette assimilation de l'occidentalisme par la Russie barbare, sans reculer devant les moyens barbares de lutte contre la barbarie.

LÉNINE, *Sur l'infantilisme de gauche (1)*, 5 mai 1918. E.S.

Les « hystériques de gauche »

Nous sommes pour la construction d'une société prolétarienne par la créativité de classe des travailleurs eux-mêmes, et non par des ukases des capitaines de l'industrie... Nous avons comme point de départ notre confiance dans l'instinct de classe et dans l'initiative et l'activité de classe du prolétariat. Il ne peut en être autrement. Si le prolétariat lui-même ne sait pas créer les conditions nécessaires d'une organisation socialiste du travail — personne ne peut le faire à sa place...

Le socialisme et l'organisation socialiste doivent être mis en place par le prolétariat lui-même, ou bien ils ne seront pas mis en place du tout; à leur place, apparaîtra autre chose : le capitalisme d'État.

OSSINSKI, *Kommunist n° 2*, avril 1918.

Réponse de Lénine

... Voilà qui semble bien fait pour nous remplir d'effroi!... Le capitalisme d'État serait *un pas en avant* par rapport à l'état actuel des choses... Le capitalisme d'État est, au point de vue *économique* infiniment supérieur à notre économie actuelle.

LÉNINE, *Sur l'infantilisme de gauche*, 5 mai 1918. E.S.

---

(1) Polémique contre « les communistes de gauche ». Boukharine, Ossinski, etc.

Alexandra Kollontaï : pour l'autogestion

La production, son organisation constituent l'essentiel du communisme. Exclure les travailleurs de l'organisation de la production, les priver (eux ou leurs organisations propres) de la possibilité de créer de nouvelles formes de production dans l'industrie par le moyen de leurs syndicats, refuser ces expressions de l'organisation de classe du prolétariat pour se fier entièrement à l'habileté de spécialistes habitués et entraînés à opérer la production sous un système tout à fait différent, c'est quitter les rails de la pensée marxiste scientifique. C'est pourtant ce que sont précisément en train de faire les dirigeants de notre Parti.

Tant que la classe ouvrière, pendant la première phase de la révolution sentait qu'elle portait seule le communisme, il y avait une unanimité parfaite dans le Parti.

...Maintenant, c'est juste le contraire. L'ouvrier sent, voit et comprend à chaque instant que le spécialiste et, ce qui est plus grave, des pseudo-spécialistes illettrés et inexpérimentés, le mettent à l'écart et occupent tous les hauts postes administratifs des institutions industrielles et économiques. Et, au lieu de freiner cette tendance issue d'éléments complètement étrangers à la classe ouvrière et au communisme, le Parti l'encourage et cherche à sortir du chaos industriel en s'appuyant non sur les ouvriers, mais précisément sur ces éléments. Le Parti ne met pas sa confiance dans les ouvriers, dans leurs organisations syndicales, mais dans ces éléments. Les masses ouvrières le sentent et au lieu de l'unanimité et de l'unité dans le Parti il apparaît une cassure.

Les ouvriers peuvent nourrir une affection ardente et un amour pour une personnalité comme celle de Lénine; ils peuvent être fascinés par l'incomparable éloquence de Trotski et ses capacités d'organisation; ils peuvent respecter un certain nombre d'autres leaders — en tant que leaders; mais quand les masses sentent qu'on n'a plus confiance en elles, alors il est naturel qu'elles disent : « Non. Halte. Nous refusons de vous suivre aveuglément. Examinons la situation. »

...Les ouvriers, par l'intermédiaire de leur Opposition ouvrière, demandent : « Que sommes-nous? Sommes-nous vraiment le fer de lance de la dictature de classe, ou bien simplement un troupeau obéissant qui sert de soutien, à ceux qui, ayant coupé tous les liens avec les masses, mènent leur propre politique et construisent l'industrie sans se soucier de nos opinions et de nos capacités créatrices, sous le couvert du nom du Parti? »

...Qui construira l'économie communiste? quel organe peut formuler et résoudre les problèmes de la création d'une organisation de la nouvelle économie et de la nouvelle production? L'Opposition ouvrière considère que seules peuvent le faire les collectivités d'ouvriers, et non une collectivité bureaucratique de fonctionnaires socialement hétérogène et contenant une forte dose d'éléments du vieux type capitaliste, aux esprits perclus par la vieille routine.

« Les syndicats doivent passer de leur attitude présente de résistance passive à l'égard des institutions économiques à une participation active à la direction de toute la structure économique du pays. » (Thèse de l'Opposition ouvrière.) Chercher, découvrir et créer des formes nouvelles et plus parfaites d'économie; trouver de nouveaux stimulants à la productivité du travail — tout cela ne peut être que l'œuvre des collectivités de travailleurs liés étroitement aux nouvelles formes de production. Eux seuls peuvent tirer, à partir de leur expérience quotidienne, des conclusions sur la manière de gérer le travail dans un nouvel État ouvrier où la misère, la pauvreté, le chômage et la concurrence sur le marché de travail cessent d'être des stimulants au travail; conclusions à première vue seulement pratiques, qui contiennent cependant des éléments théoriques précieux. Trouver un stimulant, une incitation au travail — voilà la plus grande tâche de la classe ouvrière au seuil du communisme. Personne, sauf la classe ouvrière elle-même organisée en collectivité, ne peut résoudre ce grand problème.

La solution du problème que proposent les syndicats industriels consiste à donner aux ouvriers liberté complète d'expérimenter, d'adapter et de découvrir les nouvelles formes de production, d'organiser la formation professionnelle sur des bases de classe, d'exprimer et de développer leurs capacités créatrices. L'Opposition ouvrière a confiance dans le pouvoir créateur de sa propre classe : la classe ouvrière. De cette prémisse, découle le reste de son programme.

A partir de ce point, commence le désaccord de l'Opposition ouvrière avec la ligne des dirigeants du Parti. Méfiance à l'égard de la classe ouvrière (non dans la sphère politique mais dans la sphère des capacités créatrices économiques) : voilà l'essence des thèses signées par les dirigeants de notre Parti. Ils ne croient pas que les mains grossières des ouvriers, techniquement inexpérimentés, puissent créer les bases de formes économiques qui dans le cours du temps formeront un système harmonieux de production communiste.

... Il est juste de reconnaître que Trotsky, Lénine, Zinoviev et Boukharine donnent des raisons différentes pour expliquer qu'on ne peut pas encore faire confiance aux ouvriers pour faire fonctionner l'industrie; mais ils sont tous d'accord sur le fait que pour l'instant, la direction de la production doit se faire par-dessus la tête des ouvriers, par le moyen d'un système bureaucratique hérité du passé.

Quel est le programme de l'Opposition ouvrière?

1) Un organe doit être formé par les ouvriers-producteurs eux-mêmes, qui administre l'économie.

2) A cette fin, c'est-à-dire pour que les syndicats se transforment, cessent d'être des assistants passifs des organes éco-

nomiques, participent activement et expriment leur initiative créatrice, l'Opposition ouvrière propose une série de mesures préliminaires qui permettent d'atteindre graduellement et normalement ce but.

3) Le transfert des fonctions administratives de l'industrie dans les mains des syndicats n'a lieu que lorsque le Comité Exécutif Central Panrusse des Syndicats a constaté que les syndicats considérés sont capables et suffisamment préparés pour cette tâche.

4) Toutes les nominations à des postes d'administration économique se feront avec l'accord des syndicats. Tous les candidats nommés par les syndicats sont irrévocables. Tous les fonctionnaires responsables nommés par le syndicat sont responsables devant lui et peuvent être révoqués par lui.

5) Pour appliquer toutes ces propositions, il faut renforcer les noyaux de base dans les syndicats, et préparer les comités d'usine et d'atelier à gérer la production.

6) Par la concentration en un seul organe de toute l'administration de l'économie nationale (supprimant ainsi le dualisme actuel entre le Conseil Supérieur de l'Économie Nationale et le Comité Exécutif Central Panrusse des Syndicats), il faut créer une volonté unique qui rendra facile l'application du plan et la naissance du système communiste de production.

ALEXANDRA KOLLONTAI, *L'Opposition ouvrière*, traduction française dans « Socialisme ou barbarie », n° 35, 1964.

Réponse de Lénine

Congrès des producteurs! Qu'est-ce que cela signifie?... J'ai du mal à trouver les mots pour qualifier cette ineptie... Je demande : est-ce qu'ils plaisantent? Peut-on prendre au sérieux ces gens-là?...

Mars 1921, E.S., XXXII, p. 208 et 213.

La domination de la classe ouvrière est dans la Constitution, dans le régime de propriété et dans le fait que c'est nous qui mettons les choses en train; mais l'administration, c'est autre chose, c'est une question de savoir-faire, d'habileté.

Troisième argument : la compétence. Croyez-vous qu'on puisse administrer sans compétence, sans connaissances approfondies, sans science administrative? Ce serait ridicule (...). La direction collégiale est inadmissible du fait que nous avons peu de gens expérimentés.

15 mars 1920, E.S., XXXVI, p. 536-7.

La production est toujours nécessaire, pas la démocratie. La démocratie de la production engendre une série d'idées radicalement fausses...

30 décembre 1920, E.S., XXXII, p. 19.

Que signifie cela? Chaque ouvrier saurait-il administrer l'État? Les gens pratiques savent que c'est une fable... Les syndicats peuvent-ils assurer la gestion? Tous ceux qui ont plus de trente ans et ont quelque expérience pratique de l'édification socialiste, éclateront de rire.

24 janvier 1921, E.S., XXXII,
p. 56 et 61.

La gestion ouvrière : déviation syndicaliste

Le communisme dit : l'avant-garde du prolétariat, le Parti communiste, dirige la masse des ouvriers sans-parti, en éclairant, en préparant, en instruisant, en éduquant (« l'école » du communisme) cette masse, les ouvriers d'abord, et ensuite les paysans, pour *qu'elle puisse parvenir et parvienne à concentrer entre ses mains la gestion de toute l'économie nationale.*

Le syndicalisme confie la gestion des branches de l'industrie (« comités principaux et centres ») à la masse des ouvriers sans-parti, répartis dans les différentes productions, *annulant de la sorte la nécessité du parti*, et n'entreprenant aucun travail de longue haleine, ni pour éduquer les masses, ni pour concentrer *réellement* entre *leurs* mains la gestion de *toute l'économie nationale...*

Si les syndicats, c'est-à-dire, pour les neuf dixièmes, les ouvriers sans parti [c'est-à-dire non membres du P.C. ou membres de partis interdits] désignent la direction de l'industrie, à quoi le parti sert-il?

LÉNINE, *La Crise du parti*, 19 janvier 1921,
E.S., XXXII, p. 43-44.

Trotski et l'Opposition ouvrière

L'Opposition ouvrière a transformé en fétiches les principes démocratiques. Elle a mis le droit des travailleurs à élire leurs représentants au-dessus du parti, pour ainsi dire, comme si le parti n'avait pas le droit d'imposer sa dictature, même si cette dictature se heurtait temporairement aux tendances changeantes de la démocratie ouvrière. (...) Nous devons prendre conscience de la mission historique révolutionnaire du parti. Le Parti est contraint de maintenir sa dictature, sans tenir compte des flottements provisoires dans la réaction spontanée des masses, ni même des hésitations momentanées de la classe ouvrière. Cette prise de conscience constitue pour nous un ferment d'unité. La dictature ne repose pas à chaque moment sur le principe formel de la démocratie ouvrière.

TROTSKI, mars 1921.

Interdiction de l'Opposition ouvrière (mars 1921)

Le marxisme enseigne que le parti de la classe ouvrière, c'est-à-dire le parti communiste, est le seul capable de grouper, d'éduquer et d'organiser l'avant-garde du prolétariat et de toutes les masses laborieuses — avant-garde qui est seule en mesure de s'opposer aux inévitables oscillations petites-bourgeoises de ces masses, aux inévitables traditions et récidives de l'étroitesse syndicaliste et des préjugés syndicalistes dans le prolétariat, et de diriger toutes les activités unifiées de l'ensemble du prolétariat, c'est-à-dire de diriger politiquement et, par son intermédiaire, guider toutes les classes laborieuses. Autrement, la dictature du prolétariat est impossible.

Le congrès du parti communiste estime que les idées du groupe nommé et autres groupes et personnes analogues traduisent une conception théorique fausse et une attitude foncièrement erronée envers l'expérience acquise dans l'édification économique commencée par le pouvoir des Soviets; en outre, elles constituent une erreur politique énorme et un danger politique direct pour l'existence même de la dictature du prolétariat...

Étant donné ce qui précède, le congrès du Parti, rejetant résolument les idées en question, qui traduisent une déviation syndicaliste et anarchiste, juge nécessaire:

a) D'engager contre ces idées une lutte idéologique systématique et inlassable;

b) Le Congrès reconnaît que la propagande de ces idées est incompatible avec l'appartenance au Parti.

LÉNINE, *Le X*e *Congrès du Parti*, mars 1921. E.S.

Une remarque de Bertrand Russel

Les bolcheviks s'opposent partout à l'autogestion industrielle parce qu'en Russie l'expérience a échoué et que leur orgueil national leur interdit d'en reconnaître la cause, à savoir le caractère encore primitif de la Russie. Ils affirment que la Russie doit servir en tous points de modèle au reste du monde, c'est l'un des points sur lesquels ils se trompent. Je dirai même qu'arriver à l'autogestion dans les chemins de fer et les mines est un préliminaire capital à l'accomplissement du socialisme... L'autre avantage à passer par l'autogestion c'est que, par définition, une fois installée elle préserverait le régime socialiste de cette centralisation infernale qui règne actuellement en Russie.

Bertrand RUSSEL, *Pratique et théorie du bolchevisme*, 1920,
Mercure de France, 1969, p. 189.

5. — BUREAUCRATIE ET MONOLITHISME

Présentation

« *En 1917 nous nous imaginions que le bureaucratisme des institutions serait détruit et que nous parviendrions en un temps relativement très court à transformer l'État en association de travailleurs* », disait Staline le 2-12-1923. « *Mais la réalité nous a montré que c'était là un idéal dont nous étions encore bien loin, que pour débarrasser l'État du bureaucratisme, pour transformer la société soviétique en une association de travailleurs, il fallait que la population atteignît un haut niveau de développement culturel, que nous eussions la paix assurée afin de ne pas être obligés d'entretenir une immense armée exigeant des dépenses considérables, des institutions militaires lourdes et encombrantes. Notre appareil étatique est bureaucratique, et il le sera longtemps encore. Les communistes travaillent dans cet appareil dont l'atmosphère, les coutumes contribuent à la bureaucratisation des organisations, des travailleurs de notre Parti.* »

Dès 1918 la bureaucratie était à l'ordre du jour. Chaque conférence, chaque congrès du parti comportait presque obligatoirement une dénonciation solennelle, de plus en plus alarmiste, de la « *plaie bureaucratique* ». Chose curieuse : seul Trotski ne paraissait pas s'en inquiéter outre mesure. La bureaucratie, expliquait-il en 1921, « *n'est pas une découverte du tsarisme. Elle représente toute une époque dans le développement de l'humanité* », et cette époque était loin d'être révolue. Le pays ne souffrait pas des excès, mais de l'absence d'une bureaucratie rationnellement organisée.

Tel n'était pas l'avis des militants bolcheviks que leur travail ou leur activité syndicale mettaient tous les jours en contact avec la classe ouvrière. Pour les théoriciens de l' « *Opposition Ouvrière* » (*Shliapnikov, Kollontaï*) la bureaucratisation des institutions soviétiques était une conséquence fatale du rejet de la gestion ouvrière et de la bureaucratisation du parti lui-même. Si le parti ajournait continuellement la réalisation de son pro-

gramme (« dans vingt-cinq siècles », disait ironiquement Shliapni-kov), c'était parce qu'il avait perdu sa base prolétarienne (selon Alexandra Kollontaï, il n'y avait guère plus de 17 % d'ouvriers aux postes-clés) et s'appuyait principalement sur les profession-nels de la politique. De plus, le parti « faisait la chasse aux hérésies » et étouffait l'initiative et la libre discussion. Pour combattre la « peste bureaucratique », il fallait montrer « plus de confiance en la force de la classe ouvrière », admettre son initiative dans le domaine de la production et dans le domaine politique, épurer le parti de ses éléments non prolétariens et rétablir des mœurs plus démocratiques dans le parti. On retrouve les mêmes thèmes dans la plate-forme des opposants bolcheviks rassemblés dans la fraction des « Centralistes Démocratiques ».

Dans son article « Nouveaux temps, anciennes erreurs » d'août 1921 Lénine prend à partie ces « semi-anarchistes » qui « se plaisent à proclamer en des phrases sonores qu'aujourd'hui les bolcheviks ne croient plus aux forces de la classe ouvrière » et qui ont transformé en un « fétiche » la notion de « forces de la classe ouvrière ». « Incapables de réfléchir à son contenu réel, concret », les opposants ne voyaient pas que les « forces réelles » de la classe ouvrière s'étaient rassemblées dans le Parti et qu'en dehors du parti il n'y avait que le chaos. Tout d'abord, la classe ouvrière en tant que telle avait cessé d'être un facteur d'organi-sation. Numériquement très faible (2,5 millions d'ouvriers indus-triels en 1917), le prolétariat s'était désintégré pendant la guerre civile. En 1920, l'activité industrielle était tombée au cinquième de son niveau normal; les villes étaient désertées (la population de Petrograd avait diminué des deux tiers environ); la classe ouvrière avait perdu la moitié de ses effectifs; les salaires, réduits au dixième des salaires de 1913, étaient payés en nature. « Parti-culièrement fatiguée, épuisée, excédée par trois ans et demi de misères sans précédent » (XXXII, 289), la classe ouvrière était « affaiblie et jusqu'à un certain point déclassée par la destruction de sa base vitale : la grande industrie mécanisée » (XXXII, 490).

Déclassée et affaiblie, la classe ouvrière avait perdu sa dignité de classe dirigeante. Les vols dans les usines étaient devenus procédé courant pour compenser les salaires de famine payés en nature et le « troc » au marché noir « déclassait » les ouvriers et les transformait en « petits-bourgeois-spéculateurs ». « Par suite des lamentables conditions de notre réalité », disait Lénine, « le prolétaire est obligé d'intervenir dans la sphère économique en qualité de spéculateur ou de petit producteur » (XXXII, 439). En procédant ainsi, expliquait Boukharine, les ouvriers « se déclassent d'eux-mêmes » et se transforment en « petits bour-geois » : « seuls les plus mauvais éléments de la classe sont restés dans les usines », les meilleurs ayant été absorbés par le Parti qui représentait désormais la « vraie » classe ouvrière.

En effet, toute appréciation « réelle et concrète » des vraies forces de la classe ouvrière devait tenir compte du fait que « la création de l'appareil militaire et étatique qui a su résister victo-

rieusement aux épreuves des années 1917-1921, a été une grande chose qui a occupé, absorbé, épuisé les forces réelles de la classe ouvrière » (XXXII, 17). Seul le relèvement de la grande industrie pourrait reconstituer les forces « défaillantes et usées » du prolétariat. Mais dans l'immédiat, il était évident aux yeux de Lénine que les « réelles forces de la classe ouvrière » étaient représentées d'une part par le Parti et d'autre part par une masse amorphe d' « éléments affaiblis par le déclassement et susceptibles de flottements mencheviks et anarchistes ».

Pour combattre ces « flottements », pour neutraliser l'influence « dissolvante » de l'ambiance petite-bourgeoise, le Parti devait se replier sur lui-même, se fermer à toute influence venant du dehors et se soumettre à une discipline militaire. C'est ainsi que le Xe congrès du Parti (mars 1921) décida d'interdire les fractions et de suspendre provisoirement la démocratie à l'intérieur du parti. Comme disait Trotski dans le Cours nouveau (1923), l'interdiction des fractions était nécessaire parce que « toute fraction organisée avait tendance à devenir le porte-parole d'intétêts sociaux particuliers..., l'expression des intérêts d'une classe hostile ou semi-hostile au prolétariat ». Trotski vota pour l'interdiction de l'Opposition ouvrière et du « Centralisme démocratique ». Il ne se doutait pas qu'il préparait l'arrêt de mort de sa propre fraction.

Kollontaï : la « peste bureaucratique »

Que font les dirigeants de notre Parti? Essaient-ils de trouver la cause du mal...? Bien au contraire, nos dirigeants prirent soudain le rôle de défenseurs et de chevaliers de la bureaucratie. Combien de camarades, suivant l'exemple de Trotski, répètent que « si nous souffrons ce n'est pas pour avoir adopté le mauvais côté de la bureaucratie, mais pour ne pas en avoir encore appris les bons côtés » (Trotski : *Pour un plan commun).*

La bureaucratie, telle qu'elle est, est une négation directe de l'activité autonome des masses. C'est pourquoi celui qui veut faire participer activement les masses à la direction des affaires, qui reconnaît que cette participation est la base du nouveau système dans la République ouvrière ne peut pas chercher les bons et les mauvais côtés de la bureaucratie, mais doit résolument et ouvertement condamner ce système inutilisable. La bureaucratie n'est pas une production de la misère, comme le camarade Zinoviev tâche de nous en convaincre, ni un réflexe de « subordination aveugle » aux supérieurs engendré par le militarisme, comme d'autres l'affirment. Le phénomène a une cause plus profonde. C'est un sous-produit de la même cause qui explique notre politique à double face à l'égard des syndicats : l'influence croissante dans les institutions soviétiques des éléments qui sont hostiles non seulement au Communisme, mais aux aspirations élémentaires de la classe ouvrière. La bureau-

cratie est une peste qui pénètre jusqu'à la moelle de notre Parti
et des institutions soviétiques. Ce n'est pas seulement l'Opposition ouvrière qui insiste sur ce fait; bien des camarades qui
n'appartiennent pas à ce groupe le reconnaissent. Des restric-
tions à l'initiative sont imposées non seulement concernant
l'activité des masses sans parti (ce qui serait raisonnable et logique dans la lourde atmosphère de la guerre civile), mais aux
membres du Parti eux-mêmes. Toute tentative indépendante,
toute pensée nouvelle qui a subi la censure de notre centre
directeur, sont considérées comme une hérésie, une violation
de la discipline du Parti, une tentative d'empiéter sur les prérogatives du centre qui doit « prévoir » tout et décréter tout. Si
une chose n'est pas décrétée, il faut attendre; le temps viendra
où le centre, à son loisir, la décrétera, et alors, dans des limites
très étroites, on pourra exprimer son « initiative ». Qu'arriverait-il si quelques membres du Parti Communiste Russe — ceux
par exemple qui aiment beaucoup les oiseaux — décidaient de
former une société pour la préservation des oiseaux? L'idée
elle-même semble très utile et ne mine en aucune façon les
« projets de l'État »; mais cela n'est qu'apparent. Car il surgirait
aussitôt une institution bureaucratique qui réclamerait le droit
de diriger cette entreprise; cette institution « incorporerait »
immédiatement la société dans l'appareil soviétique, tuant ainsi
l'initiative directe. A la place de celle-ci, il apparaîtrait un tas
de décrets et de règlements qui donneraient assez de travail à
d'autres centaines de fonctionnaires et compliqueraient le travail
des postes et des transports.

Le mal que fait la bureaucratie ne réside pas seulement dans
la paperasserie, comme quelques camarades voudraient nous le
faire croire quand ils limitent la discussion à « l'animation des
institutions soviétiques »; mais il réside surtout dans la manière
dont on résout les problèmes : non par un échange ouvert
d'opinions, ou par les efforts de tous ceux qui sont concernés,
mais par des décisions formelles prises dans les institutions centrales par une seule ou un très petit nombre de personnes et
transmises toutes faites vers le bas, tandis que les personnes
directement intéressées sont souvent complètement exclues.
*Une troisième personne décide de votre sort : voilà l'essence de la
bureaucratie.*

L'Opposition ouvrière réclame une réalisation complète de
tous les principes démocratiques, non seulement pendant la
période actuelle de répit, mais aussi pendant les moments de
tension intérieure et extérieure. C'est la condition première et
fondamentale de la régénération du Parti, de son retour aux
principes de son programme, dont il dévie de plus en plus sous
la pression d'éléments étrangers à lui.

La seconde condition, sur laquelle insiste énergiquement
l'Opposition ouvrière, est l'expulsion du Parti de tous les
éléments non-prolétariens. Plus l'autorité soviétique devient
forte, plus grand est le nombre d'éléments de la classe moyenne,

parfois même ouvertement hostile, qui rejoignent le Parti. L'élimination de ces éléments doit être complète...

Le parti doit devenir un parti ouvrier

... Pour adhérer au Parti il faut avoir travaillé pendant un certain temps à un travail manuel dans les conditions communes, avant de pouvoir être admis dans le Parti.

Le troisième pas décisif vers la démocratisation du Parti est l'élimination de tous les éléments non-ouvriers des positions administratives; autrement dit, les comités centraux provinciaux et locaux du Parti doivent être composés de manière que des ouvriers étroitement liés aux masses travailleuses y aient la majorité absolue. En relation étroite avec ce point, l'Opposition ouvrière réclame que tous les organes du Parti, du Comité Exécutif Central aux Comités de Province, cessent d'être des institutions chargées de travail quotidien de routine, et deviennent des institutions contrôlant la politique soviétique.

La quatrième revendication de l'Opposition ouvrière est la suivante : Le Parti doit revenir au principe de l'éligibilité des responsables.

Les nominations ne doivent être tolérées qu'à titre d'exception; récemment elles ont commencé à devenir la règle. La nomination des responsables est une caractéristique de la bureaucratie; cependant, actuellement cette pratique est générale, légale, quotidienne, reconnue. La procédure de nomination crée une atmosphère malsaine dans le Parti, et détruit la relation d'égalité entre ses membres, par la récompense des amis et la punition des ennemis, comme aussi par d'autres pratiques non moins nuisibles dans la vie du Parti et des Soviets. Le principe de la nomination diminue le sens du devoir et la responsabilité devant les masses. Ceux qui sont nommés ne sont pas responsables devant les masses, ce qui aggrave la division entre les dirigeants et les militants de base.

En fait, toute personne nommée est au-dessus de tout contrôle, car les dirigeants ne peuvent surveiller en détail son activité, tandis que les masses ne peuvent pas lui demander des comptes et la révoquer si nécessaire. En règle, tout responsable nommé s'entoure d'une atmosphère d'officialité, de servilité, de subordination aveugle qui infecte tous les subordonnés et discrédite le Parti.

ALEXANDRA KOLLONTAI, *L'Opposition ouvrière*, 1920,
traduction française dans
« Socialisme ou Barbarie », n° 35, 1964.

Réponse de Lénine

... Nier la nécessité du Parti et de la discipline du Parti, voilà où en est arrivée l'opposition. Or, cela équivaut à désarmer entièrement le prolétariat au profit de la bourgeoisie que sont la dispersion, l'instabilité, l'inaptitude à la fermeté, à l'union, à l'action conjuguée, défauts qui causeront inévitablement la perte de tout mouvement révolutionnaire du prolétariat, pour peu qu'on les encourage.

LÉNINE, *La Maladie infantile du communisme*, 1920,
E.S., XXXI, p. 38.

Triomphe du monolithisme

Dans la lutte pratique contre l'activité de fraction, il faut que chaque organisation du Parti veille strictement à ce qu'il n'y ait aucune action fractionnelle. La critique absolument nécessaire des défauts du Parti doit être organisée de telle sorte que toute proposition pratique, présentée sous la forme la plus nette, soit soumise aussitôt, sans formalité d'aucune sorte, à l'examen et à la décision des organismes dirigeants, locaux et central, du Parti. Quiconque émet une critique doit en outre tenir compte, quant à la forme de sa critique, de la situation du Parti au milieu des ennemis qui l'entourent; pour ce qui est du contenu, il doit, en participant directement à l'activité des Soviets et du Parti, vérifier dans les faits le redressement des fautes commises par ce dernier ou par quelqu'un de ses adhérents. Toute analyse de la ligne générale du Parti ou de son expérience pratique, le contrôle de l'exécution de ces décisions, l'étude des méthodes de redressement des fautes, etc., ne doivent en aucune façon être soumis à l'examen préalable de groupes constitués sur une « plateforme » quelconque, etc., mais doivent directement être soumis au seul examen de tous les membres du Parti. A cet effet, le congrès prescrit d'éditer avec plus de régularité les « Feuilles de discussion » et des recueils spéciaux, en veillant constamment à ce que la critique soit rendue concrète, sans jamais prendre une forme susceptible d'aider les ennemis de classe du prolétariat...

Aussi bien, le congrès déclare dissous et prescrit de dissoudre immédiatement tous les groupes sans exception qui se sont constitués sur telle ou telle plate-forme (tels le groupe de « l'Opposition ouvrière », celui du « Centralisme démocratique » etc.).

L'inexécution de cette décision du congrès doit entraîner l'exclusion certaine et immédiate du Parti...

LÉNINE, *Résolution du Xe Congrès du Parti*, mars 1921. E.S.

Radek et le monolithisme

[*A la dernière séance du Xe congrès, Lénine fait adopter une décision aux termes de laquelle tout membre du Comité central* *convaincu d'activité fractionnelle, peut être expulsé par le Comité central (et non par le congrès du Parti). Radek vota en faveur de cette résolution qui demeurera secrète jusqu'à 1924.*]

C'est un glaive contre les camarades hétérodoxes. En votant pour cette résolution j'ai pensé qu'elle pourrait se retourner contre nous et pourtant je l'approuve.

Que le Comité central, en cas de danger, prenne les mesures les plus rudes contre les camarades les meilleurs s'il le juge nécessaire, qu'il se trompe même! Tout vaut mieux que les flottements actuels...

RADEK, *Xe Congrès du P.C. russe*, compte rendu sténographique,
Moscou, 1963, p. 543.

La révolte de Cronstadt

Ayant entendu les représentants des équipages délégués par l'Assemblée générale des bâtiments pour se rendre compte de la situation à Petrograd, les matelots décident :

1o Étant donné que les soviets actuels n'expriment pas la volonté des ouvriers et des paysans, d'organiser immédiatement des réélections aux soviets au vote secret en ayant soin d'organiser une libre propagande électorale;

2o D'exiger la liberté de parole et de la presse pour les ouvriers et les paysans, les anarchistes et les partis socialistes de gauche;

3o D'exiger la liberté de réunion et la liberté des organisations syndicales et des organisations paysannes;

4o D'organiser au plus tard pour le 10 mars 1921 une conférence des ouvriers sans partis, soldats et matelots de Petrograd, de Cronstadt et du département de Petrograd;

5o De libérer tous les prisonniers politiques des partis socialistes, ainsi que tous les ouvriers et paysans, soldats rouges et marins emprisonnés des différents mouvements ouvriers et paysans;

6o D'élire une commission pour la révision des dossiers des détenus des prisons et des camps de concentration;

7o De supprimer tous les Polititotdiel (Sections politiques) car aucun parti ne doit avoir de privilèges pour la propagande de ses idées ni recevoir de l'État des ressources dans ce but. A leur place doivent être créés des cercles culturels élus aux ressources provenant de l'État;

8o De supprimer immédiatement tous les détachements de barrage;

9o D'égaliser la ration pour tous les travailleurs excepté dans les corps de métiers insalubres et dangereux;

10o De supprimer les détachements de combat communistes dans les unités militaires et faire disparaître le service de garde communiste dans les usines et fabriques. En cas de besoin de ces services de garde les désigner par compagnie dans chaque unité militaire en tenant compte de l'avis des ouvriers;

11º De donner aux paysans la liberté d'action complète sur leur terre ainsi que le droit du bétail qu'ils devront soigner eux-mêmes et sans utiliser le travail des salariés;

12º De demander à toutes les unités militaires ainsi qu'aux camarades koursantys de s'associer à notre résolution;

13º Exiger qu'on donne dans la presse une large publicité à toutes les résolutions;

14º Désigner un bureau de contrôle mobile;

15º Autoriser la production artisanale libre n'utilisant pas de travail salarié.

Résolution des marins de Cronstadt, mars 1921.

Lénine et les paysans

On conçoit que la masse des paysans soit tombée dans le désespoir. Elle ne pouvait songer à améliorer sa situation, bien que trois années et demie se fussent écoulées depuis la suppression des grands propriétaires fonciers; or, cette amélioration s'impose. L'armée démobilisée ne trouve pas à s'occuper régulièrement. Voilà pourquoi cette force petite-bourgeoise devient un élément anarchiste qui traduit ses revendications par des effervescences.

Le surmenage et l'épuisement font naître un état d'esprit particulier, quelquefois même le désespoir. Comme toujours cet état d'esprit et ce désespoir se traduisent chez les éléments révolutionnaires par l'anarchisme. Il en a été ainsi dans tous les pays capitalistes, il en est de même chez nous. L'élément petit-bourgeois traverse une crise parce qu'il a eu beaucoup à souffrir au cours des dernières années, moins que le prolétariat en 1919, mais beaucoup cependant. Les paysans ont dû sauver l'État, s'acquitter des livraisons obligatoires sans rémunération; mais ils ne peuvent plus résister à une pareille tension; voilà pourquoi ils sont désorientés, ils hésitent, ils balancent.

LÉNINE, *Discours au congrès des ouvriers des transports*, 29 mars 1921. E.S., XXXII, p. 285.

Fatigue de la classe ouvrière

Cette classe se rendait compte qu'elle prenait seule le pouvoir, et dans des conditions exceptionnellement difficiles. Elle a exercé le pouvoir de la façon dont on exerce toute dictature, c'est-à-dire qu'elle a réalisé sa domination politique avec le maximum de fermeté, d'inflexibilité. Ce faisant, elle a subi, en ces trois années et demie de domination politique, des calamités, des privations, la famine, une aggravation de sa situation économique, comme jamais aucune classe au monde n'en a connu. On conçoit donc qu'à la suite d'une tension aussi surhumaine, cette classe soit aujourd'hui particulièrement fatiguée, épuisée, excédée.

Ibid.

Les paysans engendrent le capitalisme...

Vous savez que pendant cette période, la campagne russe s'est nivelée. Le nombre des gros cultivateurs et des paysans ne cultivant pas leur terre a diminué, celui des paysans moyens a augmenté. Entre temps le caractère petit-bourgeois de nos campagnes s'est accentué. C'est là une classe à part, la seule classe qui, après que les grands propriétaires fonciers et les capitalistes ont été expropriés et chassés, est susceptible de s'opposer au prolétariat. Voilà pourquoi il est absurde d'écrire sur des pancartes que le règne des ouvriers et des paysans n'aura pas de fin.

Toute la doctrine de Marx montre que dès l'instant que le petit patron est propriétaire des moyens de production et de la terre, les échanges entre les petits producteurs engendreront nécessairement le capital et, en même temps, les antagonismes entre le capital et le travail. La lutte du capital et du prolétariat est inévitable : c'est une loi qui s'est vérifiée dans le monde entier ; elle est évidente pour quiconque ne veut pas être sa propre dupe.

> LÉNINE, *Discours au Congrès des ouvriers des transports*, mars 1921. E.S., XXXII, p. 292-294.

Qu'est-ce donc que la liberté des échanges? C'est la liberté du commerce; or la liberté du commerce, c'est faire retour au capitalisme. La liberté des échanges et la liberté du commerce, c'est l'échange de marchandises entre les petits entrepreneurs. Tous ceux qui ont étudié au moins l'a b c du marxisme, savent que de cet échange et de cette liberté de commerce découle inéluctablement la division des producteurs de marchandises en possesseurs de capital et en possesseurs de main-d'œuvre, la division en capitalistes et en ouvriers salariés, c'est-à-dire la reconstitution de l'esclavage salarié capitaliste qui ne tombe pas des nues, mais qui naît dans le monde entier précisément de l'économie agricole marchande. Cela, nous le savons très bien.

> LÉNINE, *Rapport au Xe Congrès du Parti*, mars 1921. E.S., XXXII, p. 228.

Nécessité d'une dictature monolithique

La petite production engendre le capitalisme et la bourgeoisie constamment, chaque jour, chaque heure, d'une manière spontanée et dans de vastes proportions. Pour toutes ces raisons, la dictature du prolétariat est indispensable, et vaincre la bourgeoisie est impossible sans une guerre prolongée, opiniâtre, acharnée, sans une guerre à mort qui exige la maîtrise de soi, la discipline, la fermeté, et une volonté inflexible.

Supprimer les classes, ce n'est pas seulement chasser les grands propriétaires fonciers et les capitalistes, — ce qui nous a été relativement facile, — c'est aussi supprimer les petits producteurs de marchandises. Or ceux-ci, on ne peut pas les chasser, on ne peut pas les écraser, il faut faire bon ménage avec eux. On peut (et on doit) les transformer, les rééduquer, — mais seulement par un très long travail d'organisation, très lent et très prudent. Ils entourent de tous côtés le prolétariat d'une ambiance petite-bourgeoise, ils l'en pénètrent, ils l'en corrompent, ils suscitent constamment au sein du prolétariat des récidives de défauts propres à la petite bourgeoisie : manque de caractère, dispersion, individualisme, passage de l'enthousiasme à l'abattement. Pour y résister, pour permettre au prolétariat d'exercer comme il se doit, avec succès et victorieusement, son rôle d'organisateur (qui est son rôle principal), le parti politique du prolétariat doit faire régner dans son sein une centralisation et une discipline rigoureuse.

Sans un parti de fer trempé dans la lutte, sans un parti jouissant de la confiance de tout ce qu'il y a d'honnête dans la classe en question, sans un parti sachant observer l'état d'esprit de la masse et influer sur lui, il est impossible de mener cette lutte avec succès. Il est mille fois plus facile de vaincre la grande bourgeoisie centralisée que de « vaincre » les millions et les millions de petits patrons; or ceux-ci, par leur activité quotidienne, coutumière, invisible, insaisissable, dissolvante, réalisent les mêmes résultats qui sont nécessaires à la bourgeoisie, qui restaurent la bourgeoisie. Celui qui affaiblit tant soit peu la discipline de fer dans le parti du prolétariat (surtout pendant sa dictature), aide en réalité la bourgeoisie contre le prolétariat.

LÉNINE, *La Maladie infantile du communisme*, 1920.
E.S., XXXI, p. 39.

L'ennemi

L'ennemi, ce ne sont plus les hordes de gardes blancs dirigés par les hobereaux que soutiennent tous les mencheviks et socialistes-révolutionnaires, toute la bourgeoisie internationale. L'ennemi, c'est la grisaille quotidienne de l'économie dans un pays de petite agriculture où la grosse industrie est ruinée. L'ennemi, c'est l'élément petit-bourgeois qui nous entoure comme l'air et pénètre fortement dans les rangs du prolétariat. Or celui-ci est déclassé, c'est-à-dire qu'il a été mis hors de son milieu social. Fabriques et usines chôment — le prolétariat est affaibli, dispersé, sans forces. Et l'élément petit-bourgeois à l'intérieur du pays est soutenu par toute la bourgeoisie internationale, dont la puissance s'affirme encore dans le monde entier.

LÉNINE, *Nouveau temps, anciennes erreurs*, 20 août 1921. E.S.

Les coopératives et la révolution culturelle

Par la N.E.P. nous avons fait une concession au paysan considéré comme marchand, au principe du commerce privé; de là précisément (à l'encontre de ce que certains s'imaginent), la portée immense de la coopération. En somme, tout ce qu'il nous faut, sous le régime de la N.E.P., c'est grouper dans des coopératives des couches suffisamment larges et profondes de la population russe; car nous avons trouvé aujourd'hui le moyen de combiner l'intérêt privé, l'intérêt commercial privé, d'une part, et son contrôle par l'État, d'autre part, le moyen de subordonner l'intérêt privé à l'intérêt général, ce qui autrefois était la pierre d'achoppement pour un grand nombre de socialistes.

Deux tâches essentielles s'offrent à nous, qui font époque. C'est d'abord de refondre notre appareil administratif qui ne vaut absolument rien et que nous avons hérité entièrement du passé; en cinq années de lutte, nous n'avons pas eu le temps de le modifier sérieusement, et nous ne pouvions le faire. Notre seconde tâche est d'engager une action culturelle pour la paysannerie. Or, ce travail parmi les paysans a pour objectif économique la coopération. Si nous pouvions les grouper tous dans des coopératives, nous nous tiendrions des deux pieds sur le terrain socialiste. Mais cette condition implique un tel degré de culture de la paysannerie (je dis bien de la paysannerie, puisqu'elle forme une masse immense), que cette organisation généralisée dans les coopératives est impossible sans une véritable révolution culturelle.

Nos adversaires nous ont dit maintes fois que nous entreprenions une œuvre insensée, en voulant implanter le socialisme dans un pays insuffisamment cultivé. Mais ils se sont trompés : nous n'avons pas commencé par où il aurait fallu le faire selon la théorie (des pédants de toute sorte); la révolution politique et sociale chez nous a précédé la révolution culturelle qui maintenant s'impose à nous.

Aujourd'hui, il suffit que nous accomplissions cette *révolution culturelle* pour devenir un pays pleinement socialiste. Mais elle présente pour nous des difficultés incroyables, d'ordre purement culturel (nous sommes illettrés), aussi bien que d'ordre matériel (car pour pouvoir devenir des hommes cultivés, il faut que les moyens matériels de la production aient acquis un certain développement, il faut posséder une certaine base matérielle).

LÉNINE, *De la coopération*, 6 janvier 1923.
E.S., XXXIII, p. 480-488.

Ce texte sera l'évangile des « communistes de droite » : Boukharine, etc.

Le capitalisme d'État et le prolétariat

Peut-on combiner, allier, associer l'État soviétique, la dictature du prolétariat au capitalisme d'État? Oui, bien sûr. C'est ce que j'ai démontré en mai 1918... J'ai prouvé que le capitalisme d'État est un pas en avant par rapport à l'élément petit-propriétaire, petit-patriarcal, petit-bourgeois. On commet une foule d'erreurs en ne comparant le capitalisme d'État qu'avec le socialisme, alors que, dans la situation actuelle, on doit absolument le comparer aussi avec la production petite-bourgeoise... Le capitalisme est un mal par rapport au socialisme. Le capitalisme est un bien par rapport au Moyen Age, par rapport à la petite production, par rapport à la bureaucratie qu'engendre l'éparpillement des petits producteurs... Nous devons utiliser le capitalisme d'État comme maillon intermédiaire entre la petite production et le socialisme.

LÉNINE, *L'Impôt en nature*, 21 avril 1921. E.S., XXXIII, p. 366-7, 373.

Nous n'avons pas de fondement socialiste

Maintenant la tâche se pose devant nous de jeter les fondements de l'économie socialiste. Cela a-t-il été fait? Non, cela n'a pas été fait. Nous n'avons pas encore de fondements socialistes. Ceux des communistes qui s'imaginent que ces fondements existent déjà, commettent une très grande erreur...

L'État est entre nos mains; eh bien, sur le plan de la nouvelle politique économique, a-t-il fonctionné comme nous l'entendions? Non. Et comment a-t-il fonctionné? La voiture n'obéit pas : un homme est bien assis au volant, qui semble la diriger, mais, la voiture ne roule pas dans la direction voulue; elle va où la pousse une autre force. Cette force est illégale, illicite, elle vient d'on ne sait où. C'est peut-être les spéculateurs ou les capitalistes privés ou les uns et les autres. Mais la voiture ne roule pas tout à fait, et, bien souvent, pas du tout comme se l'imagine celui qui est au volant. Voilà le point essentiel que nous ne devons pas oublier lorsque nous parlons du capitalisme d'État.

LÉNINE, *Discours au XIe congrès du P.C.*, mars 1922. E.S., XXXIII, p. 284 et 307-8.

Il n'y a plus de prolétariat...

Très souvent, quand on dit « ouvriers », on pense que cela signifie prolétariat des usines. Pas du tout. Chez nous, depuis la guerre, des gens qui n'avaient rien de prolétaire sont venus aux fabriques et aux usines; ils y sont venus pour s'embusquer. Et aujourd'hui, les conditions sociales et économiques sont-elles, chez nous, de nature à pousser de vrais prolétaires dans les

fabriques et les usines? Non. C'est faux. C'est juste d'après
Marx. Mais Marx ne parlait pas de la Russie : il parlait du
capitalisme dans son ensemble, à dater du xve siècle. Ç'a été
juste pendant six cents ans, mais c'est faux pour la Russie
d'aujourd'hui. Bien souvent, ceux qui viennent à l'usine ne sont
pas des prolétaires, mais toutes sortes d'éléments de rencontre.

LÉNINE, *Discours au XIe congrès du Parti*,
mars 1922. E.S., XXXIII, p. 305.

Réponse de Chliapnikov

Ilitch [Lénine] a dit hier que le prolétariat en tant que classe,
au sens marxiste du terme, n'existe pas [en Russie soviétique].
Laissez-moi vous féliciter d'être l'avant-garde d'une classe qui
n'existe pas.

Protocole du XIIe Congrès (en russe), p. 109.

Les tâches des syndicats

En ce qui concerne les entreprises socialisées, les syndicats ont
le devoir absolu de défendre les intérêts des travailleurs, de contribuer, dans la mesure du possible, à leur mieux-être matériel,
de redresser constamment les fautes et les exagérations des organismes économiques, lorsqu'elles procèdent d'une déformation
bureaucratique de l'appareil d'État...

... Dans l'État prolétarien de type transitoire comme le nôtre,
le but final de toute action de la classe ouvrière ne peut être que
le renforcement de l'État prolétarien et du pouvoir d'État
exercé par la classe du prolétariat, au moyen de la lutte contre les
déformations bureaucratiques de cet État, contre ses fautes et
ses faiblesses, contre les appétits de classe capitalistes, qui échappent à son contrôle, etc. Voilà pourquoi ni le Parti communiste,
ni le pouvoir des Soviets, ni les syndicats ne peuvent en aucune
façon oublier et ne doivent pas cacher aux ouvriers et aux
masses laborieuses, que le recours à la lutte gréviste, dans un
État où le pouvoir politique appartient au prolétariat, peut être
expliqué et justifié uniquement par des déformations bureaucratiques de l'État prolétarien et, par toutes sortes de survivances du passé capitaliste dans ses institutions, d'une part,
ainsi que par le manque de développement politique et le retard
culturel des masses laborieuses de l'autre.

Un succès très prompt et aussi durable que possible dans le
relèvement de la grosse industrie, est la condition sans laquelle
l'affranchissement du travail du joug du capital est impossible;
impossible la victoire du socialisme. Or un tel succès, à son
tour, exige absolument, étant donné la situation actuelle de la
Russie, que la plénitude du pouvoir soit concentrée dans les
directions d'entreprises. Ces directions, fondées en règle générale

sur le principe d'une direction unique, doivent s'occuper elles-mêmes de fixer le taux des salaires, de répartir l'argent, les rations, les vêtements de travail et toutes autres fournitures sur la base et en conformité des contrats collectifs passés avec les syndicats, d'autre part, elles doivent garder au maximum la liberté de manœuvrer, vérifier strictement les succès réels quant à l'accroissement des fabrications, produire sans pertes mais avec bénéfices, choisir sérieusement les administrateurs les plus doués, les plus expérimentés, etc.

Toute ingérence directe des syndicats dans la gestion des entreprises doit être reconnue, dès lors, pour absolument néfaste et inadmissible.

LÉNINE, *Les Tâches des syndicats*, janvier 1922.
E.S., XXXIII, p. 188-190.

Une remarque d'Anton Ciliga

Pour compenser le rapt des usines, Lénine promit le droit de grève aux ouvriers. Comme si les ouvriers avaient fait la révolution d'Octobre pour avoir le droit de se mettre en grève!

Anton CILIGA, *Dix ans derrière le rideau de fer*, 1938,
I, p. 211.

7. — DE LA RÉVOLTE DES NATIONALITÉS A LA RECONSTITUTION DE L'EMPIRE

Présentation

Ouvrière dans les villes, paysanne dans les campagnes, la révolution russe a été aussi une révolution essentiellement nationale *pour les différentes ethnies et nations que le tsarisme gardait enfermées dans sa « prison des peuples ». Lorsque, en novembre 1917, Lénine dénonçait les annexions au nom de la « conscience du droit qu'ont les démocraties en général et les classes laborieuses en particulier » (XXVI, p. 256), la Finlande, les Pays baltes, l'Ukraine, la Biélorussie, l'Arménie, la Géorgie, l'Azerbaïdjan, les peuples musulmans du Turkestan, les Tatars-Bachkirs de la Volga et de l'Oural avaient accédé ou étaient en train d'accéder à l'indépendance. En proclamant le droit d'autodétermination et le droit de sécession, les bolcheviks n'ont fait que consacrer cet énorme mouvement centrifuge qui semblait avoir réduit à néant l'expansion séculaire de la nation grande-russe. Or, dès 1920-21, le droit d'autodétermination et de sécession était devenu un « chiffon de papier », selon l'amère expression de Lénine lui-même.*

*Comme le remarque Jean Laloy (*Le socialisme de Lénine, *1967, p. 103), le prétendu principe d'autodétermination « n'a été appliqué correctement que là où la force soviétique s'est heurtée à une force équivalente, c'est-à-dire à une force nationale soutenue de l'extérieur, Finlande (appuyée par l'Allemagne), Pays baltes (appuyés par l'Angleterre), Pologne (appuyée par la France) ». Partout ailleurs, le nouveau pouvoir s'est appliqué à reconstituer l'ancien empire colonial du tsarisme. C'est à propos de la Géorgie que Lénine livrera son dernier combat contre un « typique argousin grand-russe » qui deviendra bientôt célèbre comme « Coryphée de la science » et promoteur de l'« amitié des peuples » : Staline....*

Les bolcheviks et l'impérialisme tsariste

En Russie, l'impérialisme capitaliste est plus faible (qu'en Occident); par contre, l'impérialisme militaire-féodal est plus fort.

LÉNINE, *La Faillite de la IIe Internationale*, 1915.
E.S., XXI, p. 233.

La Russie est une prison des peuples, non seulement par suite du caractère militariste et féodal du tsarisme, non seulement parce que la bourgeoisie grand-russe soutient le tsarisme, mais aussi parce que la bourgeoisie polonaise, finlandaise, etc. a sacrifié la liberté des nations et la démocratie en général aux intérêts de l'expansion capitaliste. Le prolétariat de Russie ne peut lutter pour la révolution socialiste sans revendiquer dès à présent, intégralement et sans réserve, la liberté, pour toutes les nations opprimées par le tsarisme, de se séparer de la Russie.

LÉNINE, *Prolétariat révolutionnaire et droit des nations*, 1915.
E.S., XXI, p. 429-430.

En Russie, 57 % au moins de la population, plus de 100 millions d'habitants, appartiennent aux nations opprimées; en outre, une partie de ces nations est plus cultivée que les Grands-Russes, où le régime politique est particulièrement barbare et médiéval... Il s'ensuit que la reconnaissance du droit de libre séparation est absolument obligatoire.

LÉNINE, *La Révolution socialiste et le droit des nations*, 1916.
E.S., XXII, p. 167.

En 1905, un mouvement d'émancipation nationale souleva les peuples opprimés de Russie. *Plus de la moitié, presque les trois cinquièmes (exactement 57 %)* des populations du pays subissent l'oppression nationale, sont russifiés de force... Les musulmans, par exemple, qui sont en Russie des dizaines de millions, fondèrent alors une ligue musulmane... En Pologne, dans des centaines d'écoles les écoliers brûlèrent tous les livres et tableaux russes, ainsi que les portraits du tsar...

LÉNINE, *Rapport sur la Révolution de 1905*. E.S., XXIII, p. 272.
(On ne peut pas ne pas penser à certains événements qui se sont produits en Europe orientale en 1956...)

Pourquoi nous, Grands-Russes, qui opprimons un plus grand nombre de nationalités que tout autre peuple, devrions-nous refuser de reconnaître le droit de séparation de la Pologne, de l'Ukraine, de la Finlande?

LÉNINE, *VIIe Conférence du Parti*, mai 1917. E.S., XXIV, p. 300.

Par annexions ou conquêtes, nous entendons tout rattachement à un État grand ou puissant d'une nationalité petite ou
faible, si l'accord et le désir de cette nationalité n'ont pas été
exprimés avec précision, avec clarté et de plein gré... Si une nation
est maintenue par la force dans les frontières d'un État donné,
si on ne lui accorde pas le droit de trancher par un vote libre,
sans la moindre contrainte, après l'évacuation totale de l'armée
de la nation à laquelle elle est rattachée, la question des formes de
son existence politique, alors son rattachement est une annexion,
c'est-à-dire une conquête et un acte de violence.

> LÉNINE, *Rapport sur la paix*, IIe Congrès des soviets,
> novembre 1917. E.S., XXVI, p. 256.

Une autonomie conditionnelle

L'autonomie est une forme. Toute la question, c'est le contenu
de classe de cette forme. Le pouvoir soviétique n'est pas contre
l'autonomie, il est pour l'autonomie, mais seulement pour une
autonomie où tout le pouvoir est aux mains des ouvriers et
paysans, où la bourgeoisie de toutes les nationalités est, non
seulement privée de pouvoir, mais encore de participation aux
élections des organes dirigeants.

> STALINE, mai 1918.

Reconquête du Turkestan

Dans l'Orient arriéré, le droit électoral généralisé et les « libertés formelles » ne sont pas applicables aux masses laborieuses
qui ont subi durant des siècles la dictature féodale et l'obscurantisme spirituel et sont encore empêtrées dans les traditions
féodales-patriarcales. L'intervention despotique dictatoriale de
l'avant-garde avancée de la révolution est indispensable afin
d'écarter du pouvoir tous les éléments oppresseurs-exploiteurs.

> G. SAFAROV, émissaire de Lénine au Turkestan, 1919,
> *Problèmes de l'Orient*, Petrograd, 1922, p. 178.

Il était inévitable que la révolution russe au Turkestan fût
colonialiste. La classe ouvrière turkestanaise, petite numériquement, était sans chef, sans programme, sans parti, sans tradition révolutionnaire. Elle ne pouvait donc s'élever contre l'exploitation colonialiste. Dans le colonialisme tsariste ce fut un privilège des Russes d'appartenir au prolétariat industriel. A cause
de cela la dictature du prolétariat prit ici un caractère typique-
ment colonialiste.

> G. SAFAROV, *Révolution et Culture*, Tashkend, 1934, I, p. 10.

Annexion de l'Azerbaïdjan (printemps 1920)

Nous ne pouvons pas nous passer du pétrole de l'Azerbaïdjan, ni du coton du Turkestan. Nous prenons ces produits, qui nous sont nécessaires, non comme les prenaient les anciens exploiteurs, mais comme des frères aînés qui portent le flambeau de la civilisation.

ZINOVIEV, *Discours au Soviet de Petrograd*, 17 septembre 1920.

Annexion de l'Arménie (novembre 1920)

Au camarade Kassian, président du Comité militaire révolutionnaire d'Arménie.

Je salue en votre personne l'Arménie soviétique et travailleuse libérée du joug de l'impérialisme.

LÉNINE-STALINE, 2 décembre 1920. E.S., XXXI, p. 455.

(L'Arménie ne se trouvait nullement sous le joug de l'impérialisme. État indépendant, elle était dirigée par le parti nationaliste Dachnak; les bolcheviks ne formaient qu'une infime minorité.)

L'indépendance de la Géorgie (février 1921)

La Russie reconnaît sans conditions l'existence et l'indépendance de l'État géorgien, et renonce volontairement à tous droits souverains qui appartenaient à la Russie sur le peuple et le territoire de la Géorgie... La Russie s'abstiendra de toute intervention dans les affaires intérieures de la Géorgie.

TRAITÉ DE PAIX, 7 mai 1920, entre l'État soviétique et l'État géorgien, articles I et II.

Annexion de la Géorgie

[Lénine présente l'invasion comme une réponse à un conflit — imaginaire — entre l'Arménie et la Géorgie :]
Le conflit entre l'Arménie et la Géorgie ne pouvait pas nous laisser indifférents, et la guerre arméno-géorgienne a dégénéré en une insurrection, à laquelle a été également mêlée une partie *(sic)* des troupes russes. Le résultat en a été que les plans de la bourgeoisie arménienne dirigés contre nous se sont retournés contre elle-même, de façon que, d'après les dernières nouvelles, le pouvoir des Soviets a été instauré à Tiflis *(Applaudissements)*... Si nous avions eu un traité de paix avec la Géorgie (!), nous aurions dû faire traîner le plus possible les choses en longueur. Mais figurez-vous que la paysannerie arménienne avait d'autres conceptions sur le traité, et cela a fini par une insurrection terrible qui s'est propagée avec une rapidité stupéfiante, gagnant non seulement la population arménienne, mais aussi la population géorgienne... Nous savons parfaitement que la bourgeoisie

géorgienne et les mencheviks géorgiens ne s'appuient pas sur les masses laborieuses, mais sur les capitalistes de leur pays.
LÉNINE, *Discours au Soviet de Moscou*, 28 février 1921.
E.S., XXXII, p. 155-56.
(Rappelons qu'aux élections à la Constituante, les mencheviks avaient obtenu 640 000 voix, les bolcheviks 24 000... En outre, en envahissant la Géorgie, les bolcheviks russes ont dû faire violence à la petite minorité communiste géorgienne comme à toute la population.)

Notre révolution a commencé en 1921 par la conquête de la Géorgie au moyen des baïonnettes de l'armée rouge... La soviétisation de la Géorgie s'est présentée sous les espèces d'une occupation par les troupes russes... Les mencheviks, pendant près de deux ans, ont puisé leur force principale dans le sentiment national humilié non seulement des possédants mais encore des larges masses laborieuses de Géorgie... En 1921, le Parti est resté presque passif pendant l'offensive de l'armée rouge en Géorgie.
V. LOMINADZÉ (secrétaire du C.C. du P.C. géorgien), *Rapport au XIIIe congrès du P.C. géorgien, 1921.* Cité par Boris Souvarine, *Staline*, 1935, p. 281-82.

Explication de Trotski (1922)

Le principe du droit des peuples à disposer d'eux-mêmes ne saurait être au-dessus des tendances unificatrices caractéristiques de l'économie socialiste. Sous ce rapport, il occupe dans la marche du développement historique la place subordonnée qui revient à la démocratie. Mais le centralisme socialiste ne peut pas prendre immédiatement la place du centralisme impérialiste. Les nations opprimées doivent obtenir la possibilité de détendre leurs membres ankylosés sous les chaînes de la contrainte capitaliste. Transformée en but en soi par les fanatiques et les charlatans, l'indépendance nationale est opposée à la fédération soviétique qui accordera entre eux de la façon la plus harmonieuse les besoins nationaux et les besoins économiques.
TROTSKI, *Entre l'impérialisme et la Révolution*, 1922, p. 137.
(C'est la première formulation de ce qu'on appelle aujourd'hui la « doctrine Brejnev ».)

Une version plus tardive (1940)

En Géorgie, la soviétisation prématurée renforça les mencheviks pendant un certain temps et conduisit à l'importante insurrection de masse de 1924, quand, selon le propre aveu de Staline, la Géorgie dut être « labourée de nouveau »...
TROTSKI, *Staline*, 1940, p. 412.

Lénine contre Staline

[En 1922, éclate l' « incident géorgien » . *afin de se créer une clientèle, Staline, avec l'aide d'Ordjonikidzé (qu'il acculera au suicide en 1937) et de Djerdjinski (le chef de la Tchéka), déclenche une véritable campagne de persécution contre les dirigeants locaux du P.C. géorgien, Mdivani, Makharadzé, etc., accusés de « déviation social-nationaliste ». Lénine réalise tout d'un coup que la constitution soviétique est un « chiffon de papier ».]*

Je suis fort coupable devant les ouvriers de Russie de n'être pas intervenu avec assez d'énergie et de rudesse dans la fameuse question de l'autonomie (des républiques soviétiques)... Si les choses en sont venues au point qu'Ordjonikidzé s'est laissé aller à user de violence, vous pouvez bien vous imaginer dans quel bourbier nous avons glissé... On prétend qu'il fallait absolument unifier l'appareil (gouvernemental). D'où émanaient ces affirmations? (Il s'agit d'un) appareil que nous avons emprunté au tsarisme en nous bornant à le badigeonner légèrement d'un vernis soviétique... Nous appelons nôtre un appareil qui, de fait, nous est encore foncièrement étranger et représente un salmigondis de survivances bourgeoises et tsaristes... Dans ces conditions, il est tout à fait naturel que la « liberté (des nationalités) de sortir de l'Union », qui nous sert de justification, apparaisse comme un chiffon de papier, comme une formule bureaucratique incapable de défendre les allogènes de Russie contre l'invasion du Russe authentique, du Grand-Russe, du chauvin, de ce gredin et de cet oppresseur qu'est au fond le bureaucrate russe typique. Il n'est pas douteux que les ouvriers soviétiques ou soviétisés qui sont en proportion infime, se noieraient dans cet océan de la racaille grand-russe chauvine, comme une mouche dans du lait...

Avons-nous pris avec assez de soin des mesures pour défendre réellement les allogènes contre le typique argousin russe? Je pense que non...

Je pense qu'un rôle fatal a été joué ici par la hâte de Staline et son goût pour l'administration, ainsi que par son irritation contre le fameux « social-nationalisme ». L'irritation joue généralement en politique un rôle des plus désastreux.

Je crains aussi que le camarade Djerdjinski se soit essentiellement distingué ici par son état d'esprit cent pour cent russe : on sait que les allogènes russifiés *[Djerdjinski était d'origine polonaise]* forcent constamment la note en l'occurrence.

Le Géorgien lance dédaigneusement des accusations de «social-nationalisme » (alors qu'il est lui-même non seulement un vrai, un authentique « social-nationaliste », mais encore un brutal argousin grand-russe), ce Géorgien-là porte en réalité atteinte à la solidarité prolétarienne de classe, car il n'est rien qui en retarde le développement et la consolidation comme l'injustice nationale...

Il faut infliger une punition exemplaire à Ordjonikidzé... Il va de soi que c'est Staline et Djerdjinski qui doivent être rendus politiquement responsables de cette campagne foncièrement nationaliste grand-russe.

LÉNINE, Notes du 30 et 31 décembre 1922. E.S. XXXVI, p. 618-623.

[*Le 16 décembre 1922, Lénine est frappé par une seconde attaque d'hémiplégie. Pratiquement écarté de la vie politique, il dicte les notes connues sous le titre de « Testament ».*]

Le testament de Lénine

Le camarade Staline en devenant secrétaire général à concentré un pouvoir immense entre ses mains et je ne suis pas sûr qu'il sache toujours en user avec suffisamment de prudence. D'autre part, le camarade Trotski, ainsi que l'a démontré sa lutte contre le Comité central dans la question du commissariat des Voies et Communications, se distingue non seulement par ses capacités exceptionnelles — personnellement il est incontestablement l'homme le plus capable du Comité central actuel — mais aussi par une trop grande confiance en soi et par une disposition à être trop enclin à ne considérer que le côté purement administratif des choses.

Ces caractéristiques des deux chefs les plus marquants du Comité central actuel pourraient, tout à fait involontairement, conduire à une scission; si notre Parti ne prend pas de mesures pour l'empêcher, une scission pourrait survenir inopinément...

Je ne veux pas caractériser les autres membres du Comité central par leurs qualités personnelles. Je veux seulement vous rappeler que l'attitude de Zinoviev et de Kaménev en Octobre n'a évidemment pas été fortuite mais elle ne doit pas plus être invoquée contre eux personnellement, que le non-bolchevisme de Trotski.

Des membres plus jeunes du Comité central, je dirai quelques mots de Boukharine et de Piatakov. Ils sont, à mon avis, les plus capables et à leur sujet il est nécessaire d'avoir présent à l'esprit ceci : Boukharine n'est pas seulement le plus précieux et le plus fort théoricien du Parti, mais il peut légitimement être considéré comme le camarade le plus aimé de tout le Parti; mais ses conceptions théoriques ne peuvent être considérées comme vraiment marxistes qu'avec le plus grand doute, car il y a en lui quelque chose de scolastique (il n'a jamais appris et, je pense, n'a jamais compris pleinement la dialectique).

Et maintenant Piatakov — un homme, qui, incontestablement, se distingue par la volonté et d'exceptionnelles capacités, mais trop attaché au côté administratif des choses pour qu'on puisse s'en remettre à lui dans une question politique importante. Il va de soi que ces deux remarques ne sont faites par moi qu'en considération du moment présent et en supposant que ces travailleurs capables et loyaux ne puissent par la suite compléter leurs connaissances et corriger leur étroitesse.

25 décembre 1922.

Post-scriptum. Staline est trop brutal, et ce défaut, pleinement supportable dans les relations entre nous, communistes, devient intolérable dans la fonction de secrétaire général. C'est pourquoi je propose aux camarades de réfléchir au moyen de déplacer Staline de ce poste et de nommer à sa place un homme qui, sous tous les rapports, se distingue de Staline, par une supériorité — c'est-à-dire qu'il soit plus patient, plus loyal, plus poli et plus attentionné envers les camarades, moins capricieux, etc. Cette circonstance peut paraître une bagatelle insignifiante, mais je pense que pour prévenir une scission, et du point de vue des rapports entre Staline et Trotski que j'ai examinés plus haut, ce n'est pas une bagatelle, à moins que ce ne soit une bagatelle pouvant acquérir une signification décisive.

4 janvier 1923.

[*Lénine meurt le 21 janvier 1924, les héritiers décident de ne pas publier le Testament. L'ère du « grand mensonge » commence.*]

III

SOCIALISME ET COMMUNISME
PENDANT LES ANNÉES VINGT

A. Les marxistes européens

    1. Défaite de la révolution en Europe

    2. Division du mouvement ouvrier

B. La révolution en Asie

A. — *LES MARXISTES EUROPÉENS*

Présentation

Après la guerre, la social-démocratie resta officiellement
« marxiste-orthodoxe », mais sa mentalité et sa politique devinrent
de plus bernsteiniennes. Déjà dans La Révolution prolétarienne
et son programme *(1922) Kautsky proposait de remplacer la*
formule « dictature de prolétariat » par la formule « Gouverne-
ment de coalition ». Finalement les différences entre la social-
démocratie marxiste et le travaillisme non-marxiste devinrent des
nuances de plus en plus imperceptibles. On verra plus loin comment
Carlo Schmid, l'un des chefs de la social-démocratie allemande, a
résumé l'évolution qui amena la social-démocratie à abandonner
le marxisme et à se convertir à un travaillisme réformiste.

L'Occident industrialisé et théoriquement mûr pour le socialisme
avait cessé d'être la terre d'élection de la Révolution. Le désastre
de la Ligue Spartacus en Allemagne, puis l'assassinat de Liebknecht
et de Rosa Luxemburg en janvier 1919 sont suivis par la défaite
de la Commune hongroise de Bela Kun (1919). Les Soviets
d'Allemagne et de Bulgarie (1920, 1923) seront écrasés de même
que les Conseils ouvriers de Turin que Gramsci, l'un des fondateurs
du parti communiste italien, voyait comme les embryons des
« républiques prolétariennes » de l'avenir.

La Révolution parlera désormais chinois.

1. — DÉFAITE DE LA RÉVOLUTION EN EUROPE

Rosa Luxemburg : appel à la révolution

Nous voici au milieu de la révolution et l'Assemblée nationale
est une forteresse contre-révolutionnaire. Il est donc essentiel
d'y mettre le siège et de la réduire. Il faut mobiliser les masses

contre l'Assemblée et les appeler à la bataille : il faut pour cela utiliser les élections et la plate-forme de l'Assemblée.

Il faut participer aux élections, non pour voter des lois en compagnie de la bourgeoisie et de ses mercenaires, mais pour chasser du temple les bourgeois et leurs séides, pour prendre d'assaut la citadelle de la contre-révolution et avant tout lever victorieusement l'étendard de la révolution prolétarienne. Il faudrait pour cela une majorité à l'Assemblée? Seuls peuvent le croire ceux qui rendent hommage au crétinisme parlementaire, ceux qui veulent faire dépendre la révolution et le socialisme de majorités au parlement. Ce n'est pas la majorité *à l'intérieur* du parlement qui décide du sort de l'Assemblée, mais les masses de travailleurs à l'extérieur, dans les usines et dans la rue...

Les élections et la plate-forme de ce parlement contre-révolutionnaire doivent devenir un moyen d'éduquer, rallier et mobiliser les masses révolutionnaires, une étape dans la lutte pour l'établissement de la dictature du prolétariat.

ROSA LUXEMBURG, *Rote Fahne*, 23-12-1918.

Les masses sont l'élément décisif, elles sont le roc sur lequel sera bâtie la victoire finale de la révolution. Les masses ont fait leurs preuves : elles ont fait de cette « défaite » un maillon de la chaîne des défaites historiques qui sont l'orgueil et la force du socialisme international. C'est pourquoi de cette « défaite » naîtra la victoire... Demain la révolution se dressera de nouveau dans son armure flamboyante et vous serez glacés d'effroi par l'appel de sa trompette : « J'étais, je suis, je serai. »

ROSA LUXEMBURG, *Rote Fahne*, 14-1-1919.

La révolution prolétarienne n'implique dans ses buts aucune terreur, elle a le meurtre en horreur... Elle n'est pas la tentative désespérée d'une minorité cherchant à modeler le monde à son idéal; elle résulte de l'action des grandes masses qui sont appelées par millions à remplir leur mission historique et à transformer la nécessité historique en réalité... La Ligue Spartacus n'est pas un parti qui veut s'emparer du pouvoir par-dessus la tête ou par l'intermédiaire de la classe ouvrière... La Ligue ne prendra jamais le pouvoir autrement que par la volonté clairement exprimée et sans équivoque de la grande majorité des travailleurs de toute l'Allemagne; elle ne le fera qu'avec l'adhésion consciente de cette masse aux vues, aux buts et aux méthodes politiques de la Ligue... Sa victoire ne doit pas marquer le début, mais la fin de la révolution : elle s'identifie avec la victoire des millions de travailleurs socialistes...

La nature de la société socialiste consiste en ce que la grande masse des travailleurs cesse d'être enrégimentée, qu'elle participe pleinement à la vie politique et économique et qu'elle gouverne en disposant d'elle-même librement et en pleine conscience... Les masses prolétariennes doivent apprendre à devenir, au lieu de machines sans vie que le capitaliste met au service de la production, les directeurs conscients, libres et actifs de cette production. Elles doivent acquérir le sentiment de responsabilité des membres actifs de la communauté, seule détentrice de toutes les richesses économiques. Elles doivent faire preuve de zèle sans le fouet patronal, atteindre de plus hauts rendements sans y être contraintes par le capitalisme, observer une discipline sans commandement ni oppression, sans maîtres. L'idéalisme le plus élevé dans l'intérêt de la communauté, la discipline la plus sévère envers soi-même, un véritable esprit de civisme dans les masses, constituent la base morale de la société socialiste.

ROSA LUXEMBURG, *Was will des Spartakusbund,* 1919.

Les « Turkestans »

(La tentative insurrectionnelle de mars 1921 — l'« action de mars » — en Allemagne fut le dernier sursaut de la révolution en Europe occidentale. Paul Levi, compagnon de Rosa Luxemburg et président du parti communiste allemand, prétendit que l'action de mars avait été ordonnée par les délégués du Komintern, qu'il appelait ironiquement des « Turkestans », et que ces derniers ne comprenaient pas la situation réelle en Europe.)

... Ainsi l'Europe occidentale et l'Allemagne deviennent un champ d'expérience pour toutes sortes d'hommes d'État ratés, qui donnent l'impression de vouloir y exercer leur art. Je n'ai rien contre les Turkestans et ne leur souhaite aucun mal, mais j'ai souvent l'impression que ces hommes forts provoqueraient moins de dommages par leurs tours de force là-bas qu'ici... Ils (les délégués du Komintern) ne travaillent jamais avec, ils agissent toujours par derrière et souvent contre les dirigeants des partis communistes des pays respectifs. Ils jouissent de la confiance (du Komintern) mais pas les autres... Le Comité exécutif n'agit pas autrement qu'une Tchéka projetée en dehors des frontières russes...

Paul LEVI, *Unser Weg,* Berlin, 1921,
p. 46 et 48. Cité par Branko
LAZITCH, *Lénine et la IIIe Internationale,* 1951, p. 180.

(Paul Levi a été exclu du Parti et traité de traître. C'était, remarque B. Lazitch, « la première fois qu'un chef communiste était qualifié de traître, et en tête de cette condamnation se trouvaient, à côté de la signature de Lénine, celles de Zinoviev, Trotski, Boukharine et Radek »...)

Antonio Gramsci : les conseils ouvriers

L'organisme syndical a un but que l'on peut dire commercial et qui consiste à valoriser — dans le marché bourgeois — le travail d'une catégorie de travailleurs en vue de le vendre à un prix plus élevé. L'objectif potentiel des conseils ouvriers est de préparer les hommes, les institutions et les idées, par un travail prérévolutionnaire de perpétuel contrôle, à se substituer à l'autorité patronale dans l'entreprise, à discipliner d'une façon nouvelle la vie sociale. Tandis que les syndicats expriment le côté contingent des rapports de concurrence entre travailleurs et capitalistes dans une société libérale, les organismes spécifiques du prolétariat, engagés dans la production industrielle et agricole, constituent le contenu particulier du mouvement ouvrier, en dehors des lois qui soutiennent les structures capitalistes. Les Conseils ouvriers incarnent socialement l'action de tout le prolétariat uni dans la luttte pour la conquête du pouvoir public et pour la suppression de la propriété privée.

... La démocratie ouvrière ne se base pas sur la quantité et sur la conception bourgeoise du citoyen; elle se base sur les fonctions de travail sur l'ordre que la classe laborieuse assume naturellement dans le processus de production industrielle, professionnelle, et dans les fabriques.

... Les commissaires d'usines sont les seuls et vrais représentants sociaux (économiques et politiques) de la classe ouvrière, parce qu'élus au suffrage universel par tous les travailleurs sur le lieu même du travail. Aux différents degrés de leur hiérarchie, les commissaires représentent l'union de tous les travailleurs telle qu'elle se réalise dans les organismes de production (équipe de travail, département, usine, union des usines d'une industrie, union des établissements d'une ville, union des organismes de production de l'industrie mécanique et agricole d'un district, d'une province, d'une région, de la nation, du monde) dont les Conseils et le système des Conseils représentent le pouvoir et la direction sociale.

... Le Parti communiste est l'instrument et la forme historique du processus de libération intérieure grâce auquel les ouvriers, d'exécutants, deviennent initiateurs, de masse, deviennent *chefs* et *guides*, de bras se transforment en cerveaux et volontés.

... L'originalité des Conseils ouvriers réside dans le fait que, dans un monde où n'existent que les rapports économiques d'exploiteur à exploité, d'oppresseur à opprimé, ils représentent l'effort continuel de libération que la classe ouvrière accomplit par elle-même, par ses moyens et ses systèmes propres, en vue de fins qui doivent lui être spécifiques, sans intermédiaires, sans délégation du pouvoir à des fonctionnaires et à des politiciens de carrière.

... Voici pourquoi nous disons que la naissance des Conseils ouvriers représente un événement historique grandiose inaugurant une nouvelle ère dans l'histoire du genre humain...

(Lorsque les ouvriers de Turin occupèrent les usines — septembre 1920 — et continuèrent la production en défendant les lieux de travail par les armes, Gramsci écrit dans son article sur Le Dimanche Rouge :)

... Chaque usine est un État illégal, une république prolétarienne qui vit au jour le jour, attendant le déroulement des événements... Puisque ces républiques prolétariennes vivent, elles voient surgir devant elles tous les problèmes que pose un pouvoir autonome et indépendant qui exerce sa souveraineté sur un territoire défini. C'est ici que sont mises à l'épreuve la capacité politique, la capacité d'initiative et de création révolutionnaire de la classe ouvrière.

GRAMSCI, *Articles dans* Ordine Nuovo, 1919-1920.

Radek : la victoire du fascisme

Je vois dans la victoire du fascisme non seulement une victoire mécanique des armes fascistes, j'y vois aussi la plus grave défaite que le socialisme et le communisme aient subi depuis le début de la période de la révolution mondiale, une défaite plus grave que celle de la Hongrie soviétique, parce que la victoire des fascistes est la conséquence d'une faillite spirituelle et politique momentanée du socialisme italien et du mouvement ouvrier italien tout entier. ... Les partis bourgeois sont en état de décomposition, ils ont fait la guerre, ils ont ruiné l'État et l'économie, ils n'ont rien à donner aux soldats, aux fonctionnaires, aux petits-bourgeois. Mais les Mussolini, les intellectuels nationalistes petits-bourgeois représentent une nouvelle volonté de puissance.

Karl RADEK, *Rapport sur la situation internationale* au IVe Congrès de l'Internationale Communiste. *Protokoll des Vierten Kongresses*, Hamburg, 1923, p. 310-312.

Mussolini : la leçon russe

Nous avons en Russie des maîtres admirables. Nous n'avons qu'à imiter ce qu'on fait en Russie... Nous avons tort de ne pas suivre complètement leur exemple. Si nous le faisions, vous (= les communistes) seriez maintenant aux travaux forcés au lieu d'être ici (à la Chambre des députés)... Vous devriez recevoir une charge de plomb dans le dos. Nous ne manquons pas de courage, et nous le prouverons plus tôt que vous ne le pensez.

MUSSOLINI, *Discours à la Chambre des députés*, 6 juin 1924.

(Un mois plus tard, ce sera l'assassinat du député socialiste Matteoti.)

2. — DIVISION DU MOUVEMENT OUVRIER

L'attaque communiste

Dans les pays riches, les ouvriers aisés sont plus nombreux que dans les pays pauvres parce qu'ils travaillent pour une plus grande quantité de millionnaires et de milliardaires. Ils sont au service de ces groupes et reçoivent d'eux un salaire particulièrement élevé. Des centaines de millionnaires anglais, par exemple, ont amassé des milliards en pillant l'Inde et toute une série d'autres colonies. Il ne leur coûtait rien de jeter une aumône à 10 000 ou 20 000 ouvriers, de doubler ou plus leur salaire, pour s'assurer spécialement un bon travail de leur part... Nous communistes du monde entier, défendons les intérêts de l'immense majorité des travailleurs, alors que les capitalistes en ont corrompu une infime minorité, en leur donnant de hauts salaires pour en faire des valets fidèles du capital.

LÉNINE, *Discours au Soviet de Petrograd*, 12 mars 1919.
E.S., XXIX, p. 23.

La bourgeoisie a besoin de larbins qui jouissent de la confiance d'une partie de la classe ouvrière et qui parent, enjolivent la bourgeoisie par des propos sur la possibilité de la voie réformiste, qui bandent ainsi les yeux du peuple, qui le détournent de la révolution en étalant les charmes et les perspectives de la voie réformiste. Tous les écrits de W. Kautsky, comme ceux de nos mencheviks et de nos socialistes-révolutionnaires, se ramènent à ce badigeonnage, aux pleurnicheries du petit bourgeois couard qui craint la révolution.

LÉNINE, *Les Tâches de la IIIe Internationale*, juillet 1919.
E.S., XXIX, p. 513.

Plus la social-démocratie officielle est forte dans un pays, plus sera désespérée la cause du prolétariat. On peut déjà considérer ceci comme un axiome.

ZINOVIEV (président de la IIIe Internationale), *Die Kommunistische Internationale*, no 10, 1919, p. 9-10.

Réponse des socialistes

La tâche principale des apôtres de la révolution mondiale dans son sens russe, c'est de déclencher une lutte fratricide entre les prolétaires.

KAUTSKY, *Terrorisme et communisme*, 1919, p. 241.

La IIIᵉ Internationale n'a besoin que d'avoir des membres qui reconnaissent la dictature de Moscou, non seulement en Russie mais aussi chez eux.

KAUTSKY, *Vergangenheit und Zukunft der Internationale*,
1920, p. 58.

Léon Blum au Congrès de Tours (27 décembre 1920)

... L'unité dans le Parti — on vous l'a dit hier en des termes que je voudrais que vous n'oubliiez pas — était jusqu'à ce jour une unité synthétique, une unité harmonique, c'était une sorte de résultante de toutes les forces, et toutes les tendances intervenaient pour fixer et déterminer l'axe commun de l'action.

Vous, ce n'est plus l'unité en ce sens que vous cherchez, c'est l'uniformité, l'homogénéité absolues. Vous ne voulez dans votre parti que des hommes disposés, non seulement à agir ensemble, mais encore prenant l'engagement de penser ensemble : votre doctrine est fixée une fois pour toutes! « Ne varietur! » Qui ne l'accepte pas n'entre pas dans votre parti; qui ne l'accepte plus devra en sortir. Ce n'est pas au point de vue de telle ou telle personne que je veux examiner la question des exclusions. Il importe peu qu'on veuille dessiner une ligne de rupture ici ou là, que l'on veuille garder telle ou telle personne... *(Très bien!)* Les textes ont une autre gravité. On veut constituer un parti entièrement homogène, cela est logique et c'est cette logique que je veux montrer.

Vous voulez un Parti entièrement homogène, un Parti dans lequel il n'y ait plus de liberté de pensée, plus de divisions de tendances : vous avez donc raison d'agir ainsi que vous le faites. Cela résulte — je vais vous le prouver — de votre conception révolutionnaire elle-même. Mais vous comprendrez qu'envisageant cette situation, la considérant, faisant la comparaison de ce qui sera demain avec ce qui était hier, nous ayons tout de même un mouvement d'effroi, de recul et que nous disions : « Est-ce là le Parti que nous avons connu? Non! » le Parti que nous avons connu, c'était l'appel à tous les travailleurs, tandis que celui qu'on veut fonder, c'est la création de petites avant-gardes disciplinées, homogènes, soumises à un commandement rigoureux.

... Alors, nous vous disons que votre dictature n'est plus la dictature temporaire qui vous permettra d'aménager les derniers travaux d'édification de votre société. Elle est un système de gouvernement stable, presque régulier dans votre esprit, et à l'abri duquel vous voulez faire tout le travail.

C'est cela le système de Moscou. Moscou ne pense pas le moins du monde que les conditions de la transformation révolutionnaire totale soient réalisées en Russie. Il compte sur la dictature du prolétariat pour les amener à une sorte de maturation forcée, indépendamment de ce qui était au préalable l'état d'évolution économique de ce pays. Je vous le répète, la dictature du prolétariat n'est plus alors l'espèce d'expédient fatal auquel tous les mouvements de prise de pouvoir ont nécessairement recours, au lendemain de leur réussite. C'est, dans votre pensée, un système de gouvernement créé une fois pour toutes. Cela est si vrai que, pour la première fois dans toute l'histoire socialiste, vous concevez le terrorisme, non pas seulement comme le recours de dernière heure, non pas comme l'extrême mesure de salut public que vous imposerez aux résistances bourgeoises, non pas comme une nécessité vitale pour la Révolution, mais comme un moyen de gouvernement.

Les communistes : social-démocratie = social-fascisme

La social-démocratie est chargée d'aider politiquement le capital américain à rationner l'Europe. Elle est devenue l'agence politique du capital américain... La dépendance de la social-démocratie à l'égard de la bourgeoisie allemande, française, etc. devient de plus en plus une dépendance à l'égard du maître de ces bourgeoisies. Le capital américain est maintenant le patron de l'Europe. Et il est naturel que la social-démocratie tombe politiquement sous la dépendance du patron de ses patrons. C'est là le fait essentiel pour l'intelligence de la situation actuelle.

TROTSKI, *Le Plan des États-Unis : mettre l'Europe à la portion congrue*, juillet 1924. Dans *Europe et Amérique*, 1926, p. 27.

La social-démocratie est objectivement l'aile modérée du fascisme.
STALINE, *Pravda*, 20 septembre 1924.

[*La division du mouvement ouvrier a porté ses premiers fruits lors des élections présidentielles de 1925 en Allemagne. Conformément à la théorie « blanc bonnet et bonnet blanc », les communistes maintiennent au second tour leur candidat Thaelmann et assurent indirectement la victoire de Hindenburg. Voici les résultats de cette élection :*
    Maréchal Hindenburg (droite nationaliste)   14 700 000 voix
    Marx (centriste, appuyé par les socialistes)   13 650 000 voix
    Thaelmann (communiste)   1 950 000 voix
    L'histoire du monde serait peut-être différente si Hindenburg n'avait pas été élu à la présidence. Mais l'avertissement est resté sans effet. (K.P.)]

Un parti de somnambules : le P.C. allemand

(Aux élections du 14 septembre 1930, les voix nazies passent d'environ 800 000 voix en 1928 à 6,4 millions. Le jour suivant, la Rote Fahne-Drapeau-Rouge, organe officiel du P.C. allemand, écrit :)

Le rythme de notre influence croissante parmi les ouvriers s'est montré plus fougueux que nous ne le croyions avant le 14 septembre... Hier fut pour Monsieur Hitler la plus grande journée, mais la prétendue victoire électorale des nazis est le commencement de leur fin.

Rote Fahne, 15 septembre 1930.

Le 14 septembre aura été le point culminant atteint par le mouvement nazi. Maintenant ne peuvent venir que déclin et chute.

Rote Fahne, 15 novembre 1930.

Les social-fascistes savent que pour nous il n'y a aucune collaboration possible... Aucun communiste ne partage l'illusion que le fascisme puisse être combattu à l'aide du social-fascisme.

Rote Fahne, mars 1931.

Après le 14 septembre, après le succès sensationnel des nazis, tous leurs adhérents dans toute l'Allemagne attendaient de grandes choses de leur part. Nous ne nous sommes pas laissés égarer alors par l'atmosphère de panique qui régnait dans une partie du peuple travailleur, et en tout cas parmi les membres du parti social-démocrate. Au contraire, nous avons constaté en toute objectivité que le 14 septembre avait été en quelque sorte la meilleure journée d'Hitler et qu'il n'en connaîtrait pas de meilleures, mais seulement de bien plus mauvaises.

Nous nous trouvons actuellement en Allemagne dans une situation telle que les chefs social-démocrates déploient la plus grande activité pour la réalisation de la dictature fasciste...

THAELMANN, XIe Plénum du Komintern, juin 1931,
La Correspondance Internationale, no 61, p. 764.

Le fascisme est un produit organique en quelque sorte de la démocratie bourgeoise... Seul un libéral bourgeois peut opposer la démocratie bourgeoise actuelle au régime fasciste, la considérer comme une forme politique procédant d'un principe différent.

MANOUILSKY, XIe Plénum, juin 1931, *La Corr. Intern.*,
no 51, p. 679.

Parce que les nazis ont pu remporter un important succès électoral, des camarades sous-estiment notre lutte contre le social-fascisme... En cela s'expriment indubitablement des indices d'une déviation de notre ligne politique qui fait un devoir de diriger le coup principal contre le Parti social-démocrate... Toutes les forces du parti doivent être jetées dans la lutte contre la social-démocratie.

THAELMANN, *Die Internationale*, juillet 1931.

Rien ne serait plus néfaste que de surestimer d'une manière opportuniste le fascisme hitlérien. Si nous voulions nous laisser aller, face au gonflement énorme du mouvement hitlérien, à perdre notre exacte appréciation des choses telle qu'elle nous est fournie par notre idéologie de classe et céder à la panique, nous serions obligatoirement entraînés à nous poser de faux problèmes tant en ce qui concerne notre politique vis-à-vis des nazis que, surtout, nos rapports avec les sociaux-démocrates.

THAELMANN, *Discours au CC. du P.C.A.*, 18 février 1932.

Aussi longtemps qu'ils ne sont pas délivrés de l'influence des social-fascistes, ces millions d'ouvriers (socialistes) sont perdus pour la lutte antifasciste.

THAELMANN, *Die Internationale*, juin 1932.

Dans le stade actuel de fascisation progressive, toute atténuation de notre lutte contre la social-démocratie devient une faute lourde.

THAELMANN, *XIIe Plénum du Komintern*, septembre 1932.

Bien entendu, l'Allemagne ne sera pas fasciste. Les victoires des communistes en sont le plus sûr garant...

Die Internationale, 15 décembre 1932.

(Le 30 janvier 1933, le président Hindenburg invite Hitler à constituer le gouvernement du Reich...)

B. — *LA RÉVOLUTION EN ASIE*

Présentation

Au moment de la fondation de la III Internationale (1919) —
Lénine et les bolcheviks avaient les yeux rivés sur l'Occident et
vivaient dans l'attente de la révolution allemande. Seul Staline
avait émis quelques doutes en ce qui concerne la capacité révolutionnaire du prolétariat occidental. Déjà en juillet 1918, dans sa
polémique contre Préobrazenski, Staline avait envisagé la « possibilité que la Russie soit précisément le pays qui pavera
le chemin du socialisme ». « La base de la révolution est,
disait-il, plus vaste en Russie qu'en Europe occidentale où le prolétariat est seul contre la bourgeoisie. Chez nous la classe ouvrière
est appuyée par la paysannerie pauvre... En Allemagne l'appareil
du pouvoir d'État travaille avec une efficacité incomparablement
plus grande... Nous devrions écarter l'idée désuète que seule
l'Europe peut nous montrer le chemin... » En 1918, lorsque tout
le monde s'attendait à l'explosion imminente de la révolution
allemande, Staline publia deux articles qui portaient les titres
significatifs : N'oubliez pas l'Est et Ex Oriente lux. Comme
Lénine et Trotski, Staline croyait que c'était « d'abord, là, dans
l'Ouest, que les chaînes de l'impérialisme qui ont été forgées en
Europe, et qui étranglent le monde entier, seront brisées ». Mais
il déplorait en même temps le fait que l'Ouest monopolisait
l'attention et que « l'Est avec ses centaines de millions d'esclaves
de l'impérialisme, s'estompe automatiquement à notre vue et se
trouve oublié ». Son second article avait pour conclusion ces mots :
« Ex Oriente lux. L'Ouest, avec ses cannibales impérialistes, est
devenu le foyer de l'obscurantisme et de l'esclavage. Notre tâche
est de détruire ce centre pour la joie et la jubilation des travailleurs
de tous les pays. »*
*Pour le moment, c'était encore le vent d'Ouest qui prédominait.
Lénine croyait encore à la primauté de l'Occident industrialisé
et prolétarien sur l'Orient arriéré et paysan. « Même, disait-il,
si la victoire de la révolution prolétarienne n'a lieu que dans un*

*seul des pays avancés (...), la Russie redeviendra, bientôt après,
un pays non plus modèle, mais retardataire...» Pourtant Lénine lui-
même avait beaucoup changé depuis ses polémiques de 1905 contre
la théorie « absurde, semi-anarchiste, réactionnaire » de la « révolution permanente».* Dans un article qu'il avait consacré en 1912 à la
révolution chinoise de Sun Yat-Sen, il raillait les illusions de ce
dernier qui croyait — comme les narodniks russes — que la
Chine pourrait éviter le développement capitaliste. « C'est un
rêve réactionnaire, écrivait alors Lénine, que de croire qu'on
puisse prévenir le capitalisme en Chine, et que la révolution y
soit plus facile à réaliser en raison du caractère arriéré du pays.»
En 1917 il découvrait à son tour que loin d'avoir été un obstacle
à la révolution, l'arriération de la Russie en avait été la cause
principale. En 1920, au IIe congrès de l'Internationale Communiste, Lénine lèvera complètement l'hypothèque du sous-développement et dissociera définitivement la nouvelle orthodoxie
« marxiste-léniniste » de l'idée traditionnelle que le socialisme
était le privilège exclusif de l'Occident industrialisé. Le préambule
aux Statuts de l'Internationale Communiste proclame qu'il fallait
« rompre avec la tradition de la IIe Internationale pour laquelle
n'existaient en fait que les peuples de race blanche». L'expérience,
disait Lénine, avait démontré que les Soviets — c'est-à-dire les
formes les plus pures de la démocratie socialiste — avaient pu se
réaliser dans les régions les plus arriérées de la Russie sous-
développée, dans des pays comme le Turkestan où « le prolétariat
industriel n'existe presque pas » (XXXI, 250)(1). Il en déduisait
que même des paysans « placés dans une dépendance semi-féodale,
peuvent parfaitement assimiler l'idée de l'organisation soviétique
et la faire passer dans les faits ». « L'idée de l'organisation
soviétique est simple, ajoutait-il, elle peut être appliquée non
seulement dans le cadre de rapports prolétariens, mais également
dans celui de rapports paysans, de caractère féodal ou semi-
féodal. » A la question : « pouvons-nous considérer comme juste
l'affirmation que le stade capitaliste de développement de l'économie est inévitable pour les peuples arriérés? », Lénine répondait
maintenant par la négative, et il concluait : « L'Internationale
Communiste doit établir et justifier sur le plan de la théorie ce
principe qu'avec l'aide du prolétariat des pays avancés, les pays
arriérés peuvent parvenir au régime soviétique et en passant par
certains stades de développement, au communisme, en évitant le
stade capitaliste » (XXXI, 251-2).*

Le révisionnisme bernsteinien avait nié les liens de causalité
que Marx avait établis entre le développement du capitalisme et
la révolte de la classe ouvrière. Trotski en 1905 avait libéré la
révolution prolétarienne de la tyrannie des « conditions objectives »
(industrialisation achevée) dont Marx faisait dépendre l'avènement du socialisme. Lénine en 1920 brisait à son tour les liens
organiques que Marx postulait entre le prolétariat et le socia-

(1) Sur le Turkestan, cf. plus haut, p. 342.

lisme : « l'expérience » lui avait démontré que les soviets — la forme spécifique du pouvoir socialiste — pouvaient prospérer « dans des pays où le prolétariat n'existait presque pas ». Il appartenait à ses disciples de démontrer que la Révolution pouvait également se passer du prolétariat : les guérilleros paysans de Mao, de Tito et de Fidel Castro allaient remplacer les prolétaires industriels de Marx : le « socialisme » du XXe siècle ne serait ni le destin des pays industriels ni le privilège historique du prolétariat.

Le congrès de Bakou (1920)

ZINOVIEV. — Camarades, quand l'Orient bougera vraiment, la Russie, et toute l'Europe avec elle, ne représenteront qu'un petit coin de ce grand tableau. La vraie révolution s'allumera seulement le jour où nous aurons à nos côtés les 800 millions d'habitants de l'Asie et du continent africain. Nous ne vous cachons rien. Nous précisons avec franchise et droiture ce qui nous sépare des représentants du mouvement national actuel et ce qui nous lie à eux. Le but de ce mouvement est d'aider l'Orient à se débarrasser de l'impérialisme anglais. Mais nous avons une autre tâche non moins grande qui est d'aider les travailleurs de l'Orient dans leur lutte contre les riches, de leur faciliter, dès maintenant, la constitution des organisations communistes, de leur expliquer ce que c'est que le communisme, de les préparer à une véritable révolution ouvrière, à une véritable égalité, à l'émancipation de l'homme de tout joug et de toute oppression...

Camarades! Frères! Le temps est venu où vous pourrez commencer l'organisation d'une guerre populaire juste et sainte contre les bandits et les oppresseurs. L'Internationale communiste se tourne aujourd'hui vers les peuples de l'Orient et leur dit : « Frères, nous vous appelons à une guerre sainte, d'abord contre l'impérialisme anglais! » *(Tonnerre d'applaudissements. Des hourras prolongés. Les membres du congrès se lèvent et brandissent leurs armes. Pendant longtemps, l'orateur ne peut pas continuer son discours... On entend le cri : « Nous le jurons ».)*

Que cette déclaration retentisse à Londres, à Paris, dans toutes les villes où les capitalistes sont encore au pouvoir! Qu'ils écoutent le vœu solennel des représentants de dizaines de millions de travailleurs de l'Orient : en Orient, la puissance des oppresseurs, des Anglais, le joug capitaliste qui pèse sur les travailleurs d'Orient n'existera plus!

Vive l'union fraternelle des peuples d'Orient avec l'Internationale communiste!

A bas le capital, vive l'empire du travail! *(Tonnerre d'applaudissements. Des voix : « Vive la résurrection de l'Orient! » Applaudissements... Des cris : « Hourra »... Des voix : « Vivent*

*les unificateurs de l'Orient, nos dirigeants honorés, notre chère
armée rouge ».)*

RADEK. — ...Et quand nous vous remettons, camarades,
l'étendard de la lutte fraternelle contre l'ennemi commun,
nous savons qu'ensemble nous créerons une civilisation cent
fois meilleure que celle des esclavagistes de l'Occident...

Le Congrès des peuples opprimés, compte rendu
sténographique, Petrograd, 1920, p. 21-179.

Lénine : l'issue de la lutte

L'issue de la lutte dépend finalement de ce que la Russie,
l'Inde, la Chine, etc. forment l'immense majorité de la population du globe. Et c'est justement cette majorité de la population qui, depuis quelques années, est entraînée avec une
rapidité incroyable dans la lutte pour son affranchissement;
à cet égard, il ne saurait y avoir une ombre de doute quant à
l'issue finale de la lutte universelle. A cet égard, la victoire
définitive du socialisme est absolument et pleinement assurée.

LÉNINE, *Mieux vaut moins mais mieux*,
2 mars 1923. E.S.

Victor Serge présente « l'étudiant communiste Mao Tsé-Toung »

J'ai sous les yeux un document du plus grand intérêt sur
le mouvement paysan dans le Hunan. Il s'agit d'une lettre détaillée
écrite de Changsha le 18 février dernier (1927) par l'étudiant
communiste Mao Tsé-Toung : (...) Clandestines jusqu'à l'arrivée des troupes sudistes, les associations paysannes du Hunan
sortirent de l'illégalité avec plus de 300 000 affiliés. En janvier
dernier, elles en avaient 2 000 000, pour la plupart chefs de
familles, étendant ainsi leur action réelle à dix millions d'âmes...
« *Les paysans se mirent à l'œuvre et accomplirent en quatre mois,
d'octobre 1962 à janvier, une révolution comme la campagne
n'en avait encore jamais vue... Les coups des paysans portèrent
surtout sur les* tu-hao *(administrateurs, tyranneaux locaux),
sur la* gentry *(bureaucratie commerçante, usuriers, etc.), sur les
propriétaires fonciers et aussi sur les mœurs familiales et l'idéologie des campagnes. Tous ceux qui leur résistaient étaient anéantis.
(...) Il ne resta rien des privilèges séculaires de la féodalité
foncière, ce fut comme si un vent furieux les avait balayés (...)
Les associations paysannes assumèrent l'intégralité du pouvoir.
Ces excès ont une indéniable portée révolutionnaire... »*

J'ai lu bien des choses sur la révolution chinoise. Je n'ai
jamais trouvé de pensée communiste de meilleur aloi que celle
du jeune militant inconnu Mao Tsé-Toung. Il a des formules
frappées qui font irrésistiblement penser à celles de Lénine en
1917-1918. Voici ses conclusions (et les miennes) :

« La direction du mouvement révolutionnaire doit appartenir aux pauvres. Sans pauvres, pas de révolution. Leurs mesures révolutionnaires ont été d'une justesse infaillible. Si l'achèvement de la révolution démocratique est représenté par le nombre *dix*, la part des villes et des armées devra être représentée par *trois* et celle des paysans qui ont fait la révolution dans les campagnes par *sept*. »

Si les dirigeants de la révolution chinoise s'étaient inspirés d'une conception aussi claire de la lutte de classes, toutes les victoires eussent été possibles. Hélas!

Victor SERGE dans *Clarté*, Paris, le 15 août 1927.

IV

L'U.R.S.S. DE LÉNINE A STALINE

Présentation

Toute l'histoire économique, a dit Marx, « tourne autour de l'opposition de la ville et de la campagne » (K). La Russie de la NEP a pleinement confirmé cette proposition que Marx n'a malheureusement pas explicitée théoriquement. Rappelons brièvement les données du problème.

Pendant la guerre civile de 1918-1920, les réquisitions forcées de blé purent tant bien que mal assurer le ravitaillement des villes (dépeuplées) et des armées. La fin de la guerre civile, les jacqueries paysannes et la révolte de Cronstadt démontrèrent l'impossibilité de maintenir le système « bureaucratico-militaire » du « communisme de guerre ».

La NEP (mars 1921) mit fin aux livraisons obligatoires et rétablit le droit de vendre les excédents agricoles sur le marché libre. Elle apaisa le mécontentement paysan et stimula la production : le produit de la grande industrie qui, en 1920, était tombé à 14 % de son niveau d'avant-guerre, s'éleva à 46 % en 1924 et à 75 % en 1925; la masse commercialisée des céréales s'accrut de 64 % entre 1922 et 1925; enfin, en 1924, le montant des investissements bruts dépassa pour la première fois depuis 1917 la dépréciation annuelle du capital. Mais la NEP révéla en même temps la contradiction fondamentale qui découlait de la double nature ouvrière et paysanne de la révolution de 1917-1920, et du régime mixte — étatisé et privé — qui en était l'expression économique. Le nivellement de la campagne, la généralisation de la petite et de la moyenne parcelle paysanne, l'abolition de l'exploitation féodale (le produit de l'impôt agricole représentait en 1924-5 le tiers des redevances paysannes d'avant la révolution) et l'augmentation de la consommation paysanne qui en résulta, se traduisirent par une diminution relative du volume des céréales mises au marché. La pénurie des biens manufacturés, l'existence de termes d'échange nettement défavorables aux paysans, ne firent qu'aggraver cette situation. Pour obtenir la même quantité de produits manufacturés, les paysans devaient vendre en 1927 deux fois plus de denrées agricoles qu'en 1913. Ils se défendaient en réclamant la réduction des impôts, la baisse des prix industriels et la hausse des prix des denrées agricoles, puis en diminuant les emblavures et en faisant les grèves des ventes. Le résultat fut un rétrécissement catastrophique du marché des céréales. La fraction commercialisée de la récolte globale s'élevait à 20,3 % en 1913. Ce pourcentage tombait à 14,3 % en 1924-25, à 13,2 % en 1925-26, à 12,1 % en 1927-28 et à 11,1 % en 1928-29 : le ravitaillement des villes en fut gravement compromis et l'exportation de blé (une des principales ressources de l'État) réduite au quart de sa valeur d'avant-guerre.

C'est cette situation critique, en vérité prérévolutionnaire, qui amena l'Opposition de gauche (Trotski, Zinoviev, Kamenev) à réclamer l'accélération de l'industrialisation et à reprendre à leur compte le concept d' « accumulation primitive », chargé jusqu'alors d'une signification quasi démoniaque. Dès septembre 1921, c'est-à-dire peu après l'adoption de la NEP, Eugène Préobrazenski avait prédit qu'après quelques années de « cohabitation pacifique », le moment arriverait où « le heurt entre le capitalisme (l'économie paysanne) et le socialisme deviendrait inévitable ». Seule une politique d'investissements massifs dans l'industrie pouvait permettre au gouvernement socialiste de parer à l'offensive des « koulaks » (paysans cossus), et le seul moyen d'obtenir les capitaux nécessaires était de recourir aux méthodes de l' « accumulation primitive ». L'élévation forcée des prix des produits industriels, l'abaissement des prix des produits agricoles, la pression fiscale, les emprunts forcés, l'inflation « en tant que forme de taxation » étaient les diverses méthodes que l'État devait employer pour éponger les excédents paysans dépassant la simple subsistance et constituer les fonds d'investissements. Préobrazenski appelait de ses vœux une politique « consciemment dirigée vers l'exploitation de l'économie privée » et qui traiterait le secteur privé de l'économie « comme un territoire étranger ».

En revanche, la « droite » (Boukharine, Rykov, Tomski) et le « centre » (Staline-Molotov) préconisaient une politique d'encouragement à l'égard de la paysannerie : pour pousser les paysans à produire davantage de denrées alimentaires pour le marché, il fallait supprimer tous les « vestiges du communisme de guerre » qui faisaient obstacle à l'enrichissement des paysans. Formellement justes, ces thèses étaient étayées sur la perspective d'une croissance harmonieuse, « équilibrée », « proportionnée » de l'industrie étatisée et de l'agriculture privée. En fait, l'industrie retardait sur l'agriculture et la libre confrontation de la société paysanne et de l'État révéla aussitôt l'incapacité de l'industrie à faire face à la campagne. En 1927-28, la famine s'accrut dans les villes, les produits essentiels furent rationnés comme à l'époque du communisme de guerre. La Russie disparut du marché des céréales. En 1926-7, ses exportations de céréales s'étaient montées à 205 millions de roubles (30 % du total des exportations). Elles

n'étaient plus que de 34 millions (5,3 %) en 1927-28, et dispa-
rurent complètement en 1928-29. Il fallut même en importer...
    Les paysans et les ouvriers « soviétiques » apprendront bientôt
à leurs dépens que les méthodes de l'accumulation primitive
« n'ont rien d'idyllique »...

1. — LE PARTI APRÈS LÉNINE

La gauche : démocratisation du Parti

Dans les plus durs moments du communisme de guerre,
le système des nominations dans le Parti n'avait pas le dixième
de l'étendue qu'il a aujourd'hui. La nomination est maintenant
la règle pour les secrétaires des comités provinciaux. Cela leur
donne une position tout à fait indépendante de l'organisation
locale...
    La méthode de sélection des secrétaires a développé la bureau-
cratisation du Parti dans des proportions inouïes. On a créé une
large couche de militants qui entrent dans l'appareil directeur
du Parti et renoncent totalement à avoir une opinion, ou tout
au moins à l'exprimer, comme s'ils admettaient que la hiérarchie du secrétariat est l'appareil qui crée l'opinion du Parti
et les décisions du Parti. Sous cette couche... il y a la vaste
masse du Parti pour qui toute décision apparaît sous forme
d'une sommation ou d'un ordre...
            TROTSKI, *Lettre au Comité Central*, 8-10-1923.

Le régime qui a été établi dans le Parti est absolument intolérable. Il annihile toute initiative à l'intérieur du Parti. Il remplace le Parti par l'appareil... qui fonctionne assez bien quand
tout va bien, mais qui, inévitablement, flanche dans les périodes
de crises, et qui menace de faire complète banqueroute lorsqu'il
se trouvera en présence des graves développements qui sont
devant nous. La présente situation est due au fait que le régime
d'une dictature fractionnelle, qui se développa après le 10e congrès
a survécu à son utilité...
            DÉCLARATION DES QUARANTE-SIX, 15-10-1923.

Jusqu'à présent, le centre de gravité avait été par erreur
reporté sur l'appareil; la résolution du C. C. proclame qu'il
doit désormais résider dans l'activité, l'initiative, l'esprit critique de tous les membres du Parti, avant-garde organisée du
prolétariat. Elle ne signifie pas que l'appareil du Parti soit
chargé de décréter, de créer ou d'établir le régime de la démocratie. Ce régime, le Parti le réalisera lui-même. Brièvement

parlant : le Parti doit se subordonner son propre appareil, sans cesser d'être une organisation centralisée.

Avant tout, il faut écarter des postes dirigeants ceux qui, au premier mot de protestation ou d'objection, brandissent contre les critiques les foudres des sanctions. Le « cours nouveau » doit avoir pour premier résultat de faire sentir à tous que personne désormais n'osera plus terroriser le Parti.

Notre jeunesse ne doit pas se borner à répéter nos formules. Elle doit les conquérir, se les assimiler, se former son opinion, sa physionomie à elle et être capable de lutter pour ses vues avec le courage que donnent une conviction profonde et une entière indépendance de caractère. Hors du Parti l'obéissance passive qui fait emboîter mécaniquement le pas après les chefs; hors du Parti l'impersonnalité, la servilité, le carriérisme! le bolchevik n'est pas seulement un homme discipliné : c'est un homme, qui dans chaque cas et sur chaque question, se forge une opinion ferme et la défend courageusement, non seulement contre ses ennemis, mais au sein de son propre parti. Peut-être sera-t-il aujourd'hui en minorité dans son organisation. Il se soumettra, parce que c'est son parti. Mais cela ne signifie pas toujours qu'il soit dans l'erreur. Peut-être a-t-il vu ou compris avant les autres la nouvelle tâche ou la nécessité d'un tournant. Il soulèvera avec persistance la question une deuxième, une troisième, une dixième fois s'il le faut. Par là, il rendra service à son parti, en le familiarisant avec la nouvelle tâche ou en l'aidant à accomplir le tournant nécessaire sans bouleversements organiques, sans convulsions intérieures...

TROTSKI, *Cours Nouveau*, 1923.

Le Parti a toujours raison

Le Parti en dernière analyse, a toujours raison parce que le Parti est le seul instrument historique donné au prolétariat pour résoudre ses problèmes fondamentaux. J'ai déjà dit que, devant son propre parti, rien ne pouvait être plus facile que de reconnaître une faute, rien ne pouvait être plus facile que de dire : toutes mes critiques, toutes mes déclarations, tous mes avertissements, toutes mes protestations, tout n'a été qu'une pure et simple erreur. Je ne peux cependant dire cela, camarades, parce que je ne le pense pas. Je sais que l'on ne doit pas avoir raison *contre* le Parti. On ne peut avoir raison qu'avec le Parti et à travers le Parti, car l'histoire n'a pas créé d'autre voie pour la réalisation de ce qui est juste. Les Anglais ont un proverbe qui dit : « Qu'il ait raison ou tort, c'est mon pays. » Avec des justifications historiques plus grandes, nous pouvons dire : qu'il ait tort ou raison, sur telle question particulière distincte, c'est mon parti...

TROTSKI, *Discours au XIIIᵉ congrès du Parti*,
mai 1924.

Le « culte du chef » : intronisation de Staline

Après un quart de siècle de stalinisme, nous avons été informés par les autorités compétentes que le culte de la personnalité est une conception idéaliste et petite-bourgeoise, contraire à l'esprit du marxisme. Tel était aussi l'avis de Kamenev, vieux bolchevik, président du Soviet de Moscou (assassiné par Staline en 1936), lorsque, au XIVᵉ Congrès du Parti (fin 1925), il dénonça l'autocratie qui s'instaurait dans le parti, et c'est alors que les congressistes triés sur le volet, écumants de rage et insultant l'orateur, donnèrent le premier échantillon de la frénésie qui allait désormais s'emparer des disciples « orthodoxes » de Marx et d'Engels. Le compte rendu sténographique du Congrès (Moscou, 1926, p. 274-5) nous offre une image assez évocatrice de ce nouvel avatar du « marxisme ».

KAMENEV : ...Nous sommes contre la création d'une théorie du « Chef » [*le terme « Chef »*, Vohjd, *avait encore un sens péjoratif*], nous sommes contre l'érection d'un « Chef »... Nous ne pouvons considérer comme normale et estimons nuisible au Parti la prolongation d'une situation où le Secrétariat réunit la politique et l'organisation, et, de fait, prédétermine la politique. *(Bruit)*... J'en suis venu à la conviction que le camarade Staline ne peut remplir le rôle d'unificateur de l'état-major bolchevik...

VOIX DIVERSES : C'est faux! Balivernes! Voilà l'affaire! Les cartes sont abattues! *Bruit. Applaudissements de la délégation de Leningrad.* CRIS : Nous ne vous donnerons pas les postes de commandement! Staline! Staline! *Les délégués se lèvent et saluent le camarade Staline. Tonnerre d'acclamations.* CRIS : Voilà comment s'unit le Parti. L'état-major bolcheviste doit s'unir.

EVDOKIMOV, *de sa place :* Vive le Parti Communiste de Russie! Hourra! Hourra! *(Les délégués se lèvent et crient :* Hourra! *Bruit. Applaudissements vifs et prolongés.)*

EVDOKIMOV, *de sa place :* Vive le Comité central de notre Parti! Hourra! *(Les délégués se lèvent et crient :* Hourra! Le Parti au-dessus de tout! Parfaitement! *Applaudissements et cris :* Hourra!*)*

VOIX DIVERSES : Vive le camarade Staline! *(Applaudissements vifs et prolongés. Cris :* Hourra! *Bruit.)*

LE PRÉSIDENT : Silence, s'il vous plaît, camarades. Le camarade Kamenev doit finir son discours.

KAMENEV : ...J'ai commencé mon discours avec les mots : Nous sommes contre la théorie de la primauté d'un individu, nous sommes contre la création d'un « Chef ». C'est avec les mêmes mots que je le finirai. *(Applaudissements de la délégation de Leningrad.)*

UNE VOIX : Qu'est-ce que vous proposez?

LE PRÉSIDENT : Je propose dix minutes d'interruption.

2. — LE DÉBAT SUR LA COLLECTIVISATION ET L'INDUSTRIALISATION

L'opposition « de gauche » (trotskiste) : « accumulation socialiste primitive »

Pendant la période d'accumulation primitive socialiste, l'État ne peut pas ne pas recourir à l'exploitation des petits producteurs, à l'expropriation d'une partie du surproduit des paysans et des artisans. (...) L'idée que l'économie socialiste peut se développer d'elle-même sans toucher aux ressources de l'économie petite-bourgeoise, y compris l'économie paysanne, est indubitablement une utopie réactionnaire ou petite-bourgeoise. La tâche de l'État socialiste ne consiste pas à prélever sur les producteurs petits-bourgeois moins que ne prélevait le capitalisme, mais davantage encore. Cette méthode devait jouer un rôle immense et décisif dans des pays agraires comme l'U.R.S.S. Plus un pays qui passe à l'organisation socialiste de la production est économiquement arriéré, petit-bourgeois, agraire, plus maigre sera l'héritage que recevra comme fonds d'accumulation socialiste le prolétariat de ce pays au moment de la révolution sociale, et aussi plus l'accumulation socialiste devra être basée sur l'expropriation d'une partie du surproduit des formes présocialistes de l'économie.

PRÉOBRAZENSKI, *Économie Nouvelle*, 1924-5.

Rykov : réponse à Préobrazenski

Cette théorie est révoltante. Préobrazenski cherche à nous convaincre que le socialisme doit être construit au moyen de l'accumulation primitive. Peut-on concevoir quelque chose de plus néfaste pour le socialisme? Nous n'arrivons pas à établir des échanges équivalents entre la ville et la campagne, entre l'industrie et l'agriculture. Nous sommes fatalement amenés à rompre cette équivalence, à confisquer les revenus de la campagne, mais cela ne doit pas consister à sucer la dernière goutte de sang du paysannat, à « dévorer » la campagne, comme le prône Préobrazenski avec tant d'insistance. Pour lui, la campagne est la vache à lait de l'industrie.

Les « communistes de droite » : Boukharine

Il faut combattre le capital privé non pas en fermant ses boutiques, mais en produisant des articles de meilleure qualité et moins chers que les siens. (...) Dans les campagnes, les rapports qui existaient sous le communisme de guerre n'ont pas changé. Le paysan aisé et le koulak ont peur de faire de l'accumulation. Le paysan qui veut couvrir son isba d'un toit métallique peut demain être déclaré koulak. Le paysan qui achète une machine fait en sorte que les communistes ne le sachent pas. L'amélioration technique s'accomplit dans une atmosphère de conspiration. Le koulak est en butte à la pression administrative, et le paysan moyen craint d'améliorer son exploitation, car il risque d'être classé parmi les koulaks et d'être l'objet de la même pression. Nous appliquons la même politique à une autre catégorie de la petite bourgeoisie : les artisans. Nous leur prenons la moitié ou presque de ce qu'ils produisent au moyen de l'impôt. Leur travail devient impossible et c'est pourquoi, à la campagne, des gens ne travaillent nulle part. Notre politique doit être orientée de manière à lever, au moins en partie, les entraves qui freinent le développement de l'entreprise du paysan aisé et du koulak. Aux paysans, à tous les paysans, il faut dire : « *Enrichissez-vous, développez votre exploitation et ne craignez pas qu'on vous prenne à la gorge.* »

BOUKHARINE, *La NEP et nos tâches*, Bolchevik, 1-6-1925.

Staline : industrialisation modérée

Comme l'insuffisance des capitaux est sensible chez nous, le développement ultérieur de notre industrie ne sera probablement pas aussi rapide que jusqu'à présent.

(...) On pourrait investir deux fois plus pour le développement de l'industrie, mais l'allure du développement industriel deviendrait si rapide que nous ne pourrions la supporter, vu la grande insuffisance de capitaux disponibles, et qu'elle nous perdrait à coup sûr, outre que les réserves manqueraient pour créditer l'agriculture.

On pourrait développer deux fois plus notre importation, surtout d'outillage, pour forcer l'allure du développement de l'industrie, mais cela pourrait provoquer un excédent d'importation sur l'exportation, créerait une balance commerciale passive et saperait notre monnaie, c'est-à-dire la seule base sur laquelle soient possibles la planification et le développement de l'industrie.

On pourrait forcer l'exportation, sans tenir compte du marché intérieur, mais cela entraînerait infailliblement de graves complications dans les villes par un énorme enchérissement des produits agricoles, une baisse des salaires réels et une certaine famine artificiellement organisée, avec tout ce qui s'ensuit...

STALINE, 1925.

Staline : défense de la NEP

La Nep, c'est le capitalisme, dit l'opposition. La Nep, c'est surtout un recul, dit Zinoviev. Tout cela, évidemment est faux.

En réalité la Nep est la politique du Parti, politique qui admet
la lutte des éléments socialistes et capitalistes et vise à la victoire
des éléments socialistes sur les éléments capitalistes. En réalité,
la Nep a seulement commencé par une retraite, mais elle a pour
but de nous permettre, pendant cette retraite, de regrouper nos
forces et de prendre l'offensive.

Mais quel est le sens de cette thèse : la Nep, c'est le capitalisme, la Nep, c'est surtout un recul? De quoi part cette thèse?

Elle part de cette hypothèse erronée qu'il se produit maintenant, chez nous, une simple restauration du capitalisme, un
simple « retour » au capitalisme. Ce n'est que par cette hypothèse que l'on peut expliquer les doutes de l'opposition quant
à la nature socialiste de notre industrie. Ce n'est que par cette
hypothèse qu'on peut expliquer la panique de l'opposition
devant le koulak. Ce n'est que par cette hypothèse qu'on peut
expliquer la hâte avec laquelle l'opposition s'est raccrochée aux
chiffres inexacts sur la différenciation de la paysannerie. Ce
n'est que par cette hypothèse qu'on peut expliquer la singulière
facilité avec laquelle l'opposition a oublié que le paysan moyen
est chez nous la figure centrale de l'agriculture...

STALINE, *Questions du léninisme*, 25 janvier 1926.

L'Opposition dénonce la dégénérescence du Parti, 1927

La composition sociale du Parti s'aggrave de plus en plus
au cours de ces dernières années. Au 1er janvier 1927, on compte
dans notre Parti (en chiffres ronds) :

Ouvriers de l'industrie et des transports (à l'usine) ...   430 000
Ouvriers agricoles 15 700
Paysans (dont plus de la moitié actuellement fonction-
   naires) 303 000
Employés (dont plus de la moitié ex-ouvriers) 462 000

Ainsi, nous avons dans notre Parti, au 1er janvier 1927,
un tiers d'ouvriers à l'usine (même moins : 31 %) et deux tiers
de paysans, employés, ex-ouvriers et « autres ».

La composition sociale des organismes dirigeants du Parti
s'est encore plus aggravée. Dans les Comités de district, les
paysans (d'origine) représentent 20,5 %, les employés et autres
24,4 %; 81,6 % des membres de ces comités sont des fonctionnaires d'État. La proportion des ouvriers d'usine dans les
organismes dirigeants du Parti est insignifiante : Comités régionaux, 13,2 %, comités de district, de 9,8 % à 16,1 % (voir les
statistiques du département des statistiques du C. C. du P. C. de
l'U. R. S. S. du 1er juin 1927).

Dans l'ensemble du Parti on compte environ un tiers d'ouvriers
d'usines, et dans les organismes délibératifs cet élément ne s'y
trouve plus que dans la proportion d'environ un dixième.
Cette situation représente un danger imminent pour le Parti.
Les syndicats ont suivi le même chemin. Cela indique dans

quelle mesure les « dirigeants » provenant des couches petites-bourgeoises et la bureaucratie « ouvrière » nous enlèvent le pouvoir. C'est là le chemin le plus sûr vers la « déprolétarisation » du Parti...

L'anéantissement de la démocratie intérieure du parti mène à l'anéantissement de la démocratie ouvrière en général, dans les syndicats et dans d'autres organisations sans parti de masses.

On déforme les divergences intérieures du Parti. Durant des mois et des années on mène une polémique empoisonnée contre le point de vue des bolcheviks qui sont classés comme « opposition ». On ne leur donne pas la possibilité de faire connaître leur point de vue dans la presse du Parti... Les documents eux-mêmes ne sont jamais publiés. On oblige les cellules du Parti à voter ou à « condamner » les documents qu'elles ne connaissent même pas.

Le Parti est obligé de juger des divergences sur des documents maquillés de l'Opposition, sur les idées fausses et grossièrement mensongères qu'on lui attribue. Les paroles de Lénine : « qui croit sur simple parole est un idiot incurable », sont remplacées par cette nouvelle formule : « qui ne croit pas sur simple parole est un oppositionnel ». Les ouvriers d'usine qui partagent le point de vue de l'Opposition paient pour leurs idées par le chômage. Un membre du rang du Parti ne peut pas manifester ouvertement son opinion. Les vieux militants du Parti ne peuvent s'exprimer ni dans la presse, ni dans les réunions du Parti...

Plate-forme de l'opposition, TROTSKI-ZINOVIEV, 1927.

Liquidation de l'opposition trotskiste

(En octobre 1927 Trotski et Zinoviev sont exclus du Comité central et puis — le 15 novembre — du Parti. En janvier 1928, les cadres les plus importants de l'opposition seront déportés ou « invités à quitter Moscou ».)

On parle d'arrestations de désorganisateurs exclus du parti et qui mènent un travail antisoviétique. Oui, nous les arrêtons et les arrêterons s'ils ne cessent pas de miner notre parti et le pouvoir soviétique... On dit que ces faits sont inconnus dans l'histoire de notre parti. Ce n'est pas vrai. Et le groupe de Miasnikov? Et le groupe de la *Vérité ouvrière?* Qui donc ignore que les membres de ces groupes ont été arrêtés avec l'appui direct des camarades Trotski, Zinoviev et Kamenev?

STALINE, octobre 1927, cité par Boris Souvarine,
Staline, 1935, p. 424.

Le parti unique

(Le gouvernement prête à l'opposition l'intention de fonder un parti concurrent. Voici la réponse de Boukharine, principal

*théoricien du bolchevisme, et de Tomski, président des syndicats
soviétiques :)*

Chez nous aussi, d'autres partis peuvent exister. Mais voici le principe fondamental qui nous distingue de l'Occident. La seule situation imaginable est la suivante : un parti règne, tous les autres sont en prison.

N. Boukharine, Troud, 13 novembre 1927.

Sous la dictature du prolétariat, deux, trois, quatre partis peuvent exister, mais à une seule condition : l'un au pouvoir, les autres... en prison. Celui qui ne comprend pas cela n'a pas la moindre notion de l'essence de la dictature du prolétariat, du parti bolchevik.

M. Tomski, Pravda, 19 novembre 1927.

(Tomski sera acculé au suicide et Boukharine sera exécuté comme « traître » et « agent de l'impérialisme ».)

V

STALINE ET L'AVÈNEMENT DU TOTALITARISME

Présentation

Formellement, la crise de 1928 n'était pas plus grave que celle de 1923-24 : les quantités de grain vendues par les paysans étaient de 2,2 millions de tonnes inférieures au minimum nécessaire au ravitaillement des villes. Mais cette fois le Parti répondit en déclenchant l'une des plus grandes révolutions agraires de tous les temps. Cette fois encore, la révolution menait les hommes plus qu'elle n'était menée par eux. Ainsi dans l'imagination de Trotski (exclu en 1927, déporté à Alma-Ata, puis expulsé du pays), l'industrialisation et la collectivisation devaient affaiblir la bureaucratie dont il dénonçait « l'alliance avec les koulaks » et qu'il accusait en outre de vouloir restaurer le capitalisme.

Combien peu décisif fut le « rôle de la personnalité » dans ce tournant de l'histoire, c'est ce qu'on peut constater par les déclarations de Staline jusqu'à 1930 : jusqu'au dernier moment il fut un modéré en matière d'industrialisation et de collectivisation. Aussi bien le premier plan quinquennal pour 1928-1933 (adopté en mai 1929) prévoyait la collectivisation de 20 % des fermes tout au plus : on comptait que la superficie totale des kolkhozes et des sovkhoses passerait de 2 % en 1928 à 13,4 % de la superficie totale en 1933, contre 86,6 % aux fermes individuelles : à cette date encore, la plus grande partie du ravitaillement des villes devait être assurée par les fermes individuelles. Mais en un mois et demi, du 20 janvier au 1er mars 1930, le nombre des familles incorporées dans les kolkhozes passa de 4,4 à 14,2 millions : 55 % des familles paysannes avaient été « libérées », comme disait Staline, « de leur attachement servile à leur lopin de terre ». Cette « libération » avait été si radicale que, pris de désespoir, les paysans abattaient leur bétail et refusaient de travailler dans les kolkhozes. Le 2 mars 1930, Staline renversa la vapeur par son fameux article Le vertige du succès. Il rejeta ses responsabilités sur ses subordonnés qui « socialisaient les poulaillers » et il rappela que la politique du Parti « s'appuie sur la libre adhé-

sion des paysans aux kolkhozes ». Les intéressés ayant interprété cette phrase comme une autorisation de quitter les kolkhozes, le nombre des familles englobées dans le « secteur socialiste » qui, le 1er mars 1930, s'élevait à 14 274 000, tomba à 5 680 000 le 1er mai suivant... Toutefois, le répit ne pouvait qu'être de courte durée. La collectivisation intégrale des régions à blé (décidée en décembre 1930) était le seul moyen d'assurer le ravitaillement des populations urbaines qui avaient presque doublé entre 1928 et 1932. On sait que le premier plan quinquennal ne put être réalisé qu'au prix d'un gonflement gigantesque de la main-d'œuvre industrielle : selon les prévisions du plan, il y aurait 15,8 millions de salariés dans l'économie nationale pour la dernière année de la période; en fait, en 1932, il y en avait plus de 23 millions, soit 45 % plus que prévu. En huit ans les villes drainèrent 17 millions et demi de paysans, soit 2 millions par an. Il est évident que seule la collectivisation intégrale, c'est-à-dire l'appropriation totale du produit agricole pouvait permettre au régime de faire face aux problèmes que posait pareille urbanisation accélérée, unique dans l'histoire.

En quelques années, entre 1930 et 1936, 25,5 millions de producteurs indépendants furent expropriés et incorporés de force dans quelque 240 000 unités d'exploitation (kolkhozes) destinées à pomper l'économie paysanne. Par le truchement des livraisons obligatoires (15 % de la production kolkhozienne en 1938) et des paiements aux stations des Machines et Tracteurs (M. T. S.), l'État s'appropriait le tiers en moyenne de la production kolkhozienne, et cela à des prix si bas que ces ventes kolkhoziennes n'étaient en réalité qu'une forme à peine voilée d'impôt en nature. Jusqu'en 1956, les recettes provenant des livraisons à l'État étaient si basses qu'elles restaient inférieures au prix de revient des produits agricoles. C'est par ces méthodes « militaires-féodales » (comme disait Boukharine) d'exploitation de l'économie paysanne que l'État a pu réaliser l'accumulation « primitive » du capital. Plus précisément, la vente à des prix très élevés des céréales achetées à des prix de spoliation, a permis à l'État de constituer une part considérable des investissements : en 1937 le quart des revenus budgétaires étaient dus aux céréales extorquées par le moyen de l'organisation kolkhozienne.

Cette « solution finale » du problème agraire n'a pas été sans entraîner les plus profondes transformations dans la situation de la classe ouvrière. A partir des années 1930... toute trace de démocratie disparut à l'intérieur du parti, des usines et des syndicats. Syndicats et comités d'entreprise furent dépouillés de toute représentativité et se transformèrent en rouages de l'administration. L'égalitarisme fut répudié comme « déviation petite-bourgeoise » et l'œuvre colossale de l'industrialisation s'accompagna d'une baisse considérable du salaire réel et d'une différenciation très poussée des revenus. D'autre part, il va de soi que cette gigantesque révolution (ou contre-révolution) qui frustra la majorité paysanne et puis la classe ouvrière de toutes les conquêtes de la révolution d'octobre, ne pouvait triompher sans la création d'un immense appareil de pouvoir totalitaire. Après avoir brisé la résistance des « travailleurs directs » dans les campagnes et dans les villes, celui-ci se tourna contre la nouvelle élite frappant à l'aveuglette, les uns après les autres, les cadres de l'État, de l'économie, des syndicats, du parti, de l'armée et finalement de la police elle-même. Si le monolithisme politique et la liquidation des opposants furent la conséquence de la transformation révolutionnaire de la « base économique » de la société, la dogmatisation du marxisme-léninisme et la transformation de Staline en « coryphée des sciences et des arts » en furent l'expression « idéologique ».

C'est ce mélange indéfinissable de despotisme oriental, de cléricalisme séculier et de terrorisme policier qui tiendra désormais lieu de « modèle du socialisme ».

1. — LE GRAND TOURNANT

Staline s'engage dans la voie des réquisitions forcées

Où est l'issue à la situation?

Il est des gens qui (...) estiment que le pouvoir des Soviets pourrait s'appuyer à la fois sur deux classes opposées, — la classe des koulaks dont le principe économique est l'exploitation de la classe ouvrière, et la classe des ouvriers, dont le principe économique est la suppression de toute exploitation. Tour de force digne de réactionnaires. Point n'est besoin de démontrer que ces « plans » réactionnaires n'ont rien de commun avec les intérêts de la classe ouvrière, avec les principes du marxisme, avec les tâches du léninisme...

Ne pas comprendre l'importance de la grande exploitation koulak à la campagne, ne pas comprendre que le rôle des koulaks à la campagne est cent fois supérieur à celui des capitalistes dans l'industrie des villes, c'est perdre la raison, c'est rompre avec le léninisme, c'est passer du côté des ennemis de la classe ouvrière.

STALINE, *Sur le front du blé,* mai 1928. E.S.

La « dékoulakisation »

On ne pouvait admettre la dépossession du koulak aussi longtemps que nous nous en tenions au point de vue de la limitation des tendances exploiteuses du koulak, aussi longtemps que nous ne pouvions passer résolument à l'offensive contre les koulaks, aussi longtemps que nous ne pouvions remplacer la production des koulaks par celle des kolkhoz et des sovkhoz. Alors, la politique qui n'admettait pas la dépossession du

koulak était nécessaire et juste. Et maintenant? Maintenant, c'est une autre affaire. Nous avons la possibilité d'engager aujourd'hui une offensive résolue contre le koulak, de briser sa résistance, de le liquider comme classe et de remplacer sa production par celle des kolkhoz et des sovkhoz. Maintenant, la dépossession du koulak est faite par les masses mêmes de paysans pauvres et moyens, qui réalisent la collectivisation intégrale. Maintenant, la dépossession du koulak dans les régions de collectivisation intégrale n'est plus une simple mesure administrative. La dépossession du koulak y est partie constitutive de la formation et du développement des kolkhoz. Voilà pourquoi il est ridicule et peu sérieux de s'étendre aujourd'hui sur la dépossession du koulak. Une fois la tête tranchée, on ne pleure pas les cheveux...
STALINE, *Questions de politique agraire*, 27 décembre 1929. E.S.

...Nous avons toléré ces buveurs de sang, ces scorpions et ces vampires, en appliquant une politique de limitation de leurs tendances exploiteuses. Nous les avons tolérés, parce que nous n'avions rien pour remplacer les exploitations des koulaks, la production des koulaks. Maintenant, nous avons la possibilité de remplacer avantageusement leur économie par l'économie de nos kolkhoz et de nos sovkhoz. Il n'y a aucune raison maintenant de tolérer plus longtemps ces scorpions et ces buveurs de sang. Tolérer plus longtemps ces scorpions et ces buveurs de sang, qui mettent le feu aux kolkhoz, qui assassinent les militants kolkhoziens et cherchent à saboter les semailles, c'est aller contre les intérêts des ouvriers et des paysans...
STALINE, *Réponse aux camarades kolkhoziens*, avril 1930. E.S.

Décret sur la peine de mort pour délit de vol
(*Izvestia*, nº 218, 8 août 1932).

...Le Comité exécutif central et le Conseil des commissaires de l'U.R.S.S. estiment que la propriété publique (d'État, de kolkhoze, de coopérative) constitue la base du régime soviétique; elle est sacrée et intangible; les gens qui attentent à la propriété publique doivent être considérés comme ennemis du peuple; c'est pourquoi une lutte décisive contre les voleurs de la propriété publique est le premier devoir des organes du pouvoir soviétique.
Partant de ces considérations et allant au-devant des exigences des ouvriers et des kolkhoziens, le Comité exécutif central et le Conseil des commissaires de l'U.R.S.S. décident :

I

1. D'assimiler les marchandises transportées par voie de fer

et d'eau à la propriété d'État et de renforcer par tous les moyens leur protection;

2. D'appliquer, à titre de mesure répressive juridique, au vol de ces marchandises, la peine suprême de défense sociale (mort), avec confiscation de tous les biens; en cas de circonstances atténuantes, détention d'au moins 10 ans, avec confiscation des biens;

3. De n'accorder aucune amnistie aux criminels condamnés pour vols de marchandises sur les transports.

II

1. D'assimiler les biens des kolkhozes et des coopératives (récoltes sur pied, réserves publiques, bétail, dépôts et magasins coopératifs, etc.) aux biens d'État, et de renforcer par tous les moyens leur protection contre le vol;

2. D'appliquer à titre de mesure répressive juridique, au vol de biens des kolkhozes et des coopératives, la peine suprême de défense sociale (mort), avec confiscation de tous les biens; en cas de circonstances atténuantes, détention d'au moins 10 ans, avec confiscation des biens;

3. De n'accorder aucune amnistie aux criminels condamnés pour vols de biens des kolkhozes ou des coopératives.

III

1. De mener une lutte décisive contre les éléments koulaks-capitalistes antisociaux qui usent de violences et de menaces, ou prêchent l'emploi de violences et de menaces envers les kolkhoziens pour les obliger à sortir des kolkhozes, dans l'intention de désorganiser les kolkhozes par la violence; d'assimiler ces crimes aux crimes contre l'État;

2. D'appliquer à titre de mesure répressive juridique, aux affaires de protection des kolkhozes et kolkhoziens, contre les violences et menaces des éléments koulaks et autres antisociaux, la peine de 5 à 10 ans de détention dans un camp de concentration;

3. De n'accorder aucune amnistie dans ces affaires.

Le Président du Comité exécutif central : N. Kalinine.
Le Président du Conseil des commissaires : V. Molotov (Scriabine).
Le Secrétaire du Comité exécutif central : A. Enoukidzé.
7 août 1932.

L'industrialisation : un chant de triomphe

Nous n'avions pas de sidérurgie, base de l'industrialisation du pays. Nous l'avons maintenant.

Nous n'avions pas d'industrie des tracteurs. Nous l'avons maintenant.

Nous n'avions pas d'industrie automobile. Nous l'avons maintenant.

Nous n'avions pas d'industrie des constructions mécaniques. Nous l'avons maintenant.

Nous n'avions pas une sérieuse industrie chimique moderne. Nous l'avons maintenant.

Nous n'avions pas une véritable et sérieuse industrie pour la fabrication des machines agricoles modernes. Nous l'avons maintenant.

Nous n'avions pas d'industrie aéronautique. Nous l'avons maintenant.

Pour la production de l'énergie électrique nous occupions la toute dernière place. Nous sommes maintenant arrivés à une des premières places.

Pour la production des produits du pétrole et du charbon, nous occupions la dernière place. Maintenant nous sommes arrivés à une des premières places.

Nous ne possédions qu'une seule base houillère et métallurgique, — celle de l'Ukraine, — que nous avions beaucoup de mal à exploiter. Nous sommes arrivés non seulement à remettre debout cette base, — mais encore nous avons créé une nouvelle base houillère et métallurgique dans l'Est, qui fait l'orgueil de notre pays.

Nous ne possédions qu'une seule base de l'industrie textile dans le nord du pays. Nous avons fait en sorte que d'ici peu nous aurons deux nouvelles bases de l'industrie textile, en Asie centrale et en Sibérie occidentale. Et non seulement nous avons créé ces nouvelles et vastes industries, mais nous les avons créées sur une échelle et dans des proportions qui font pâlir les échelles et les proportions de l'industrie européenne...

STALINE, *Bilan du premier plan quinquennal*, janvier 1933.

Rattraper et dépasser les États-Unis

... Dans sept ans, nous aurons rattrapé, peut-être dépassé le niveau actuel des États-Unis, le plus avancé des pays capitalistes, et (...) dans neuf ou dix ans, nous laisserons bien loin derrière nous le niveau qu'ils auront atteint à ce moment s'ils continuent à se développer dans les conditions capitalistes, c'est-à-dire s'il ne s'est pas produit pendant ce temps de révolution socialiste.

L. SABSOVITCH, *L'U.R.S.S. dans dix ans*, Moscou, 1930,
éd. fr., 1930.

2. — LES NOUVEAUX RAPPORTS DE PRODUCTION

Les cadres décident de tout

Autrefois, nous disions que « la technique décide de tout ». Ce mot d'ordre nous a aidés en ce sens que nous avons remédié à la pénurie technique et créé dans toutes les branches d'activité une très large base pour armer nos hommes d'une technique de premier ordre. C'est très bien. Mais cela est loin, bien loin de suffire. Pour mettre la technique en mouvement et l'utiliser à fond, il faut des hommes maîtres de la technique, des cadres capables de s'assimiler et d'utiliser cette technique, selon toutes les règles de l'art. La technique sans les hommes qui en ont acquis la maîtrise est chose morte. La technique avec, en tête, des hommes qui en ont acquis la maîtrise, peut et doit faire des miracles. Si, dans nos usines et fabriques de premier ordre, dans nos sovkhoz et kolkhoz, dans nos transports, dans notre Armée rouge il y avait, en nombre suffisant, des cadres capables de maîtriser cette technique, notre pays obtiendrait un effet trois et quatre fois plus grand que celui qu'il obtient aujourd'hui. Voilà pourquoi le gros de notre effort doit porter maintenant sur les hommes, sur les cadres, sur les travailleurs, maîtres de la technique. Voilà pourquoi l'ancien mot d'ordre : « La technique décide de tout », reflet d'une période déjà révolue, où la pénurie technique sévissait chez nous, doit être remplacé maintenant par ce mot d'ordre nouveau : « Les cadres décident de tout. » C'est là aujourd'hui, l'essentiel...

STALINE, *Discours du 4 mai 1935*. E.S.

Stakhanovisme et joie de vivre

La vie maintenant est meilleure, camarades. La vie est devenue plus joyeuse. Et quand on a de la joie à vivre, le travail va bon train. D'où les normes de rendement élevées. Là se trouve, avant tout, la racine du mouvement stakhanoviste... Si nous vivions mal, sans beauté, sans joie, nous n'aurions point de mouvement stakhanoviste...

STALINE, *Discours aux stakhanovistes*, 17 novembre 1935. E.S.

Qu'est-ce que le stakhanovisme?

L'essence de la méthode stakhanoviste est, tantôt la rationalisation des processus de production, — en ce sens elle est un progrès technique — tantôt, la suppression des garanties élémentaires de sécurité dans le travail, suppression qui permet de produire plus vite, mais au prix de vies humaines. Indiquons seulement ce fait significatif : il existait à Moscou un Institut supérieur du Travail qui avait pour tâche d'élaborer des normes de rendement maxima compatibles avec la santé des ouvriers; cet Institut a été fermé en avril 1936, « ses normes scientifiques ayant été brillamment démolies par la pratique de stakhanoviste »... Le véritable résultat pratique du mouvement stakhanoviste s'est fait sentir dans le domaine financier, non pas qu'il ait occasionné directement une baisse des prix de revient, mais indirectement, car il a été l'occasion de réviser les normes dans le sens d'une augmentation (printemps 1936), ce qui a permis d'affecter tous les ouvriers ne parvenant pas à remplir les normes nouvelles de leur catégorie à la catégorie inférieure, cela représentait pour eux une diminution du salaire mensuel de 5 à 30 roubles, et quelquefois plus, avec l'obligation de travailler au moins autant qu'auparavant. C'est ainsi qu'un mouvement qui a été en partie un mouvement d'émulation socialiste, et qui devait apporter à tous une amélioration du niveau de vie, a été en définitive, une occasion de diminuer le salaire de la majorité des ouvriers.

Charles BETTELHEIM, *La Planification soviétique*, 1939,
3e éd., 1945, Rivière, p. 153 et 156-7.

Les « méthodes psycho-physiques » d'exécution du plan « socialiste »

... Enfin, nous devons examiner les méthodes de réalisation du plan qui sont fondées sur la crainte, sur l'usage par les dirigeants de l'instinct de conservation des dirigés.

1. La menace de renvoi... C'est un stimulant d'autant plus efficace que le renvoi prive le travailleur non seulement de son emploi mais, aussi, dans l'immense majorité des cas, de son logement, situation particulièrement grave étant donnée la crise du logement qui sévit en U.R.S.S.

2. La désertion du travail : le travailleur qui quitte son travail sans l'autorisation de la direction (est qualifié de déserteur et) est susceptible d'un certain nombre de sanctions pénales et tous ses contrats de travail ultérieurs sont sans valeur. C'est dans cet esprit qu'ont été rédigés les décrets du 15 décembre 1930 contre la fluidité de la main-d'œuvre (ce décret stipule qu'un ouvrier cherchant du travail peut être contraint à accepter n'importe quelle tâche qui lui est offerte, dans n'importe quelle région) et le décret du 15 novembre 1935 : tout ouvrier qui ne s'est pas présenté au travail et qui ne peut fournir de raison jugée valable est renvoyé pour six mois, avec interdiction de se présenter pendant ce délai à n'importe quelle autre entreprise de l'État. La sévérité des textes est, bien dans des cas, adoucie par la souplesse de la pratique. [Mais] un décret, en date du 20 décembre 1938 est venu redonner la vie à toutes ces dispositions, par l'institution d'un livret du travail qui doit suivre l'ouvrier partout, indiquer ses manquements à la discipline, spécifier les conditions dans lesquelles il a quitté son précédent emploi, etc.

3. La mobilisation du travail : ... le travail des mobilisés est payé, mais à un taux extrêmement bas, ce qui fait qu'ils n'auraient jamais accompli de plein gré la tâche qui leur est ainsi imposée. De même nature est le système du « contrat de travail collectif » passé entre un kolkhoze — c'est-à-dire entre les fonctionnaires dirigeants d'un kolkhoze — et une entreprise industrielle et par lequel le kolkhoze s'engage à fournir pendant un certain temps, une certaine main-d'œuvre à un certain prix ; cette main-d'œuvre est ensuite recrutée au sein même du kolkhoze à l'aide de mesures de contraintes appropriées ; cette méthode, surtout employée pour faire travailler les paysans dans les mines, est une véritable vente de la force de travail d'autrui... Les salaires beaucoup trop bas sont une des raisons pour lesquelles la grande majorité des paysans ainsi employés s'enfuit à la moindre occasion du lieu du travail.

4. La déportation : ... la déportation est devenue un moyen de réaliser le plan en envoyant des hommes et des femmes travailler (par exemple dans l'Extrême-Nord soviétique) dans des conditions qu'aucun être humain ne voudrait librement accepter. Il suffit, pour se rendre compte de ce que doivent être les conditions de travail des déportés, de citer ce passage des *Isvestija* du 20-12-1937 relatif à la construction par des déportés d'une ligne de chemin de fer en Sibérie : « Jusqu'à présent on pensait que dans ces régions, la saison de construction ne dépassait pas 100 jours par an. L'hiver y est très froid, 50° au-dessous de zéro. Mais les constructeurs ont prouvé que, même dans ces conditions, on peut travailler toute l'année sans interruption ». Il n'est pas étonnant que le bruit ait couru en U.R.S.S. que sur les 500 000 déportés employés à ce travail, seuls quelques dizaines de mille avaient survécu.

La déportation est un moyen de réaliser le plan à bon marché, les déportés n'étant pas payés pour leur travail, mais seulement « nourris ».

La déportation, en tant que moyen de réaliser le plan, joue un double rôle : la menace de déportation permet de faire réaliser le plan aux travailleurs et aux paysans libres, en les contraignant à remplir eux-mêmes les normes les plus élevées ; la déportation réalisée permet l'exécution d'œuvres gigantesques, comme la construction du canal Moskva-Volga ou Volga-Mer Blanche, comme l'édification de fortifications en Sibérie Orientale, etc.

Charles BETTELHEIM, *op. cit.*, p. 165-167.

La lutte contre l'égalitarisme

Quelle est la cause des fluctuations de la main-d'œuvre ? C'est l'organisation défectueuse des salaires, le système défectueux des tarifs, c'est le nivellement « gauchiste » dans le domaine des salaires.

Pour remédier à ce mal, il faut supprimer le nivellement et briser l'ancien système des tarifs. Pour remédier à ce mal, il faut organiser un système de tarifs, qui tienne compte de la différence entre le travail qualifié et le travail non qualifié, entre le travail pénible et le travail facile.

... Qui a raison, Marx et Lénine ou les niveleurs ? Il faut croire qu'ici c'est Marx et Lénine qui ont raison. Mais alors il s'ensuit que celui qui bâtit maintenant le système des tarifs sur les « principes » du nivellement, sans tenir compte de la différence entre le travail qualifié et le travail non qualifié, celui-là brise avec le marxisme, brise avec le léninisme...

STALINE, *Nouvelle situation, nouvelles tâches*, juin 1931. E.S.

Par égalité le marxisme entend, non pas le nivellement des besoins personnels et la manière de vivre, mais la suppression des classes.

Le marxisme n'a jamais reconnu ni ne reconnaît d'autre égalité.

En déduire que le socialisme exige l'égalitarisme, l'égalisation, le nivellement de leurs goûts et de leur vie personnelle, le nivellement des besoins des membres de la société : que, d'après le plan des marxistes, tous doivent porter le même costume et prendre des repas identiques, en même quantité, — c'est dire des platitudes et calomnier le marxisme.

STALINE, *Rapport au XVIIe Congrès du P.C.*, janvier 1934. E.S.

Les « syndicats » et les salaires

Pour déterminer exactement le montant des salaires et fixer le règlement du travail, il est nécessaire que les chefs d'industrie et les directeurs techniques soient directement responsables. Cette décision est dictée par la nécessité d'établir une seule autorité et d'assurer l'économie dans la direction des entreprises... Les ouvriers ne doivent pas se défendre contre leur gouvernement. C'est très mal. C'est vouloir supplanter les organes administratifs. C'est une déviation opportuniste de gauche qui aboutit à miner l'autorité individuelle et à gêner le travail de l'administration.

WEINBERG, *Troud* (organe des syndicats), 8 juillet 1933.

L'établissement de l'échelle des salaires doit être entièrement laissé aux mains des chefs d'industrie. C'est à eux qu'il appartient d'établir la norme.

Pravda, 19 décembre 1935.

3. — LA « SUPERSTRUCTURE POLITIQUE »

Le Parti et les purges

Je passe à la question du Parti.

Le présent congrès se tient sous le signe de la victoire complète du léninisme, sous le signe de la suppression des débris des groupements antiléninistes.

Si, au XVe congrès 1927, il fallait encore démontrer la justesse de la ligne du Parti et combattre certains groupements antiléninistes; si, au XVIe congrès 1930, il fallait donner le coup de grâce aux derniers adeptes de ces groupements, il n'y a plus rien à démontrer à ce congrès, ni, je crois, personne à battre. Tout le monde se rend compte que la ligne du Parti a triomphé...

Camarades, on peut dire que les débats du congrès ont montré la complète unité de conception de nos dirigeants du Parti dans toutes les questions de la politique du Parti. Il n'a été fait, comme vous le savez, aucune objection au rapport. Une parfaite cohésion, tant au point de vue idéologique et politique, qu'au point de vue de l'organisation, s'est donc manifestée dans les rangs de notre Parti. Je me demande si un discours de conclusion est bien nécessaire après cela? Je pense que non. Permettez-moi alors d'y renoncer...

STALINE, *Rapport au XVIIe congrès du P.C.*, janvier 1934. E.S.

La grande terreur (1936-38)

Certains journalistes étrangers prétendent, dans leurs bavardages, que l'épuration, dans les organisations soviétiques, des espions, des assassins, et des saboteurs dans le genre de Trotski, Zinoviev, Kamenev, Iakir, Toukhatchevski, Rozengolz, Boukharine et autres monstres a prétendument « ébranlé » le régime soviétique, a été une cause de « décomposition ». Ce plat bavardage mérite qu'on le tourne en dérision. Comment le fait de chasser des organisations soviétiques les saboteurs et les éléments hostiles peut-il ébranler et décomposer le régime des Soviets? La poignée trotskiste-boukhariniste d'espions, d'assassins et de saboteurs rampant devant l'étranger, servilement aplatis devant le moindre fonctionnaire étranger et prêts à lui servir d'espions — cette poignée d'hommes qui n'ont pas compris que le plus modeste citoyen soviétique, libéré des chaînes du Capital, dépasse de toute une tête n'importe quel haut fonctionnaire étranger traînant sur ses épaules le joug de l'esclavage capitaliste, — qui donc a besoin de cette misérable bande d'esclaves vendus, quelle valeur peut-elle représenter pour le peuple et qui peut-elle « décomposer »? En 1937, Toukhatchevski, Iakir, Ouborévitch et autres monstres ont été condamnés à être fusillés. Après, ont eu lieu les élections au Soviet suprême de l'U.R.S.S. Ces élections ont donné au pouvoir soviétique les suffrages de 98,6 % de tous les votants. Au début de 1938, Rosengolz, Rykov, Boukharine et autres monstres ont été condamnés à être fusillés. Après, ont eu lieu les élections aux Soviets suprêmes des Républiques fédérées. Ces élections ont donné au pouvoir soviétique les suffrages de 99,4 % de tous les votants. On se demande : où sont donc les signes de « décomposition », et pourquoi cette « décomposition » n'est-elle pas apparue dans les résultats des élections?

STALINE, *Rapport au XVIIIe Congrès du P.C.*, mars 1939. E.S.

L'État le plus démocratique...

Les fonctions de notre État socialiste se sont modifiées. La fonction de répression militaire à l'intérieur du pays est devenue superflue, elle a disparu, puisque l'exploitation a été supprimée, les exploiteurs n'existent plus et il n'y a plus personne à réprimer. La fonction de répression a fait place à la fonction de protection de la propriété socialiste contre les voleurs et les dilapidateurs du bien public. La fonction de défense militaire du pays contre l'agression du dehors s'est conservée intégralement. Par conséquent, on a conservé aussi l'Armée rouge, la Marine militaire ainsi que les organismes punitifs et les services de renseignements, nécessaires pour capturer et châtier les espions, les assassins, les saboteurs dépêchés dans notre pays par les services d'espionnage étrangers. De même, s'est conservée et pleinement développée la fonction d'organisation économique, de travail culturel et éducatif des organisations d'État. Maintenant, la tâche essentielle de notre État, à l'intérieur du pays, consiste à faire un travail paisible d'organisation économique, de culture et d'éducation. En ce qui concerne notre armée, nos organismes punitifs et nos services de renseignements, leur pointe est dirigée non plus vers l'intérieur du pays, mais vers l'extérieur, contre les ennemis du dehors.

Comme vous le voyez, nous avons maintenant un État absolument nouveau, un État socialiste, sans précédent dans l'histoire...

STALINE, *XVIIIe Congrès du Parti*, 10 mars 1939. E.S.

Un témoin : Boris Pasternak

... Ainsi le mensonge vint sur la terre russe... La collectivisation avait été une faute, un échec. On ne pouvait pas l'avouer. Afin de masquer l'échec, il a fallu recourir à tous les moyens d'intimidation possibles pour ôter aux gens l'habitude de juger et de penser, pour les forcer à voir ce qui n'existait pas et à prouver le contraire de l'évidence. De là la cruauté sans précédent de la terreur de Yejov, la promulgation d'une constitution destinée à ne pas être appliquée, l'octroi d'élections qui n'étaient pas fondées sur le principe électoral. Et lorsque la guerre a éclaté, la réalité de ses horreurs, du danger qu'elle nous faisait courir, de la mort dont elle nous menaçait, a été un bien auprès de la domination inhumaine de l'imaginaire; elle nous a apporté un soulagement parce qu'elle limitait le pouvoir magique de la lettre morte. Les forçats n'ont pas été les seuls à respirer soudain plus librement, à pleine poitrine; tous sans exception, à l'arrière comme au front, ont ressenti un véritable bonheur en se jetant avec ivresse dans le creuset de la lutte terrible, mortelle et salutaire.

Le Docteur Jivago, Gallimard, 1958.

4. — LA « SUPERSTRUCTURE IDÉOLOGIQUE »

La Russie über alles

La culture soviétique tient la première place parmi les cultures du monde. Jamais l'histoire d'aucun pays ne connut une science, une littérature ni un art pareils à ceux que l'on trouve au pays des Soviets (...). L'art soviétique est l'art le plus avancé, le plus rempli d'idées, le plus révolutionnaire et produit de plus en plus de chefs-d'œuvre dépeignant la grandeur de notre patrie. On ne peut trouver nulle part au monde un pays bourgeois qui puisse se comparer à nous quant à la richesse et la rapidité de croissance de la culture.

Isvestija, 12 avril 1949.

L'histoire de l'humanité n'a jamais connu de culture comparable à notre culture soviétique. Et il n'est pas au monde de pays qui puisse concourir avec l'U.R.S.S. dans le domaine de la culture.

Isvestija, 24 février 1950.

La lutte contre le « cosmopolitisme »

En tant que colporteurs de l'idéologie bourgeoise, les cosmopolites idolâtrent la culture bourgeoise pourrissante. Dans la grande culture du peuple russe ils ne voient que reflets et refrains de la culture bourgeoise de l'Occident... La question de la priorité de la science, de la littérature et de l'art russes est l'un des points cruciaux de la lutte du socialisme contre le capitalisme. D'où les tentatives des ennemis du socialisme pour cacher ou nier la priorité de la science et de la technique soviétiques, l'incommensurable préexcellence de la littérature et de l'art de l'Union soviétique. D'où leurs attaques haineuses contre la culture du grand peuple russe qui est la nation la plus éminente de toutes les nations de l'Union soviétique.

Le Bolchevik (revue de doctrine) cité par le *Monde.*

Les cosmopolites ont tenté de saper la musique en essayant d'empêcher les musiciens d'accomplir les tâches assignées par le Parti et par le Peuple.

Isvestija, 24 mars 1949.

Putréfaction de la science bourgeoise

Cybernétique : Fausse science réactionnaire, née aux U.S.A. De par son essence, la cybernétique est dirigée contre le matérialisme dialectique, contre la physiologie scientifique, contre la conception marxiste scientifique des lois de la vie sociale (...). Cette fausse science mécaniciste et métaphysique s'accorde parfaitement avec l'idéalisme (...). Elle exprime avec éclat un des traits principaux de la conception bourgeoise du monde, son inhumanité (...). Les incendiaires d'une nouvelle guerre mondiale usent de la cybernétique à leurs fins malpropres.

Existentialisme : Philosophie misanthropique et dégénérée...

Freudisme : Courant idéaliste et réactionnaire (...). La psychologie scientifique nie catégoriquement l'existence du « subconscient » freudien (...). Les fascistes allemands se sont servi du freudisme pour justifier leurs pratiques de haine de l'humanité (...). Le freudisme constitue une des armes idéologiques de l'impérialisme fasciste américain qui se sert de la « doctrine » de la subordination de la conscience au « subconscient » afin de justifier et de développer les penchants et les instincts humains les plus bas et les plus dégoûtants.

ROSENTHAL et YOUDINE, *Le Petit dictionnaire philosophique* (1 200 000 exemplaires en 1952).

Putréfaction de l'art bourgeois

En analysant l'art bourgeois moderne, il est impossible d'établir si un tableau est l'ouvrage d'un aliéné mental ou d'un artiste qui simule la folie et imite le premier pour faire fortune. Ce qui n'a d'ailleurs aucune importance (...). Les hommes des générations futures découvriront les œuvres de Picasso, Sartre, Jacques Lipschitz, Henry Moore, Alexandre Calder, Joan Miro, Paul Klee, Piet Mondrian et d'autres artistes qui leur ressemblent. Et pour analyser toute cette production, les hommes sains et normaux de l'époque à venir n'iront pas faire appel à un critique d'art, mais à un psychiatre.

V. KEMENOV, *Les Deux cultures*, Moscou, 1949.

VI

LES MARXISTES EUROPÉENS
ET LE STALINISME

1. — LES PREMIERS CRITIQUES DU STALINISME

Trotski et le stalinisme

Les classes sont définies par leur place dans l'économie sociale et avant tout par rapport aux moyens de production. Dans les sociétés civilisées, la loi fixe les rapports de propriété. La nationalisation du sol, des moyens de productions, des transports et des échanges, et aussi le monopole du commerce extérieur forment les bases de la société soviétique. Et cet acquis de la révolution prolétarienne définit à nos yeux l'U.R.S.S. comme un État prolétarien. Par sa fonction de régulatrice et d'intermédiaire, par le souci qu'elle a de maintenir la hiérarchie sociale, par l'exploitation à ses propres fins de l'appareil de l'État, la bureaucratie soviétique ressemble à toute autre bureaucratie et surtout à celle du fascisme. Mais elle s'en distingue aussi par des traits d'une extrême importance. Sous aucun autre régime, la bureaucratie n'atteint à une pareille indépendance. Dans la société bourgeoise, la bureaucratie représente les intérêts de la classe possédante et instruite qui dispose d'un grand nombre de moyens de contrôle sur ses administrations. La bureaucratie soviétique s'est élevée au-dessus d'une classe qui sortait à peine de la misère et des ténèbres et n'avait pas de traditions de commandement et de domination. Tandis que les fascistes, une fois arrivés à la mangeoire, s'unissent à la bourgeoisie par les intérêts communs, l'amitié, les mariages, etc., la bureaucratie de l'U.R.S.S. s'assimile les mœurs bourgeoises sans avoir à côté d'elle une bourgeoisie nationale. En ce sens on ne peut nier qu'elle soit quelque chose de plus qu'une simple bureaucratie. Elle est la seule couche sociale privilégiée et dominante, au sens plein des termes, dans la société soviétique.

Une autre particularité n'est pas moins importante. La bureaucratie soviétique a politiquement exproprié le prolétariat pour défendre par ses *propres* méthodes les conquêtes sociales du prolétariat. Mais le fait même qu'elle se soit approprié le pouvoir dans un pays où les moyens de production les plus importants appartiennent à l'État, crée entre elle et les richesses de la nation des rapports entièrement nouveaux. Les moyens de production appartiennent à l'État. L'État « appartient » en quelque sorte à la bureaucratie. Si ces rapports, encore tout à fait récents, se stabilisaient, se légalisaient, devenaient normaux sans résistance ou contre la résistance des travailleurs, ils finiraient par la liquidation complète des conquêtes de la révolution prolétarienne. Mais cette hypothèse est encore prématurée. Le prolétariat n'a pas encore dit son dernier mot. La bureaucratie n'a pas créé la base sociale à sa domination, sous la forme de conditions particulières de propriété. Elle est obligée de défendre la propriété de l'État, source de son pouvoir et de ses revenus. Par cet aspect de son activité, elle demeure l'instrument de la dictature du prolétariat.

TROTSKI, *La Révolution trahie*, 1936.

Pour une nouvelle révolution

Supposons la bureaucratie soviétique chassée du pouvoir par un parti révolutionnaire ayant toutes les qualités du vieux bolchevisme et enrichi, en outre, de l'expérience mondiale de ces derniers temps. Le parti commencerait par rétablir la démocratie dans les syndicats et les soviets. Il pourrait et devrait rétablir la liberté des partis soviétiques. Avec les masses, à la tête des masses, il procéderait à un nettoyage sans merci des services de l'État. Il abolirait les grades, les décorations, les privilèges et ne maintiendrait de l'inégalité dans la rétribution du travail que ce qui est nécessaire à l'économie et à l'État. Il donnerait à la jeunesse la possibilité de penser librement, d'apprendre, de critiquer, en un mot, de se former. Il introduirait de profondes modifications dans la répartition du revenu national, conformément à la volonté des masses ouvrières et paysannes. Il n'aurait pas à recourir à des mesures révolutionnaires en matière de propriété. Il continuerait et pousserait à fond l'expérience de l'économie planifiée. Après la révolution politique, après le renversement de la bureaucratie, le prolétariat aurait à accomplir dans l'économie de très importantes réformes, il n'aurait pas à faire une nouvelle révolution sociale.

TROTSKI, *La Révolution trahie*, 1936.

Un moment de doute

[Peut-être] la raison de l'épisode bureaucratique a sa racine non dans le retard du pays ni dans l'environnement impérialiste, mais dans une incapacité congénitale du prolétariat à devenir une classe dirigeante. Il serait alors nécessaire d'établir rétrospectivement que l'U.R.S.S. était, dans ses traits fondamentaux, le précurseur d'un nouveau régime d'exploitation à l'échelle internationale.

TROTSKI, *L'U.R.S.S. en guerre*, sept. 1939.
[*Trotsky a été assassiné par un agent de Staline en 1940.*]

Hilferding : « bureaucratie » ou totalitarisme

Venons-en à la question fondamentale : quelle est la nature du pouvoir central qui domine le système économique russe?

Peut-on considérer que la bureaucratie « domine » l'économie et les individus? La bureaucratie représente partout, et surtout en U.R.S.S., une masse des plus hétéroclites. On y trouve non seulement des fonctionnaires (au sens le plus étroit du mot) du plus petit au plus haut, y compris Staline, mais également des dirigeants de l'industrie à tous les échelons, et d'autres fonctionnaires tels les postiers et les cheminots.

Et l'on nous dit que cette masse hétérogène réaliserait une domination homogène? Mais où se trouvent donc ses représentants? Comment prend-elle ses décisions? Quels sont ses organes?

En réalité, la « bureaucratie » n'est pas la détentrice d'un pouvoir autonome. De par sa structure et sa « fonction », elle n'est qu'un instrument entre les mains des véritables maîtres tout puissants. La bureaucratie est organisée d'après le principe hiérarchique et soumise elle-même à un pouvoir exécutif : elle reçoit des ordres, elle n'en donne pas.

« Tout fonctionnaire, comme le remarque justement Trotski, peut être à tout moment sacrifié par son chef hiérarchique, si c'est nécessaire pour atténuer un quelconque mécontentement. » Et ce seraient là les maîtres de la production, ce nouvel ersatz de la classe capitaliste?

Staline lui-même mit bonne fin à cette légende en ordonnant lors des dernières épurations, de liquider, « entre autres », quelques milliers de dirigeants de l'industrie.

Le maître, ce n'est pas la bureaucratie, mais celui qui donne ses ordres à celle-ci. Or, c'est Staline qui dicte ses ordres à la bureaucratie.

Lénine et Trotski, avec l'aide d'un groupe de partisans d'élite, un parti qui n'a jamais été en état de prendre des décisions indépendantes et qui fut toujours un instrument dans les mains des chefs, comme le furent plus tard le « parti » fasciste et le « parti » national-socialiste — se sont emparés du pouvoir alors que l'ancien appareil d'État se trouvait en pleine décomposition. Ils ont transformé cet État selon les besoins de leur hégémomie : ils ont aboli toute démocratie et établi leur propre dictature assimilée, en paroles mais non en fait, à la « dictature du prolétariat ». De la sorte, ils ont fondé le premier État totalitaire avant même que ne fut créé ce terme. Staline n'a fait que pour-

suivre l'œuvre commencée; grâce à l'appareil de l'État, il réussit
à éliminer ses rivaux et à étendre infiniment sa dictature personnelle.

Tels sont les faits concrets, et il est vain de vouloir les dissimuler en inventant la fallacieuse domination d'une « bureaucratie ». Celle-ci, en vérité, est tout aussi subordonnée au
pouvoir de l'État que le reste du peuple, bien qu'elle puisse —
dans une proportion modeste et en rapport avec la position
personnelle occupée, et de même sans garantie aucune du
lendemain et avec la menace constante pour sa vie — ramasser
quelques miettes de la table des maîtres. Du point de vue matériel, cela ne représente à nul égard une part quelque peu importante de la totalité du produit social, encore que l'effet psychologique d'une telle différenciation puisse être très grand. Il n'en
résulte pas moins, cependant, des conséquences décisives pour
l'économie du pays.

Il est de l'essence de tout État totalitaire de soumettre l'économie nationale à ses buts. L'économie est alors soustraite à ses
propres lois et devient « dirigée ». A mesure que se réalise cette
« direction », l'économie de marché se transforme en économie
d'usage en ce sens que la nature et l'étendue des besoins sont
maintenant déterminés par le pouvoir de l'État.

L'exemple des économies allemande et italienne permet de
réaliser comment dans un État totalitaire, cette direction de
l'économie, une fois commencée, prend des dimensions toujours
plus vastes et tend à devenir omnipotente, comme ce fut le cas
dès le début en Russie soviétique. Avec des points de départ
bien différents, on constate néanmoins un rapprochement entre
les systèmes économiques des États totalitaires.

Les promoteurs de l'activité économique comme l'économie
elle-même sont soumis plus ou moins directement à l'État,
deviennent ses subordonnés. L'économique perd la position
prééminente qu'il détenait dans la société bourgeoise, ce qui ne
signifie nullement que les milieux économiques n'exercent
aucune influence importante sur le pouvoir de l'État en Allemagne
ou en Russie. Mais il ne s'agit, en tout état de cause, que de
conditions, de limites, d'éventualités, qui ne peuvent être décisives quant à l'évolution politique.

La politique est dirigée par le cercle peu nombreux des dirigeants. Ceux-ci la fixent en fonction de leur intérêt, de leurs
idées quant aux exigences présentées par la conservation, l'exploitation et le renforcement de leur propre pouvoir, puis l'imposent
telle une loi à l'économie qui leur est soumise. Ainsi s'explique
l'importance acquise dans le domaine politique par le facteur
« subjectif ».

Le croyant ne connaît que le ciel et l'enfer, le sectaire marxiste
ne connaît que le capitalisme et le socialisme, la bourgeoisie
et le prolétariat, comme forces déterminantes. Nulle place dans
son cerveau pour loger l'idée que le pouvoir de l'État contemporain, s'étant rendu indépendant, déploie son immense puis-

sance d'après ses lois propres, et asservit, pour un temps plus ou moins long, toutes les forces sociales existantes.

Telle est la raison pour laquelle le régime russe et en général tout régime totalitaire n'est pas déterminé par le caractère de l'économie. C'est au contraire l'économique qui est déterminé par le politique, dirigé par celui-ci et subordonné aux buts de ce dernier. Le pouvoir totalitaire puise sa substance dans l'économie, mais n'existe pas pour elle, ni pour la classe dominante de ce système économique, comme c'est le cas dans un État capitaliste, encore que celui-ci, en certaines circonstances, ainsi que le montre l'histoire diplomatique, puisse poursuivre ses propres buts.

Du point de vue social-démocrate, il serait évidemment difficile de voir dans le système économique bolcheviste un système socialiste. Dans notre entendement, le socialisme est indissolublement lié à la démocratie. D'après notre théorie, la socialisation des moyens de production aurait dû libérer l'économie du pays des directives d'une classe et la placer sous l'autodirection démocratique de l'ensemble de la société.

L'histoire, cependant, — « le meilleur des marxistes » — nous enseigne autre chose. Elle nous apprend que « l'administration des choses » peut fort bien, malgré les prévisions d'Engels, se transformer en une « domination illimitée sur les individus », et amener non seulement l'affranchissement de l'État de la tutelle de l'économie, mais aussi la subordination de l'économie aux détenteurs du pouvoir. Une fois soumise à l'État, l'économie garantit l'existence du pouvoir de l'État.

Qu'un pareil résultat soit apparu dans des circonstances sans précédent dues avant tout à la guerre, n'interdit nullement une analyse marxiste : il nous faut seulement modifier nos anciennes idées périmées et par trop simplistes et schématiques sur les rapports existant entre l'économie et l'État, entre l'économique et la politique. La transformation de l'État en une force indépendante complique singulièrement l'analyse et il devient beaucoup plus difficile de rendre compte, en partant de son système économique, d'une société où la politique, c'est-à-dire l'État, joue un rôle déterminant et décisif.

Voilà pourquoi la discussion engagée en vue de savoir si le système économique de l'U.R.S.S. est « capitaliste » ou « socialiste », me paraît sans objet. Il n'est ni l'un ni l'autre. C'est une économie totalitaire, autrement dit un système dont se rapprochent toujours plus les systèmes économiques de l'Allemagne et de l'Italie.

Rudolf HILFERDING, (1)
Capitalisme d'État en économie totalitaire, 1940,
traduction française dans *Revue internationale*, n° 18, 1947.

(1) HILFERDING a été assassiné par les nazis en 1941 ou 1942.

2. — LE CONFLIT SOVIÉTO-YOUGOSLAVE

Condamnation du titisme

La fidélité à l'œuvre grandiose de Lénine et de Staline, à l'internationalisme, se vérifie et se mesure à l'attitude que l'on observe à l'égard de l'Union Soviétique, placée à la tête de toutes les forces de la démocratie et du socialisme. La trahison envers l'internationalisme prolétarien conduit nécessairement dans le camp du nationalisme, du fascisme, de la réaction impérialiste. Témoin la bande d'assassins et d'espions Tito-Rankovic, qui a consommé son passage du nationalisme au fascisme et est devenue l'agence directe de l'impérialisme, son instrument dans la lutte contre le socialisme et la démocratie.

Nikita KHROUCHTCHEV, *L'Amitié stalinienne des peuples*, 1949.

En Yougoslavie, mieux qu'en Italie et en Allemagne, le capital financier a réussi à identifier complètement ses intérêts à ceux d'un capitalisme d'État anonyme. Lorsque nous disons que Tito et sa bande sont des fascistes, des hitlériens au plein sens du mot, nous ne voulons pas dire seulement qu'ils sont les bourreaux du peuple yougoslave. Nous voulons dire très précisément que le régime de Belgrade a toutes les caractéristiques d'un régime fasciste, et cela au sens scientifique, historique du terme.

Pierre COURTADE, *L'Entreprise Tito*, *L'Humanité* du 10-6-1950.

Djilas contre-attaque

[*C'est Milovan Djilas qui ouvrit le feu dans un grand discours prononcé devant les étudiants de Belgrade le 18 mars 1950.*]

Voici les principales déviations du stalinisme : création d'une inégalité dans ses rapports avec les autres pays socialistes et exploitation de ceux-ci; exaltation anti-marxiste du rôle du chef aboutissant souvent à des falsifications grossières de l'histoire, et idolâtrie semblable à celle qu'on trouve dans les monarchies; différenciation des salaires et des traitements allant de 400 à 15 000 roubles, bien supérieure donc à celle qui existe dans les bureaucraties bourgeoises; promotion idéologique du nationalisme panrusse, sous-estimation et abaissement du rôle, de la culture et de l'histoire des autres peuples; politique visant au partage de zones d'influence avec les États capitalistes; monopolisation de l'interprétation de l'idéologie marxiste et de la tactique à employer par le mouvement ouvrier; introduction de méthodes recourant au mensonge et au scandale dans le mouvement ouvrier; abolition de la liberté de discussion, freinage de l'initiative des masses, c'est-à-dire des forces productives fondamentales et, du même coup, de toutes les forces productives en général...

La résolution du Kominform [condamnant Tito] montre que les éléments bureaucratiques de l'U.R.S.S. essayent de trouver dans la politique extérieure une solution à la crise intérieure, c'est-à-dire d'étouffer temporairement cette crise par des succès à l'étranger, par l'exploitation et la subordination d'autres pays socialistes...

C'est ainsi que les contradictions internes entre le centralisme bureaucratique et les producteurs directs, c'est-à-dire le peuple, se sont inévitablement développés en contradictions externes, en un conflit entre l'impérialisme bureaucratique et les aspirations du peuple vers une vie dans la liberté et l'égalité.

M. DJILAS, *Sur les nouveaux chemins du socialisme*, 1950.

Qu'est-ce que le Parti communiste de l'U.R.S.S.? Il compte environ 5 millions de membres, mais dont la majorité se trouve dans la police politique, la milice, les cadres supérieurs de l'armée et de l'appareil bureaucratique des institutions gouvernementales. Tel est le parti tout entier, identifié à l'appareil d'État et avec une faible proportion d'ouvriers et de paysans. C'est un parti de chefs, de bureaucrates, et c'est ce qui a amené l'U.R.S.S. sur une voie fausse.

TITO, *Déclaration au journaliste indien Banerji*, rapportée par l'agence yougoslave Tanyoug le 9-9-1950.

Capitalisme bureaucratique et impérialisme

...Au lieu de l'internationalisme, de la fraternité et de l'égalité entre les peuples, nous avons [en U.R.S.S.] un obscurantisme nationaliste, le maintien de six pays européens civilisés sous le joug d'une force d'occupation camouflée, une exportation de capitaux et l'extorsion de ceux-ci selon les méthodes de l'accu-

mulation primitive par des superbénéfices (1), la préparation
d'une guerre de conquête, prétendument dirigée contre le capitalisme, mais, en fait, pour s'assurer du butin et conquérir
de nouveaux territoires...

Au lieu des formes joyeuses et libres de vie intellectuelle et
sociale..., nous avons des pensées grises et standardisées, des
déblatérations frénétiques, déshumanisées, l'oppression sauvage et totale — un réseau d'espions, qui a pénétré même la
plus petite cellule sociale, s'est glissé dans les relations entre
mari et femme, entre parents et enfants, entre les artistes et leur
inspiration ou leur œuvre, tel que l'histoire de l'humanité
n'en avait pas encore connu.

...Des phrases creuses, des falsifications grossières, la démagogie et des procès préfabriqués, sur le modèle des procès en
sorcellerie : voilà les moyens par lesquels ils tentent d'abuser
les travailleurs...

[Conclusion] L'État capitaliste et monopolisateur a atteint
en U.R.S.S. des formes gigantesques, despotiques, dans tous les
domaines de la vie.

M. Djilas, Borba, 20 novembre 1950.

Le conflit soviéto-yougoslave a été *avant tout* un conflit entre
un État impérialiste et un pays indépendant que cet État impérialiste voulait assujettir... Il y a longtemps déjà que l'évolution
intérieure de l'U.R.S.S. a dévié du socialisme pour s'engager
sur la voie d'un capitalisme d'État avec un système bureaucratique sans précédent... En U.R.S.S., les directeurs ont le droit
de juger les ouvriers, de les condamner au travail forcé. N'est-ce
point pour les ouvriers une situation bien pire que celle dont ils
souffrent dans les pays capitalistes les plus arriérés? Les dirigeants de Moscou affirment que le socialisme est déjà édifié
et qu'ils s'engagent dans le communisme tandis que des millions de citoyens soviétiques pourrissent dans les camps de la
mort et du travail forcé, tandis que des millions d'hommes
appartenant aux nations non russes sont privés de leurs droits,
déportés dans la taïga sibérienne où ils sont exterminés. Ils
parlent du passage au communisme tandis que de nombreux
paysans étayent leurs masures avec des pieux pour empêcher
qu'elles ne s'écroulent et portent des chaussures en fibre de
tilleul... Quelle ironie que tout cela et quelle drôle de conception
du communisme!

Tito, *Déclaration au Congrès du P.C.Y.*, 2 novembre 1952.

---

(1) Allusion aux « sociétés mixtes » installées par l'U.R.S.S. dans les diverses
« démocraties populaires ». Ces sociétés ont été supprimées en 1955.

3. — UNE DÉMOCRATIE POPULAIRE :
LA TCHÉCOSLOVAQUIE

Le modèle soviétique

L'Union Soviétique est le pays muni non seulement de l'ordre social étatique le plus progressiste, mais encore de la technique de production la plus évoluée. Or une partie de notre intelligentsia courbe l'échine devant la technique occidentale, américaine notamment. Il y en a chez nous qui dans leur mesquinerie nationale sont convaincus que, la Tchécoslovaquie ayant une industrie développée et de vieilles traditions, il n'est ni nécessaire ni possible de se mettre à l'école de l'U.R.S.S. et des pays de démocratie populaire. C'est là une erreur grave et particulièrement nuisible.

J. Dolansky, président de l'Office national de Planification,
Rapport au C.C. du Parti, 22 février 1951.

L'accumulation d'une expérience énorme · et la maturité atteinte par l'Union Soviétique dans les domaines scientifique et technique ont une importance capitale pour l'édification du socialisme dans notre pays... Il ne s'agit pas seulement de se familiariser avec la science de toutes les sciences, avec le marxisme-léninisme, doctrine de Staline, base solide et guide de notre édification. Il est également d'une importance capitale pour nous autres de connaître tous les résultats pratiques et théoriques des sciences naturelles et techniques soviétiques, ainsi que la science soviétique. Sans l'assistance de la science et de la technique soviétiques, sans un contact permanent avec la science et la technique soviétiques, on ne peut imaginer le développement ni l'épanouissement de la science et de la technique de la Tchécoslovaquie nouvelle et socialiste. La science et la technique capitalistes, notamment américaines, sont déjà en retard dans leur évolution : se conformant aux lois directrices de la société capitaliste, lois de décadence, de putréfaction et d'aventures guerrières, elles s'enfoncent de plus en plus dans la boue de l'obscurantisme et de la pseudo-science... Il est nécessaire de créer une science et une technique nouvelles, socialistes. Pour que cette tâche soit remplie, il faut nous mettre à l'école de la science et de la technique soviétiques.

Rude Pravo, 10 avril 1951.

Les camps de travail forcé

[Les camps de travail ont été prévus pour] des criminels dangereux et incorrigibles, les oisifs notoires du type des vagabonds et des mendiants, ainsi que les criminels condamnés à plusieurs reprises. La pratique a toutefois démontré qu'une protection efficace de la sécurité, et notamment de la sécurité collective, exige que des établissements analogues soient créés et que des mesures analogues soient prises également contre les personnes qui, quoique ne s'étant rendues coupables d'aucun acte délictueux défini, constituent néanmoins un danger pour l'organisation économique et sociale en raison de leur comportement antisocial, en évitant un travail régulier et honnête. Notre Constitution déclare que le travail est une obligation civique. L'effort d'édification de tout le peuple laborieux, sans lequel la sécurité de la nation et la sécurité de l'individu seraient inimaginables, exige nécessairement que des mesures soient prises contre ceux qui évitent le travail et ne remplissent pas leurs obligations civiques et, ce faisant, désorganisent l'édification économique et politique de l'État. Les camps de travail forcé constituent une de ces mesures.

Exposé des motifs de la loi n° 247 du 25 octobre 1948.

La durée du travail

On bavarde beaucoup à propos de la journée de travail de huit heures. Comme si nous avions déjà tout accompli en travaillant huit heures. Or, même la lutte jadis menée pour la journée de huit heures ne correspondait pas à ce point de vue. On la menait, avant tout, contre le capitalisme et c'est une lourde méprise — si ce n'est quelque chose de pire encore — lorsqu'on tourne cela contre l'État ouvrier et son édification du socialisme.

Z. NEJEDLY, ministre de l'Éducation et de la Culture,
Discours à la Radio, 27 juillet 1952.

Les cadres

De nombreux ouvriers ont du contremaître une opinion périmée, capitaliste; ils le considèrent comme un garde-chiourme. Du fait de cette attitude, les agents de maîtrise se montrent timides, indulgents envers les ouvriers; ils n'exigent pas de ceux-ci qu'ils utilisent au maximum la durée du travail, qu'ils exploitent mieux les machines, qu'ils fournissent un travail de meilleure qualité. Ils craignent de l'exiger pour ne pas avoir des ennuis dans l'usine. Il faut changer radicalement cette situation. Le Parti et les syndicats doivent soutenir l'autorité des contre-maîtres, de façon que ceux-ci n'aient pas peur d'imposer aux ouvriers de travailler à plein rendement... Nous devons faire du contremaître un chef d'atelier muni de pleins pouvoirs et qui a largement le droit de prodiguer des ordres et de rendre ses subordonnés responsables de leurs activités. Nous devons également améliorer ses conditions de salaire.

R. SLANSKI, secrétaire général du P.C.,
La Construction du socialisme dans notre pays, 1949.

Les syndicats et les revendications ouvrières

Les syndicats se heurtent à l'esprit conservateur de la partie la moins consciente des travailleurs qui, par la force de l'inertie, considèrent toujours la présentation de revendications comme une voie vers l'amélioration de leur situation.

Prace (organe des syndicats), 31 août 1951.

La première tâche de l'organisation syndicale consiste à prendre soin de l'amélioration du niveau de vie et de l'existence des travailleurs. Comment l'organisation syndicale peut-elle s'acquitter de sa tâche en période d'édification du socialisme? Peut-être en présentant des revendications? A qui les présenterait-elle? Les directeurs des usines et leur administration tout entière ne sont-ils pas membres de la même organisation syndicale? Ne serait-il pas ridicule de présenter des revendications contre soi-même? La tâche des syndicats est d'élever la productivité, d'augmenter le revenu national, de produire davantage, mieux et à meilleur marché.

A. ZAPOTOCKY, président du Conseil, dans *Rude Pravo*,
7 juin 1952.

L'égalitarisme, « ennemi de la construction socialiste »

Souvent, dans les entreprises, les fonctionnaires semblent avoir honte des salaires élevés touchés par les travailleurs de choc et les ouvriers qualifiés, évitent de discuter à leur sujet, cèdent aux fâcheuses tendances égalitaristes des éléments retardataires. Ce n'est évidemment pas le moyen de créer dans l'entreprise un vaste mouvement en faveur d'une qualification plus haute, d'une maîtrise technique et d'une organisation progressiste, condition indispensable à l'essor de la productivité.

Pravda de Bratislava, 24 novembre 1951.

Internationalisme ou vassalisation ?

Il ne faut pas croire que tout ce que nous faisons, chaque pas, chaque geste, doive nous être spécialement payé. Cette opinion est malheureusement très répandue chez nous et c'est dangereux... Notre amour pour l'Union Soviétique, il ne faut pas l'expliquer seulement par le fait que l'U.R.S.S. nous a beaucoup donné et nous donne beaucoup. Nous l'aimons parce qu'elle est notre exemple et notre idéal de classe et qu'elle nous donne des valeurs qui ne sont pas à vendre. Si l'Union Soviétique ne nous donnait rien, nous ne l'adorerions pas moins. Mieux encore, s'il fallait lui venir en aide d'une manière ou d'une autre, nous donnerions tout ce que nous avons.

> Z. NEJEDLY, ministre de l'Éducation et de la Culture,
> *Rude Pravo*, 20 décembre 1952.

[*En ce temps, la presse lança une grande campagne d' « éclaircissements » pour l'exécution ponctuelle des commandes soviétiques :*]
Dans la lutte pour le maintien de la paix mondiale, nous avons pour tâche d'aider les pays de démocratie populaire par des livraisons d'équipement industriel nécessaire pour leur édification socialiste. C'est pour nous un devoir important et honorable que de faire de notre mieux pour réaliser correctement les livraisons destinées à l'Union Soviétique, notre grande amie et libératrice.

> Le Conseil central des syndicats,
> *Rude Pravo*, 19 juillet 1952.

...Les travailleurs se rendent compte à quel point est inestimable le bonheur de contribuer — fût-ce par l'accomplissement du plus infime des engagements économiques — à la réalisation des buts grandioses du peuple soviétique.

> *Rude Pravo*, août 1952.

L'uranium 1947-1968

...Vers le mois de novembre 1947 l'ingénieur Rada, directeur général des Mines, arriva à Moscou et me remit un ordre écrit de Gottwald d'examiner avec Rada le problème de la livraison du minerai d'uranium à l'U.R.S.S. Ce problème n'avait jamais été remis en question, ce qui était en litige, c'était le prix. Je fis valoir que nous réglions à des prix mondiaux aussi bien le blé que le minerai de fer russes et qu'il n'y avait aucune raison de vendre notre unique richesse nationale à un autre prix. Le tarif mondial pratiqué après la guerre était, on le sait, fort élevé et il s'agissait donc de sommes importantes. De surcroît, l'extraction devait être intensifiée considérablement et, dans les années à venir, la somme concernée aurait pu atteindre plusieurs milliards de couronnes... Nous ne terminâmes pas les négociations... Entre-temps, il y eut les événements de février et les affaires concernant l'uranium tombèrent sous la compétence du président de la République, Gottwald... Puis le sujet du minerai et tout ce qui le concerne devint tabou, sinon prétexte à des poursuites criminelles.

...Plus tard j'appris que la police avait interrogé Rada à plusieurs reprises et qu'après l'un de ces interrogatoires, rentré chez lui, il s'était brûlé la cervelle dans son jardin.

Evgen Löbl, vice-ministre du Commerce extérieur
jusqu'en 1949, Procès à Prague, Stock, 1969,
p. 49 et suiv.

En avril 1968, un spécialiste de la question, M. Karpisek a écrit dans le journal Svoboda que « l'accord avec l'U.R.S.S. était désavantageux pour la Tchécoslovaquie » et demandait que « les négociations pour les fournitures de 1970 à 1980 soient conduites par de bons hommes d'affaires ».

Après l'invasion et la « normalisation » de 1968, Rude Pravo a évoqué le problème de l'uranium en ces termes : « D'un point de vue purement commercial, les spéculations de nos « experts en uranium » sur la possibilité de devenir riches facilement, demeurent de vaines illusions. Il s'agit de fausses idées concernant les désavantages du commerce de l'uranium entre la Tchécoslovaquie et l'U.R.S.S. et les importations de minerai de fer et de pétrole brut en provenance de l'Union Soviétique »... Le journal dénonce aussi comme « fausses » les idées de certaines personnes « qui se font des illusions sur la vente de l'uranium contre des dollars » et sur les possibilités d'obtenir des prêts de l'étranger « garantis par nos ressources en uranium ».

Rappelons qu'aucun chiffre n'a jamais été publié sur les échanges dans ce domaine entre les deux partenaires.

K.P.

Le procès Slanski 1952

[*Le 30 juillet 1951, le président de la République Kliment Gottwald décerne au secrétaire général du Parti, Rudolf Slanski, l'Ordre du socialisme, la plus haute distinction tchécoslovaque, « pour ses mérites exceptionnels dans l'édification victorieuse du socialisme ». Le 23 novembre 1951, Slanski est arrêté. Son procès aura lieu le 20 novembre 1952.*]

Le masque de Rudolf Slanski est tombé. Dessous est apparue la face d'un cannibale. La face d'un agent rusé de la bourgeoisie, d'un fossoyeur de notre liberté et de notre indépendance, d'un laquais des prétendants américains à la domination du monde, la face d'un prétendant, confondu, écrasé à temps, au titre de Tito yougoslave.

Les conspirateurs ont causé à l'économie nationale tchécoslovaque des dommages se chiffrant par milliards dans le domaine de l'édification industrielle, en construisant sans projets, en gaspillant les ressources, en créant sciemment les zones de faible rendement dans l'industrie; en sabotant l'extraction des matières premières nationales et les mesures tendant à relever la productivité des entreprises et usines existantes. Il est impossible de rapporter toute l'activité nuisible des conspirateurs et de fixer le chiffre des dommages gigantesques qu'ils ont causé à notre économie et à notre peuple.

L'acte d'accusation. Dans Evgen LÖBL,
op. cit.

Les aveux

Le Président : Les accusés ont le droit de faire une dernière déclaration. Accusé Rudolf SLANSKI, avancez.

SLANSKI : ...J'ai causé des dommages matériels considérables au peuple tchécoslovaque, j'ai freiné l'élévation de son niveau de vie. Je préparais un sort effroyable au peuple de Tchécoslovaquie, une guerre impérialiste, la destruction de son indépendance et la dictature fasciste...

L'accusé Bedrich GEMINDER *(ancien responsable du Secrétariat du C.C. du P.C.)* : Je suis coupable...

L'accusé Ludvig FREJKA *(ancien dirigeant de la section économique de la Chancellerie du Président de la République)* : ... J'ai causé des dommages étendus aux travailleurs de Tchécoslovaquie...

L'accusé Josef FRANK *(ancien secrétaire adjoint du C.C. du Parti)* : ... Je voudrais seulement que les travailleurs apprennent par mon cas où mène, où finit et doit finir celui qui, malgré son origine ouvrière, est tombé dans le bourbier de l'opportunisme...

L'accusé Vladimir KLEMENTIS *(ancien ministre des Affaires étrangères)* : ... Que mon cas serve d'avertissement à quelle fin, à quelle abominable fin mène une appartenance simplement formelle au parti jointe au fléchissement, à la trahison de la fidélité due au parti et à l'Union Soviétique...

L'accusé Karel SVAB *(ancien vice-ministre de la Sécurité nationale)* : ... Je prie le Tribunal de condamner ma trahison avec le maximum de sévérité...

L'accusé Arthur LONDON *(ancien vice-ministre des Affaires étrangères)* : ... Notre conspiration contre l'État était l'un des éléments des plans et attentats bellicistes que, dès le cours de la Seconde Guerre mondiale, les Anglo-Américains ourdissaient contre l'U.R.S.S. et les démocraties populaires...

L'accusé Rudolf MARGOLIUS *(ancien vice-ministre du Commerce extérieur)* : J'ai servi les impérialistes anglo-américains; j'ai été au service de ceux qui sont les successeurs des nazis.

L'accusé André SIMONE *(ancien rédacteur du journal Rude Pravo)* : Je me définis comme un criminel, je suis d'origine juive.

E. LÖBL, *op. cit.* et *Prace*
(organe des « syndicats »), 23 novembre 1952.

[*Thomas Frejka, le fils de l'inculpé Ludwig Frejka écrit au Tribunal* :]
Je réclame pour mon père la peine la plus sévère : la mort. Maintenant seulement je comprends que cette créature, indigne du nom d'être humain, était mon pire ennemi. Je suis un communiste obéissant et je sais que la haine que j'éprouve pour mon père me donnera une force nouvelle dans la lutte pour l'avenir communiste de notre nation. Je vous prie de montrer cette lettre à mon père et de me donner la possibilité de lui dire de vive voix tout ce que je pense de lui.

4. — UN PARTI D'INCONDITIONNELS
LE P.C. FRANÇAIS

Le nouveau dieu

O Grand Staline, O chef des peuples
Toi qui fais naître l'homme
Toi qui fécondes la terre
Toi qui rajeunis les siècles
Toi qui fais fleurir le printemps
Toi qui fais vibrer les cordes musicales
Toi splendeur de mon printemps, toi
Soleil reflété par les milliers de cœurs.
Louis ARAGON

Le plus grand philosophe de tous les temps...
ARAGON, *Les Lettres françaises*, 5 février 1953.

De Marx à Staline

La lecture de Marx est difficile, elle exige une contention d'esprit que la fatigue manuelle ou intellectuelle du métier ne permet pas toujours d'appliquer, à la fin d'une journée de travail. La lecture d'Engels, si intimement liée à celle de Marx, est déjà plus facile... Ainsi la « Dialectique de la nature » est d'un maniement d'autant plus aisé que le lecteur dispose de la remarquable présentation qu'en fait Georges Cogniot dans une récente brochure. Avec Lénine, on assiste à l'irruption soudaine de la vie quotidienne au sein de la spéculation scientifique. La prose de Lénine est, si j'ose dire, une prose orale qui inclurait ses propres commentaires. A la première lecture d'une page de Staline, on éprouve un éblouissement. Une si grande simplicité! Une si parfaite et continuelle évidence! Une telle facilité à l'accès total à sa pensée! Si l'on peut comprendre l'hésitation d'un travailleur à se plonger, en débutant, dans la lecture d'Engels ou de Marx, si l'on doit regretter qu'il ne connaisse pas toujours dans le détail certaines œuvres de Lénine, il serait inexcusable de ne pas lire et relire les textes lumineux de Staline. Aussi inexcusable que de ne pas être en familiarité avec les œuvres de Maurice Thorez. Ainsi Marx, Engels, Lénine et Staline, pour ne parler que d'eux, figurent les degrés successifs d'une ascension à la clarté.

Pierre ABRAHAM, *La marche à la lumière,*
Les Lettres françaises, 12 mars 1953.

Etre stalinien

Il est bien difficile de mettre en relief tous les mérites de Maurice Thorez. Il est difficile de souligner dans toute leur importance les différents aspects de l'activité de Maurice Thorez.

Je veux me borner à insister sur quelques points les plus marquants.

Tout d'abord, ce qui caractérise Maurice Thorez, c'est qu'il est le meilleur stalinien français.

... Arborant fièrement le titre de « stalinien », qu'il mérite si pleinement, Maurice Thorez disait :

« *Et nous, communistes, que l'ennemi de classe et ses agents croient outrager en nous appelant « staliniens », nous redisons bien haut, comme il y a vingt ans, notre fierté de ce titre d'honneur et de gloire que nous nous efforçons de mériter.*

De tout notre cœur, nous proclamons notre amour ardent pour Staline et nous l'assurons de notre confiance inébranlable.

Vive à jamais notre cher et grand Staline!

Vive le communisme! »

Être stalinien, nous efforcer d'être staliniens, voici ce que nous recommande, ce que nous enseigne Maurice Thorez.

J. DUCLOS, *Cahiers du Communisme,* juin 1952.

Attachement inconditionnel à l'U.R.S.S.

... On trouve aussi quelques membres du Parti qui reculent devant l'affirmation de nos sentiments d'amitié et de confiance envers l'Union Soviétique...

Serait-il UN communiste celui qui n'éprouverait pas un attachement sans réserve pour la Révolution socialiste d'Octobre, base de la révolution prolétarienne dans le monde? Serait-il UN communiste celui qui n'aurait pas au cœur une affection sans bornes pour Staline, le chef, l'ami, dont nous avons célébré avec ferveur le 70e anniversaire? *(Longs applaudissements.)*

Ceux qui doutent, ceux qui hésitent à propos de l'Union Soviétique sombrent en vérité dans le nationalisme, dans le chauvinisme. Ils rompent avec les principes de l'internationalisme prolétarien, tels que précisément Staline les formulait le 1er août 1927 :

« L'Internationaliste est celui qui est prêt à défendre l'U.R.S.S.

sans réserve, sans hésitation, parce que l'U.R.S.S. est la base
du mouvement révolutionnaire mondial et qu'il est impossible
de faire progresser le mouvement révolutionnaire, sans défendre
l'U.R.S.S., car celui qui pense défendre le mouvement révolutionnaire sans et contre l'Union Soviétique, celui-là va contre
la révolution et roule inévitablement dans le camp des ennemis
de la révolution. »

Oui, rompre avec l'internationalisme prolétarien, sombrer
dans le nationalisme, manifester la moindre réserve à propos de
l'Union Soviétique, en parler comme d'un « autre pays », ne
pas distinguer entre l'État socialiste et les puissances impérialistes,
c'est inévitablement tourner le dos à la classe ouvrière, au socialisme. N'est-ce pas ce qui est arrivé à Tito et à sa clique d'aven-
turiers passés au service des impérialistes fauteurs de guerre
et devenus les pires ennemis de leur peuple, du mouvement ouvrier
international, les pires ennemis de l'U.R.S.S.?

> *Cahiers du communisme,* mai 1950, pp. 24-25.

La chasse aux sorcières

... Sous le couvert de ce qu'ils appellent l'intérêt national
juif, les sionistes ne défendent que les intérêts de la grande
bourgeoisie capitaliste... C'est pour atteindre les objectifs de la
classe capitaliste égoïste et stupide qu'ils se sont organisés en
groupements internationaux mis depuis longtemps au service
de l'impérialisme américain...

L'impérialisme américain avait pensé avec l'aide de la clique
Slanski et Cie faire tourner en arrière la roue de l'histoire.
Il n'y a pas réussi. C'est donc pour lui une lourde défaite. Mais
c'est non seulement pour le peuple tchécoslovaque, qui par
l'élimination du cancer qui le rongeait voit sa puissance renforcée, mais aussi pour tous les peuples, pour toute l'humanité
progressiste, une grande victoire.

> Florimond BONTE, *Le Verdict de Prague, lourde défaite des
> impérialistes fauteurs de guerre, grande victoire de la cause de la
> paix. France Nouvelle* (hebdomadaire central du P.C.F.).

... C'est en Tchécoslovaquie qu'a débuté en fait la Deuxième
Guerre mondiale et dans la mesure où ces gens-là [*Slanski, etc.*]
pensaient pouvoir compter sur les trahisons intérieures ils auraient
pu facilement se laisser aller jusqu'à la tentation de brusquer
les événements pour déclencher la guerre... [L'accusation d'anti-
sémitisme] est une canaillerie et une stupidité! Ce procès est en
définitive un épisode de la guerre de classes entre, d'une part
ceux qui veulent conserver leurs privilèges et les reconquérir
là où ils les ont perdus, et, d'autre part, ceux qui veulent se
libérer de la servitude, de l'exploitation et de la misère.

> Jacques DUCLOS cité par *Le Monde* du 30 novembre 1952.

Le « complot des assassins en blouse blanche »

La question posée par les agissements criminels des inculpés en U.R.S.S. n'est nullement la question de l'antisémitisme prétendu des communistes; la question posée est guerre ou paix. Guerre avec les impérialistes américains et leurs complices. Ou paix avec le camp démocratique, avec l'Union Soviétique et les pays de démocratie populaire, avec les travailleurs du monde entier...

Francis CRÉMIEUX, *La Nouvelle Critique*, mars 1954.

Les crimes des médecins saboteurs étaient partie intégrante des préparatifs impérialistes en vue du déclenchement d'une troisième guerre mondiale... Nul ne s'étonnera que tous les journalistes asservis au camp de la guerre bavent de rage dans la presse marshallisée d'ici... Les commentaires délirants de la presse de guerre ne sont pas sans objet. Ceux qui les inspirent savent que les travailleurs, dans leur droiture native, conçoivent difficilement les procédés ignobles auxquels l'impérialisme a recours. Aussi tentent-ils de les troubler par leurs clameurs, de les amener à douter de l'atroce réalité... La mise hors d'état de nuire des médecins criminels en U.R.S.S. réjouit tous les travailleurs, éclaire le visage hideux de l'impérialisme.

Étienne FAJON, *L'Humanité*, 17 janvier 1953.

5. — DÉMARXISATION
DE LA SOCIAL-DÉMOCRATIE ALLEMANDE

Pendant toute l'époque de Weimar le parti resta, officiellement et en théorie, marxiste, mais sa politique devint de plus en plus réformiste. Il se laissa inspirer par la pratique des syndicats (un pas après l'autre) et surtout par les nécessités et possibilités de la politique communale. En effet les communes allemandes (qui jouissent d'une autonomie beaucoup plus ample que leurs sœurs françaises) étaient, entre temps, devenues le fief incontesté du S.P.D. (au moins en ce qui concerne les villes industrielles). De ce fait, le parti devint de plus en plus réalisateur, pragmatique et s'éloigna de plus en plus de toute eschatologie. Ceci le rendit de moins en moins intéressant aux intellectuels (« de gauche »), mais d'autant plus effectif dans le domaine de la vie quotidienne des classes laborieuses. Enfin le programme de 1931 déclara sans ambages que le parti social-démocrate allemand était un parti réformiste et démocratique pour lequel la démocratie est d'ores et déjà une valeur en elle-même.

Survint l'an 1933. Dès les premiers moments, le régime nazi remplit les camps de concentration de socialistes et de communistes. Des milliers furent assassinés dès les premières semaines. Le groupe parlementaire socialiste fut le seul à voter contre la loi des pleins pouvoirs accordant à Hitler carte blanche. Le discours prononcé en l'occurrence par Otto Wels sauva l'honneur de la démocratie en Allemagne. Otto Wels est mort en émigration. Kurt Schumacher passa douze ans dans différents camps de concentration et, avec lui, des milliers de militants. La plupart y périrent assassinés.

Après la guerre le S.P.D. fournit dans les trois zones d'occupation occidentale ministres, maires, administrateurs. En zone soviétique, l'administration militaire soviétique fusionna de force socialistes et communistes en un parti unique d'obédience communiste. A Berlin, où eurent lieu des élections à peu près libres, seulement un nombre infime de membres du parti votèrent la fusion. Beaucoup payèrent bien cher leur amour de la liberté. Sur le plan idéologique tout était à repenser. Le parti entreprit cette tâche immense avec une énergie, une audace remarquable. Le résultat de ses travaux est inséré dans le programme de Godesberg en 1959.

Le parti ne se veut plus marxiste : il est revenu à Lassalle. Il considère que l'Histoire est l'œuvre d'hommes qui veulent, et non de l'automatisme de la dialectique matérialiste. L'analyse des réalités politiques, sociales, économiques est de première nécessité : mais l'analyse en elle seule ne donne pas d'impulsion à la volonté et n'oriente pas : c'est la morale qui le fait et elle est le résultat d'une conception déterminée de l'homme et de sa mission sur terre. Jean Jaurès est devenu un de nos maîtres.

La philosophie et la religion sont des sphères autonomes et les Églises ont un rôle positif à jouer. L'État ne peut entraver leur liberté d'agir tant que les lois générales sont respectées. La démocratie est la valeur primordiale en politique. Mais le parti la veut réelle et non seulement formaliste : le travailleur ne doit pas être élevé à la dignité de citoyen uniquement dans l'ordre politique : il doit aussi devenir citoyen de l'ordre économique et social, d'où la revendication de la cogestion dans les entreprises industrielles.

La propriété privée n'est pas un mal, elle est un bien indispensable dans une société libre. Il est nécessaire de créer autant de fortunes individuelles que possible : il faut que l'homme puisse dire « non » sans risquer à tout moment son existence sociale, mais il faut empêcher les trusts et les cartels de devenir des instruments de domination dans les mains d'une minorité incontrôlée. Pour ceci la nationalisation peut, çà et là, être nécessaire, mais elle n'est pas de rigueur ni le seul moyen utile. Le produit national doit être équitablement réparti : le régime fiscal et des lois dites sociales sont les instruments les plus appropriés dans la situation actuelle.

Le parti social-démocrate allemand veut être un parti national européen et populaire : il n'est plus le parti d'une seule classe déterminée, il est ouvert à tous ceux qui adhèrent à ses buts essentiels qui se résument en une phrase : créer, par tous les moyens démocratiques — d'abord dans le cadre de la nation — un monde dans lequel les réalités économiques, sociales, politiques, culturelles permettent à l'homme de vivre en paix et de se libérer du fléau de l'aliénation à lui-même et rendent possible l'identification de l'idée de l'homme et des conditions de son existence réelle. Nous ne voulons pas socialiser l'homme, mais humaniser la société.

CARLO SCHMID, membre du comité directeur du Parti socialiste allemand S.P.D., *Le centenaire du Parti Social-démocrate allemand*, 1863-1963.

VII

LA CRISE DU COMMUNISME

Présentation

Le nouvel ordre de choses que Staline avait légué à ses héritiers semblait réaliser le paradigme même de la toute-puissance. A l'intérieur de chaque pays du « bloc socialiste », on retrouvait les mêmes relations hiérarchiques et centralisées de commandement politique, de gestion économique et de gouvernement idéologique. Un seul appareil rigoureusement unifié et discipliné, à la fois omniscient et omniprésent, semblait concentrer entre ses mains les trois fonctions principales qu'Engels attribue aux classes dirigeantes, savoir : la « direction générale du travail », l' « administration des affaires communes » et la « domination idéologique ». Économie, politique, idéologie ne constituaient plus des ordres essentiellement hétérogènes et irréductibles, incarnés par des groupes plus ou moins « autocéphales », générateurs de pouvoirs plus ou moins indépendants. La répartition de ces pouvoirs traditionnellement séparés semblait plutôt résulter d'une division fonctionnelle du travail à l'intérieur d'une classe dominante unique. Pour parler le langage marxiste, plus que jamais légitime : rapports de production et d'exploitation, rapports de domination politique et rapports de « mystification idéologique » ne forment ici que trois aspects organiquement solidaires d'un seul bloc monolithique.

Le « bloc » tout entier reproduisait à l'échelle internationale le système unifié de domination et de sujétion ainsi que la stricte orthodoxie qui prévalaient à l'intérieur de chaque nation : au « rôle dirigeant du parti » à l'intérieur de chaque pays correspondait le « principe » non moins sacré du « rôle dirigeant de l'U.R.S.S. à la tête du camp socialiste ». Il est vrai que l' « amitié stalinienne des peuples » n'excluait pas certains procédés franchement « paléo-impérialistes », par exemple la déportation de populations entières de plusieurs « républiques socialistes autonomes ». Rien qu'en Europe, les annexions pures et simples réalisées au détriment de la Finlande, des États Baltes, de l'Allemagne, *de la Pologne, de la Tchécoslovaquie et de la Roumanie, ont couvert une superficie de 464 000 km² avec une population de vingt-deux millions d'habitants. Non moins « paléo-impérialistes » sont les formes de « division socialiste du travail » qui ont été imposées à l'ensemble du bloc, ainsi que la « russification » culturelle qui en fut le « complément idéologique ». En revanche, ce qui nous paraît vraiment original dans l'empire dont Staline fut le héros éponyme, c'est le halo de sacralité —* tremendum et numinosum — *qui enveloppa l'* « exemple exaltant *de l'U.R.S.S.* » *pendant de longues années, ce fut un article de foi que le* « pays des soviets » *avait établi une fois pour toutes le modèle de la* « construction du socialisme », *qu'il convenait d'imiter jusqu'au moindre détail. De même, la reconnaissance de l'* « éminente préexcellence de la culture russe » *était devenue la pierre de touche de l'orthodoxie* « marxiste » *: à l'intérieur de cet univers magique, la sécession titiste ou les* « déviations nationalistes » *des peuples non russes ne désignaient plus des erreurs* « humaines trop humaines », *mais des actes sacrilèges entraînant une souillure psychiquement insupportable, quelque chose comme la profanation de l'hostie dans l'imagerie du Moyen Age.*

Détenteur de la vérité totale et du sens de l'histoire, guidant la « marche de l'humanité vers la terre promise du socialisme », *guidé lui-même par un chef infaillible, à la fois* « Père des Peuples » *et* « Coryphée des Sciences et des Arts », *le Parti semblait planer dans un monde soustrait à l'emprise de la réflexion critique, étranger au temps de l'histoire. En apparence, rien ne pouvait troubler l'harmonie immaculée de l'* « édification du socialisme » *: même la faune monstrueuse qui surgissait périodiquement à la surface à l'occasion des purges et des procès, avait fini par trouver une place dans les sous-sols de l'immense édifice. Personne ne pouvait croire que l'autorité du Père pourrait un jour être mise en question. Aux communistes du monde entier l'idée d'une auto-contestation du stalinisme paraissait absurde par définition. Aux non-communistes lecteurs de 1984 elle paraissait matériellement et intellectuellement impossible. Personne ne pouvait croire que des révolutions pourraient spontanément éclater, renverser en trois jours ou en quelques heures des régimes qui pendant de longues années n'avaient reculé devant rien pour briser l'opposition et monopoliser la totalité des pouvoirs.*

En réalité, pour reprendre la formule de Lénine, ni les gouvernants ni les gouvernés ne pouvaient et ne voulaient vivre comme auparavant. La mort du dictateur a ouvert ce que les révisionnistes polonais Kuron et Modzelewski appelleront la « première phase de la crise générale de la dictature de la bureaucratie » *: tandis que les nouveaux gouvernants annuleront les décisions que le XIXe congrès avait prises quelques mois plus tôt et s'empressaient de réhabiliter les prétendus* « assassins en blouse blanche », *une première vague insurrectionnelle s'abattit sur le paysage apparemment a-historique du* « socialisme » *: grève générale en R.D.A., combats de rue du 17 juin 1953 à Berlin, grèves insurrectionnelles* en Tchécoslovaquie, émeutes et grèves dans les prisons et dans les camps de concentration en U.R.S.S. (1).

Lorsque, en février 1956, le « rapport secret » dénonça les crimes de Staline et les méfaits du « culte de la personnalité », il est apparu avec évidence que la « domination inhumaine de l'imaginaire » avait fait son temps : le prétendu « culte de la personnalité » n'était qu'un pseudo-culte et ne s'adressait qu'à la superficie de l'âme. Artificiellement créée par une combinaison unique dans l'histoire de manipulation publicitaire et de terreur policière, la foi nouvelle ne comportait pas la moindre fidélité. Le même appareil de propagande qui avait permis à Staline de « démasquer » comme traîtres et « monstres » la plupart des chefs « unanimement » adorés du régime, s'est finalement retourné contre lui et, après l'avoir paré de toutes les vertus et dans tous les domaines, le transformait subitement en bouc émissaire.

La déstalinisation ouvrit la brèche par laquelle les démons de la critique s'introduisirent dans l'empyrée de l'idéologie. Pour la diaspora, ce fut un « coup terrible », selon le mot de Jean-Paul Sartre. Pour les intellectuels et les militants de l'Est ce fut une occasion inespérée de redécouvrir l' « âme essentiellement critique et révolutionnaire de la dialectique ». Ce fut, somme toute, comme s'ils venaient de constater pour la première fois que le marxisme était autre chose qu'un « langage de bois » (ainsi qu'on appelait en Pologne le jargon stalinien), qu'il était possible de confronter les idées marxistes avec la réalité qu'elles étaient censées animer, d'appliquer les critères marxistes au régime qui les avait inscrits sur ses frontons.

Nous ne connaissons pas de meilleure introduction aux thèmes fondamentaux de la pensée marxiste que la vaste critique et auto-critique dont les « révisionnistes » de l'Est furent les auteurs au cours des années 1955-57. En effet, dans leur critique du totalitarisme stalinien (et non plus du seul « culte de la personnalité »), les intellectuels et les ouvriers de Pologne et de Hongrie ont répété exactement les mêmes démarches qui avaient conduit Marx de la critique de la religion à celle de la politique et de l'économie. On a vu comment Marx a présenté cet enchaînement : « La critique du ciel se transforme en critique de la terre, la critique de la religion, en critique du droit, la critique de la théologie en critique de la politique ». Remplaçons « religion » par « marxisme orthodoxe » et nous verrons le programme général mis à exécution par les intellectuels contestataires d'abord en Europe de l'Est, puis en Chine (1956-1957) et enfin au cœur même de l'Empire : en U.R.S.S.

_____

(1) Paradoxalement, la Chine nouvelle s'engagera dans la voie de la stalinisation (collectivisation et industrialisation à outrance) au moment même où le Hongrois Imre Nagy en dénoncera les méfaits.

Critique de l'aliénation idéologique

Il était désormais impossible de cacher le lien de cause à effet qui existe entre l'enthousiasme de commande devant l'œuvre « théorique » de Staline et la déchéance de la pensée marxiste. Ainsi Lukacs a pu dénoncer publiquement un « système qui voulait fabriquer des philosophes à la chaîne, sans science, sans culture ». Cet ancien pourfendeur de l' « obscurantisme bourgeois » constatait maintenant avec amertume que « à l'heure où nous sommes, il n'existe pas de logique marxiste, pas de pédagogie, pas d'esthétique, pas d'éthique marxistes, et cela en dépit du fait que le prolétariat s'est emparé du pouvoir dans plusieurs pays, jetant ainsi les bases objectives du développement du marxisme scientifique ». On sait que Jdanov avait autrefois formulé les mêmes reproches, mais cette fois ce qui était mis en cause ce n'était pas le « cosmopolitisme », ni l' « objectivisme », mais le « dogmatisme », lequel, disait Lukacs, « a non seulement laissé inexploitées toutes les nouvelles possibilités, mais encore a rejeté le marxisme, étouffé toutes les tentatives qui auraient pu conduire à son enrichissement ».

La « science fabuleuse » au nom de laquelle le Parti, promu au rang de pédagogue suprême, avait rejeté la relativité einsteinienne, la théorie des quanta, la psychanalyse, la sociologie weberienne, l'économie keynesienne, la peinture impressionniste ou la musique dodécaphonique, n'était qu'une fantasmagorie destinée à donner une auréole idéologique au « culte de la personnalité ». Mais on ne se limita pas à la seule dénonciation de la « superstructure idéologique » du stalinisme.

Les nouvelles formules de « direction non bureaucratique par le Parti du processus de création littéraire » (sic) qu'avançaient timidement les directeurs de l'idéologie, permirent aux contestataires de soumettre à la critique l'aspect le plus éthéré du totalitarisme : sa prétendue esthétique ou « réalisme socialiste ». Pour le Polonais Jan Kott, il s'agissait d'un simple moyen policier d'empêcher la littérature « d'aborder le thème des procès qui révoltaient notre conscience et qui constituaient pourtant notre réalité quotidienne depuis de nombreuses années » (1). Sous ses apparences marxistes, ce n'était qu'un système d'interdictions destiné à bâillonner les intelligences « qui n'avaient d'autre issue que de s'enfoncer toujours plus profondément dans le mensonge, que de créer une vision toujours plus factice de la réalité ». Ce fut, comme le déclara A. Slonimski, « un instrument de précision destiné à annihiler l'art » que le Parti « confia à des bureaucrates qui ont exercé leur procédé destructif pendant vingt ans, avec un zèle et un enthousiasme aiguillonnés par la peur » (2). Son unique résultat, dira Soljenitsyne, fut une littérature qui « n'est digne que du terme de maquillage » (3).

(1) *Mythologie et Vérité* in *Przeglad Kulturalny*, 11 avril 1957.
(2) *Op. cit.*
(3) *Lettre aux écrivains soviétiques*, mai 1967.

On continuait, dans les hautes sphères « idéologiques » ou dans les rencontres internationales, à parler de lever l'anathème qui pesait sur les impressionnistes (tous les pays du bloc 1956) ou de réhabiliter Kafka (Tchécoslovaquie et R.D.A. 1963) ou... Chagall (U.R.S.S. 1967) — mais la « critique du ciel » totalitaire était déjà en train de se transformer en « critique de la terre ».

Critique de l'aliénation politique

A la démystification de 1956 a succédé une lutte directe et tenace contre le monopole idéologique du Parti et ses instruments institutionnels : la censure et les prétendues Unions corporatives des écrivains. En mai 1967, tandis que les « révisionnistes » tchèques essayaient — sans succès — de faire passer à la Radio de Prague les textes de Marx contre la censure, Soljenitsyne, suivi par des dizaines d'écrivains et de savants, se livra à une attaque féroce contre l'appareil bureaucratique de l'Union des écrivains qu'il accusa d'avoir « lâchement abandonné à leur malheur les écrivains que la persécution a condamnés à l'exil, au camp de concentration et à la mort ».

Mais il ne s'agissait pas seulement de lutter contre la tutelle paternelle que le Parti exerçait sur les arts et les lettres. Il s'agissait avant tout de lever les obstacles qui s'opposaient à la manifestation de la vérité sur la « sombre période » du « culte ». Comme le disait Alexandre Tvardovski en 1962, « en art et en littérature, comme en amour, on ne peut mentir que pendant un certain temps : tôt ou tard vient l'heure de la vérité ». La vérité en question fit sa première apparition sous la forme du roman Une Journée d'Ivan Denissovitch *(1962), premier témoignage non clandestin sur le système concentrationnaire, bientôt suivi d'une foule de récits du même genre, comme ceux de Guinsbourg, de Chalamov et de Martchenko en U.R.S.S., de Lengyel en Hongrie, de Lustig en Tchécoslovaquie. « Il paraît que les périodiques et les maisons d'édition sont inondés de manuscrits sur la vie en déportation, dans les prisons et dans les camps. C'est là un sujet très dangereux » : c'est ainsi que M. Khrouchtchev décrivit, le 8 mars 1953, la réaction des écrivains à la publication du roman de Soljenitsyne. Mais* quid *de la vérité au sens prosaïquement historique du terme?*

L'extraordinaire mémoire Sur le progrès et la coexistence pacifique *de l'académicien Alexandre Sakharov (1) nous donnera une idée de la manière dont la génération issue de la déstalinisation aborde aujourd'hui ces sujets très dangereux (cf. infra p. 434).*

Dans les démocraties populaires, personne n'est allé aussi loin dans la dénonciation du stalinisme : A. Sakharov affirme que « rien qu'en 1936-39, plus de 1 million 200 mille membres du

---

(1) A. D. SAKHAROV : *La liberté intellectuelle en URSS et la coexistence,* 1968. Trad. fr. Gallimard, Idées, 1970.

Parti ont été arrêtés, environ la moitié de ses effectifs, 50 000 seulement ont retrouvé la liberté; les autres ont été fusillés — 600 000 — ou ont péri dans les camps ». Mais, dès 1956, il est devenu patent que, avec le despotat de Staline, c'était la mystique du Parti — « avant-garde consciente de la société » qui venait de disparaître.

Invités par W. Gomulka à « se débarrasser de l'atmosphère empoisonnée de mensonges, de falsifications et de duplicité », les révisionnistes polonais ont été les premiers à désacraliser cette prétendue avant-garde dont Lénine avait déjà dénoncé la « vantardise communiste » et les « mensonges communistes ». Po Prostu ne manqua pas l'occasion de mettre les points sur les i. Du Parti que Staline voyait peuplé de surhommes « taillés dans une étoffe spéciale », il donna la définition suivante : « C'est un dictateur collectif des masses, un gendarme et non pas un dirigeant politique agissant en accord avec leurs revendications et leurs tendances; un dieu incarnant en soi la sagesse immanente et intégrale, donnant sans cesse les leçons aux masses tout en les méprisant en fait; un tabou inviolable et sacré, fondant son action sur des motifs qui ne sont connus que de lui seul, et visant à des fins qui ne sont souvent que de pures et simples spéculations doctrinales » (1).

Ces éducateurs dont la spécialité était le tout et qui étaient totalement dépourvus de toute autre qualification, le hongrois Gyula Hay les baptisa « camarade Kucsera » et en fit un portrait féroce : « Kucsera ne connaît rien à fond et en conséquence se mêle de tout, et naturellement à l'échelon le plus élevé. Son rôle ne se borne-t-il pas à donner des directives? Sur le plan des principes. A propos de n'importe quoi. A tout propos. Comment puis-je exiger de lui qu'il ait des connaissances? » Dix ans plus tard la Tchécoslovaquie se remplit de mêmes cris vengeurs. Pour Ludvik Vaculik, le règne de cette prétendue élite avait abouti et ne pouvait aboutir qu'à une véritable sélection à rebours. Comment, se demandait-il, « comment se fait-il que les hommes qui exercent le pouvoir dans les ministères et les administrations soient toujours les plus médiocres, les plus plats, les plus dénués d'imagination et soient, physiquement, du type patibulaire : grosse mâchoire, grosse nuque, regard éteint? Par quel vice fondamental notre système sélectionne-t-il ces hommes lorsqu'il s'agit de pourvoir les postes publics? » (2).

Par delà le thème (commun à toute la jeune littérature tchécoslovaque) de l' « ivresse du pouvoir », c'est l'idée même du monopole politique qui fut impitoyablement dépouillée de ses oripeaux mythologiques.

Le moment était venu de chercher le secret de l'État totalitaire là où Marx l'aurait trouvé. Nous pensons à la célèbre règle dont il s'est toujours servi dans ses recherches concrètes : « C'est toujours dans les rapports immédiats entre les maîtres des condi-

---

(1) R. Turski et E. Lasota : *L'Octobre polonais; Po Prostu*, 28 octobre 1956.
(2) *Les Temps modernes*, mai 1968.

tions de la production et les producteurs directs que nous découvrons le secret intime, le fondement caché de toute la structure sociale et, par conséquent, de la forme politique revêtue par les rapports de domination et de subordination, bref, de toutes les formes spécifiques de l'État ».

Se laissant guider par cette maxime qui a déjà fait ses preuves, les intellectuels en révolte se mirent à appliquer à la société dite socialiste le même critère dont Marx s'est servi pour analyser la structure économique et politique des autres sociétés. De la critique de l'aliénation politique on passa ainsi à la critique de l'aliénation sociale et à l'analyse des « rapports de production ».

Critique de l'aliénation sociale

Ainsi la crise de l'économie et de la société polonaise en 1956 fut définie comme le résultat d'un « conflit entre les rapports de production et les forces productives » (1). Cette formule classique du marxisme sert maintenant à définir une situation de « régression » caractérisée, sur le plan économique, par « un gaspillage pathologique, un chômage massif et gardé secret, un abaissement du niveau de vie, aggravé par la militarisation de l'économie », et sur le plan social et politique, par « l'atomisation de la classe ouvrière et la paralysie de son activité politique, l'émergence d'une aristocratie ouvrière, la cristallisation d'un appareil dirigeant de l'économie nationale et d'un appareil exerçant le pouvoir au sein de l'État et du parti ». Deux semaines plus tard, une résolution du IXe Plenum de l'Union des Syndicats polonais (16-18 novembre 1956) dénonça « la violation massive de la démocratie dans les syndicats » et leur transformation en « organismes bureaucratiques qui oubliaient les besoins des travailleurs et ne luttaient pas pour leur satisfaction ». C'est dans ce contexte que les révisionnistes S. Chelstovski et W. Godek redécouvrirent pour leur propre compte les thèses de Burnham et de Djilas, ce qui donna, entre autres, la définition suivante du « stalinisme » : « Système socio-économique où existe une relation de dépendance économique entre les masses populaires et le groupe des administrateurs, celles-ci dépendant de ceux-ci. L'expression politique de cette relation est la dictature du groupe dominant sur le prolétariat » (2).

A vrai dire la théorie de la « nouvelle classe » n'était pas une nouveauté dans les démocraties populaires. Pendant la rupture de 1948-1955, les dirigeants yougoslaves (que l'orthodoxie traitait alors de « fascistes ») avaient déjà émis quelques doutes sur le caractère social du régime stalinien qu'ils accusaient d'avoir « dévié du socialisme pour s'engager sur la voie d'un capitalisme d'État avec un système bureaucratique sans précédent ». La réconciliation de 1955 mit fin à ses polémiques. Les enragés de Po Prostu,

---

(1) Turski et E. Lasota : L'Octobre polonais, Po Prostu, 28 octobre 1956.
(2) Dans Po Prostu, 28 octobre 1956.

les révoltés hongrois, les néo-révisionnistes polonais Kuron et Modzelewski, les antitotalitaires tchécoslovaques, les marxistes « clandestins » en U.R.S.S. (dont A. Sakharov et surtout Medvediev) leur donneront une ampleur qui dépasse de loin la critique traditionnelle — trotskiste ou titiste — des « déformations bureaucratiques ».

Malheureusement le volumineux ouvrage (plus de 1 000 pages) de R. Medvediev n'est pas encore traduit en français (1). C'est peut-être aux thèses de Medvediev que Sakharov se réfère lorsqu'il évoque « l'idée avancée dans des discussions et des écrits selon laquelle les manifestations politiques du stalinisme seraient une « superstructure » d'une « classe à part, l'élite bureaucratique bénéficiaire de la nomenclature, *qui s'approprie les fruits du travail social par un réseau complexe de privilèges connus et secrets ».*

En revanche, nous connaissons fort bien les thèses que Modzelewski et Kuron exposèrent en 1965 dans leur fameuse Lettre ouverte au Parti ouvrier polonais (2).

Pour eux, la « bureaucratie politique centrale » est une classe exploiteuse, au sens marxiste du terme. Elle « détient l'ensemble du pouvoir politique et économique, privant la classe ouvrière non seulement de tout pouvoir et de tout contrôle, mais aussi de tout moyen d'autodéfense » (p. 7). « Disposant des moyens de production de base », elle est une « classe dominante » : de même qu'elle s'approprie le surproduit agricole par le moyen des « prix de monopole » (p. 9), de même elle a « le pouvoir exclusif sur les moyens de production industrielle, elle achète la force de travail de la classe ouvrière, elle lui prend par la force brutale et la contrainte économique le surproduit qu'elle exploite pour des objectifs hostiles ou étrangers aux ouvriers, c'est-à-dire dans le but de renforcer et d'élargir son pouvoir sur la production et la société » (p. 15-16). Sa domination n'est ni capitaliste, puisqu'elle « exige qu'on rende la production indépendante de l'influence régulatrice du marché » (p. 29), ni socialiste puisqu'elle « exige qu'on limite de façon aussi étroite que possible le champ d'initiative propre des ouvriers, des techniciens et des paysans ».

Pour Modzelewski et Kuron, la crise économique que traverse la Pologne ou la Tchécoslovaquie n'est pas une crise partielle, temporaire, susceptible d'être résolue par une simple décentralisation de la gestion, mais une crise structurelle qui « découle du fait que les rapports de production sur lesquels se fonde le pouvoir de la bureaucratie sont devenus un frein au développement économique » (p. 60). Aussi « la crise économique et sociale est impossible à surmonter dans le cadre du système bureaucratique »; « le développement passe nécessairement par la révolution » et celle-ci est non seulement « possible » (« nous avons vu en octobre

---

(1) Il s'agit, dit Sakharov, d'une « monographie fondamentale » qui contient « une analyse approfondie de la genèse et des manifestations du stalinisme », « ouvrage remarquable, écrit dans un esprit socialiste, marxiste ».
(2) Trad. française dans *Quatrième Internationale*, mai 1968.

1956 comment, en Hongrie, la puissante machine de contrainte est devenue impuissante et s'est volatilisée en l'espace de quelques jours ») mais aussi « *inévitable* » *et sera l'œuvre de la classe ouvrière* « *organisée sur la base de la pluralité des partis* » *(p. 69) et du système des conseils. A la débolchevisation par en haut à la manière yougoslave (dépérissement progressif du parti unique) ou à la manière tchécoslovaque (social-démocratisation du parti unique), s'opposera l'avènement révolutionnaire des conseils ouvriers et de la démocratie pluraliste.*

Ainsi, le révisionnisme a ressuscité l'esprit de Marx au moment même où il engageait la bataille contre la nouvelle « *vallée des larmes* » *dont le* « *marxisme orthodoxe* » *formait l'* « *auréole* » *idéologique. Dès lors que la renaissance de l'esprit critique eut brisé le cercle de craie de l'idéologie, la théorie ne devait pas tarder à* « *pénétrer dans les masses et devenir une force matérielle* ». *Le point était atteint où, comme dirait Marx, il devenait évident que l'* « *arme de la critique* » *s'unit à la* « *critique par les armes* ». *Pour le moment, c'est plutôt l'anticritique des divisions blindées qui semble avoir triomphé. La négativité ne continue pas moins son travail souterrain. Elle en a déjà accompli la moitié en dépouillant l'idéologie de ses oripeaux messianiques. A la place de l'* « *internationalisme prolétarien* » *on ne voit plus que des tanks et la Sainte Alliance des appareils contre leurs sujets. L'orthodoxie au nom de laquelle les visionnaires de la vérité future se faisaient les mystificateurs du présent s'est rabougrie jusqu'à devenir un* digest *de recettes à courte vue ou bien l'ersatz d'un nationalisme mort-né qui ne peut se parer des couleurs de la vie qu'en se teintant d'antisémitisme. Fatale depuis 1956, la débolchevisation n'a montré jusqu'à présent que son aspect purement négatif et n'a abouti qu'à la résurrection des vieilleries paternalistes. Quand elle aura accompli la seconde moitié de son travail, elle révélera, peut-être, ce* « *visage humain* » *dont on a tant rêvé à Prague et ailleurs. Alors, comme dirait Karl Marx,* « *l'Europe sautera de sa place et jubilera* : Bien creusé, vieille taupe! »

1. — LA VÉRITÉ SUR LE STALINISME

La « collectivisation »

Dès les premiers pas de l'organisation des kolkhozes, la direction stalinienne les a placés sous le régime permanent des réquisitions collectives et de la gestion forcée. Les kolkhoses ont dû réaliser les assolements en fonction d'un plan « fabriqué » par les sections agricoles des comités exécutifs, ils ont été dirigés par des présidents nommés par les comités régionaux, et imposés, sous forme de livraisons en nature, dans les quantités voulues par l'État, à des prix avantageux pour lui seul. Souvent, le volume des livraisons en nature était si énorme qu'il excédait les possibilités des kolkhozes, si bien que la rétribution du travail était dérisoire, parfois même insignifiante. Par-dessus le marché, dès la seconde moitié des années trente, les parcelles des kolkhoziens ont été fortement amputées, le droit d'élever du bétail ou de volaille, sensiblement limité. Les kolkhoziens n'avaient pas le droit de faucher de l'herbe pour nourrir leurs bêtes en quelque lieu que ce soit. Il est naturel que la population des kolkhozes ait cherché, dans ces conditions à gagner sa vie autrement, à se fixer à la ville pour y travailler. Afin d'arrêter cette hémorragie de main-d'œuvre, les kolkhoziens se voyaient retirer leur passeport, n'avaient pas l'autorisation de quitter le village sans l'accord du président et des représentants locaux du pouvoir (1). En fait, la direction stalinienne a ruiné les kolkhozes, surtout dans la partie septentrionale de la Russie d'Europe et a enlevé à de nombreux kolkhoziens tout intérêt pour le travail. Ce n'est que dans le sud et le sud-est du pays où la terre récompensait au centuple le travail, que les kolkhozes ont pu échapper à la misère, parfois même prospérer.

Eugène VARGA, *Testament*, 1964.

Grasset, 1970, p. 69-70.

(Varga fut un des principaux économistes du Komintern.)

(1) Soljenitsyne donne quelques précieuses indications sur la manière dont le problème des passeports intérieurs des paysans est perçu par les parvenus du système. Cf. « Le Pavillon des cancéreux », Julliard, 1968, p. 286; « Le Premier Cercle », Laffont, 1969, p. 351.

Quasi-servage

Le dogmatisme de Staline et son isolement de la vie réelle se sont particulièrement manifestés au village, dans la politique d'exploitation effrénée des paysans par le moyen des prestations obligatoires, spoliatrices, à des prix « symboliques », la réduction des paysans à un état de quasi-servage, la privation des kolkhoziens du droit de posséder les moyens de mécanisation les plus élémentaires, le choix des présidents de kolkhozes d'après leur servilité et leur entregent. Le résultat est là : une destruction profonde et difficilement réparable de l'économie et de tout le mode de vie des campagnes qui, en vertu de la loi des vases communicants, sapait à son tour l'industrie.

André SAKHAROV, *La Liberté intellectuelle en U.R.S.S. et la coexistence*, 1968 (Samisdat), Gallimard 1969, p. 70. *L'académicien Sakharov, un des pères de la bombe atomique soviétique est une des personnalités dirigeantes de l'opposition libérale en U.R.S.S.*

Quelques témoignages sur les camps

... Ces êtres irréels qui défilent devant moi : avec leurs vestes recouvertes de toile à sac, enveloppés dans des haillons, les joues et le nez noirs, gelés au dernier degré, gonflés de pus, les gencives sanguinolentes, édentés, mais d'où viennent-ils? D'un délire de Goya? Du chaos d'avant la création?...

C'étaient des hommes que les mines avaient achevés, des ombres humaines, désormais inutiles pour le sous-sol. Pendant leur marche, il en était mort... J'allais dire « comme des mouches », mais il serait plus exact de dire que les mouches tombent comme les moribonds à Kolyma. A Magadan, on procédait au triage des survivants : certains restaient là, mais la plupart étaient envoyés en d'autres lieux; avant de mourir, ils pourraient encore servir aux « travaux légers » dans le Grand Nord. J'appris par la suite que ces « travaux légers » signifiaient douze heures de travail quotidien dans la taïga à une température de 50° au-dessous de zéro...

Evgenia GUINZBOURG (dix-sept ans de déportation),
Le Vertige, Seuil, 1969, p. 367.

...Vous pouvez quand même vous représenter un tout petit peu ce qui attend une jeune fille au camp, pour peu qu'elle soit jolie. Si elle n'est pas violée en chemin, dans le wagon à bestiaux, par les « droit commun », dès le premier soir, tous les tire-au-flanc du camp, brigadiers libidineux et surveillants en rut, s'arrangeront pour la faire mener au bain, toute nue, devant eux... Et sur-le-champ elle sera attribuée à l'un d'entre eux. Le matin suivant, on lui proposera de vivre avec un tel et d'avoir du travail dans un local propre et chauffé. Mais si elle refuse, ils essaieront de lui mener la vie si dure qu'elle finira par venir mendier son pardon en rampant.

A. SOLJENITSYNE, *Le Pavillon des Cancéreux*, Julliard, 1968, p. 268.

Le massacre des communistes

Il serait très utile que le Parti procède à l'exclusion symbolique de Staline, assassin de millions de ses membres, exclusion envisagée en 1964 mais abandonnée on ne sait pourquoi, et à la réhabilitation politique des victimes du stalinisme. Il est indispensable de restreindre le plus possible l'influence des néostaliniens dans notre vie politique.

Rien qu'en 1936-39, plus de 1 million 200 000 membres du Parti ont été arrêtés, environ la moitié de ses effectifs. 50 000 seulement ont retrouvé la liberté; les autres ont été torturés aux interrogatoires, fusillés (600 000) ou ont péri dans les camps.

André SAKHAROV, *op. cit.*

Le massacre des intellectuels

L'union des écrivains a lâchement abandonné à leur malheur les écrivains que la persécution a condamnés à l'exil, au camp de concentration et à la mort (Paul Vassiliev, Mandelstam, Artem Vessioly, Pilniak, Babel, Tabidze, M. Zabolotski et d'autres). Cette énumération nous devons l'interrompre par les mots « et d'autres » car, après le vingtième congrès, nous avons appris qu'ils étaient plus de six cents écrivains qui n'étaient coupables en rien et que l'Union, obéissante, a laissé à leur sort dans les prisons et les camps. Pourtant, cette liste est encore plus longue. Jamais nos yeux n'ont lu, jamais ils ne liront la fin de cette liste, qui demeure enroulée... (1).

A. SOLJENITSYNE, mai 1967.

Staline et les défaites de 1941-1942

...Des conséquences très graves, surtout dans les premiers jours de la guerre, résultèrent de l'extermination par Staline de nombreux chefs militaires et de militants politiques entre 1937 et 1941. Tout cela à cause de son caractère soupçonneux et en vertu d'accusations mensongères.

---

(1) Sur les meurtres en série que déclencha la montée au pouvoir du charlatan Lyssenko, cf. le témoignage clandestin (« samizdat ») du biologiste soviétique Jaurès Medvediev paru en anglais sous le titre *The Rise and Fall of T. Lyssenko*, Columbia University Press, 1969.

...De nombreux commandants périrent dans les camps et les prisons et l'armée ne les revit jamais plus.

Tout cela a conduit à la situation qui existait au début de la guerre et qui fut une grande menace pour notre pays.

On aurait tort d'oublier qu'après les premières défaites et les premiers désastres sur le front, Staline pensa que c'était la fin. Dans l'un de ses discours de l'époque, il déclara : « Tout ce que Lénine avait créé, nous l'avons perdu à jamais. »

Après cela, Staline ne dirigea pas effectivement — et pendant longtemps — les opérations militaires, et cessa de faire quoi que ce soit. Il ne reprit la direction active qu'après avoir reçu la visite de certains membres du Bureau politique, qui le mirent devant la nécessité de prendre immédiatement des mesures afin d'améliorer la situation sur le front.

N. KHROUCHTCHEV, *Rapport secret*, 1956.

Le stalinisme pendant et après la guerre

Le caractère inhumain du stalinisme s'est manifesté avec éclat par la répression des prisonniers de guerre qui avaient survécu à la captivité chez les nazis pour se retrouver dans les camps staliniens, par les décrets anti-ouvriers et la déportation criminelle de peuples entiers voués à la mort lente, par l'antisémitisme vulgaire et zoologique propre à la bureaucratie stalinienne et au N.K.V.D. (et à Staline personnellement), par les lois draconiennes sur la protection de la propriété socialiste (cinq ans de prison pour un « épi » chapardé, etc.), lois qui en fait étaient surtout un moyen de satisfaire à la demande du « marché des esclaves », à l'ukrainophobie propre à Staline, etc.

A. SAKHAROV, *op. cit.*

Sur l'ordre de Staline, notre gouvernement a refusé de participer à l'organisation internationale de la Croix-Rouge pour l'aide aux prisonniers de guerre, car dans notre système militaire la captivité équivaut à la trahison de la patrie. Cela a privé les prisonniers d'une aide matérielle et du contrôle de leurs conditions de détention, ce qui a contribué à la perte d'un grand nombre d'honnêtes gens (dans leur majorité, ils ont été faits prisonniers comme blessés, sans connaissance et sans munition)...

Pierre YAKIR, Lettre (non publiée) à la revue *Kommounist*,
2 mars 1969.

Génocides

...D'autant plus monstreux sont les actes, dont l'inspirateur fut Staline, et qui constituent des violations brutales des principes léninistes fondamentaux de la politique des nationalités de l'État soviétique. Nous voulons parler des déportations en masse de nations entières, arrachées à la terre natale avec tous les communistes et komsomols sans exception; ces mesures de déportation n'étaient justifiées par aucune considération militaire.

Ainsi, dès la fin de 1943, alors que la percée était en fait établie sur tous les fronts en faveur des forces soviétiques, la décision fut prise et mise à exécution de déporter tous les Karatchai, des terres sur lesquelles ils vivaient. A la même époque, fin décembre 1943, le même sort échut à toute la population de la République autonome des Kalmouks. En mars 1944, tous les Tchetchènes et tous les Ingouches ont été déportés et la République autonome tchetchène-ingouche a été liquidée.

En avril 1944, tous les Balkars ont été déportés dans des endroits très éloignés du territoire de la République autonome kabardobalkare et la République elle-même fut rebaptisée République autonome kabarde. Les Ukrainiens n'évitèrent le même sort qu'à cause de leur trop grand nombre; il n'y aurait jamais eu assez de place pour les déporter tous. Autrement on n'aurait pas manqué de le faire.

Il n'est pas nécessaire d'être marxiste-léniniste pour comprendre cela : n'importe quel homme de bon sens se demande comment il est possible de rendre des nations entières responsables de quelques actes hostiles, sans excepter les femmes, les enfants, les vieillards, les communistes et les membres du Komsomol, au point d'user contre eux d'une répression générale, de les livrer à la misère et à la souffrance sans autre cause que la vengeance à tirer de quelques méfaits perpétrés par des individus ou des groupes isolés.

N. KHROUCHTCHEV, Rapport secret au XXe
Congrès du P.C.U.S., 1965.

Staline était chef de l'État lorsque, pendant et après la Grande Guerre patriotique (1941-45), une série de peuples de notre pays (les Tatars de Crimée, les Kalmouks, les Tchetchènes, les Ingouches, les Balkares, les Coréens, les Grecs, les Turcs, les Allemands et d'autres) ont été victimes d'une déportation forcée et illégale qui les expulsa de leurs terres natales.

Pierre YAKIR, Lettre (non publiée) à la revue Kommounist,
2 mars 1969.

Les dernières années de Staline

...Nous devons dire qu'après la guerre, la situation ne fit que se compliquer. Staline devint encore plus capricieux, irritable et brutal; en particulier, ses soupçons s'accrurent. Sa folie de la persécution atteignit des proportions incroyables. A ses yeux, de nombreux militants devinrent des ennemis. Après la guerre,

Staline ne fit que se séparer davantage de la collectivité. Il décidait seul de tout, sans considération pour quiconque ou pour quoi que ce soit.

Cette incroyable suspicion fut habilement exploitée par l'abject provocateur et agent de l'ennemi, Béria, qui avait déjà assassiné des milliers de communistes et de citoyens soviétiques loyaux...

Rappelons « l'affaire du complot des médecins » *(mouvement)*. En fait, il n'y avait pas d'« affaire », en dehors des dénonciations de la doctoresse Timatchouk. Elle agissait probablement sous l'influence ou sous les ordres de quelqu'un (après tout, c'était une collaboratrice officieuse des organismes de sécurité d'État). C'est ainsi qu'elle écrivit à Staline une lettre prétendant que les médecins usaient volontairement de traitements contre-indiqués.

Cette lettre a suffi à Staline pour lui permettre de conclure immédiatement qu'il existait en Union Soviétique un complot du corps médical. Il ordonna l'arrestation d'un groupe d'éminents spécialistes et donna ses instructions quant à la conduite de l'enquête et aux méthodes d'interrogation des inculpés. Il ordonna que l'académicien Vinogradov soit chargé de chaînes, que tel soit roué de coups. L'ancien ministre de la sécurité d'État, le camarade Ignatiev, assiste à notre Congrès en qualité de délégué, Staline lui dit brutalement : « Si vous n'obtenez pas de confession de la part des docteurs, nous vous trancherons la tête. » *(Tumulte)*.

Staline fit personnellement venir le juge instructeur, lui donna ses ordres et le conseilla sur les méthodes à utiliser. Ces méthodes étaient simples : des coups, des coups et encore des coups.

Peu après l'arrestation des médecins, nous, membres du Bureau politique, reçûmes les procès-verbaux les concernant : c'étaient des aveux de culpabilité. Après la distribution de ces procès-verbaux, Staline nous dit :

« Vous êtes aveugles comme des chats nouveaux-nés. Qu'arriverait-il sans moi? Le pays périrait parce que vous ne savez pas comment reconnaître vos ennemis. »

Nikita KHROUCHTCHEV, *ibid.*

Nazisme et stalinisme

Le nazisme a duré douze ans; le stalinisme deux fois plus longtemps. A côté de nombreux traits communs, il y a entre eux des différences. L'hypocrisie et la démagogie du stalinisme étaient d'un ordre plus subtil, s'appuyant non sur un programme franchement barbare comme celui de Hitler, mais sur une idéologie socialiste, progressiste, scientifique et populaire auprès des travailleurs, idéologie qui était un paravent commode pour tromper la classe ouvrière, endormir la vigilance des intellectuels et des rivaux dans la lutte pour le pouvoir... Un des effets de cette « spécificité » du stalinisme est que c'est au peuple soviétique, à ses représentants les plus actifs, capables et honnêtes qu'a été porté le coup le plus terrible. Au moins dix à quinze millions de Soviétiques ont péri dans les chambres de torture du N.K.V.D., martyrisés ou exécutés, ainsi que dans les camps pour koulaks et « sous-koulaks », et leurs familles, dans les camps « sans droit de correspondance » (c'étaient en fait les prototypes des camps de la mort nazis...), dans les mines glaciales de Norilsk et de Vorkouta, morts de froid, de faim et de travail épuisant sur d'innombrables chantiers, exploitations forestières, constructions de canaux, ou simplement en cours de transport dans les wagons verrouillés ou les cales inondées d'un « navire de la mort » sur la mer d'Okhotsk, lors de la déportation de peuples entiers, Tatars de Crimée, Allemands de la Volga, Kalmouks et nombreux peuples du Caucase.

A. SAKHAROV, *op. cit.*

L'appareil policier d'enquête et d'instruction a arrêté un dixième environ des citoyens... Bien qu'il y ait eu, dans les cachots et camps de concentration de Staline, beaucoup moins de tortionnaires et de sadiques que dans les camps hitlériens, on peut affirmer qu'il n'existait aucune différence de principe entre eux. Beaucoup d'ex-tortionnaires sont toujours en liberté et touchent de confortables retraites.

Eugène VARGA, *op. cit.*

2. — AUTOCRITIQUE

Présentation

La surprenante facilité avec laquelle le « culte » de Staline fut transformé en abjection révélait toutefois le néant sur lequel l'immense édifice avait été bâti. En fait, avec la tyrannie de Staline, c'était la mystique de l' « avant-garde » qui venait de disparaître.

Lénine avait été le premier à s'alarmer de l'arrogance de cette prétendue avant-garde dont il dénonçait vertement la « vantardise communiste » et les « mensonges communistes ». Il avait même enrichi la langue d'un vocable nouveau : « com-vantardise », qui fit fortune. L'hybris que désigne ce mot bizarre, rien ne la révèle mieux que le discours prononcé par Staline aux funérailles de Lénine : « Nous autres communistes, sommes des gens d'une contexture particulière. Nous sommes taillés dans une étoffe spéciale. Il n'y a rien de plus haut que le titre de membre du parti. Il n'est pas donné à tout le monde d'être membre d'un tel parti... »

Peu de ces surhommes survécurent aux épurations que déclencha l'auteur du panégyrique, qui d'ailleurs s'acharna avec une remarquable persévérance à démontrer qu'effectivement ils étaient tous taillés dans une étoffe tout à fait « spéciale ». Célébrant l'extermination de la vieille garde du bolchevisme, Staline démontra, treize ans plus tard, qu'il ne s'agissait que d'une « poignée d'espions, assassins et saboteurs rampant devant l'étranger, servilement aplatis devant le moindre fonctionnaire étranger (sic) et prêts à lui servir d'espions ». Il a fallu que Khrouchtchev appliquât le même procédé à son prédécesseur pour que les surhommes qui, dans le monde entier, se croyaient « taillés dans une étoffe spéciale », abandonnent leurs chimères et mettent une sourdine à leurs prétentions à l'infaillibilité. « Réapprendre » : ce fut le mot qui fusait de toutes parts pendant cette courte période. « Il faut réapprendre la pleine indépendance du jugement et du caractère », dira Togliatti...

W. Gomulka : une hiérarchie des cultes

On ne saurait ramener le culte de la personnalité à la seule
personne de Staline. L'essence de ce système consistait en l'établissement d'une échelle individuelle et hiérarchique de cultes
de la personnalité. Chacun de ces cultes s'exerçait à l'intérieur
d'une région définie. Dans le bloc des pays socialistes, au sommet de cette échelle hiérarchique des cultes, se tenait Staline.
Devant lui, courbaient le front tous ceux qui occupaient les
échelons inférieurs de l'échelle. Ce n'étaient pas seulement
les autres dirigeants soviétiques qui courbaient leur front, mais
également les dirigeants des partis communistes du camp socialiste. Ces derniers, c'est-à-dire les premiers secrétaires des comités
centraux des partis des différents pays, s'installaient sur le
deuxième échelon de l'échelle du culte de la personnalité,
s'enveloppaient de la robe souveraine de l'infaillibilité et de la
sagesse. Toutefois le culte de leur personne ne rayonnait que
sur le terrain de leurs pays respectifs où ils occupaient le sommet de l'échelle des cultes locaux. On ne pourrait appeler ce
culte que du nom d'une splendeur réfléchie, d'une lumière
empruntée. Il brillait comme brille la lune. Néanmoins, sur le
champ de son activité, il était omnipotent. Et c'est ainsi que,
dans chaque pays, cette échelle des cultes descendait de haut
en bas. Le titulaire du culte de la personnalité se connaissait
en tout, savait tout, décidait tout, dirigeait tout, tranchait
toutes les questions. Il était l'homme le plus sage, indépendamment de ses connaissances, de ses aptitudes et de ses qualités
personnelles.
... Dans le système du culte de la personnalité, le Parti,
en tant qu'entité, pouvait agir indépendamment, uniquement
dans le cadre de sa subordination au culte supérieur. Si quelqu'un avait tenté de dépasser ce cadre, il était menacé d'excom-
munication par ses camarades.
Est-ce que, dans de telles conditions, les rapports mutuels
de Partis et d'États, entre Partis et démocraties populaires d'une
part et Parti Communiste d'Union Soviétique et l'Union Soviétique d'autre part, pouvaient s'établir sur des principes d'égalité? Il est clair que non.
... Sous ce système on brisait les caractères et les consciences
humaines, on piétinait les gens, on crachait sur leur honneur.
La calomnie, le mensonge et la falsification, et même les provocations, servaient d'instruments du pouvoir.
Chez nous également, nous en sommes venus à des faits
tragiques, des gens innocents ont été envoyés à la mort. De
nombreux autres innocents ont été emprisonnés, et quelquefois
même, pendant de nombreuses années. Maintes personnes ont
été soumises à des tortures bestiales. On avait semé la peur et
la démoralisation. Sur le terrain du culte de la personnalité
se développaient des phénomènes qui violaient et qui annihilaient
même le sens le plus profond du pouvoir populaire.

Nous en avons fini avec ce système et nous en finissons une fois pour toutes.

Wladislav GOMULKA, Discours programme
du 20 octobre 1956.

Togliatti : « Réapprendre »

... Il faut *réapprendre* une vie démocratique normale, c'est-à-dire, *réapprendre* l'initiative dans le domaine des idées et dans la pratique, la recherche du débat passionné, *réapprendre* ce degré de tolérance envers les erreurs qui est indispensable pour découvrir la vérité, *réapprendre* la pleine indépendance du jugement et du caractère...

PALMIRO TOGLIATTI, *Nuovi argumenti*, 1956.

Les ouvriers

Les ouvriers d'usine sont mes amis les plus proches. Je suis né parmi eux, je leur reste fidèle, c'est surtout devant eux que je veux libérer ma conscience. Les ai-je assistés lorsqu'ils avaient besoin de mon aide? Les ai-je protégés contre les bureaucrates qui leur dictaient des normes insensées autour d'une table verte? Les ai-je défendus lorsqu'ils furent exposés à des représailles morales et matérielles à cause de leurs critiques? Ai-je exprimé mon indignation lorsque de jeunes ouvriers qualifiés rentraient avec la moitié de leur paie? Ai-je protégé les novateurs qui furent injustement traités? Ai-je condamné un système de cadres qui est le plus souvent basé sur la méfiance envers les hommes? Ai-je attaqué les fonctionnaires vaniteux qui terrorisaient des gens à juste titre mécontents? Ai-je condamné publiquement de soi-disant « cadres élevés » qui se comportaient comme des seigneurs? Me suis-je opposé à ces soi-disant organisateurs qui ont organisé notre vie de telle façon qu'on ne pouvait plus y vivre?

VASEK KANA, Literarni Noviny, nº 18, Prague, 1956.

Le mensonge

Jamais on n'a trompé la conscience publique avec un tel acharnement, à une telle échelle. Pendant l'époque qui vient de s'écouler la liberté signifiait captivité, la souveraineté soumission, la droiture hypocrisie... La ruse a dépouillé les mots de leur contenu moral propre. Par bonheur ce vocabulaire est insipide au point qu'il inspire aujourd'hui une aversion universelle. Mais bien des jours passeront encore avant qu'il se réduise à n'être plus qu'un souvenir sinistre dans les colonnes des dictionnaires de l'hypocrisie du XXᵉ siècle.

M. JASTRUN, *La Liberté de parole, Nowa Kultura,*
Varsovie, 9 décembre 1956.

Tout comme l'appendice
On nous enlève la Honte.
L'impudence est notre tâche.
Nous bafouons la mort,
Mais qui de nous a rougi?
Nous avons oublié comment!

Andrei VOSNESSENSKI, *L'Instrument de la honte,* 1967.

Lénine dit qu'on ne doit pas mentir, même aux ennemis. Chez nous on ment aux amis. Combien a-t-on menti ces dernières années!... Que n'a-t-on pas menti! Nous nous sommes si bien habitués au mensonge que parfois nous ne nous soucions même pas d'une ombre de vraisemblance. Nous attirons dans ce mensonge les écrivains eux-mêmes, qui sont obligés de dire des contre-vérités, de mentir, comme on dit au nom d'une discipline supérieure...

Grigori SVIRSKI, *Discours contre la censure,* 16 janvier 1968
(Svirski a été exclu du Parti à la suite de ce discours).

Complicité par le silence

Est-ce bien de mon mérite, si je n'ai jamais été un complice actif des grands crimes de mon temps? Je proclame, car j'en ai la certitude intime : je ne serais jamais devenu un de ceux qui frappent. Pas même si ma vie avait tourné autrement et si je n'avais jamais été du nombre de ceux que l'on frappait. J'ai bien le droit d'avoir cette certitude. Quant à dire s'il m'avait été possible d'éviter le troupeau de ceux dont le poète dit avec mépris; le muet, parmi les coupables, est complice, je n'en sais rien. Si j'avais ma biographie à écrire, ce point d'interrogation se dresserait devant moi en permanence...

Joszef LENGYEL, *Le Pain amer,* Budapest.
[Réfugié en 1929 en U.R.S.S., Lengyel a été arrêté en 1937 et condamné à huit ans de travaux forcés et puis à huit ans de relégation en Sibérie.]

3. — L'EUROPE DE L'EST : RÉFORME OU RÉVOLUTION ?

A. L'ÉCRASEMENT
DE LA RÉVOLUTION EST-ALLEMANDE 1953

Après l'insurrection du 17 juin,
Le secrétaire de l'Union des Écrivains
Fit distribuer des tracts dans la *Stalinallee*.
Le peuple, y lisait-on, a par sa faute
Perdu la confiance du gouvernement
Et ce n'est qu'en redoublant d'efforts
Qu'il peut la regagner. Ne serait-il pas
Plus simple alors pour le gouvernement
De dissoudre le peuple
Et d'en élire un autre?

Bertolt BRECHT, *La Solution (Poèmes 7)*.

B. LA SITUATION EN HONGRIE 1955

... Le fait que le bonapartisme, la dictature personnelle et les méthodes de violence aient pu s'instaurer en Hongrie, dans la vie de l'État comme dans celle du Parti, n'est pas un phénomène de génération spontanée. Une lourde responsabilité incombe, à cet égard, à la politique de Staline qui a aidé puissamment à la liquidation des forces capables de faire contrepoids à ce régime bonapartiste. Livrée à ses seules ressources et ne pouvant compter que sur son influence propre, la dictature personnelle n'aurait pu s'établir. Pour que le bonapartisme triomphe, il a fallu anéantir les alliés démocratiques de la cause du socialisme; pour que la dictature personnelle s'instaure, il a fallu décimer les cadres dirigeants du parti et faire de l'A.V.H, (la police politique) une composante toute-puissante du pouvoir, chargée de l'exécution de ses tâches. Voilà des faits historiques...

Imre NAGY, *Mémoire* de 1955, écrit à l'intention du Comité central. Dans *Un communisme qui n'oublie pas l'homme*, Plon, 1957, p. 112.

L'échec économique

L'industrialisation à outrance ne tenait pas compte des données nationales objectives et portait surtout sur les branches pour lesquelles la matière première faisait défaut. D'autres branches qui disposaient de matières premières étaient négligées et même atrophiées... C'est l'orientation et le rythme du développement de notre industrie au cours du premier plan quinquennal qui sont la cause de notre endettement vis-à-vis de l'étranger et de l'appauvrissement du pays... En 1951-53, malgré les réalités de la vie quotidienne, en dépit du sentiment général du pays, on montrait sous des couleurs idylliques la situation économique et les perspectives d'avenir... En fait le salaire réel moyen était plus bas en 1953 qu'en 1949. L'agriculture fut la principale victime de la surindustrialisation... (Le gouvernement Rakosi) a entraîné dans une impasse la réorganisation socialiste de l'agriculture, provoqué la faillite de la production, rompu l'alliance ouvrière et paysanne, sapé le pouvoir de la démocratie populaire, foulé aux pieds la légalité, dressé les masses contre le parti et le gouvernement, bref, conduit le pays au bord de la catastrophe.

Imre NAGY, *op. cit.*

L'appareil

La croissance de l'appareil bureaucratique en Hongrie a surcompensé en quelque sorte la diminution progressive de la confiance du peuple dans le gouvernement. L'administration d'État proprement dite comprenait en 1955 280 000 personnes sur une population de 9 500 000. A ce nombre s'ajoutaient les effectifs de l'Armée : 250 000 à 300 000 soldats, la Police ordinaire, les 100 000 membres de l'A.V.H. [police politique], les 40 000 fonctionnaires de l'appareil du parti, les dizaines de milliers de fonctionnaires et employés de l'administration économique et agricole. En tout, près d'un million de personnes employées à enregistrer, à contrôler, à comptabiliser, à endoctriner, à espionner et souvent à décimer les 3 500 000 Hongrois intégrés dans le travail productif.

Document clandestin hongrois sur les origines de la Révolution de 1956 signé Hungaricus. Cf. François FEJTÖ, *Budapest, 1956*, Julliard, 1966, p. 102-103.

C. L'OCTOBRE POLONAIS

W. Gomulka : la leçon de Poznan (1956)

La classe ouvrière a donné dernièrement à la direction du parti et au gouvernement une leçon douloureuse. En recourant à l'arme de la grève et en manifestant dans les rues pendant ce sombre jeudi de juin dernier, les travailleurs de Poznan ont crié bien fort : « Assez! Cela ne peut durer! Il faut abandonner cette voie fausse! »

... Les causes de la tragédie de Poznan et du profond mécontentement de la classe ouvrière sont chez nous, dans la direction du parti, au gouvernement. Le feu couvait depuis plusieurs années. Le plan économique de six ans, autour duquel on avait fait beaucoup de réclame en le présentant comme une nouvelle étape, qui marquerait un important accroissement du niveau de vie, a trompé les espoirs des larges masses de travailleurs. La jonglerie à l'aide des chiffres, qui ont indiqué une augmentation de 27 % des salaires réels, au cours du plan sexennal, n'a pas réussi. Elle n'a fait qu'irriter davantage les gens. Il aurait fallu abandonner la position occupée par les piètres statisticiens.

... Pour changer tous les mauvais aspects de notre vie, pour sortir notre économie de l'état dans lequel elle se trouve, il ne suffit pas de changer telle ou telle personne. Cela est même facile. Pour éliminer de notre vie politique et économique tout le mal qui s'est accumulé depuis des années et qui freine son développement, il faudra beaucoup de changements dans notre système de pouvoir populaire, dans le système d'organisation de notre industrie, dans les méthodes de travail de l'appareil d'État et du parti (...).

... Qu'est-ce qui limite aujourd'hui nos possibilités dans ce domaine? Avant tout, l'impatience de la classe ouvrière, découlant dans une grande mesure de ses conditions de vie. Mais celles-ci sont liées étroitement à notre situation économique. Salomon lui-même n'aurait pu faire l'impossible. (...)

... J'ai déjà dit que nous risquons de manquer d'une couverture suffisante en marchandises sur le marché intérieur, c'est-à-dire que nous ne fournissons pas une masse de marchandises correspondant aux augmentations de salaires. Et même si l'on changeait tout le gouvernement et toute la direction du parti, la situation ne serait pas meilleure sur le marché; elle ne peut qu'empirer si l'on ne produit pas la masse de marchandises qui manque. Il n'y a que deux possibilités pour parer à un mouvement des prix : ou bien augmenter la masse de marchandises pour qu'elle corresponde au pouvoir d'achat de la population, ou bien adapter ce pouvoir d'achat à la masse de marchandises.

... Dans cette situation, nous devons dire à la classe ouvrière l'amère vérité : nous ne sommes pas en mesure actuellement d'accorder des augmentations de salaires importantes, car nous avons tellement tiré sur la corde qu'elle risque de casser. Toute augmentation ultérieure des salaires est indissolublement liée à l'accroissement de la production et à la diminution des prix de revient. Cela n'est agréable ni pour nous ni pour la classe ouvrière.

... Quand sera-t-il possible d'exploiter d'autres moyens pour assurer l'élévation du niveau de vie de la classe ouvrière? Je ne peux actuellement rien dire de concret. Cela dépend toutefois, et avant tout, de deux facteurs : premièrement, de l'amélioration de la gestion de l'industrie et de toute l'économie nationale; deuxièmement, des travailleurs eux-mêmes, c'est-à-dire de l'accroissement du rendement du travail et de la réduction des frais de production.

... La question du changement de la gestion de l'industrie a un caractère profondément lié à la structure. Il s'agit précisément ici d'améliorer notre modèle de socialisme. La question de la gestion autonome par les ouvriers, qui fait actuellement l'objet des discussions des ouvriers dans les établissements de travail et des différents organes du parti et de l'État, se rapporte essentiellement à ce que j'ai dit à propos de la production et du niveau de vie. Aiguiller toute la machine économique sur des voies nouvelles sans connaître exactement le mode de fonctionnement du nouveau mécanisme que nous voulons créer est une chose dangereuse. Tout nouveau mécanisme doit être soumis à des essais, car il est de règle qu'il présente des imperfections et des défauts. Aucune entreprise ne peut sortir une nouvelle machine sans en avoir au préalable construit et essayé le prototype. Il faut saluer avec une profonde reconnaissance l'initiative de la classe ouvrière concernant l'amélioration de la gestion des entreprises industrielles et sa participation à cette gestion. Cela prouve que la classe ouvrière a une foi ardente et bien fondée dans le socialisme. Les organes dirigeants économiques, politiques et d'État doivent travailler activement afin d'aider l'initiative ouvrière, afin d'introduire, là où cela est possible, une certaine généralisation des formes proposées. Mais en pratique, à une large échelle, il faut avancer lentement (...).

... La voie de la démocratisation est, dans nos conditions, l'unique voie menant à l'édification du meilleur modèle de socialisme. Nous ne nous écarterons pas de cette voie et nous nous défendrons de toutes nos forces pour ne pas nous en laisser écarter. Mais nous ne permettrons à personne de tirer profit du processus de démocratisation contre le socialisme. A la tête de ce processus se tient notre parti, et lui seul peut, en accord avec les autres partis du Front national, donner à ce processus une direction telle qu'il mène réellement à la démocratisation des rapports dans tous les domaines de notre vie en vue de renforcer les bases de notre régime et non pas de les affaiblir.

Wladislav GOMULKA, discours au Comité Central
du P.C. polonais, 20 octobre 1956.

Critique de l'idéologie totalitaire

Durant les quinze dernières années, la conception marxiste du processus historique a été évincée par une interprétation pragmatique. Comme dans le bon vieux temps, à l'âge heureux de la bourgeoisie, nous étions tous prêts à répéter, après le pope, que tout ce qui est est bon, est juste, est nécessaire... Nous voulions... non pas connaître la vérité, mais expliquer la réalité. L'expliquer et la justifier. A tout prix! Même au prix de la vérité! Ainsi, sous nos yeux, et toujours davantage, l'histoire contemporaine devenait mythologie. Si des faits devenaient incommodes, on les modifiait. Si des personnages historiques étaient devenus gênants, ils s' « évaporaient ». La thèse qui nous a été imposée, suivant laquelle chaque étape de la révolution et de la construction de l'État socialiste représente toujours un pas en avant, devait mener à l'infaillibilité divine de celui qui représentait la direction du Parti. Lorsqu'on introduit Dieu dans l'histoire, on doit également y introduire le diable. Le transfert de la personne du chef dans le domaine du mythe devait également entraîner le transfert dans un domaine mythique de notre lutte idéologique elle-même et de nos adversaires, réels ou imaginaires. La thèse de l'aiguisement de la lutte des classes et la conception des « ennemis du peuple » a contribué à ce processus. La mythologie produit l'inquisition. Chaque procès politique devenait un procès de sorcières.

Une littérature à laquelle il était défendu de parler de crimes, une littérature qui ne pouvait aborder le thème des procès qui révoltaient notre conscience et qui constituaient pourtant notre réalité quotidienne depuis de nombreuses années, une littérature bâillonnée, n'avait d'autre issue que de s'enfoncer toujours plus profondément dans le mensonge, que de créer une vision toujours plus factice de la réalité...

Pour notre conscience et pour notre raison, ce furent des années sinistres, et nombreux sont ceux, parmi nous, pour qui ce fut un drame personnel. Nous devons maintenant répondre de notre attitude envers ces problèmes devant notre conscience et devant autrui. Nous avions perdu ce qui constituait notre élan révolutionnaire. Nous avions perdu la conviction que tout ce qui se passe autour de nous et tout ce que nous faisons doit servir à la construction de la société future, doit servir, non pas à une abstraction historique, mais à des hommes. Nous avons donné notre accord moral à l'injustice, nous avons donné notre accord moral au crime. De tout cela, nous devons répondre.

JAN KOTT, *Przeglad Kulturalny*, Varsovie, avril 1956.

... L'histoire de la philosophie connaît peu d'époques qui aient poussé l'intolérance aussi loin que ces dernières années. Les persécutions de la pensée critique au début de la Renaissance, aux XVIIe et XVIIIe siècles apparaissent comme un âge d'or comparées à la période que nous avons vécue et qui, nous pouvons le dire avec soulagement, est en train de passer...

... La première scandaleuse déformation des classiques marxistes fut l'œuvre du congrès des écrivains soviétiques en 1936. C'est alors que, se fondant sur des affirmations frivoles de Gorki, en exploitant son autorité d'écrivain, Jdanov a forgé les thèses du réalisme socialiste et il confia cet instrument de précision destiné à annihiler l'art à des bureaucrates qui ont exercé leur procédé destructif pendant vingt ans, avec un zèle et un enthousiasme aiguillonnés par la peur.

ANTONI SLONIMSKI, *Przeglad Kulturalny*, 11 avril 1956.

Critique de l'économie

On ne peut accroître la production sans assurer aux ouvriers un accroissement de profits. Aucun slogan, aucun idéal, ne peuvent être substitués à ce profit immédiat de l'ouvrier. Personne ne veut travailler beaucoup, et gagner peu. Un ouvrier spécialisé de mes amis vient de me dire qu'il lui convient davantage de travailler sur un rythme décroissant. Tout le monde sait que pour le 1er mai, pour l'anniversaire de la Révolution d'Octobre, et pour diverses autres fêtes révolutionnaires et patriotiques, il faudra prendre l'engagement d'augmenter la production.

Si cet ouvrier travaillait toute l'année sur son rythme le plus accéléré, où pourrait-il prendre une réserve pour remplir tous ces engagements? Il y a une autre raison : dès que des ouvriers accélèrent le rythme de leur travail dans une usine, il y a une révision des normes, selon lesquelles ils sont payés, ce qui signifie qu'ils ne gagnent pas davantage, mais que leur travail devient plus dur. Il est temps que l'on dise aux ouvriers : « Camarades, nous n'allons plus élever les normes aussi souvent qu'auparavant. Nous établissons des normes fixes, pour une période, disons, de trois ans. » Si l'on prenait une mesure semblable, je suis certain que cette grève de lenteur du travail cesserait. Mais récemment encore, personne ne pouvait proposer une telle mesure, car elle aurait été considérée comme contre-révolutionnaire...

... C'est une chose connue que beaucoup de ces ouvriers, héros du travail, étaient aidés par des « nègres » mis à la disposition par la direction des usines qui était fière d'avoir parmi leur personnel des grands champions...

... Ce n'est un secret pour personne que tous nos vieux ouvriers plaisantent entre eux en disant que si les Geyer, les Scheibler, les Poznanski *(anciens propriétaires des usines polonaises)* n'avaient atteint que la production présente avec, en plus, l'accroissement de dépenses que représente l'appareil bureaucratique, ils auraient été ruinés en quelques jours. Les Geyer n'avaient pas de directeurs spécialisés dans les questions d'émulation du travail et, pourtant, chaque vieil ouvrier polonais nous dira que les Geyer auraient pu encore nous apprendre beaucoup de choses.

... La première mesure à prendre, c'est d'en finir avec toute la bureaucratie de l'émulation. Il faut licencier tous les bureaucrates qui s'en occupent et confier cette question aux syndicats ouvriers, mais ceci à condition que les syndicats cessent d'être une institution fictive et morte, et redeviennent une représentation active des masses ouvrières. Sans le consentement des syndicats qui, de leur côté, devraient rester en contact étroit avec la base, on ne devrait jamais pouvoir élever les normes de travail.

BOHDAN DROZDOWSKI, *Inconséquences économiques,*
Kronika, Varsovie, mars 1956.

On édifiait sous nos yeux une société telle qu'on n'en avait jamais vu jusqu'alors de semblable. Sans doute la propriété privée des moyens de production était-elle abolie, mais l'aliénation économique demeurait. Le producteur devenait étranger, au sens classique du terme, à son travail, et comme autrefois les fruits de ce travail continuaient d'échapper à son contrôle. Les propriétaires officiels ne pouvaient ni disposer de l'objet qui leur appartenait, ni le gérer, et toute l' « influence » exercée par les ouvriers sur la fabrique aussi bien que sur la production se ramenait à l'accomplissement du plan. Sur le marché « socialiste » les marchandises étaient soustraites à l'influence des producteurs et cela, non pas seulement du fait des « ciseaux » constitués par les prix et les salaires, mais aussi — voilà qui est plus essentiel — parce que les producteurs n'avaient aucune espèce d'influence sur le destin des produits et qu'ainsi, à la suite du travail fourni, des parties aussi de leur vie, de leur existence, leur devenaient étrangères.

Cette confrontation de principe entre producteurs et produits fut de quelle nature? Il est vrai que nous n'avons pas connu de crise de surproduction — peut-être faudrait-il dire malheureusement. Mais la séparation marquée dans l'ordre existant entre producteur et produit entraîna, par suite du mécanisme économique, la naissance d'une nouvelle couche sociale remplaçant les capitalistes évincés — la toute-puissante couche des administrateurs politiques. En même temps elle se soldait pour les producteurs par une impuissance sociale effective.

La nouvelle couche des administrateurs politiques (des administrateurs universels, à y bien regarder) disposait d'une puissance économique telle que le capitalisme n'en avait jamais connu de semblable : la gestion de la production industrielle totale et en partie aussi, du reste, de la production sur le plan national. Les années passées fournissent plus d'un exemple prouvant que cette force s'est exercée dans un seul sens : contre les ouvriers. Les produits servaient à opprimer les producteurs. Tel était le processus d'aliénation.

Sur cette base économique s'édifièrent les nouveaux rapports de dépendance; dépendance, non des capitalistes, mais de ceux qui, dirigeant à la fois la politique et la chose publique, en vinrent aussi pour ainsi dire à diriger les hommes du fait de leur position sociale et des pouvoirs que le système leur avait accordés. Ouvriers et employés étaient complètement perdus dans les ramifications de ce complexe système de dépendance. De nouvelles bases, surtout politiques puis idéologiques et autres, se développèrent à partir des bases économiques.

Ce système de dépendance devait étouffer la liberté. Les hommes furent anéantis de façon de plus en plus totale. Cela signifiait pratiquement que chacun pouvait à chaque instant perdre toute liberté. Limités dans leur liberté, maintenus dans une dépendance économique et politique, les citoyens étaient livrés à une oppression systématique et raffinée. En même temps que les hommes se perdaient les valeurs. La dignité du peuple était foulée aux pieds, l'étouffement de l'individu devenait alors chose insignifiante. Les crimes les plus terribles furent commis. En même temps que la vie, l'homme perdit sa réputation. De quel tragique bouleversant est imprégnée la mort de ces communistes polonais qui de bonne foi gagnèrent la patrie du communisme, pour s'y souiller, happés par sa corruption. Le drame de Rubaschow n'est en comparaison qu'une faible copie littéraire de la réalité et la suppression des noms dans cette histoire, une simple farce tragi-comique. Ainsi les hommes furent-ils dépouillés de leurs plus hautes valeurs morales. Où devait les chercher un homme qui avait abandonné tout espoir?

Situation sans issue que la mystification idéologique rendit encore plus désespérée. Les hommes les plus malheureux sont ceux que l'on endort de belles formules. Privés de la liberté, ils croyaient posséder la plus grande des libertés jusqu'alors connues, celle qui consiste à reconnaître la nécessité et la justesse du système. Suspendus au bord d'un précipice, ils étaient convaincus qu'ils pourraient modeler leur destin par leur propre travail. Utilisés comme les outils permettant de consolider un ordre injuste, ils croyaient fonder — tournés qu'ils étaient vers les belles formules et les idéaux élevés — un ordre profondément juste. Le mensonge idéologique consacra l'emprisonnement de l'homme dans le filet d'une dépendance universelle. Toute protestation devint protestation, non contre les crimes continuels, mais contre les idéaux reconnus sacrés, autrement dit une révolte contre soi-même. Le mensonge idéologique masqua complètement l'aliénation économique, la dépendance et le manque de liberté. Il répondait au besoin de justifier ou de fausser l'image éminemment tragique des conditions de vie matérielle d'hommes qui devaient être le support du système. Les tisserands de Lodz vivaient à vingt personnes, dont trois couples, dans une seule pièce. Les ouvrières gagnaient 360 zlotys par mois...

JANUSZ KUCZYNSKI, extrait de « Po Prostu »,
Varsovie, n° 49, 1956.

D. RÉVOLUTION
ET CONTRE-RÉVOLUTION EN HONGRIE 1956

Les mots d'ordre du cercle « Petöfi »

1º Nous exigeons une amitié soviéto-hongroise basée sur l'égalité léniniste.

2º Nouveau plan quinquennal servant l'élévation du bien-être du peuple.

3º Rentrée d'Imre Nagy dans la direction.

4º Procès public de l'affaire Farkas.

5º Écarter ceux qui nous retardent.

6º A bas la politique économique stalinienne.

7º Vive la Pologne fraternelle.

8º Direction ouvrière des usines.

9º Redressement de l'agriculture, des coopératives volontaires.

10º Un programme constructif pour la nation.

11º Vive la jeunesse « Petöfi ».

12º Pour la démocratie socialiste.

Paru dans un tract avec l'en-tête du journal Szabad Ifjusag *(« Jeunesse Libre ») portant la mention suivante :*

« Ce tract est publié par l'équipe de rédaction du Szabad Ifjusag *le jour de la grande manifestation de la jeunesse luttant pour la démocratisation et le socialisme. »*

Le 23 octobre 1956.

Manifeste des écrivains hongrois

Nous sommes arrivés à un tournant historique de notre sort.

Dans cette situation révolutionnaire nous ne pouvons faire notre devoir si tout le peuple travailleur hongrois ne s'unit pas, discipliné, dans un seul camp.

Les dirigeants du Parti et de l'État jusqu'à présent ne nous ont pas donné un programme viable. Les responsables de cette situation sont ceux qui au lieu de développer la démocratie socialiste, s'organisaient et s'organisent encore pour une restauration du régime terroriste stalino-rakosien.

Nous, écrivains hongrois, avons formulé dans les sept points suivants ce que la nation hongroise demande :

1º — Une politique nationale autonome basée sur l'idée du socialisme. Il faut régler nos relations selon les principes léninistes avec tous les pays, avant tout avec l'Union Soviétique et avec les démocraties populaires. Il faut réexaminer nos relations internationales et nos relations économiques dans l'esprit de l'égalité des nations.

2º — Il faut mettre fin à une politique des minorités nationales contraire à l'amitié des peuples. Nous voulons que celle-ci soit sincère. Ce n'est possible qu'en réalisant les principes léninistes.

3º — Il faut révéler au pays sa véritable situation économique. Nous ne pouvons dépasser la crise sans que les ouvriers, les paysans et les intellectuels ne reçoivent les places qui leur sont dues à la direction politique, sociale et économique du pays.

4º — Les usines doivent être dirigées par les ouvriers et les techniciens. Il faut réformer le système actuel des salaires et des normes de travail, la forme avilissante de la Sécurité Sociale, etc. Les syndicats doivent être des organisations qui représentent vraiment les intérêts des ouvriers.

5º — Il faut donner des nouvelles bases à notre politique envers la paysannerie. Il faut assurer le droit d'auto-direction des paysans, tant dans les coopératives que dans les fermes privées. Il faut créer enfin les bases politiques et économiques des coopératives volontaires. Il faut que le système des impôts et des livraisons change progressivement et qu'on aboutisse à un système qui assure que la production et l'échange des produits soient libres et socialistes.

6º — Tout cela est conditionné par des transformations fondamentales au sein de l'État et du Parti, tant du point de vue structure que personnel. Il faut éliminer de notre vie publique la clique de Rakosi, aussi bien que les tendances restaurationnistes. Imre Nagy, le communiste pur et audacieux, à qui le peuple hongrois se confie, doit être mis à une place digne de lui, ainsi que tous ceux qui, pendant les années écoulées, ont lutté de façon conséquente pour la démocratie socialiste. En même temps, il faut s'opposer fermement à toute tendance et tentative contre-révolutionnaire.

7º — Le développement exige que le Front Patriotique Populaire devienne la représentation politique des couches laborieuses de la société hongroise. Notre système électoral doit être transformé de manière qu'il corresponde aux exigences de la démocratie socialiste. Le peuple doit élire librement et secrètement ses représentants à l'Assemblée nationale, aux Conseils et à toutes les formes d'auto-organisation.

Nous croyons que dans nos paroles se manifeste la conscience de la nation.

L'ASSOCIATION DES ÉCRIVAINS HONGROIS,
Budapest, 23 octobre 1956.

30 octobre 1956 : abolition du parti unique

Pour permettre une plus complète démocratisation, le cabinet a aboli le système du parti unique et décidé que nous devions revenir à un système de gouvernement basé sur une coopération démocratique des partis de coalition, tels qu'ils existaient en 1945.

Imre NAGY (premier ministre), Discours radiodiffusé.
Cf. François FEJTÖ, *Budapest 1956*, Julliard, 1966, p. 200.

1er novembre 1956 : proclamation de la neutralité

Peuple hongrois, le gouvernement national, profondément pénétré de sa responsabilité envers le peuple et envers l'Histoire, et certain d'exprimer la volonté unanime de millions de Hongrois, proclame la neutralité de la République populaire de Hongrie. Le peuple hongrois souhaite d'entretenir une amitié sincère avec ses voisins, avec l'Union Soviétique, avec tous les peuples du monde. Le peuple hongrois désire consolider et développer les résultats obtenus par sa révolution nationale, sans entrer dans tel ou tel bloc de puissances. Le rêve séculaire du peuple hongrois est en train de se réaliser... Grâce à sa lutte héroïque notre pays pourra reconsidérer ses relations avec les autres États, en fonction de son intérêt fondamental : la neutralité. Nous demandons à son voisin, aux pays proches et lointains, de respecter la décision irrévocable de notre peuple.

Imre NAGY, Discours radiodiffusé.

3 novembre 1956 : les chars soviétiques pénètrent dans Budapest. Dernière émission de Radio-Budapest

7 h 12 : Ne tirez pas. Évitons les effusions de sang. Les Russes sont nos amis et resteront nos amis.
7 h 56 : Ici l'Union des Écrivains hongrois. A tous les écrivains du monde, à toutes les sociétés de savants et d'écrivains, à toutes les Académies et Sociétés scientifiques, aux intellectuels du monde entier. Nous demandons à chacun de vous, votre aide et votre soutien. Il n'y a pas un instant à perdre. Vous savez ce qui se passe, il est inutile d'en dire plus long. Aidez la Hongrie. Sauvez les écrivains, les savants, les ouvriers, les paysans de Hongrie, sauvez notre intelligentsia. Au secours! Au secours! Au secours!

Ignazio Silone : la leçon de la révolution hongroise

En deux semaines, Budapest a vécu février, octobre et juillet. Le monde a assisté stupéfait, au cours de ces terribles semaines, à la répétition générale de toutes les idées révolutionnaires, même de celles qu'on croyait les plus désuètes, depuis Blanqui jusqu'à Sorel. On peut faire maintenant un cours d'histoire des idées et des méthodes socialistes, rien qu'en racontant, l'un après l'autre, les épisodes de cette révolution hongroise. L'unité de temps et de lieu, qu'on considérait un artifice de la tragédie classique, a dominé le rythme des événements. Le Palais d'Hiver, Kronstadt et Barcelone se sont suivis avec la rapidité des éditions spéciales d'un quotidien populaire...

Il faut reconnaître, à l'honneur des écrivains communistes hongrois, qu'ils ne se sont pas laissés surprendre par l'épreuve. Ils l'avaient prévue, ils l'avaient même annoncée, ils l'ont accueillie comme une nécessité inévitable. Le moment venu, ils n'ont pas hésité entre le Parti et le peuple, entre l'idéologie et la vérité. C'est presque incroyable. Quel exemple et quel enseignement pour nous!...

On connaissait déjà des révoltes ouvrières qui avaient été précédées ou accompagnées par des grèves générales; mais c'est la première fois, dans toute l'histoire du mouvement socialiste, que des grèves générales à répétition, et à longueur de semaine, aient eu lieu, avec la participation de la totalité ou de la grande majorité des travailleurs, juste le lendemain de l'écrasement d'une révolte armée...

La pire tyrannie est celle des mots. Pour réapprendre sérieusement à penser avec loyauté, il faudrait commencer par remettre un peu d'ordre dans notre langage. Ce n'est pas facile, croyez-moi. Ainsi, pourquoi diable appelons-nous toujours soviétique l'armée russe? En réalité, les soviets ont disparu de Russie depuis 1920, et les seuls soviets qui existent aujourd'hui sur toute la face de la terre sont justement les comités révolutionnaires de Hongrie, et cela, dans le sens authentique du terme : formes ouvertes, élémentaires et improvisées du pouvoir populaire, dans un pays où l'autocratie a empêché l'organisation de partis politiques.

Cela veut dire que les soldats russes s'appellent soviétiques dans la même signification de réminiscence historique qu'ont, par exemple, les uniformes du XVIIe encore en usage chez les carabiniers italiens. Toujours est-il que, pour être compris par tout le monde, nous aussi nous sommes obligés de nous en tenir à la signification courante et déformée des mots et, par exemple, devons écrire : « Les troupes soviétiques contre les insurgés hongrois », tandis que le plus simple respect de la vérité des faits nous obligerait d'écrire : « Les troupes impérialistes russes contre les soviets de Hongrie. » Voilà, « *nomina perdidimus rerum* », nous avons perdu le nom des choses. Quelle aubaine pour les amateurs de pêche en eau trouble...

Quelles ont été les bases « de classe » de la terreur stalinienne, du culte de sa personnalité et des violations de la légalité socialiste, dans une société où, officiellement, n'existe qu'une seule classe? Comment cette heureuse société qui, par son homogénéité sociale, ne devrait jamais poser de problèmes de choix d'orientation générale, jamais de problèmes politiques, a subi la destruction de son élite révolutionnaire, l'extermination totale de cinq peuples fédérés, des camps de travaux forcés avec une population d'internés de douze à quinze millions d'hommes?...

Nous n'avons pas oublié que Tito, Togliatti, Gomulka nous avaient bien laissé entendre que la longue période de terreur stalinienne n'était évidemment explicable que par des défauts

du « système »; mais aucune de ces personnalités ne nous a par
la suite précisé quels avaient été précisément les rouages défectueux ou les méthodes vicieuses. J'eur perplexité est bien compréhensible. Aucun communiste, sans rompre avec la théorie et la
pratique du parti totalitaire, ne peut mettre en discussion la
légitimité du parti unique. Tout le « système » repose, de tout son
poids, sur ce pivot. La fausse théorie de l'orthodoxie spontanée
et de l'unanimité volontaire est vraiment la porte d'Hercule
qu'aucun communiste, d'aucune fraction, n'ose franchir. Au-delà
il ne voit qu'aventure et perdition. « Hic sunt leones. » S'il ose
quand même franchir cette frontière et s'il admet la nécessité
de la pluralité des courants politiques, le débat et le libre choix,
alors il n'est plus communiste.

Or, l'importance historique de la récente révolution hongroise
est, comme chacun sait, dans le rejet du mensonge totalitaire.
Socialisme? Oui. Parti unique, unanimité obligatoire? Non...
La question de la pluralité des courants politiques est la pierre
de touche qui fera le partage des progressistes.

Une autre question grave que je veux mentionner et verser au
débat, concerne particulièrement les intellectuels. Pouvons-nous
encore associer la cause de la vérité humaine, qui devrait malgré
tout rester notre souci capital, avec celle d'un parti, d'un État,
d'une classe, et leur octroyer une confiance de principe comme
s'ils ne pouvaient pas, par nature, faillir à leur « mission »?
Pouvons-nous encore attacher plus de poids à des considérations
de tactique, de stratégie, de patriotisme, d'organisation, qu'à
l'impulsion profonde qui nous pousse à reconnaître avant tout
la vérité de fait?...

Écoutez ce qu'en pense Julius Hay, qui l'a observé sur place :

« Pendant des années, a-t-il dit, j'ai cru que notre régime
était un régime socialiste — avec des déviations et des erreurs —
aujourd'hui je ne le crois plus. J'ignore quel nom des sociologues
donneront au type de régime que nous avons subi, mais je sais,
quant à moi, que dans ce système la déviation était tout et le
socialisme rien. »

C'est bref et net comme une épigraphe. Pour les intellectuels
de gauche de chez nous, on pouvait difficilement imaginer une
« aliénation » plus stérile que celle qu'ils ont subie en mettant
leur confiance et leurs espoirs en des identifications qui ne
l'étaient point. C'est un cruel réveil. Ils croyaient marcher avec
la jeunesse du monde, à l'avant-garde de l'Histoire, tandis qu'ils
n'étaient, les pauvres, que des mouches du coche, sur un affreux
corbillard...

La crise de notre époque n'épargne donc aucune contrée.
Il n'y a plus de frontière géographique de la paix, de la liberté et
de la vérité. Cette frontière passe à l'intérieur de chaque pays.
Que faire alors? Julius Hay a proposé « un pacte offensif et
défensif avec la vérité ». Je trouve cela bon. Il faut d'abord faire
la paix avec la vérité et établir avec elle une relation directe. « Ne
pas pleurer, ne pas rire, mais comprendre. » Il est temps de nous

4. — LES « CENT FLEURS » EN CHINE

Depuis la fin de l'année 1956 et jusqu'au mois de juillet 1957, on assista en Chine à un débordement incroyable de critiques à l'adresse du Parti et du régime. Voici, presque au hasard, quelques thèmes et quelques échantillons.

Des « fleurs vénéneuses »

A l'Université de Pékin, les étudiants opposent l'individualisme au collectivisme. A chaque occasion, ils mettent l'accent sur la liberté individuelle, sur les habitudes de l'individu, sur les goûts individuels, sur les seules opinions de l'individu, manifestant ainsi une tendance assez grave à l'individualisme. Certains en arrivent à tenir habituellement pour erronée l'opinion de la majorité et pour correcte celle de la minorité... Les principes de liberté sont devenus une mode et constituent un fait très grave.

Kouang Ming Je Oao, 26 octobre 1956.

Les jeunes devant les contradictions du socialisme

En voyant plusieurs États socialistes prendre des mesures incorrectes, qui ont provoqué le mécontentement du peuple, un certain nombre de jeunes commencent à douter de la supériorité du système socialiste et perdent toute confiance dans le socialisme. Il se trouve même des jeunes qui étendent et appliquent leur mécontentement à tout, nient et rejettent tout, doutent de tout... Ils perdent leur orientation et leur direction politiques, ils s'égarent politiquement. L'exemple qu'ont montré certains jeunes Hongrois au cours des quelques semaines qui viennent de s'écouler, ne mérite-t-il pas d'attirer notre plus extrême vigilance?

FANG TCHOUN, *Ne niez pas tout! Ne rejetez pas tout!*
Tchong Kouo Tsing Nien, Jeunesse de Chine,
1er décembre 1956.

Les incidents survenus entre l'Union soviétique, la Yougoslavie et la Pologne, les récents événements de Pologne sont des faits qui révèlent manifestement les contradictions existant dans et entre les pays socialistes. Or, en considérant les problèmes posés par les relations internes du socialisme, un certain nombre de jeunes ont toutes sortes de doutes, ils sont devenus sceptiques, leur cerveau n'est plus qu'un chaos.

HSIA CHOU, *Conversations avec les jeunes...*,
Jeunesse de Chine, Pékin, 16 décembre 1956.

Actuellement un certain nombre de jeunes accusent les dirigeants d'opprimer la démocratie et de supprimer l'esprit démocratique quand ces derniers ne partagent pas des opinions semblables aux leurs... Un certain nombre de jeunes pensent que chacun doit pouvoir choisir le candidat qu'il veut, sans être influencé par qui que ce soit. C'est seulement de cette façon-là que les élections sont démocratiques. Par contre, si les candidats sont nommés, et tout spécialement s'ils sont nommés par le Comité sortant, alors ces jeunes considèrent qu'une telle façon n'est pas démocratique et constitue une pression exercée par les autres pour imposer leurs vues... Promouvoir la démocratie ne signifie pas s'opposer à la direction ni s'écarter du socialisme. Certains jeunes ne comprennent pas cela et adoptent souvent une attitude impolie et irrespectueuse envers la direction.

TSIANG MING, *La Démocratie est un moyen mais non une fin*,
Jeunesse de Chine, 1er décembre 1956.

Contre le monopole idéologique

Le Parti communiste n'entend rien à la science... Puisque les communistes n'ont pas les qualifications requises, ils ne devraient pas être autorisés à diriger des experts et des spécialistes... Les membres des comités du Parti sont ignorants et n'ont aucune spécialité... Tout ce qu'ils peuvent faire, c'est crier et vociférer... La situation (à l'Université Tsing Houa) est absolument intolérable... Jour et nuit ce fut le règne de la peur... Le Parti a perdu l'appui des masses... Nous sommes à la veille d'un « incident polonais » ou d'un « incident hongrois »...

TSIEN WEI-TCHANG (vice-président de l'Université Tsing Houa),
Le Quotidien du Peuple, 6 juillet 1957.

Les étudiants de Pékin attaquent la direction du Parti. « Le marxisme-léninisme, disent-ils, est une théorie. Quant à en faire une idéologie directrice, c'est tomber dans le dogmatisme. » « Le marxisme-léninisme est une théorie de la société capitaliste,

théorie actuellement complètement dépassée et démodée. »
Ils réclament la suppression dans les écoles et dans les universités, des cours de marxisme-léninisme.

Lieou KOUANG-HOUA, *Wen Houie Pao*, Chang-haï, 29 juin 57.

Luttons pour obtenir la liberté de la presse. Appliquons
intégralement les droits que nous possédons; droits d'expression,
de publication, de réunion, d'association. La liberté de la presse
nous permettra d'exposer des idées qui, en créant une opinion
et une pression sociales, ferait reculer les forces conservatrices
(= le Parti). Luttons pour la démocratie socialiste. Il faut
abolir le contrôle de l'édition et la censure des publications.

Déclaration des étudiants de Pékin,
Le Quotidien du Peuple, 24 juillet 1957.

Les sciences sociales des pays capitalistes ne doivent pas être
rejetées en bloc ni supprimées d'un trait. Certes, ces sciences
sociales relèvent de la pensée bourgeoise et servent la classe
bourgeoise, mais tout n'y est pas mauvais. Si nous pouvons
assimiler ces sciences, c'est-à-dire critiquer ce qui est erroné et
assimiler ce qui est correct, elles peuvent enrichir et promouvoir
le marxisme-léninisme. Malheureusement, au cours des années
passées, nous avons rejeté et considéré comme mauvais tout ce
qui ne trouvait pas son origine en Union soviétique. Par exemple,
nous avons mis au rancart la sociologie, les sciences politiques,
la psychologie, la jurisprudence. Une telle pratique isolation-
niste est extrêmement puérile et tout à fait ridicule.

TSIEN KIA-KIU, Agence Chine nouvelle, 16 juillet 1957.

Contre la terreur

Nous avons employé envers les intellectuels des méthodes de
punition que les paysans n'emploieraient pas contre leurs anciens
seigneurs, ni les ouvriers contre leurs anciens patrons. Innombrables furent les intellectuels qui, pendant la soi-disant campagne de rééducation sociale, incapables d'endurer la torture
spirituelle et l'humiliation auxquelles ils furent soumis, préfé-
raient mourir, en se jetant par la fenêtre, en se noyant dans les
rivières, en s'empoisonnant, en se coupant la gorge ou par tout
autre méthode. On n'épargna pas les vieillards, on ne pardonna
pas aux femmes enceintes... En comparaison de nos méthodes
de massacre celles employées par les fascistes à Auschwitz
paraîtront maladroites, enfantines et plutôt bénignes. Eux, du
moins, avaient eu recours à des bourreaux professionnels... Si
nous admettons que le camarade Staline ne se soustraira pas à la
condamnation de l'Histoire pour ses massacres cruels de camarades, alors je pense que notre Parti, lui aussi, sera condamné

pour ce massacre d'intellectuels qui pourtant avaient fait leur soumission.

Lettre ouverte à Mao Tsé-toung du Professeur Yang CHIHCHAN dans le *Quotidien de Hankow*, 13 juillet 1957.

Critique du parti

J'estime qu'aujourd'hui les rapports entre le Parti et les masses diffèrent dans une mesure considérable de ce qu'ils étaient avant la Libération... Il y a eu du cafouillage dans l'achat et la vente planifiés des produits alimentaires; c'est à cause de cela que l'approvisionnement du marché connaît une situation de tension; la campagne d'élimination des contre-révolutionnaires a été mal conduite. Le Parti a commis des erreurs, les dirigeants doivent demander eux-mêmes à être punis. Le peuple n'arrive pas à se nourrir et il y a des gens qui disent que le niveau de vie s'est élevé. Pour qui s'est-il élevé? Pour les membres du Parti et les cadres qui jadis avaient des chaussures usées et qui maintenant se déplacent en voiture et portent des uniformes en laine... Pour prendre un exemple, où est passée la viande de porc? Elle n'a pas été toute dévorée par le peuple; si elle manque, cela est dû à ce que la politique d'achat et de vente planifiés des denrées alimentaires a été mal exécutée si bien que les paysans n'ont plus voulu élever des porcs. En 1949, quand le Parti est entré dans les villes, la population l'a accueilli en lui offrant le peu de nourriture qu'elle avait. Aujourd'hui, elle révère le Parti comme on révère les esprits : sans vouloir s'en approcher.

Si le Parti a des doutes à mon égard, j'aurai envers lui la même attitude. La Chine est la Chine de 600 millions d'hommes, y compris les contre-révolutionnaires; ce n'est pas la Chine du Parti communiste. Les membres du Parti ont une attitude de propriétaire du pays, ... mais il n'est pas possible que seuls les membres du Parti soient dignes de confiance et que tous les autres soient des gens douteux... Si vous agissez bien, ça pourra aller; si vous n'agissez pas bien, les masses peuvent vous renverser, elles peuvent tuer les communistes; on ne peut pas dire que cela ne serait pas patriotique, parce que les communistes ne servent pas le peuple. Le Parti disparaîtrait-il, la Chine ne pourrait pas disparaître...

Professeur KO PEI-TCHI dans le *Quotidien du Peuple*, Pékin, 31 mai 1957.

Contre le monopole du parti

Le Parti communiste compte 12 millions de membres, soit moins de 2 % de toute la population du pays. Or les 600 millions de Chinois doivent devenir les dociles sujets de ces deux pour cent de la population. C'est inadmissible! Il faut se débarrasser de la direction absolue et totalitaire du Parti. Il faut supprimer tous les privilèges des membres du Parti.

Parce que le Parti communiste s'est érigé en classe privilégiée, on trouve des communistes de piètre valeur à tous les postes importants. Des vétérans du Parti ont oublié les traditions de travail au service du peuple et de la nation, ils prennent maintenant plaisir à écouter les flatteries et les adulations, et ils en arrivent à ne plus pouvoir supporter la moindre critique. Or c'est le Comité central du Parti qui tient en mains la direction. C'est lui qui donne un mauvais exemple aux communistes situés aux échelons inférieurs. A l'unanimité, les journaux vantent les mérites, louent les vertus et exaltent les services du Comité central. Les postes importants et les traitements élevés allèchent un certain nombre de militants communistes comme une bande de mouches attirées par une assiette de miel, et ces activistes dressent des barbelés et un rideau de fer entre le Parti communiste et le peuple. (...)

C'est seulement quand les privilèges du Parti auront été abolis que d'authentiques et véritables communistes entreront dans le Parti, que l'organisation du Parti pourra se préserver de toute impureté et que le Parti pourra diriger l'État par une politique correcte. Mais si les privilèges du Parti ne sont pas supprimés, le Parti et le socialisme seront un jour enterrés. (...)

La Constitution de la République populaire de Chine est un chiffon de papier : le Parti a la possibilité de ne pas l'observer. Apparemment, nous avons des élections démocratiques, nous avons un Front populaire d'union démocratique et des personnalités non communistes sont placées à des postes de direction. Mais en fait, le Parti exerce sa dictature et quelques membres du Bureau politique du Comité central du Parti exercent un pouvoir absolu.

> Déclaration de Tchang PO-CHENG et Houang TCHEN-LOU, dans le *Quotidien de Chenyang*, 11 juin 1957.

Contre la nouvelle classe

Les hauts dignitaires du Parti communiste constituent une classe privilégiée. Les dirigeants du Parti à l'échelon provincial ou municipal sont des « empereurs locaux ». La résistance la plus forte qui s'oppose au mouvement de rectification des méthodes de travail du Parti vient des forces conservatrices existant à l'intérieur même du Parti.

Après le nouveau mouvement des trois anti, les droits de l'homme ont été foulés aux pieds et la dignité humaine a été gravement violée. Les fautes ont été encore plus flagrantes lors du mouvement de répression des contre-révolutionnaires. On n'a pas respecté l'homme et on a considéré la dignité humaine comme une chose négligeable.

> Lieou PIN-YEN, *Le Quotidien du Peuple*, 20 juillet 1957.

5. — L'EXPÉRIENCE YOUGOSLAVE

Présentation

Les « révisionnistes » yougoslaves offrent le modèle d'une « auto-réforme » du communisme totalitaire. Tout d'abord, ils ont remis en honneur l'idée de la gestion « ouvrière » mise à l'index depuis 1922 (1). L'État qui avait concentré entre ses mains toute la gestion de l'économie pendant la période « stalinienne » 1945-1949, a progressivement transféré une autorité croissante aux conseils ouvriers créés par la loi du 27 juin 1950. Ensuite, Tito a rétabli la libre exploitation paysanne : à partir de 1952, le secteur privé englobe 91 % du sol cultivé. Enfin, Tito a expressément envisagé la possibilité d'un « dépérissement progressif » du parti lui-même. « Le rôle du parti est historiquement limité à une certaine période », aurait dit Tito en 1952. « Comment la société organisera ses affaires reste à déterminer, mais le parti ne sera pas nécessaire. Le parti dépérit graduellement. Cela ne veut pas dire qu'à un système de parti unique succède un système multiparti. Cela veut simplement dire que le système de parti unique, ayant succédé à un système multiparti, disparaîtra à son tour. »

Pour avoir voulu accélérer ce processus, Djilas sera exclu de la « Ligue des Communistes » (1954) : c'est lui qui constitue le chaînon intermédiaire entre les premiers critiques du stalinisme (Trotsky, Souvarine, Victor Serge, Anton Ciliga) et les « révisionnistes » modernes.

---

(1) C'est le mérite du groupe « *Socialisme ou Barbarie* » d'avoir défendu et sauvé de l'oubli cette idée fondamentale du marxisme. Cf. Les articles de Chaulieu-Cardan dans la revue du même titre.

Thèses sur le dépérissement de l'État, la démocratie et le parti unique

Le développement du système de démocratie socialiste commence à rétrécir le rôle de l'administration d'État dans la gestion directe de l'économie, dans le domaine des activités culturelles et éducatives, de la santé, de la politique sociale, etc. Les fonctions de direction de ces activités sont de plus en plus transférées à divers organes sociaux autonomes, indépendants ou coordonnés dans un mécanisme organique démocratique correspondant. Les organes de l'État continuent à exercer toute une série de fonctions telles que : planification économique, gestion de certains fonds sociaux, fixation des proportions et des rapports généraux dans la répartition des ressources — mais, dans l'exercice de ces fonctions, ils interviennent de moins en moins comme organes du pouvoir politique et de plus en plus comme organes sociaux communs des collectifs de travail des entreprises et des communautés.

La ligue des Communistes de Yougoslavie considère comme indéfendable le dogme du monopole absolu du Parti communiste dans le pouvoir politique, en tant que principe universel et « éternel » de la dictature du prolétariat et de l'édification socialiste.

Dans le feu de la lutte révolutionnaire pour le pouvoir et pour sa consolidation, le rôle dirigeant du Parti communiste au sein du mouvement ouvrier peut revêtir, provisoirement, le caractère d'une concentration maximum du pouvoir entre les mains du Parti, en vue de l'établissement du nouveau pouvoir et de la création des conditions politiques essentielles de l'édification du socialisme. Mais le pouvoir du Parti ne peut remplacer toute l'initiative des masses et tous les divers courants sociaux à travers lesquels se manifeste l'activité créatrice de la nouvelle société. Aussi, la tâche de la démocratisation du système révolutionnaire du pouvoir et de l'appui direct des forces socialistes dirigeantes sur l'activité des masses se présente-t-elle comme l'une des premières tâches après la victoire de la révolution. En Yougoslavie ce processus s'est déroulé sous la forme d'une activisation des masses — aux conceptions politiques et idéologiques diverses, mais attachées à l'idée du socialisme — à travers le Front Populaire et l'alliance socialiste du peuple travailleur. Dans les autres pays ce phénomène peut se manifester sous d'autres formes telles que les alliances et les coalitions avec les autres mouvements socialistes et progressistes, les partis paysans, etc.

Or, ce qu'il y a de plus important à cet égard, c'est le fait que la classe ouvrière ne peut devenir le maître de son propre sort et, partant la force motrice principale du progrès social, si elle ne s'assure pas le contrôle direct sur la gestion de la production et sur la répartition. Dans l'exercice de cette fonction, elle ne peut être remplacée par aucun régime de contrôle d'État sur le propriétaire privé, par aucun appareil d'État et par aucun directeur d'État. L'évolution des formes existantes de la démocratie vers des formes qui font organiquement partie des nouveaux rapports économiques socialistes, constitue la condition indispensable du progrès socialiste dont elle est partie intégrante.

Les communistes se trouvent, par conséquent, en présence du problème suivant : un système à parti unique ou un système à plusieurs partis. L'un et l'autre de ces systèmes constituent une réalité transitoire possible à une période déterminée du développement socialiste de divers pays. Le problème qui se pose devant eux c'est aussi celui de savoir quelles nouvelles formes de démocratie doivent être apportées par le développement socialiste, quelles nouvelles formes sont exigées par les rapports sociaux qui se fondent sur la propriété sociale des moyens de production. C'est en présence de ces problèmes que se trouvent les communistes, qu'il s'agisse soit d'un système à plusieurs partis, soit d'un système à parti unique, en tant que formes initiales de la démocratie socialiste et, à cet égard, on ne doit pas oublier le fait que loin de les exclure, la démocratie socialiste présuppose la diversité et la différence des formes concrètes du démocratisme dans les divers pays et, dans un seul pays, aux diverses phases du développement du socialisme.

... Dans cette perspective, le rôle politique dirigeant de la Ligue des Communistes de Yougoslavie disparaîtra graduellement à mesure que se développeront et se renforceront les formes toujours plus étendues de la démocratie socialiste directe. Cette disparition ira de pair avec le processus objectif du dépérissement des antagonismes sociaux et de toutes les formes de contrainte qui ont été engendrées historiquement par ces antagonismes.

Projet de programme de la Ligue
des Communistes de Yougoslavie, 1958.

Réponse de l'orthodoxie

Les milieux dirigeants de la Ligue, à l'unisson avec les réactionnaires de tous les pays et les éléments de droite, de la bourgeoisie chinoise, vilipendent la dictature du prolétariat. Ils disent qu'elle « mène au bureaucratisme, à l'idéologie de l'étatisme, au divorce entre les dirigeants politiques et la masse des travailleurs, à la stagnation, à des distorsions dans le développement du socialisme, au renforcement des antagonismes et des contradictions intérieures.

QUOTIDIEN DU PEUPLE, Pékin, 4 mai 1958.

Toutes les considérations du projet de programme de la Ligue des Communistes de Yougoslavie concernant l'État socialiste visent en substance à l'affaiblir. Au profit de qui? L'expérience historique de tous les pays socialistes atteste que tout affaiblissement de l'État socialiste dans les conditions de la période de transition, alors qu'existe le camp impérialiste agressif qui s'efforce de restaurer le capitalisme, ne peut profiter qu'aux ennemis du socialisme, les impérialistes...

... Les dirigeants yougoslaves s'opposent au bureaucratisme, mais ils le conçoivent comme une « force sociale » dans les pays socialistes. Toute force sociale est en premier lieu une force de classe. Comment le bureaucratisme devient-il sous le socialisme une « force sociale »? Il ne peut y avoir que deux réponses à cette question. Ou bien le bureaucratisme est une survivance de l'ancienne société qui est surmontée à la suite d'une lutte opiniâtre au cours de l'édification du socialisme et ne peut devenir une « force sociale » particulière, ou bien cela témoigne de la naissance d'une « nouvelle classe » comme l'affirme le calomniateur et renégat Djilas. Il est inutile de chercher une troisième voie, comme le fait E. Kardelj.

PRAVDA, 9 mai 1958.

Le projet voit aussi d'une façon unilatérale la liquidation du bureaucratisme dans « le processus du dépérissement de l'État », conçu en tant que décentralisation du pouvoir, affaiblissement du rôle de l'État et accroissement des fonctions des organes de l'autonomie sociale.

Cette liaison directe entre la lutte contre le bureacrautisme et le processus du dépérissement de l'État est une conséquence de la manière étroite et simplifiée de traiter le problème tout entier du dépérissement de l'État. Ce dépérissement peut se produire à mesure que disparaît sa nécessité, la nécessité des fonctions économiques accomplies par cet État ainsi que celle de la fonction de défense à l'intérieur et à l'extérieur.

Les fonctions économiques de l'État conserveront leur importance aussi longtemps que ne sera pas édifiée la société communiste, aussi longtemps que ne seront pas suffisamment développées les forces productives de la société. Un appareil d'État approprié à leur application est donc indispensable, encore que le rayon d'action et les formes d'action d'un tel appareil puissent et doivent, au fur et à mesure que progressent l'édification du socialisme et l'essor des forces productives, subir des modifications en vue de l'accroissement constant de la participation des masses laborieuses à l'administration de l'économie et des entreprises socialistes.

La décentralisation économique et administrative, le développement de toutes les formes d'autonomie des masses laborieuses, qui présentent sans aucun doute une grande signification pour la lutte contre le bureaucratisme, ne peuvent donc être identifiés au processus du dépérissement de l'État. Le dépérissement de l'État signifie le remplacement du pouvoir exercé sur les hommes par l'administration des choses, c'est la liquidation de tout arbitraire d'État dans les rapports entre les hommes. La situation actuelle exige de nous le maintien de la direction étatiste de l'économie et des autres domaines de la vie sociale, elle exige le maintien de l'appareil d'État de défense nationale et de l'appareil de contrainte. Les formulations impropres du projet de programme qui demeurent d'ailleurs en contradiction avec la pratique de la Ligue des Communistes de Yougoslavie troublent l'attitude nette que les communistes doivent adopter pour ce qui est du rôle et de la position du pouvoir.

TRYBUNA LUDU, Varsovie, 14 mai 1958.

Djilas et l'autogestion 1956

En Yougoslavie, la prétendue gestion ouvrière et la soi-disant autonomisation des entreprises ont été conçues à l'époque de la lutte contre l'impérialisme soviétique comme une mesure démocratique très radicale, destinée à ôter au Parti le monopole administratif; finalement, cette gestion et cette autonomisation se sont trouvées reléguées parmi les tâches politiques du Parti lui-même... Tout l'effort yougoslave d'administration directe n'a été pour le régime qu'une soupape de sûreté... Sans liberté universelle, la gestion ouvrière elle-même ne peut être libre; il est clair que dans une société asservie rien ne peut être décidé librement par personne.

La Nouvelle classe, Plon, 1957, p. 81.

Mao et l'autogestion yougoslave

L'économie d'autogestion ouvrière de la clique Tito est un capitalisme d'État d'un genre particulier... Les moyens de production n'appartiennent pas à un ou plusieurs capitalistes, ils appartiennent en réalité à la bourgeoisie bureaucratique et compradore d'un type nouveau, représentée par la clique Tito et englobant bureaucrates et gérants. Cette bourgeoisie, usurpant le nom de l'État, se subordonnant à l'impérialisme américain, s'est approprié les biens qui appartenaient aux travailleurs... Sous l'enseigne de l'autogestion, une concurrence capitaliste acharnée règne entre les diverses entreprises. Pour battre leurs concurrents sur le marché et réaliser le maximum de bénéfices, il est courant que les entreprises dites « autogérées » se livrent à des actions frauduleuses, spéculent, accaparent et stockent les marchandises, haussent les prix, détournent les fonds, distribuent des pots-de-vin, monopolisent des secrets techniques, s'arrachent les techniciens et même utilisent la presse et la radio pour faire du tort aux autres... La dégénérescence du pouvoir d'État en Yougoslavie a abouti à la destruction du système économique socialiste et à la restauration du système économique capitaliste... La Yougoslavie... est tombée au rang de semi-colonie ou de dépendance de l'impérialisme.

La Yougoslavie est-elle un pays socialiste?, 26 septembre 1963.
Dans *Débat sur la ligne générale...*, Pékin, 1965,
p. 165, 171, 187, 188.

Djilas et l'autogestion 1969

La notion d'autogestion a été conçue par Kardelji et moi-même, aidés en cela par notre camarade Kidric... Le pays était étranglé par la bureaucratie, et les dirigeants du parti étaient saisis d'horreur et de rage devant l'arbitraire incorrigible de la machine du parti qu'ils avaient eux-mêmes mise sur pieds et qui les maintenait au pouvoir. Un jour — ce devait être au printemps 1950 — il me vint à l'esprit que les communistes yougoslaves étaient désormais en mesure de commencer à créer ces libres associations de producteurs dont parlait Marx... Si (ce programme) avait été suivi jusqu'au bout, si mes avis avaient été appliqués de façon cohérente à l'intérieur du parti et à la société tout entière, cela n'aurait eu pour résultat, au mieux, que de conduire un peu plus rapidement, et d'une manière peut-être plus dangereuse, à une confrontation avec les problèmes fondamentaux. Cela n'aurait pas permis de les résoudre, puisque cela n'aurait pas permis au régime de s'arracher à ses utopies et à sa politique de coercition. Ce qui se produisit en réalité, ce fut la naissance d'un nouveau dogme et d'un nouveau mythe...

Pendant quinze ans, la présence continuelle et toute-puissante de la police secrète continua de planer sur les conseils ouvriers, et cela se poursuivit jusqu'en 1966 où fut décidé le renvoi des chefs de la police secrète. Mais le parti garde toujours sa structure anti-démocratique et sa position privilégiée...

Les conseils ouvriers et les autres organes de l'auto-gestion se sont révélés incapables de résoudre les problèmes posés par le développement libre et harmonieux de l'économie. Ils n'ont même pas été capables de résoudre celui d'une répartition équitable... Cela n'aurait été possible que si une participation libre et active de tous avait été statutairement garantie aux travailleurs, ainsi que le droit de créer des syndicats libres et indépendants, le droit de grève et de manifestation, etc.

La situation économique est d'autant plus grave que le rôle du gouvernement fédéral et des gouvernements des républiques en matière de planification économique est moins important et surtout moins efficace que dans n'importe quel pays occidental...

(Tout cela) repose sur un mythe qui s'est révélé stérile dans certains cas et s'est discrédité dans d'autres : la croyance mythique dans l'éthique révolutionnaire de la classe ouvrière et dans l'abolition de la propriété privée, conçue comme une panacée. Mais cela ne signifie pas que ces formes de la soi-disant gestion ouvrière, qui ne sont que des essais et qui n'en sont qu'à leurs débuts, n'ont pas été ou ne peuvent être des moyens efficaces pour se délivrer du dogmatisme et pour limiter l'arbitraire de la bureaucratie. Même si, d'une certaine manière, les conseils ouvriers sont un masque utile pour les démagogues et les bureaucrates du parti, il n'en demeure pas moins qu'ils sont aussi un refuge pour les démocrates. Ce qu'on appelle la gestion ouvrière peut être utilisée par ceux qui identifient le socialisme à la justice sociale et à la liberté.

Une société imparfaite, Calmann-Lévy, 1969, p. 242-249.

La vérité sur les procès de 1952-53

A cette époque l'économie nationale connaissait de grandes difficultés et les insuffisances du ravitaillement étaient aggravées par la mauvaise récolte. Le mécontentement commençait à se développer parmi la population. La démocratie déjà limitée disparaissait de plus en plus dans la vie intérieure du parti, faisant place à l'obéissance inconditionnelle et à la discipline aveugle. Le pouvoir se concentrait de plus en plus dans les mains d'un nombre limité de dirigeants, le Comité central était devenu une instance d'enregistrement qui approuvait passivement les décisions et la ligne politique fixées par cette minorité... La chasse aux sorcières était ouverte.

Arthur LONDON, *L'Aveu*, Gallimard, 1969, p. 378.

On apprendra en 1968 que le nombre total des victimes de la répression — tués, emprisonnés, internés — s'est élevé à 139 000 personnes. Ce n'est pas peu pour un pays de 14 millions d'habitants. K.P.

Les critères de l'épuration

Toute personne qui avait combattu en Espagne était un ennemi virtuel en tant qu'être humain qui avait fait la preuve qu'il était prêt à sacrifier sa vie pour un idéal. Le même critère était utilisé pour les camarades qui avaient combattu dans l'insurrection nationale slovaque et pour plus d'un résistant tchèque. Parce qu'ils s'étaient laissés contaminer par la démocratie britannique, étaient aussi des ennemis les camarades qui avaient vécu en Angleterre. Étaient aussi des ennemis ceux qui étaient intelli gents, qui pensaient, qui étaient cultivés, et particulièrement ceux dotés d'une colonne vertébrale bien droite. Particulièrement suspects étaient ceux qui avaient appartenu au parti avant la guerre et pour qui l'idéal du socialisme n'était pas une expression creuse de propagande.

Evgen LÖBL, *Procès à Prague*, Stock, 1969, p. 89-90.

La colonisation clandestine de la Tchécoslovaquie par les services secrets soviétiques

Le procès Slanski avait été mis en scène par les hommes de Béria. C'était eux qui décidaient quel membre du gouvernement, du présidium du parti ou du Comité central, quel fonctionnaire de l'appareil de l'État ou du Parti devaient être liquidés. Le chef du Parti et de l'État avait subordonné les intérêts de notre République et de notre peuple non pas aux intérêts et aux désirs de l'U.R.S.S. mais à ceux de Staline, de Béria et de leurs hommes de main.

Evgen LÖBL, *ibid*, p. 91.

Les conseillers soviétiques [les hommes de Béria] commencèrent d'arriver en 1949. Profitant de leur auréole et de l'autorité qu'ils ont sur les fonctionnaires de la Sécurité, ils recrutent parmi eux des hommes de confiance, qui leur sont dévoués corps et âmes, les considèrent comme leurs véritables chefs et exécutent leurs ordres en dehors de la voie et de leurs chefs hiérarchiques. Il s'est développé ainsi très rapidement une police parallèle, véritable État dans l'État, dont l'activité échappait totalement au Parti... Officiellement les conseillers n'avaient aucun pouvoir, en réalité leur autorité et leur influence étaient plus grandes que celles des ministres et des dirigeants du Parti.

Bien informés, les conseillers savaient également trouver les éléments douteux, tarés, qu'ils pourraient manier à leur gré et leur confier n'importe quelle besogne.

A. LONDON, *L'Aveu*, Gallimard, 1969, p. 377-8.

On préparait des procès contre tous les dirigeants du parti et de l'État. Des interrogatoires avaient été menés et des procès-verbaux signés sur l'activité criminelle de Zapotocky [futur président de la République]...

London m'a dit qu'on l'avait interrogé sur Novotny pour qu'il leur dise ce qu'il savait ou avait entendu dire sur le comportement de celui-ci dans les camps de concentration. Il est vrai qu'ils ne voulaient pas les condamner tous. Pour certains d'entre eux, il s'agissait simplement de pouvoir les tenir en main. D'après ce que London m'a raconté sur le comportement de Novotny dans les camps de concentration, le matériel amassé devait précisément servir à cela.

On a redécouvert alors une vieille vérité : lorsque les intérêts d'un peuple sont subordonnés à d'autres intérêts que les siens, il en découle des tragédies dont on ne saurait prévoir ni les dimensions ni les formes.

Evgen LÖBL, *op. cit.*

L'État « ouvrier »

La faute principale et la plus grande duperie des dirigeants c'est qu'ils justifiaient leur arbitraire en proclamant que telle était la volonté des ouvriers. Si nous devions croire en cette tromperie, il nous faudrait, aujourd'hui, accuser les ouvriers du déclin de notre économie, des crimes à l'encontre de personnes innocentes, de la mise en place de la censure qui empêchait que tout cela soit écrit. C'étaient les travailleurs qui seraient responsables des investissements erronés, des pertes commerciales ou de la crise du logement.

Naturellement personne de sensé ne croit à cette culpabilité des travailleurs. Chacun sait que la classe ouvrière, pratiquement, ne décidait en rien; les fonctionnaires ouvriers étaient proposés par quelqu'un d'autre.

Le Manifeste de dix mille mots.

L'échec économique

Le pouvoir politique centralisé porte en lui-même des risques graves qui deviennent autant de menaces dès lors que ce pouvoir perd ses anciennes justifications historiques, qu'il ne reste plus rien de l'infrastructure économique et politique d'un régime capitaliste révolu, et qu'une nouvelle intelligentsia socialiste s'est formée entre-temps.

En Tchécoslovaquie, tout le système du pouvoir a servi pendant longtemps à une poignée de fonctionnaires qui violaient la société tout entière. En outre, bien des hommes politiques qui avaient mené le Parti et le pays au socialisme à travers les écueils de la révolution, n'ont pas su, et ne savent pas, saisir le moment où il est nécessaire d'abandonner le pouvoir. Ils ignorent le secret de cette science qui consiste à partir à temps, à l'heure où la victoire est acquise, et où la société commence à demander autre chose à ses cadres dirigeants.

Nous connaissons les conséquences : des conditions analogues à celles de l'état de siège se sont perpétuées jusqu'aux limites du supportable. La volonté de diriger et de contrôler le moindre rouage du pouvoir a été poussée jusqu'à l'absurde. Déjà, la prétention des dirigeants à décider de tout dans la société comporte un danger de dilettantisme. Mais ce dilettantisme n'est devenu apparent que parce que les organes centraux qui décidaient de tout se sont très vite perdus dans d'infimes détails.

La logique de ce système continue cependant à s'imposer. L'incapacité de dominer des problèmes toujours plus complexes, de faire face à des difficultés croissantes avec les seules ressources de sa propre raison, a amené plus d'un honnête membre du Parti à user de méthodes répressives une fois installé au pouvoir. Car là où la force de la pensée ne peut vaincre, le poids du pouvoir la remplace, quand ce n'est pas celui de la force et de la violence.

Les garanties pour l'avenir ne peuvent résulter que d'une transformation fondamentale des méthodes de travail du Parti. Mais aussi de sa conception des institutions, et des changements démocratiques à apporter à la société entière.

Comme économiste, j'aperçois un rapport direct entre l'économie et la politique. C'est d'ailleurs la raison pour laquelle j'ai personnellement milité en faveur des conseils de travailleurs au sein de l'entreprise. Si le pouvoir économique est enlevé aux organes de la bureaucratie centralisée, si nous parvenons à confier l'administration des entreprises à ceux qui supportent les conséquences de toute mauvaise gestion, c'est-à-dire aux travailleurs, alors nous aurons franchi un grand pas et empêché qu'une bande de bureaucrates ne réunisse entre ses mains un énorme pouvoir et n'exerce son dilettantisme à tout propos.

Au surplus, une garantie de ce genre dans le domaine de l'économie rendra impossible les transgressions d'autorité, et on ne verra plus une poignée d'hommes prétendre régenter la société en invoquant des droits bien supérieurs à ceux que peut leur valoir leur position dans le Parti.

Ota SIK, *Zivot Strany*,
organe du C.C. du P.C. tchécoslovaque, août 1968.

Le parti monopoliste

Le système reposant sur les rapports entre le parti et les sans-parti, forme et déforme également le contenu et le sens de la direction politique... Être la force dirigeante dans un tel système, c'est avoir le monopole du pouvoir; inversement, celui qui détient le monopole du pouvoir possède aussi le rôle dirigeant... L'identification du rôle dirigeant avec la position de domination constitue l'une des plus sombres mystifications de l'histoire du socialisme. Les politiciens qui parlent du rôle dirigeant du *parti* entendent par là la position dominante d'un *groupe* au pouvoir. Cette duplicité confirme que dans le système des transmissions le parti se scinde d'une part en une minorité dirigeante qui s'arroge l'exclusivité de parler au nom du parti et de la classe ouvrière, et d'autre part en une masse des membres du parti qui, objectivement, ne jouent que le rôle des courroies de transmission.

Karel KOSIK, *Literarni Listy*, 11 avril 1968.

Aucun problème humain n'a été résolu

Il est indispensable de comprendre que, dans les vingt dernières années, aucun problème humain n'a été résolu dans notre pays — depuis les besoins élémentaires, tels que le logement, les écoles et la prospérité économique, jusqu'aux exigences les plus belles de la vie qu'aucun système non démocratique ne peut contenter, par exemple le sentiment d'avoir sa pleine valeur dans la société, la subordination des décisions politiques à des critères éthiques, la croyance dans la valeur du travail même subalterne, le besoin de confiance entre les hommes, l'éducation de tout un peuple...

Les règles de la démocratie formelle ne donnent pas naissance à un gouvernement extrêmement solide, mais autorisent la conviction que le prochain gouvernement pourrait être meilleur que le précédent. Ainsi, le gouvernement tombe, mais le citoyen survit. En revanche, quand le gouvernement reste au pouvoir pour toujours, ou pour une longue période de temps, le citoyen tombe. Où tombe-t-il? Je ne ferai pas à nos ennemis le plaisir de dire qu'il est abattu par un peloton d'exécution. Ce destin n'est réservé qu'à quelques douzaines ou quelques centaines de citoyens. Cependant, cela suffit parce qu'alors, la nation entière tombe dans la peur, l'indifférence politique et la résignation polie, les petits soucis de tous les jours et les rêves mesquins... Je crois que les citoyens n'existent plus dans notre pays...

Ludwig VASULIK.

Contre le parti unique

Ne répétez pas les clichés des journaux sur la démocratie, la démocratisation et (la lutte contre) les déformations. Ces prétendues déformations ne sont nullement des déformations, mais des manifestations normales, inévitables et courantes de toute dictature totalitaire, qui est elle-même une déformation.

N'oubliez pas que Marx n'a jamais défendu le rôle de quelque parti que ce soit en tant qu'appareil placé au-dessus de la classe ouvrière... L'idée du parti en tant qu'appareil d'une élite qui diffuse ses idées dans les masses, c'est une idée des Narodniks russes et de Lénine, critiquée par de nombreux marxistes dès l'époque où elle prenait naissance.

L'idéologie fondée sur la théorie que le parti dirige la classe ouvrière et le peuple, et leur inculque ses propres idées, n'a rien de commun avec Marx, mais beaucoup de commun avec la liquidation incessante des idées critiques et de la liberté humaine par la monotonie hypnotisante des croyants du culte de Staline. Si, eux, sont des marxistes, nous ne le sommes pas; si nous sommes des marxistes, ils ne le sont pas.

Ivan SVITAK dans *Student*, avril 1968,
cité par *Le Monde*, 24 avril 1968.

1959 : il n'y a pas de conflit

Les révisionnistes yougoslaves font état de prétendues divergences entre le P.C. de l'Union Soviétique et le P.C. de Chine. Il serait opportun de citer à cette occasion le dicton russe : « Commère affamée ne pense qu'au pain. » Les révisionnistes veulent trouver des divergences entre nos P.C., mais leurs espérances illusoires sont vouées à l'échec *(vifs applaudissements prolongés)*. Nous sommes parfaitement et en tous points d'accord avec le P.C. de Chine, quoique ses méthodes d'édification du socialisme diffèrent sensiblement des nôtres... Pourquoi n'avons-nous pas de divergences? Parce que l'attitude de classe et la conception de classe de nos deux partis sont identiques... Nous pouvons dire aux révisionnistes yougoslaves : Ne cherchez pas de fissure là où il n'y en a pas! Vous voulez vraisemblablement vous remonter le moral et induire en erreur le peuple yougoslave en prétendant que des divergences existent non seulement entre vous et nous, mais aussi entre l'Union Soviétique et la république populaire de Chine. Peine perdue *(applaudissements)*.

N. KHROUCHTCHEV, Discours au XXIᵉ Congrès du P.C.U.S.,
février 1959, *Cahiers du Communisme*, p. 98.

Un an après les experts soviétiques quitteront massivement la Chine. La « guerre froide » qui en suivra culminera dans la confrontation militaire de 1969.

Mao, « ennemi de la paix »

La guerre atomique est un tigre de papier et n'a rien de terrible [affirment les communistes chinois]. L'essentiel, selon eux, est de mettre fin à l'impérialisme aussitôt que possible. Mais savoir comment et à quel prix est pour eux une question d'importance secondaire. Il est permis de demander : d'importance secondaire pour qui? Pour les centaines de millions d'êtres humains qui seront voués à la mort en cas de guerre thermonucléaire? Pour les pays qui disparaîtront de la surface de la terre dès les premières heures d'un pareil conflit? Personne, pas même une grande puissance, n'a le droit de jouer avec les destinées de millions de gens. Ceux qui refusent de faire les efforts nécessaires pour éliminer la guerre de la vie des nations, pour empêcher l'extermination en masse d'êtres humains et la destruction des valeurs de la civilisation, méritent d'être blâmés (...). Certains dirigeants chinois haut placés ont également parlé de la possibilité de sacrifier des centaines de millions de gens dans une guerre. « *Les peuples victorieux* », lisons-nous dans *Vive le léninisme!*, recueil d'essais approuvé par le C.C. du P.C. chinois « créeraient rapidement sur les ruines de l'impérialisme une civilisation mille fois plus élevée que le système capitaliste, et se donneraient un avenir vraiment sublime. » Il est permis de demander aux camarades chinois s'ils se rendent compte quelle espèce de « ruines » une guerre thermonucléaire mondiale laisserait derrière elle.

Pravda, 14 juillet 1963.

Mao réhabilite Staline

Khrouchtchev a injurié Staline, disant qu'il fut « le plus grand dictateur de l'histoire russe ». Cela ne revient-il pas à dire que le peuple soviétique a vécu trente ans durant, non pas en système socialiste, mais sous la « tyrannie » du « plus grand dictateur de l'histoire russe»? Jamais les peuples révolutionnaires n'approuveront pareille calomnie.

Khrouchtchev a injurié Staline, le taxant de « despote du type d'Ivan le Terrible ». Cela ne revient-il pas à dire que l'expérience offerte en trente ans par le grand parti bolchevik... n'est pas celle de la dictature du prolétariat, mais celle de la domination d'un despote?

Khrouchtchev a injurié Staline, le qualifiant de « bandit ». Cela ne revient-il pas à dire que pendant une longue période le premier pays socialiste du monde a eu à sa tête un bandit?

Khrouchtchev a injurié Staline, le considérant comme un assassin. Cela ne revient-il pas à dire que durant plusieurs décennies le mouvement communiste international a eu un « assassin » pour éducateur? Jamais les communistes du monde entier n'approuveront pareilles calomnies.

Sur la question de Staline, 13 septembre 1963, dans *Débat sur la ligne générale...*, Pékin, 1965, p.134-5.

Réponse de Khrouchtchev (5 avril 1964)

Ceux qui veulent redonner vie au cadavre de Staline, ceux qui veulent s'appuyer sur la hache et le couteau (...), ceux qui aiment Staline peuvent l'emporter s'ils aiment l'odeur des cadavres.

Mao, « nouveau Gengis Khan »

Il n'y a pas longtemps, en Chine, on a célébré dans le plus grand apparat le 800ᵉ anniversaire du conquérant sanguinaire Gengis Khan. Dans l'atmosphère d'ardeur chauviniste qui règne là-bas, cela n'a pas étonné. D'autant moins que le chauvinisme de grande puissance et l'engouement pour le passé féodal sont très proches du cœur de Mao Tsé-toung. Dans l'un de ses poèmes, il chante Gengis Khan...

Isvestija, 6 avril 1964.

Mao Tsé-toung s'est transformé en un bouddha vivant, isolé du peuple par les bonzes de sa cour qui interprètent selon ses désirs le marxisme et l'histoire contemporaine. Les paysans se prosternent jusqu'à terre et se mettent à genoux devant le portrait du guide. Est-ce là du communisme ?

Pablo NERUDA, *Pravda*, 17 avril 1964.

Les œuvres de Mao, éditées à plus de 380 millions d'exemplaires, sont présentées comme « le soleil qui éclaire la voie », comme « la sagesse suprême »... L'attitude de prière à l'égard de Mao apparaît en ceci, par exemple, qu'on le remercie pour la nourriture consommée, pour la santé des enfants... En certains endroits sont apparus des cultes de la personnalité transformant les fonctionnaires du Parti en bouddhas vivants... Le prétendu souci des dirigeants à l'égard des membres du parti est, en fait, un système légalisé de délation qui crée une atmosphère oppressante, engendre des carriéristes, des calomniateurs et la servilité.

Pravda, 22 avril 1964.

Hodja et Chehu (les chefs du P.C. albanais) savent qu'ils ne se maintiendraient pas au pouvoir s'ils relâchaient leur régime de répression et de sévices. Le peuple ne les tolérerait pas au pouvoir, car leurs mains sont couvertes du sang des meilleurs fils du parti communiste albanais.

N. KHROUCHTCHEV, Discours au Soviet suprême, 1962.

Restauration du capitalisme en U.R.S.S.

Dans la société soviétique actuelle, la couche privilégiée est constituée par les éléments dégénérés des cadres dirigeants des organismes du Parti et du gouvernement, des entreprises et des kolkhozes, et les intellectuels bourgeois. Cette couche est opposée aux ouvriers, aux paysans et à la grande masse des intellectuels et des cadres. (...) Lénine insista tout particulièrement sur la nécessité de maintenir le principe de la Commune de Paris en matière de politique des salaires. (...) Or il est indéniable qu'avant la mort de Staline, un certain nombre de gens bénéficiaient d'un régime de hauts salaires et les cadres avaient

dégénéré en éléments bourgeois. (...) Khrouchtchev, loin de réduire, a au contraire accentué l'écart existant entre les revenus d'une minorité et ceux des ouvriers, des paysans, des intellectuels en général. (...) Il a accéléré la polarisation des classes dans la société soviétique.
Le Pseudo-communisme de Khrouchtchev, Pékin, 14 juillet 1964.

Les revendications territoriales de la Chine

Le 10 juillet 1964, Mao Tsé-toung, recevant des journalistes japonais, dénonce les annexions russes :
Il y a trop de lieux occupés par l'U.R.S.S. Les Soviétiques se sont approprié une partie de la Roumanie. Ayant détaché une partie de l'Allemagne orientale, ils en ont expulsé les habitants dans la partie occidentale. Ayant détaché une partie de la Pologne, ils l'ont incorporée à la Russie et, en guise de compensation, ils ont donné une partie de l'Allemagne à la Pologne. De même en ce qui concerne la Finlande. Il y a environ cent ans, la région à l'est du Baïkal est devenue territoire russe. Depuis lors, Vladivostok, Khabarovsk, le Kamtchatcka et d'autres régions ont été des territoires soviétiques. Nous n'avons pas encore présenté notre addition pour cette série.
(Un ouvrage paru à Pékin en 1964, Courte histoire de la Chine moderne, *publie une carte des territoires chinois « accaparés par les impérialistes ». Elle y inclut les royaumes himalayens, la Birmanie, le Vietnam, le Siam, la Malaisie ainsi que la Corée « socialiste », la Mongolie extérieure également « socialiste », l'Extrême-Orient soviétique et une partie des Républiques de Kirghizie, du Tadjikistan, jusqu'au lac Balkash, enfin la Sakhaline.)*
Ce n'est un secret pour personne que toute la politique extérieure de la Chine tend à la création d'un fantastique empire maoïste, du Pacifique à la mer Noire. Mao se considère comme l'héritier de Gengis Khan, sinon comme celui de Mahomet. Il entend inclure dans son empire des régions soviétiques d'Asie, la Mongolie, la Corée, le Vietnam, le Cambodge, le Laos, la Birmanie, l'Indonésie et par la suite l'Inde, l'Orient arabe et d'autres territoires. Ces fantasmagories on ne peut les comparer qu'aux hallucinations racistes de Hitler.
Ernst GUENRI, *Literatournaya Gazeta*, Moscou, juillet 1969.

Trente millions de victimes...

Plus de vingt-cinq millions de personnes ont été tuées entre 1955 et 1965; rien qu'entre 1961 et 1965 treize millions de personnes ont péri par la faute des maoïstes... D'après des renseignements très incomplets, la répression au cours de la « révolution culturelle » (1967-69) a fait plus de cinq millions de victimes...
Literatournaya Gazeta, 28 août 1968 et 27 août 1969.

Nationalisme et racisme en Chine

Il ne fait pas de doute que le désir de détourner l'attention du peuple chinois des privations et des difficultés qu'il endure, des nombreuses erreurs et des échecs dans la politique intérieure et étrangère de la Chine, est l'une des causes immédiates de la politique et de la propagande antisoviétique de la direction chinoise actuelle.

Ce n'est pas un hasard s'ils ont tiré les premiers coups dans la guerre politique contre l'État soviétique et le parti soviétique peu après l'échec de la politique du « grand bond » et des « communes populaires » de triste mémoire. Plus on voyait se dessiner l'ampleur des échecs dans la politique intérieure et la faillite de la politique étrangère de la direction du parti chinois qui conduisait le pays vers l'isolement, plus la campagne antisoviétique devenait intense. Plus elle s'éloignait des principes du socialisme scientifique, plus la propagande de Pékin s'évertuait à faire croire que cet éloignement est le fait de l'Union soviétique, que notre pays trahit les intérêts de la révolution, s'emploie à restaurer le capitalisme. Peu après on apercevait déjà dans la propagande chinoise des éléments purement nationalistes, voire racistes.

Avançant des prétentions territoriales envers l'Union Soviétique, la direction du parti chinois s'est fixé pour but d'attiser encore plus l'état d'esprit chauvin dans le peuple chinois. La propagande calomniatrice a été complétée de toute sorte de menées et de provocations antisoviétiques. Faisant croire au peuple chinois qu'il est entouré d'ennemis de tous côtés, les leaders de Pékin font des efforts pour l'organiser sur une base nationaliste. Ils veulent détourner l'attention des travailleurs des problèmes réels qui se posent devant le pays et justifier la dictature militaire et bureaucratique de Mao Tsé-toung et de son entourage.

Pravda, 15 février 1967.

L'U.R.S.S. « fasciste »

L'U.R.S.S. est aujourd'hui une dictature de type fasciste... Après la mort de Staline, Khrouchtchev réussit, par toutes sortes de manœuvres à s'emparer du pouvoir au sein du parti et du gouvernement soviétiques. Ce fut un coup d'État contre-révolutionnaire qui transforma la dictature du prolétariat en dictature bourgeoise. Brejnev fut complice de Khrouchtchev. Son accession au pouvoir a été la continuation du coup d'État. La restauration du capitalisme en U.R.S.S. a eu pour conséquence le déclin de la production industrielle, la détérioration de l'agriculture et la diminution des stocks.

Depuis le coup d'État de Khrouchtchev-Brejnev, de nombreux révolutionnaires et d'innombrables innocents ont été jetés dans des camps de concentration ou enfermés dans des asiles psychiatriques. La clique des renégats soviétiques utilise des chars et des blindés pour réprimer brutalement la résistance populaire. La clique de Brejnev est formée des plus grands renégats de l'histoire du mouvement communiste mondial.

Le Quotidien du Peuple, Pékin, mai 1969.

Les « nouveaux tsars »

La couche privilégiée de la bourgeoisie soviétique a considérablement accru ses pouvoirs depuis que la clique des renégats révisionnistes a usurpé les commandes du Parti et de l'État. Elle domine le Parti, le gouvernement, l'Armée, l'économie, la culture. En son sein s'est formée une grande bourgeoisie d'un nouveau genre, une bourgeoisie monopoliste et bureaucratique, qui tient en main l'ensemble de la machine étatique et toutes les richesses de la société.

Au nom de l'État, elle pille le Trésor. Elle prive le peuple des fruits de son labeur, pour vivre dans le luxe et la débauche. Elle réprime les enfants héroïques de la Révolution d'Octobre. Elle opprime les populations soviétiques de toutes nationalités. Elle a suscité, autour d'elle, une véritable petite cour contre-révolutionnaire. Comme toute classe décadente, cette bourgeoisie recèle de multiples contradictions.

Complices pour s'accrocher au pouvoir, ses membres intriguent les uns contre les autres et tentent de s'évincer mutuellement. Plus leur situation interne devient pénible, et plus violentes se font les luttes, ouvertes et secrètes qui les opposent.

Cette oligarchie bureaucratique, indifférente au sort du peuple, le met en coupe réglée. Elle accélère la militarisation de l'économie pour accroître ses armements et préparer la guerre. « Pas de beurre, mais des canons. » C'était, déjà, la politique de Hitler.

Ses mesures rétrogrades en matière d'économie ont causé à la production un préjudice énorme : l'industrie décline, la production agricole baisse, le cheptel diminue. L'inflation sévit. Le ravitaillement manque. Le marché d'État souffre de pénuries graves. Les travailleurs s'appauvrissent.

Les renégats n'ont pas seulement dilapidé les richesses qu'avait accumulées le peuple soviétique en plusieurs dizaines d'années de dur labeur. Les voici qui s'avilissent jusqu'à quémander des crédits à l'Allemagne de l'Ouest et jusqu'à brader les ressources naturelles de l'U.R.S.S. en ouvrant la Sibérie au capital japonais. L'économie soviétique s'enlise dans des crises inextricables.

Mouchards et agents secrets font régner l'arbitraire. Les prisons s'emplissent d'innocents. Un grand nombre de révolutionnaires sont jetés dans des camps de concentration, ou dans des « asiles d'aliénés ».

La clique au pouvoir affirme pratiquer « l'internationalisme envers les pays frères ». En fait, elle utilise le Pacte de Varsovie, le Comecon et autres chaînes pour emprisonner certains pays de l'Est européen et la République populaire de Mongolie dans les barbelés de la prétendue « communauté socialiste ». Elle a carrément envoyé en Tchécoslovaquie des centaines de milliers de soldats pour l'écraser sous sa botte et y installer une autorité fantoche à la pointe des baïonnettes.

Tout comme les tsars que stigmatisait Lénine, ce ramassis de renégats ne fonde ses rapports de voisinage que sur « le principe féodal des privilèges ».

Depuis que Leonid Brejnev est au pouvoir, la clique des révisionnistes soviétiques va toujours plus loin dans la voie du militarisme. Le budget militaire s'alourdit. La mobilisation et les préparatifs agressifs s'intensifient. Son but, c'est de déclencher une guerre éclair.

La « souveraineté limitée » que prône Brejnev n'est qu'une version nouvelle des propos impérialistes les plus fous. C'est une doctrine d'hégémonie pure et simple, un néo-colonialisme qui s'étale dans toute sa nudité.

Plusieurs tsars, d'ailleurs, avaient caressé le rêve — comme l'a dit Friedrich Engels — d'instaurer un immense « empire slave » s'étendant de l'Elbe à la Chine, de la mer Adriatique à l'océan Arctique. Ils voulaient même pousser ses confins jusqu'à l'Inde et aux îles Hawaii. Ils s'étaient montrés, pour cela, « aussi doués que perfides ».

Tout comme la « supériorité aryenne » que vantait Hitler, le « panslavisme » des nouveaux tsars révisionnistes d'U.R.S.S. n'est qu'un racisme ultra-réactionnaire.

Leur visage se marque d'une empreinte profonde : celle de la dynastie des Romanov.

Le Quotidien du Peuple, Pékin, 22 avril 1970.

Les « nouveaux empereurs »

Le Parti communiste chinois est en pleine débâcle. Toutes les organisations du pouvoir populaire, syndicats, ligues de jeunesse, unions d'écrivains, ont été dissoutes. Le Parti communiste — qui n'a plus de parti que le nom — sert de couverture à l'instauration d'une dictature militaro-bureaucratique sur le pays.

Le pouvoir de fait s'est concentré entre les mains des militaires, créatures de Mao, qui sont à la tête des comités révolutionnaires. Les commandants des régions militaires sont les maîtres absolus des provinces.

Des unités de l'armée sont cantonnées dans les entreprises et dans les écoles. Le personnel des usines est organisé en compagnies et en sections. L'armée contrôle l'économie et la culture.

La Chine n'a produit aucune œuvre d'art, aucun film artistique depuis quatre ans. Bibliothèques et musées sont fermés. En revanche, les citations et les pensées de Mao sont tirées à 3 milliards d'exemplaires.

En quatre ans, le salaire des ouvriers a baissé d'au moins 10 à 15 %, alors que la journée de travail est plus longue. La République chinoise consacre aux dépenses militaires plus de 40 % de son budget. Seules, les quelques branches de l'économie chinoise liées à la production militaire ont été protégées de la Révolution culturelle.

La terreur règne dans le pays, malgré l'aggravation des contradictions internes qui déchirent la société chinoise.

Les procès monstres se multiplient dans les grandes villes. On châtie par groupes en place publique, sur les stades, devant des milliers de spectateurs.

De Pékin, de Chang-hai, partent chaque année des millions de Chinois qui vont peupler le Tibet, la Mongolie Intérieure, le Sin-kiang. Les minorités nationales, soit 45 millions de gens, sont condamnées à l'assimilation totale et à la disparition en tant qu'ethnies.

Enfin, depuis le IXe Congrès du Parti chinois, qui a « ratifié » la thèse de Mao présentant la guerre comme inévitable, et même souhaitable, tous les prétextes sont bons à justifier une politique d'hégémonie. On va même jusqu'à exhumer le vieux concept féodal parant la Chine d'un mandat du Ciel.

Les récents événements d'Indochine prouvent que les dirigeants de Pékin veulent profiter de la lutte héroïque des peuples pour réaliser leurs rêves : devenir les nouveaux empereurs d'une « Grande Chine » qui dominerait, sinon le monde, du moins une grande partie de l'Asie.

Pravda, 21 mai 1970.

Fin de la peur

Les grandes peurs s'estompent en Russie,
Comme des spectres des années passées.
Et seulement par-ci, par-là, telles de vieilles femmes,
Elles mendient encore du pain sur les parvis.
Je me les rappelle encore toutes puissantes
A la cour du mensonge triomphant.
Les peurs glissaient partout comme des ombres,
S'insinuant à tous les étages.
Elles apprivoisaient les gens tout doucement.
Elles apposaient leur cachet sur toutes choses.
Elles habituaient à crier lorsqu'il était préférable de se taire
Et à garder le silence lorsqu'il aurait mieux valu crier.
Cela paraît lointain aujourd'hui.
Il me semble même étrange de se rappeler
La peur secrète devant une dénonciation anonyme,
Ou lorsque des coups retentissaient à la porte.
Et la peur de parler avec un étranger?
Avec un étranger n'est encore rien. Mais avec sa propre femme?
Et la peur infinie de rester seul à seul avec le silence
Lorsque les marches se seront tues?...

> EVTOUTCHENKO, *Les peurs.*

... Aveugles, guides d'aveugles... Que feriez-vous sans ennemis?
Vous ne pourriez même pas vivre sans ennemis. La haine,
la haine qui ne le cède en rien à la haine raciale, est devenu
l'air que vous respirez et qui vous rend stériles... Il est temps
de se rappeler que nous appartenons d'abord à l'humanité,
que l'homme s'est distingué de l'animal par la pensée et le
langage. Et que les hommes, naturellement, doivent être libres.
Et que si on les enchaîne nous reviendrons au stade de l'animal..

> Alexandre SOLJENITSYNE, *Lettre ouverte à l'Union des Écrivains,* 15 novembre 1969.

La censure

Les étiquettes de la censure (« idéologiquement pernicieux », « erroné ») sont peu durables. Elles passent et changent sous nos yeux. Même Dostoïevski, fierté de la littérature mondiale, pendant un certain temps on ne pouvait l'imprimer chez nous (aujourd'hui encore on ne le publie pas intégralement). Il était exclu des programmes scolaires, on le rendit inaccessible au lecteur, on l'injuriait. Pendant combien d'années n'a-t-on pas considéré Essenine comme un « contre-révolutionnaire » (et n'était-on pas puni de prison pour posséder ses livres)? Maïakovski n'était-il pas un « anarchiste », un « houligan politique »? Pendant des décennies on a considéré comme « antisoviétiques » les poèmes impérissables d'Akhmatova. La première et modeste publication de l'éblouissante Tsvetaïeva il y a une dizaine d'années fut déclarée « erreur politique grossière ». Ce n'est qu'avec un retard de vingt ou trente ans qu'on nous a rendu Bounine, Boulgakov, Platonov, Mandelstamm, Volochine, Goumilev, Kliouev. On ne peut éviter de « reconnaître » Zamiatine et Remizov. Pendant longtemps on ne pouvait prononcer à haute voix le nom de Pasternak...

Alexandre SOLJENITSYNE, *Lettre aux écrivains soviétiques,*
mai 1967.

Le monopole idéologique

Une idéologie unique exclut et réprime toutes les autres. Le droit de réunion et de déclaration publique n'appartient qu'au parti, n'est régenté que par lui; toute liberté de parole est refusée. L'idéologie dominante ignore les principes de la recherche et de l'esprit critique. Il est interdit, sous peine de dures représailles, de critiquer le régime existant. Le temps des discussions publiques de 1920 paraît totalement fabuleux. Tout ceci transforme l'idéologie dominante en un dogme officiel infaillible. Cette idéologie dogmatisée est imposée aux masses et à la jeunesse. La propagande officielle provoque fatalement chez de nombreux citoyens l'indifférence, le scepticisme et parfois même le cynisme. Il y a longtemps que la « déidéologisation » affecte de plus en plus la société.

L'absence, dans la vie de notre société d'un esprit démocratique vivant, de la liberté d'opinion et de parole, le caractère officiel et dogmatique de l'idéologie, ont pour effet de désunir les membres de la société dans leur existence quotidienne, de les rendre indifférents et insensibles vis-à-vis du prochain. Il est certain qu'on trouve des familles ou des groupes professionnels bien unis, dont les membres se soutiennent moralement. Mais ce ne sont que des îlots perdus dans le désert général de l'indifférence et de la solitude morales.

Le pays est gouverné par un parti politique organisé bureaucratiquement. Cela a entraîné la dégénérescence totale de la forme du « pouvoir des Soviets ». Les élections des députés se transforment en une pure formalité, privée de tout contenu, en une parodie de la démocratie soviétique... Non seulement les citoyens « sans parti » mais aussi les membres de la base du parti sont privés pratiquement de tout droit politique... Depuis longtemps, le pays connaît la dictature d'un cercle étroit de hauts dirigeants du parti.

Eugène VARGA, *Testament*, Grasset, 1964.

La situation économique et sociale

... Il y a une très grande inégalité entre les villes et les campagnes, la situation est particulièrement mauvaise dans les régions qui n'ont pas accès au marché privé et qui ne produisent pas d'articles particulièrement rémunérateurs pour le commerce privé. La différence est très grande entre les villes qui ont une industrie développée des branches privilégiées et les villes anciennes qui « terminent leurs jours ». Il en résulte que près de 40 % de la population de notre pays se trouvent dans une situation économique très difficile. (Aux États-Unis, 25 % environ de la population sont au seuil de la pauvreté.)

D'autre part, les cinq pour cent de la population qui font partie des « autorités » en U.R.S.S. sont aussi privilégiés que le groupe correspondant aux États-Unis.

Le groupe des gestionnaires dans notre pays a une fonction cachée à laquelle correspondent des privilèges secrets dans le domaine de la consommation. Rares sont ceux qui connaissent le système d' « enveloppes » pratiqués du temps de Staline, le système sans cesse renaissant sous une forme ou sous une autre de répartition privilégiée de produits et articles rares ainsi que de services, de privilèges dans les villégiatures, etc.

Payer des salaires relativement élevés aux meilleurs administrateurs, aux ouvriers hautement qualifiés, aux pédagogues et aux médecins, aux travailleurs des professions dangereuses et novices, aux travailleurs de la science, de la culture et de l'art (ce qui représente un faible pourcentage de la masse salariale), sans que ces rémunérations s'accompagnent de privilèges dissimulés, ne menace pas la société, mais au contraire lui est utile si la rétribution correspond au mérite. En effet, chaque minute du temps d'un grand administrateur entraîne d'importantes pertes économiques, chaque minute perdue par un artiste est une perte pour la sensibilité, la richesse philosophique et artistique de la société. Mais quand quelque chose se fait en secret, le soupçon naît inévitablement que l'affaire n'est pas claire, qu'on achète des serviteurs fidèles du système existant. Je pense qu'une méthode raisonnable pour résoudre ce « délicat » problème serait non de fixer un plafond aux rémunérations du Parti ou une disposition de ce genre, mais d'interdire tous les privilèges et d'établir les normes de rémunération en fonction de la valeur sociale du travail et des principes économiques du marché.

André SAKHAROV, *op. cit.*

La nouvelle classe

L'aisance matérielle et les commodités de l'existence excessives dont jouit l'aristocratie bureaucratique du parti provoquent souvent chez les privilégiés de la *nomenclatura*, et surtout chez les membres de leurs familles, la suffisance et l'arrogance, et aussi souvent, la perversion. Elles les poussent à en vouloir toujours davantage, à brader et à s'approprier le matériel de l'État, à satisfaire leurs passions débridées qui les conduisent parfois au crime. La presse a parlé de « pourriture » à propos de ces jeunes pervertis par une richesse excessive. On parle d'eux de temps à autre, on les condamne, mais cela ne change rien à la situation.

A l'opposé, la situation matérielle précaire des travailleurs de la ville et de la campagne les incite souvent à améliorer par le vol leur niveau de vie trop bas et entraîne aussi leur déchéance morale, qui se traduit par toutes sortes de phénomènes réprouvables : ivrognerie, mauvais traitements infligés aux épouses et enfants, chamailleries domestiques, refus de travailler, délinquance et parfois crimes insensés...

Il pourrait sembler que la situation est moins grave pour les couches moyennes de la société soviétique, dont le train de vie est assez modeste et qui gagnent suffisamment pour assurer à leur famille une vie décente. Or c'est justement dans la conscience morale de cette catégorie que se manifeste de manière très frappante un autre trait négatif de la vie soviétique : l'absence d'esprit véritablement démocratique et de sens civique. Cela conduit ces gens à se retrancher dans l'univers des intérêts privés, familiaux, à aspirer à une existence de petits-bourgeois. Le citoyen soviétique ordinaire se préoccupe essentiellement, en dehors de son travail d'acheter le maximum de biens de consommation, d'avoir un bel appartement, un terrain pour sa *datcha*, un téléviseur, des vêtements, etc. Il met de l'argent de côté, s'en vante devant ses parents et voisins. Les individus ayant une telle mentalité représentent en fait la petite-bourgeoisie soviétique.

Eugène VARGA, *op. cit.*

La nouvelle aristocratie

Ni les syndicats ni les autres organisations, quelles qu'elles soient, ne prennent part à la gestion de la production. Le contraste entre l'aisance matérielle excessive de l'aristocratie dirigeante et le salaire extrêmement bas de la majorité des ouvriers, employés et kolkhoziens, subsiste toujours.

Les rapports économiques réels dans l'industrie et l'agriculture sont entrés en contradiction criante avec l'idéal du communisme et le programme du parti... Les privilégiés de la nomenclature et leurs familles disposent de moyens excessifs parce qu'ils s'approprient, en vertu d'un code juridique secret, une certaine partie de la plus-value...

Cependant le trait le plus dangereux dans l'activité de cette aristocratie n'est pas son penchant pour les abus personnels, mais son incapacité générale à gouverner véritablement le pays. En raison même de leur nature bureaucratique.

Les dirigeants du parti font preuve de plus en plus d'inertie et de conservatisme... Ils se plongent dans la paperasserie administrative, évitent toute initiative novatrice en matière d'organisation, enterrent les inventions techniques les plus précieuses...

L'aristocratie bureaucratique ne veut pour rien au monde renoncer à son pouvoir personnel illimité et incontrôlé ni au secret dont elle entoure ses décisions politiques et économiques. Ainsi, la tentative de Khrouchtchev de limiter, du moins partiellement, les prérogatives de l'autocratie du parti n'a abouti à aucun résultat positif. On ne lui a pas permis d'arriver à ses fins...

Il est impossible d'espérer une initiative de la base. En effet, les masses laborieuses sont à tel point habituées à l'obéissance qu'elles sont incapables de contraindre les milieux dirigeants à réaliser les tâches que Lénine, à la fin de sa vie, avait fixées à la société soviétique.

Réaliser le communisme, ce n'est pas seulement accroître les forces productrices. Le communisme c'est avant tout le triomphe total de l'esprit démocratique socialiste et de l'initiative civique libre des masses, fondée sur l'autogestion des travailleurs dans tous les domaines de la vie. Tant qu'on ne commencera pas à combattre progressivement et consciemment les terribles perversions de la démocratie soviétique qui sont la particularité essentielle du régime actuel, le communisme sera impossible en Union Soviétique, dans vingt ans comme dans cent ans. Dans ces conditions, le régime seul possible sera une parodie du communisme.

Eugène VARGA, *op. cit.*

Le néostalinisme

N'est-ce pas une honte, le retour à l'antisémitisme dans la politique des cadres (dans la haute élite bureaucratique de notre État, l'esprit d'antisémitisme borné ne s'est d'ailleurs jamais dissipé depuis les années 30)? N'est-ce pas une honte, la restriction persistante des droits nationaux des Tatares de Crimée à qui les répressions staliniennes ont fait perdre 46 pour cent de la population (enfants et vieillards surtout) (1). N'est-ce pas la plus grande honte et le plus grand danger, les tentatives qui se multiplient de réhabilitation publique, directe ou indirecte (par le silence), de Staline, de ses compagnons et de sa politique, de son pseudo-socialisme de bureaucratie terroriste, d'hypocrisie et de croissance de façade?

André SAKHAROV, *op. cit.*

Responsabilité du peuple

...On nous pose souvent la question : pourquoi en U.R.S.S. le peuple ne remplacerait-il point son gouvernement, si celui-ci est aussi mauvais qu'on le prétend... En ce qui me concerne, je répondrais à cette question de la manière suivante : le peuple ne remplace point le gouvernement non pas parce que ce gouvernement est bon, mais parce que c'est nous qui sommes mauvais. Nous sommes passifs, illettrés, peureux, nous nous laissons tromper par des mythes primitifs, nous nous laissons entraver par les liens bureaucratiques, nous tolérons que les plus actifs parmi nous soient liquidés, nous sommes incapables, en général, de comprendre notre propre situation, notre « intelligentsia » est vénale, terrorisée et manque de critères moraux.

André AMALRIK, *Lettre à Anatole Kouznetsov.*

Un programme de démocratisation

Nous proposons un programme approximatif comportant les mesures suivantes, qu'il serait possible de mettre en œuvre dans les quatre ou cinq prochaines années :

1. — Déclaration des organes supérieurs du parti et du gouvernement proclamant la nécessité d'une démocratisation ultérieure et annonçant les rythmes et les méthodes de sa mise en œuvre. Publication dans la presse d'une série d'articles discutant les problèmes de la démocratisation.

2. — Diffusion restreinte (par le canal des organes du parti, des entreprises et administrations) d'informations sur la situation du pays et de travaux théoriques sur les problèmes sociaux qu'il n'est pas souhaitable, pour le moment, de soumettre à une large discussion. Élargissement progressif de l'accès à ces matériaux jusqu'à la suppression complète des limitations.

3. — Organisation sur une large échelle d'unités complexes de production (firmes) jouissant d'un haut degré d'autonomie pour les questions de planification de la production, de processus

(1) Les problèmes nationaux seront longtemps une cause de troubles et de mécontentement si toutes les déviations commises par rapport aux principes léninistes ne sont pas reconnues et analysées, et si l'on ne s'oriente pas fermement vers la rectification de toutes les erreurs.

technologique, d'écoulement et d'approvisionnement, pour les problèmes touchant aux finances et au personnel. Élargissement des mêmes droits des unités de production moins importantes. Définition scientifique, après enquête sérieuse, des formes et du volume de l'intervention de l'État.

4. — Suppression du brouillage des émissions des radios étrangères. Mise en vente libre des livres et périodiques étrangers. Adhésion de notre pays au système international de protection des droits des auteurs et éditeurs. Élargissement progressif — sur une période de trois à quatre ans — du tourisme international dans les deux sens, allégement des règles régissant la correspondance internationale et autres mesures permettant l'élargissement des contacts internationaux, en favorisant un développement prioritaire de ces contacts avec les pays du conseil d'assistance économique mutuelle.

5. — Création d'un institut d'étude de l'opinion publique. Publication d'abord limitée, puis complète, de renseignements sur l'attitude de la population au sujet des principaux problèmes de politique intérieure et étrangère et d'autres matériaux sociologiques.

6. — Amnistie des condamnés politiques. Décret prévoyant la publication obligatoire des comptes rendus sténographiques des procès à caractère politique. Contrôle par l'opinion publique des lieux de détention et institutions psychiatriques.

7. — Réalisation d'une série de mesures visant à améliorer le fonctionnement des tribunaux et de la procurature à établir leur indépendance à l'égard du pouvoir exécutif, des influences locales, des préjugés et des relations personnelles.

8. — Suppression de la mention de la nationalité dans les passeports et les formulaires administratifs. Système de passeport unique pour les habitants de la ville et de la campagne. Renonciation progressive au système de l'inscription des passeports, (1) cette mesure étant mise en œuvre parallèlement avec la suppression des inégalités de développement économique et culturel entre les régions.

9. — Réforme dans le domaine de l'éducation. Augmentation des crédits aux écoles primaires et moyennes, amélioration de la situation matérielle des enseignants, de leur indépendance et de leur droit à l'expérimentation.

10. – Adoption d'une loi sur la presse et l'information. Octroi aux organisations sociales et aux groupes de citoyens de la possibilité de créer de nouveaux organes de presse. Suppression complète de la censure préalable sous toutes ses formes.

11. — Amélioration de la formation des cadres dirigeants,

---

(1) Système obligeant tout citoyen soviétique à déclarer son lieu de résidence à la milice, laquelle peut refuser d'inscrire la mention correspondante sur le passeport de l'intéressé. C'est ainsi que l'inscription de nouveaux résidents dans les grandes villes, à Moscou notamment, a été rendue très difficile ces dernières années (K.P.).

qui devront posséder l'art de la gestion. Introduction de la pratique des stages. Élargissement de l'information des cadres dirigeants de tous niveaux, de leur droit à l'autonomie, à l'expérimentation, à défendre leurs opinions et à les vérifier dans la pratique.

12. — Introduction progressive de la pratique consistant à présenter plusieurs candidats pour un seul siège lors des élections aux organes du parti et des Soviets de tous niveaux, entre autres pour les élections indirectes.

13. — Extension des droits des organismes relevant des Soviets. Élargissement des droits et de la responsabilité du Soviet suprême de l'U.R.S.S.

14. — Restauration dans tous leurs droits des nations déportées de force sous Staline. Rétablissement de l'autonomie nationale des peuples déplacés qui devront se voir donner la possibilité de revenir à leur lieu de peuplement là où cela n'a pas été fait jusqu'à présent.

15. — Mesures tendant à augmenter, dans les limites compatibles avec les intérêts d'État, le degré de publicité dans le travail des organes dirigeants. Création auprès des organismes dirigeants de tous niveaux de comités scientifiques consultatifs, composés de spécialistes hautement qualifiés dans divers secteurs.

Qu'attend notre pays si la voie de la démocratisation n'est pas prise? Retard par rapport aux pays capitalistes dans la deuxième révolution industrielle et transformation progressive de notre pays en puissance provinciale de deuxième ordre (l'histoire connaît de tels exemples); accroissement des difficultés économiques; aggravation des rapports entre l'appareil de parti, de gouvernement et l'intelligentsia; danger de glissade à droite et à gauche; aggravation des problèmes nationaux, car, dans les républiques nationales, l'aspiration de la base à la démocratisation a inévitablement un caractère nationaliste.

Cette perspective devient particulièrement menaçante si l'on considère le danger du nationalisme totalitaire chinois, danger que nous considérons sur un plan historique comme provisoire, mais très sérieux dans les prochaines années. Le seul moyen pour nous de lui faire pièce est d'augmenter, ou à tout le moins de maintenir l'important décalage technique et économique qui sépare notre pays de la Chine, d'augmenter les rangs de nos amis dans le monde entier, et d'offrir au peuple chinois une alternative d'aide et de coopération. Cela devient évident si l'on tient compte du grand avantage numérique de l'adversaire potentiel, de son nationalisme militant, et aussi de la grande étendue de nos frontières orientales et du faible peuplement des régions de l'Est. C'est pourquoi la stagnation de l'économie, le ralentissement des rythmes de croissance conjugués avec une politique étrangère insuffisamment réaliste — et souvent trop ambitieuse

— sur tous les continents peuvent conduire notre pays à des conséquences catastrophiques.

Le devoir de quiconque voit la source des difficultés et la voie qui permettra de les surmonter est d'indiquer cette voie à ses concitoyens. Comprendre la nécessité et la possibilité d'une démocratisation progressive est le premier pas qui mène à sa mise en œuvre.

Le 19 mars 1970.

A.D. SAKHAROV, V.F. TOURTCHINE, R.A. MEDVEDEV,
Le Monde, 11 avril 1970.

EN GUISE DE CONCLUSION

QU'EST-CE QUE LE SOCIALISME?
par Leszek Kolakowski

Nous vous dirons ce qu'est le socialisme. Mais d'abord nous devons vous dire ce que *n'est pas* le socialisme. C'est une question sur laquelle, autrefois, nous avions une idée bien différente de celle que nous avons aujourd'hui.

Bien, donc le socialisme n'est pas :

Un État dont les soldats pénètrent les premiers sur le territoire d'un autre pays.

Un État qui possède des colonies.

Un État dont les voisins maudissent la géographie.

Une nation qui opprime d'autres nations.

Une nation qui est opprimée par une autre nation.

Un État qui aimerait voir son Ministère des Affaires étrangères déterminer l'opinion politique de toute l'humanité.

Un État où un peuple entier, contre sa volonté, peut être transplanté ailleurs.

Un État qui distingue difficilement une révolution sociale d'une agression armée...

[*Après avoir ainsi défini l'impérialisme soviétique et ses satellites, Kolakowski s'est attaqué à la « superstructure » politique et culturelle du totalitarisme.* N'est pas *socialiste, dit-il :*]

...Une société dont les dirigeants se nomment eux-mêmes à leurs postes.

Un État qui veut que tous ses citoyens aient la même opinion en philosophie, politique étrangère, économie, littérature et morale.

Un État dont les citoyens ne peuvent pas lire les plus grandes œuvres de la littérature contemporaine, ni voir les grandes œuvres de la peinture contemporaine, ni entendre les grandes œuvres de la musique contemporaine.

Un État dont le gouvernement définit les droits de ses citoyens,

mais dont les citoyens ne définissent pas les droits du gouvernement.

Un État dans lequel les résultats des élections peuvent toujours être prédits.

Un État qui est toujours content de lui.

[*Bref, la meilleure manière de définir le socialisme c'est de dire
qu'il est exactement le contraire de la nouvelle « vallée des larmes »
à laquelle le « marxisme orthodoxe » sert de « compendium
encyclopédique » et de « raison générale de consolation et de
justification ». Et il en va de même pour son « infrastructure économique ».* N'est pas socialiste, *ajoute Kolakowski :*]

...Un État dans lequel les travailleurs n'ont pas d'influence
sur le gouvernement.

Un État dans lequel le nombre des fonctionnaires augmente
plus vite que celui des travailleurs.

Un État où une partie de la population reçoit des salaires
quarante fois plus élevés que ceux des autres.

Un État qui produit d'excellents avions à réaction et de mauvaises chaussures.

Un État où dix personnes vivent dans une seule pièce.

Un État où l'on est forcé de recourir aux mensonges.

Un État où l'on est contraint d'être un voleur.

Un État dans lequel les poltrons vivent mieux que les braves.

Une société dans laquelle quelqu'un est malheureux parce
qu'il est Juif, et où un autre est mieux parce qu'il n'est pas
Juif.

Un État où les agitateurs racistes jouissent d'une totale
liberté.

Une société qui est la tristesse même.

Une société de caste.

Un État où existe le travail forcé.

Un État où existent des liens féodaux.

Un État qui trouve difficile d'établir la distinction entre
réduire en esclavage et libérer...

...Voilà la première partie. Mais, maintenant, attention, nous
allons vous dire ce qu'est le socialisme. Bien : le socialisme est
une bonne chose.

(*Cet article était destiné à* Po Prostu; *interdit par la censure
après une intervention personnelle de Gomulka, il fut publié en
français par l'hebdomadaire trotskiste « La Vérité » dans un numéro
du 15 mars 1957.*)

TABLE DES MATIÈRES

PREMIÈRE PARTIE : MARX ET ENGELS

I. — PHILOSOPHIE

A. — LES ÉCRITS DE JEUNESSE

1. *Critique de la religion* (30).

2. *Critique de la politique :*

   Le despotisme (31). La censure (32). La démocratie (32).
   Le dualisme politique (33). Essence religieuse de la
   politique (33). Conclusion de la critique de la politique
   (34). Marx découvre le prolétariat (34).

3. *Critique de l'économie :*

   Engels, premier critique de l'économie politique : la
   concurrence et le communisme (35). Les crises et le
   communisme (36).
   Marx : les lois du capitalisme (36). Le travail, essence
   de l'homme (37). L'industrie (38). L'aliénation (39).
   L'aliénation à l'intérieur de la production (40). La
   propriété privée (40). Ouvriers et capitalistes (41). Le
   communisme : solution de l'énigme de l'histoire (42).
   Fin de l'aliénation (43). Solution des énigmes philosophiques (44).

1. *Le « nouveau matérialisme » :*

Le matérialisme (50). Réfutation du matérialisme
sensualiste (51). Praxis et vérité (52). Note sur Hegel
(53). La dialectique (54).

2. *Philosophie de l'histoire :*

Le point de départ : l'individu (55). Trois types
d'individus, trois formes de société, trois époques (55).
Les sociétés archaïques (56). La société aliénée (56).
L'aliénation et la division du travail (57). Nécessité de
l'aliénation (58). La civilisation du capital (59). La
modernité et le passé (59). Nécessité de la révolution
(60). L'individu dans la société communiste (61). Le
règne de la liberté (62). La vraie richesse (63). Disparition de la religion (63).

II. — LA CONCEPTION MATÉRIALISTE DE L'HISTOIRE

Le distinguo de Marx (64). Typologie des modes
de production (66). Forces productives et régimes
sociaux (66). Mode de coopération et mode de régulation (67). Le premier stade : régulation autoritaire
et planifiée (68). Le surproduit et le surtravail (69).
Limites de la violence (70). La société et l'État (71). Le
« mode asiatique de production » (73). Villes et campagnes (74). Les classes (75). Bipolarité (77). Le « mode de
production antique » (78). Le « mode de production
féodal » (79). Rang et place de l'économie dans les
sociétés précapitalistes (79). Développement économique et révolution sociale (80). La lutte des classes
(81).

1. *Les concepts fondamentaux :*

Introduction générale (82). La société civile de l'État
(83). Le point de départ : les conditions naturelles
(84). Forces productives et rapports de production (85).
Les moyens de production (87). La division du travail (87). Le surtravail (88). La loi régulatrice et ses
formes historiques (90). Les travailleurs et les moyens
de production (90). Le mode d'extorsion du surtravail (91). L'exploitation : esclavage, servage, salariat (91). Sous-développement, division du travail et
exploitation de classe (92). La classe des commerçants
(93). La domination idéologique (93). L'État et la

IV. — LA SOCIÉTÉ BOURGEOISE ET L'ÉTAT

V. — LE MOUVEMENT OUVRIER

1. *Situation de la classe ouvrière :*

nomie du marché et de la valeur d'échange (217). Régulation de la production par les consommateurs (218). Pas de surproduction (218). Plutôt une certaine surproduction (219). Les rapports de répartition (219). L'égalité (221). Fin de la division du travail, naissance de l'homme total (221). Fin de l'opposition entre la ville et la campagne (222).

3. *La forme politique de l'émancipation du travail* :

La Commune de Paris (223). Deux moyens infaillibles pour garder le pouvoir (224). Début du dépérissement de l'État (225). Disparition des frontières, fin des antagonismes nationaux (225). Le dépérissement de l'État (226). Le saut dans le règne de la liberté (227).

DEUXIÈME PARTIE : LES MARXISTES

I. — LA SOCIAL-DÉMOCRATIE

A. — LA SOCIAL-DÉMOCRATIE OCCIDENTALE

1. *Marx et Engels, pédagogues de la social-démocratie* :

L'Angleterre (237). Absence d'internationalisme prolétarien (237). Pourquoi il n'y a pas de socialisme en Angleterre (238). Monopole industriel et embourgeoisement ouvrier (238). Pourquoi il n'y a pas de socialisme en Amérique (239). Contre les « marxistes » (240). Le prolétariat allemand (241). Critique de la social-démocratie allemande (242). Contre l'obéissance passive (242). Pour la liberté de la critique (242). Évolution pacifique et révolution violente (243). Le « testament » d'Engels (243).

2. *Le révisionnisme réformiste et l'orthodoxie* :

Bernstein : lettre au Congrès de Stuttgart, 1898 (244). Peter von Struvé : réformisme et utopie (245). Le « libéralisme organisateur » de Bernstein (246). Le réformisme (248). Intérêt collectif et intérêt de classe (248). Socialisation progressive de la société capitaliste (249). Réponse de l'orthodoxie : déclin du parlementarisme, limites de la démocratie (250). Réformisme et opportunisme (251). Le débat sur la « nécessité objective » du socialisme. Bernstein et la « paupérisation absolue » (251). Rosa Luxemburg : marxisme orthodoxe (252). Réponse de Bernstein (253). Nécessité d'une révision du marxisme (254). Étatisme et socialisme : l'État-patron (254). Les révisionnistes et le socialisme (255). La gestion ouvrière (255). Réponse de l'orthodoxie : bureaucratie et autogestion (256). L'homme socialiste (256).

B. — LA SOCIAL-DÉMOCRATIE RUSSE

1. *Marxisme et populisme* (263) :

Pierre Tkatchov : lettre à Engels, 1874 (264). Réponse d'Engels (265). Plékhanov : dégénérescence de toute révolution prématurée (265).

2. *La fondation du Bolchevisme* :

Prolétariat et parti (266). Les révolutionnaires professionnels (267). Monolithisme (268). La « discipline prolétarienne » (268). Rosa Luxemburg contre Lénine (269).

3. *La révolution de 1905* :

Lénine : caractère bourgeois-démocratique de la révolution (271). Faiblesse de la bourgeoisie libérale (272). Parvus : immaturité de la bourgeoisie russe (272). Trotski : révolution permanente (273). Rapport de Karl Liebknecht sur les horreurs des prisons russes (275).

C. — L'IMPÉRIALISME, LA GUERRE ET LA FIN DE LA SOCIAL-DÉMOCRATIE RÉVOLUTIONNAIRE

1. *L'impérialisme* :

Hilferding : le capital financier (279). Lénine : le capital financier et les monopoles (279). Kautsky : l'impérialisme et les pays agraires (280). Réponse de Lénine (280). Malthusianisme des monopoles (280). Putréfaction du capitalisme (281). Hilferding : l'exportation des capitaux (281). Hobson et Lénine : le parasitisme occidental (282). Commentaire de Lénine (282).

2. *La faillite de la social-démocratie* (282) :

Lénine : l'impérialisme et l'aristocratie ouvrière (283). Trotski : la guerre éducatrice (284). Dégénérescence et trahison (285). Trahison des chefs ou patriotisme populaire (286).

II. — LA RÉVOLUTION RUSSE

III. — SOCIALISME ET COMMUNISME PENDANT LES ANNÉES 20

A. — LES MARXISTES EUROPÉENS

EN GUISE DE CONCLUSION

tel

Volumes parus

*Composé et achevé d'imprimer
par la Société Nouvelle Firmin-Didot
à Mesnil-sur-l'Estrée, le 5 février 2001.
Dépôt légal : février 2001.
Numéro d'imprimeur : 53754.*
ISBN 2-07-075808-7/Imprimé en France.